NOUVELLE ÉDITION

GÉOGRAPHIE PHYSIQUE

Quentin H. Stanford

LIDEC

GÉOGRAPHIE PHYSIQUE

Quentin H. Stanford

Traduction: Louise Lanahan - Tremblay

Révision scientifique et linguistique: Richard Gallant

Consultation: Pierre-Yves Beliveau

Photographie de la couverture: Masterfile / Sherman Hines, Pangnirtung
(Territoires du Nord-Ouest)

L'édition originale, *Geography — A Study of Its Physical Elements*, a été
publiée par Oxford University Press. © copyright Oxford University Press (Canada) 1988.

© LIDEC inc. 1993

Dépôt légal — 1er trimestre 1993
Bibliothèque nationale du Québec
Bibliothèque nationale du Canada

ISBN 2-7608-4577-X

Imprimé au Canada

LIDEC inc.
4350, avenue de l'Hôtel-de-Ville
Montréal (Québec) H2W 2H5
Téléphone: (514) 843-5991

TABLE DES MATIÈRES

LA TERRE, VAISSEAU SPATIAL
1/ La biosphère   1
2/ Une planète nommée Terre   4

L'HYDROSPHÈRE La planète-océan
3/ L'eau: ressource indispensable   15
4/ Les océans   23

L'ATMOSPHÈRE
5/ La composition de l'atmosphère   37
6/ L'énergie solaire   42
7/ La pression atmosphérique et les vents   50
8/ L'humidité atmosphérique   59
9/ Masses d'air, fronts et tempêtes   72
10/ Classification des climats   86
11/ Changements climatiques   104
12/ Le dioxyde de carbone et le climat mondial   109
13/ La pollution atmosphérique   113

LES ÉCOSYSTÈMES
14/ Circulation d'énergie et cycles d'éléments nutritifs   123
15/ L'être humain et les écosystèmes   135
16/ Végétation naturelle   147
17/ Le système des sols   163
18/ Disparition de la forêt tropicale   181
19/ La désertification   191

LA LITHOSPHÈRE
20/ Composition de la croûte terrestre   201
21/ Dérive des continents   217
22/ Plissement, failles et volcanisme   225
23/ Séismes et recherches sur les risques naturels   241
24/ Façonnement du paysage par météorisation   251
25/ Façonnement du paysage par les eaux de ruissellement   260
26/ Façonnement du paysage par les glaciers   284
27/ Façonnement du paysage par l'érosion littorale et éolienne   305
28/ Types de reliefs   313

ANNEXE   323

La Terre, vaisseau spatial

1 / La biosphère

Le principal objectif d'un cours en géographie physique est d'examiner les éléments qui composent l'enveloppe fragile mais essentielle entourant la planète. Désignée *biosphère*, ou parfois *écosphère*, cette zone superficielle comprend l'enveloppe externe et rigide de la terre (*lithosphère*), l'élément liquide (*hydrosphère*) et l'élément gazeux (*atmosphère*). La biosphère est unique dans notre système solaire. En effet, ce n'est que dans cette zone que sont rassemblées les conditions qui rendent la vie possible.

Notre tâche consiste à essayer de comprendre les facteurs complexes qui font de la Terre une planète habitable.

Chacune des trois zones de la biosphère fournit des éléments essentiels à la vie. L'atmosphère est la source de toutes les eaux douces terrestres. Elle contrôle ou adoucit les températures terrestres et fournit divers gaz, comme l'oxygène, le gaz carbonique, le dioxyde de carbone, l'hydrogène et l'azote, qui rendent la vie effective.

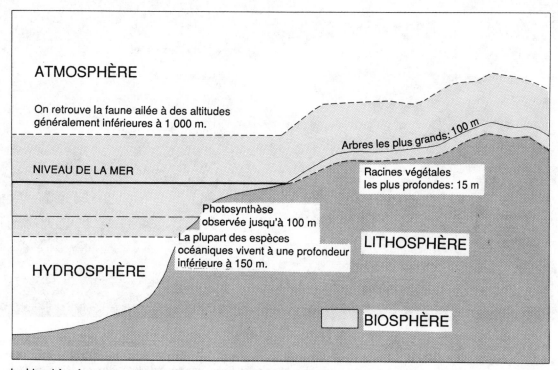

Fig. 1.1   La biosphère forme une mince enveloppe entourant la Terre. Elle supporte des millions d'espèces animales et végétales hiérarchisées, toutes liées et interdépendantes pour le maintien de leur existence.

Fig. 1.2 Photographie de la Terre prise à bord de l'engin spatial *Apollo*, montrant le contour du continent africain (la mer Rouge et la péninsule arabique se trouvent près du sommet du globe) et de l'Antarctique. Les nuages et les précipitations sont associés aux dépressions équatoriales, et des cieux clairs, aux anticyclones subtropicaux. Enfin, une série de tempêtes aux latitudes moyennes au-dessus de l'Atlantique Sud et de l'océan Indien sont clairement visibles.

L'ensemble des eaux, libres ou captives, quelle qu'en soit la localisation, constitue l'hydrosphère. Elle comprend les océans, la vapeur d'eau dans l'atmosphère, les glaciers, les lacs et les rivières, ainsi que les eaux souterraines (les eaux qui se trouvent sous la surface de la Terre).

Le troisième composant, c'est-à-dire la lithosphère, représente les masses terrestres. Elle inclut les traits particuliers du paysage comme les montagnes, les collines, les plaines, à l'origine d'un ensemble d'habitats extrêmement variés. Ces habitats constituent les foyers non seulement de la vie humaine mais aussi ceux de toute la vie animale et végétale terrestre avec laquelle nous partageons cette planète. Les couches de niveau supérieur de la majeure partie des continents supportent une mince strate de sol qui est cependant d'une extrême importance. On y trouve beaucoup d'éléments nutritifs nécessaires aux différentes formes de vie. Ces éléments, assimilés par les plantes, sont transformés en substances végétales avec l'aide de l'énergie solaire. Presque tous les éléments nutritifs nécessaires à la vie des diverses espèces animales proviennent directement ou indirectement de cette source.

On constate donc que les sujets abordés par la géographie physique s'étendent à un grand nombre de disciplines très diversifiées:
a) l'air ou l'atmosphère — météorologie et climatologie;
b) les océans — océanographie;
c) les terres — géologie, géomorphologie et pédologie;
d) interactions entre la vie et l'environnement physique — écologie.

La géographie physique est cependant plus qu'une collection de matériaux empruntés à d'autres sciences. Ces matériaux sont sélectionnés et organisés de façon à expliquer les interactions entre les phénomènes à l'intérieur de la biosphère. Ces connaissances sont nécessaires pour résoudre certains des graves problèmes environnementaux auxquels l'être humain est confronté à l'heure actuelle. Ces problèmes doivent être examinés et résolus sans délai pour maintenir l'habitabilité de la terre.

Selon les estimations actuelles des Nations Unies, la population humaine de la planète plafonnera vers la fin du 21e siècle à environ 10 milliards d'habitants. Comme il s'agit du double de la population mondiale actuelle, la situation soulève bon nombre de questions importantes.

Par exemple, quelle pression cette population exercera-t-elle sur l'environnement? Les écosystèmes qui rendent la vie possible aujourd'hui pourront-ils supporter le double de la population actuelle?

On peut mieux examiner ces questions et le rôle de la géographie physique en comparant la Terre à un vaisseau spatial. Les engins spatiaux doivent fonctionner dans un environnement hostile; aussi, il est absolument essentiel qu'ils transportent à leur bord tout ce qui est nécessaire au maintien de la vie. Dans la conception d'un vaisseau spatial, il faut prévoir très rigoureusement des réserves suffisantes d'air, d'eau, d'aliments et de chaleur, ainsi qu'un système efficace d'élimination des déchets. Chacun de ces composants est crucial au maintien de l'habitabilité du vaisseau spatial. Il n'y a aucune marge d'erreur dans la conception et l'entretien de ces systèmes, car toute défaillance signifie la mort des occupants.

La Terre n'est-elle pas, à grande échelle, un immense vaisseau spatial? Dans sa course à travers l'espace elle rencontre des milieux hostiles; aussi transporte-t-elle à son bord toute une infrastructure vitale. Cependant, son équipage semble plutôt indifférent à la qualité des conditions de vie en les tenant pour acquises. Ce n'est pas très surprenant car, jusqu'à récemment, il n'y avait guère de raisons de s'inquiéter. La population que la Terre entretenait était relativement faible, et parce que notre technologie était peu développée, nous constituions une menace limitée pour l'environnement. À l'heure actuelle cependant, nous ne pouvons plus négliger les forces qui rendent la vie possible sur la Terre. La situation est très différente de celle qui prévalait il y a seulement quelques décennies. Les populations continuent de croître et la capacité de destruction que nous offre la technologie laisse constamment planer de nouvelles menaces sur l'environnement.

L'homme doit approfondir le plus possible ses connaissances sur les facteurs qui assurent le maintien de la vie sur la Terre. Il faut convaincre les gouvernants des nations de la planète du bien-fondé de mesures radicales pour prévenir la destruction des écosystèmes. Sans cette action concertée, les chances de maintenir l'habitabilité de la Terre ne sont pas très encourageantes à long terme. L'enjeu est très sérieux, car c'est la lutte pour une vie future sur Terre qui s'engage.

2 / Une planète nommée Terre

Étant donné que l'on a comparé la Terre à un vaisseau spatial, il semble à propos d'aborder l'étude de la planète en la considérant comme un corps céleste en mouvement dans l'espace. En effet, la vie sur la Terre est grandement soumise à des forces qui se situent au-delà de la biosphère. Le soleil fournit l'énergie calorifique et déclenche la production de substances nutritives (photosynthèse) qui rend la vie possible sur la planète. Les saisons, le jour et la nuit sont engendrés par la rotation de la Terre et par sa trajectoire autour du soleil. Enfin, les vents sont un produit de l'énergie solaire et les marées résultent de la force gravitationnelle exercée par le soleil et la lune. On voit donc pourquoi il est nécessaire de considérer la Terre comme une composante d'un ensemble plus vaste avant de poursuivre l'étude des facteurs qui rendent la vie possible sur cette planète.

La Terre, le système solaire, et même notre galaxie, la Voie lactée, sont d'infimes composants de l'univers. Grâce aux télescopes les plus puissants, il a été possible de détecter, selon les estimations, 10 milliards de galaxies qui sont d'ailleurs très distantes les unes des autres. (On définit une galaxie comme une agrégation d'étoiles et de nuages interstellaires de gaz et de poussière tournant autour d'un centre de gravité.) Aucune limite extérieure de l'univers n'a encore été déterminée, et les scientifiques estiment que l'univers pourrait contenir jusqu'à 100 milliards de galaxies.

L'unité généralement utilisée pour mesurer les immenses distances observées dans l'univers est l'année-lumière que l'on définit comme le chemin parcouru par la lumière en un an. (La vitesse de la lumière est d'environ 299 460 km/s.) Les galaxies les plus éloignées sont situées à des distances variant entre 10 et 15 milliards d'années-lumière. Comme la Terre est âgée de moins de 5 milliards d'années, la lumière émise par ces étoiles, qui n'est captée que par les plus puissants télescopes, a commencé son périple des milliards d'années avant la naissance de notre planète.

Notre Voie lactée

Notre galaxie, qui compte environ un milliard d'étoiles, est une représentante galactique assez typique. Elle présente un diamètre de 100 000 années-lumière, et son épaisseur varie entre 5 000 et 15 000 années-lumière. Les figures 2.1 et 2.2 illustrent notre galaxie spirale.

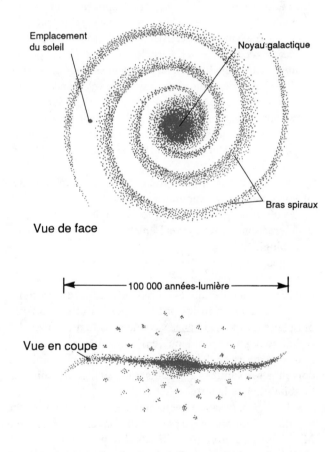

Emplacement du soleil

Noyau galactique

Bras spiraux

Vue de face

100 000 années-lumière

Vue en coupe

Fig. 2.1 La Voie lactée. Le soleil est situé entre deux bras spiraux, comme on peut le constater dans la vue de face. La vue en coupe montre notre halo galactique.

Fig. 2.2   Observation de la galaxie spirale dans la constellation de la Grande Ourse, avec le télescope de 500 cm au Mont Palomar.

Le soleil

Le soleil est une étoile de taille moyenne située à mi-chemin environ entre le rebord et le centre de la galaxie (fig. 2.1). Comme toutes les étoiles, le soleil tourne autour du noyau galactique. Voyageant à la vitesse de 800 000 km/h, il met 250 millions d'années à boucler son orbite.

La circonférence du soleil équivaut à 100 fois celle de la Terre, et sa masse, à 3 000 000 de fois la masse terrestre. Par sa force gravitationnelle, le soleil exerce une influence déterminante sur les neuf planètes du système solaire, leurs satellites et d'autres objets célestes considérés comme les

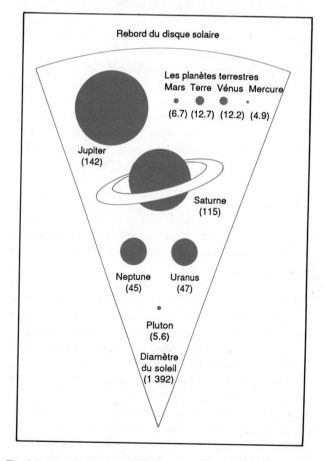

Fig. 2.3   Le diamètre relatif du soleil et des planètes. La figure présente les diamètres en milliers de kilomètres.

Une distance de 4,3 années-lumière sépare le soleil de l'étoile la plus proche (Alpha du Centaure), et la galaxie la plus rapprochée, comparable à la Voie lactée, se trouve à 2 millions d'années-lumière.

Notre galaxie fonce dans l'espace à la vitesse de 600 km/s (ou 2 160 000 km/h). Où allons-nous à cette vitesse folle? Çà, c'est une autre question. Selon une théorie, notre galaxie suit une ligne droite dans l'espace. Si c'est réellement le cas, nous avons parcouru une énorme distance depuis le début de la formation de la galaxie, il y a environ 20 milliards d'années! Selon une autre théorie, notre galaxie et d'autres décrivent d'immenses orbites autour de centres communs dans l'univers.

«débris» du système tels les comètes, les météores et les astéroïdes.

Comme toutes les autres étoiles, le soleil émet de l'énergie que nous captons sur la Terre sous forme de lumière et de chaleur. L'énergie est produite par synthèse nucléaire à l'intérieur du soleil. Au cour de ce processus, de l'hydrogène est converti en hélium à des pressions et à des températures extrêmement élevées (la température au centre du soleil dépasse 14 000 000 °C). La masse du soleil est telle que les réserves d'hydrogène de l'astre ne seront épuisées que dans cinq milliards d'années. Les scientifiques tentent actuellement de simuler le même processus, dans les réacteurs nucléaires, en utilisant l'hydrogène de l'eau. Lorsque l'on aura réussi à convertir l'hydrogène en hélium dans ces réacteurs, seules quelques tonnes d'eau seront nécessaires pour satisfaire les besoins énergétiques planétaires pendant un an.

Bien que la Terre ne reçoive qu'un faible pourcentage du rayonnement solaire total, cette quantité fournit suffisamment de chaleur et de lumière (énergie de rayonnement) pour entretenir toute la vie animale et végétale existante. Partout ailleurs dans notre système solaire, la quantité d'énergie reçue est soit trop grande, soit insuffisante, pour que la vie puisse s'y maintenir.

La Terre

En tournant sur son axe (vitesse de 1 600 km/h à l'équateur), la Terre effectue une révolution autour du soleil à une vitesse moyenne de 106 300 km/h.

Comme l'illustre la fig. 2.3, la Terre est l'une des petites planètes du système solaire. Bien que la Terre soit dite sphérique, elle ne constitue pas une vraie sphère, car sa rotation entraîne un léger renflement au niveau de l'équateur et un aplatissement aux pôles. Le diamètre équatorial de 12 763 km est de 44 km supérieur au diamètre polaire. Le *sphéroïde aplati* est l'appellation plus précise de cette forme.

On observe, à la surface de la croûte terrestre, des écarts en altitude ou en profondeur considérables; en effet, les plus hautes montagnes s'élèvent jusqu'à 8 km au-dessus du niveau de la mer tandis que les fosses abyssales s'enfoncent à plus de 11 km au-dessous de ce même niveau. Ces extrêmes ne détruisent guère toutefois l'aspect général

rond et lisse de la planète. On a déjà estimé que si la Terre était réduite à la taille d'une boule de billard (incluant toutes les montagnes et les abysses océaniques à l'échelle), la surface de la planète serait plus lisse qu'une véritable boule de billard.

La surface terrestre est recouverte d'eau dans la proportion de 71 pour cent. Cependant, comme la profondeur moyenne des eaux est de 3 750 m, tandis que l'élévation moyenne des terres au-dessus du niveau de la mer n'est que de 750 m, la planète se retrouverait à 2 400 m de profondeur si la surface de la Terre était parfaitement plane. On a souvent dit que le nom de notre planète était trompeur. En effet, selon les astronautes, elle aurait dû s'appeler «la planète bleue».

La lune

La lune est le satellite naturel de la Terre, qui boucle une orbite autour de notre planète en 27 jours et 8 heures à une distance d'environ 386 400 km. Une seule face de la lune est visible de la Terre, bien que des engins spatiaux aient ramené des photographies de la «face cachée». Ce phénomène s'explique par le fait que la lune prend autant

Fig. 2.4 Vue oblique de la vallée de Schroeter et, à gauche de cette vallée, du cratère Aristarchus (photographiés par le module de commande d'Apollo 15 en orbite lunaire). Le cratère a approximativement 35 km de diamètre.

Nom	Distance moyenne du soleil (10^6 km)	Inclinaison de l'axe	Période de révolution	Vitesse orbitale (km/s)	Période de rotation	Diamètre (10^3 km)	Masse (relativement à la Terre)	Nombre de satellites
Planètes intérieures			Jours sidéraux					
Mercure	58	28°	88	47,9	58 d 17 h	4,9	0,06	0
Vénus	108	3°	225	35,0	243 d	12,2	0,81	0
Terre	150	23°27′	365,25	29,8	23 h 56 min	12,7	1,00	1
Mars	228	24°	687	24,1	24 h 37 min	6,7	0,11	2
Planètes extérieures			Années sidérales					
Jupiter	779	3°5′	12	13,1	9 h 50 min	142	318	13
Saturne	1430	26°44′	29,5	9,6	10 h 14 min	115	95	10
Uranus	2870	82°5′	84	6,8	10 h 42 min	47,4	15	5
Neptune	4500	28°48′	165	5,4	15 h 48 min	44,6	17	2
Pluton*	5900	?	248	4,7	6 d 9 h	5,6(?)	0,1	1

(Colonne de gauche: Planètes terrestres — Mercure, Vénus, Terre, Mars; Planètes joviennes — Jupiter, Saturne, Uranus, Neptune, Pluton)

* N. du T.: La taille de Pluton est de l'ordre de celles des planètes intérieures.

Fig. 2.5   Les planètes principales.

de temps à effectuer une rotation sur son axe qu'une révolution autour de la Terre. De plus, la rotation et la révolution de la lune se font dans la même direction. L'effet est reproduit lorsque l'on attache une balle à l'extrémité d'une corde et que l'on fait tournoyer cette dernière autour de sa tête: le même côté de la balle fait toujours face à l'observateur, la balle effectuant une rotation et une révolution simultanément.

L'étude de la surface lunaire aide à mieux comprendre certains des facteurs qui sont intervenus dans la formation de la Terre. Étant donné que, contrairement à notre planète, la lune ne possède pas d'atmosphère, sa surface n'a jamais été soumise aux forces de l'érosion. Les marques laissées par des événements qui se sont produits il y a plusieurs milliards d'années, comme le bombardement des météorites et les éruptions volcaniques, sont encore visibles sur la surface lunaire (voir fig. 2.4). Bien que la Terre ait été soumise à des événements semblables, les forces d'érosion en ont fait disparaître les traces depuis longtemps.

Étude 2-1

Avant les découvertes de Copernic et de Galilée aux 16e et 17e siècles, les théories généralement acceptées étaient celles contenues dans l'Almageste, une encyclopédie de l'astronomie écrite par le grec Ptolémée, rédigée en 150 après J.-C. Dans ce traité, Ptolémée déclare que la Terre est stationnaire dans l'espace et que le soleil et d'autres planètes tournent autour d'elle. L'on sait maintenant que cette vision du monde géocentrique est erronée, les mouvements de la Terre étant considérablement plus complexes.

1. Au moment où on lit ces lignes, la Terre et nous qui en faisons partie effectuons quatre mouvements différents, comme on l'a vu dans ce chapitre. À l'aide d'une série de diagrammes, décrire chacun de ces mouvements en indiquant, dans chaque cas, la durée et la vitesse.

2. Ptolémée et ses concepts sur les mouvements de la Terre éveillent la sympathie et l'indulgence car, comme il a déjà été dit, les hommes vivent dans une «illusion céleste». Expliquer ce que cela signifie et pourquoi Ptolémée est tombé dans l'erreur.

Les mouvements de la Terre
Rotation

La Terre tourne d'ouest en est sur un axe imaginaire. La vitesse de rotation varie entre un maximum de 1 600 km/h à l'équateur, et un minimum de 0 km/h aux pôles. L'unité fondamentale de mesure temporelle, le jour, est le temps que met la Terre à effectuer les 360 degrés d'une rotation complète. La majorité des régions terrestres sont soumises à une période d'éclairement et à une période d'obscurité au cours d'un jour de 24 heures.

Les effets les plus importants de la rotation sont liés aux variations d'éclairement, de chaleur et d'humidité que l'on observe entre le jour et la nuit. En imposant une alternance quotidienne de jour et de nuit sur une multitude d'éléments, la rotation a un impact fondamental sur la vie et le développement de toutes les espèces animales et végétales.

La rotation de la terre a aussi une influence considérable sur la circulation des vents et la circulation océanique en surface, comme on le verra ultérieurement.

Révolution

Tout en pivotant sur son axe, la Terre tourne autour du soleil à une distance moyenne de 150 000 000 de km. Elle boucle une révolution toutes les 365,242 rotations, c'est-à-dire 365,242 jours ou une année. Cette révolution s'effectue à la vitesse moyenne de 106 300 km/h.

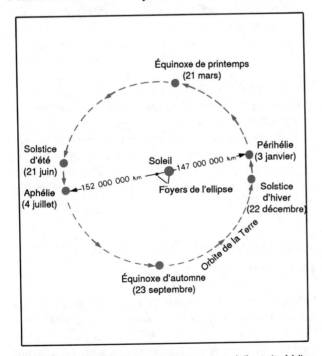

Fig. 2.6   L'orbite de la Terre est elliptique. Le soleil est situé à l'un des foyers de l'ellipse.

La Terre, lors de sa trajectoire orbitale autour du soleil, ne trace pas un cercle parfait, mais une ellipse (fig. 2.6). La distance entre la Terre et le soleil varie d'un maximum de 152 millions de kilomètres le 4 juillet (*aphélie*) à un minimum de 147 millions de kilomètres le 3 janvier (*périhélie*). Cette variation de distance n'a que peu d'effet sur les températures de l'air à la surface de la Terre.

Lorsque l'on s'imagine la trajectoire de la Terre formant une surface plane ou plan (fig. 2.7), on obtient le *plan de l'orbite* ou, plus correctement, le *plan de l'écliptique*. L'axe de la Terre forme un angle de 23,5 degrés avec la perpendiculaire, ce qui signifie que l'angle entre l'axe et le plan de l'écliptique est de 66,5° (90° - 23,5°). L'axe maintient toujours cette inclinaison, demeurant parallèle à toutes ses positions antérieures. Ce phénomène est connu sous le nom de *parallélisme de l'axe*.

La révolution de la Terre autour du soleil sur un axe incliné a deux conséquences très importantes: les différences de températures saisonnières et les variations dans la longueur du jour et de la nuit. Ni l'un ni l'autre de ces phénomènes n'arriveraient sans cette inclinaison de l'axe.

Étude 2-2

1. Dessiner la Terre (diamètre 5 cm) en montrant les pôles, l'axe et l'équateur. Dessinez le plan de l'écliptique en indiquant l'angle de 66,5° (approximativement) formé par le plan et l'axe. Le plan de l'écliptique passe par le centre de la Terre. L'angle de 66,5° peut être représenté au moyen de la moitié nord ou de la moitié sud de l'axe. D'un côté de la Terre, montrez les rayons du soleil qui atteignent la terre parallèlement au plan de l'orbite. Ombrez l'autre côté de la Terre qui est dans l'obscurité. Quelle proportion de la Terre est ombrée? Quelles portions de la superficie terrestre passent une période de rotation complète dans l'obscurité ou exposées à la lumière? À l'aide d'une flèche, indiquez la direction de la rotation de la terre. Comment savons-nous qu'il s'agit de la direction de rotation? Combien de jours de l'année ce diagramme représente-t-il?

2. En supposant une vitesse de rotation de la Terre de 1 600 km/h à l'équateur, quelle est la vitesse de rotation aux pôles (90°) et à 40° de latitude? (La circonférence du 40e parallèle est d'environ 30 838 km.)

Le jour et la nuit

Bien que le soleil soit une sphère, ses rayons sont presque parallèles lorsqu'ils atteignent la terre. En conséquence, comme la Terre tourne sur son axe, la moitié de la planète, exactement, est éclairée par les rayons solaires qui arrivent en parallèles tandis que l'autre moitié demeure dans l'obscurité. La ligne qui sépare la moitié éclairée de la moitié obscure est appelée *cercle d'illumination* ou *terminateur*.

Bien entendu, le passage de la lumière à l'obscurité au terminateur ne se fait pas brusquement. On observe une lumière diffuse après le coucher du soleil (*crépuscule du soir*) et avant son lever (*crépuscule du matin*). Même après le coucher du soleil, ou avant son lever, une certaine lumière est visible. La lumière faiblit progressivement, puis disparaît complètement lorsque le soleil se trouve à plus de 18 degrés sous l'horizon.

La longueur du crépuscule dépend de l'angle formé par le soleil couchant et l'horizon. Plus l'angle augmente, plus court est le crépuscule. La longueur du crépuscule est maximale aux pôles et minimale aux tropiques.

À peu près toutes les régions terrestres sont soumises à une période d'éclairement et à une période d'obscurité au cours d'une rotation complète de la Terre. Si l'axe terrestre formait un angle de 90° avec le plan de l'écliptique, la durée du jour et de la nuit serait identique partout sur la planète. C'est l'inclinaison fixe de l'axe de la Terre qui est responsable de la variation de la longueur du jour, que l'on observe partout sur la Terre, sauf à l'équateur, au cours d'une année. La section suivante explique ce phénomène.

Solstices et équinoxes

La compréhension des mouvements de la Terre liés à ses effets sur le jour et la nuit ainsi que sur les saisons peut être

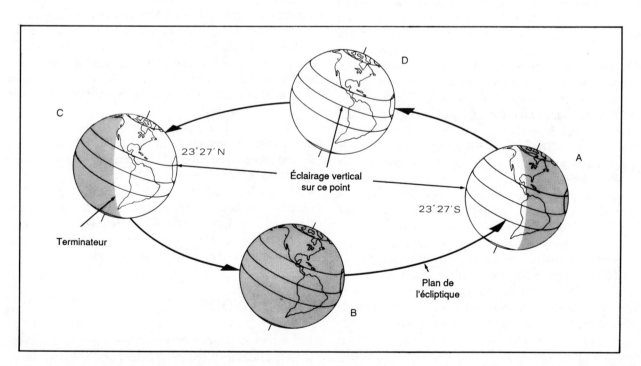

Fig. 2.7   Le phénomène des saisons se produit parce que le plan d'inclinaison de la terre garde une orientation constante dans l'espace pendant sa révolution.

plus ardue parce que tout doit être perçu en trois dimensions. Étant donné qu'obtenir l'impression de relief est parfois difficile, il est important de consulter les diagrammes et d'effectuer les exercices qui accompagnent ces sections.

Imaginant la Terre qui accomplit sa révolution autour du soleil avec son axe incliné selon un angle fixe toujours parallèle à ses positions antérieures (fig. 2.7), vous verrez qu'en un point de cette révolution l'axe sera incliné vers le soleil alors qu'au point opposé, il s'en éloignera. La figure 2.7 montre que l'inclinaison de l'axe vers le soleil est maximale le 21 juin, tandis qu'au point situé à l'antipode, correspondant au 22 décembre, cette inclinaison a atteint un degré maximal d'éloignement. Ces deux dates représentent les *solstices*. À mi-chemin entre les solstices, soit les 21 mars et 23 septembre, l'inclinaison de l'axe n'est pas franchement orientée vers le soleil, ni éloignée de façon radicale. Ces deux dates représentent les *équinoxes*.

Quelle est la relation entre ces positions de l'axe et les variations de longueur du jour et de la nuit? Pour un endroit donné, n'importe où sur la terre, la trajectoire suivie au cours d'une rotation décrit le même cercle que celui du parallèle de la latitude où se situe cet endroit. En conséquence, la longueur du jour, pour tout endroit, est déterminée par la façon dont le parallèle de latitude de l'endroit est coupé par le terminateur.

Aux équinoxes, lorsque le terminateur coupe les pôles, tous les parallèles sont divisés en deux parties égales. En conséquence, le jour et la nuit sont d'une égale longueur en tout point de la Terre à ces deux dates. Aux solstices, le terminateur ne passe pas par les pôles et coupe tous les parallèles inégalement sauf à l'équateur. Par exemple, on notera la façon dont le terminateur coupe tous les parallèles au nord de l'équateur le 21 juin. À mesure que l'on monte vers le pôle Nord, le segment de parallèle dans la zone éclairée augmente progressivement. En conséquence, l'observateur situé au 32e parallèle N. serait désavantagé au point de vue de l'éclairage comparativement à l'observateur du 62e parallèle N. Au-dessus du 66,5^e parallèle N. à la même date, la surface terrestre est éclairée pendant toute la période de révolution. Un observateur au pôle verrait le soleil tracer un cercle en sens inverse des aiguilles d'une montre à une élévation constante de 23,5 degrés au-dessus de l'horizon (voir fig. 2.11).

Tout est à l'opposé dans l'hémisphère Sud et la situation est inversée entre le 21 juin et le 22 décembre.

Étude 2-3

1. Dessiner deux cercles de 5 cm de diamètre, l'un représentant la Terre le 21 juin, et l'autre la Terre le 23 septembre. (Utiliser la fig. 2.7 comme modèle.) Sur chaque diagramme, illustrer les caractéristiques suivantes: l'axe de rotation; les parallèles suivants dans les deux hémisphères: 10°; 23,5°; 40°; 66,5°; 80° et le 0°, (équateur); le terminateur; le plan de l'écliptique; et les rayons parallèles du soleil qui frappent les parallèles de latitude. (Le concept de latitude et de longitude est présenté à la page 325.)
2. Dressez un tableau montrant les variations de la longueur du jour et de la nuit, aux solstices et aux équinoxes (quatre jours), aux latitudes indiquées dans les diagrammes proposés à la question 1. Les valeurs à 0°, 66,5° et 80° peuvent être déterminées avec précision à partir des diagrammes. Le 22 décembre, la longueur du jour au 10e parallèle N. est de 11 h 32 m; au 23,5^e parallèle N., elle est de 10 h 45 m, et au 40e parallèle S., elle est de 14 h 40 m. Expliquer pourquoi ces quatre dates sont à elles seules suffisantes pour montrer les variations annuelles de lumière et d'obscurité aux différentes latitudes?
3. Tracer un diagramme qui montre que la durée du crépuscule (du soir ou du matin) dépend de la latitude. Expliquer en quoi l'aspect du terminateur terrestre diffère de celui que l'on observe sur la lune.
4. Toutes les planètes possèdent-elles un équateur? Y observe-t-on des «cercles arctiques» et des «tropiques» (voir fig. 2.5)? Les latitudes de ces lignes (si elles en ont) sont-elles semblables pour toutes les planètes? Dans l'affirmative ou dans la négative, pourquoi?

Les saisons

Les variations saisonnières de température sont causées par deux facteurs principaux: la longueur et l'intensité de l'ensoleillement.

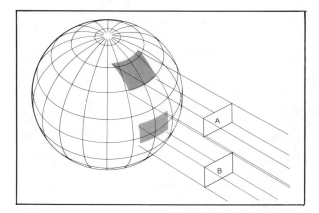

Fig. 2.8

Durée

Il s'agit simplement de la longueur de l'ensoleillement en un endroit donné. Plus la période d'ensoleillement est longue à un endroit donné, plus la quantité de chaleur reçue est élevée.

Intensité

Les variations d'intensité sont reliées aux différents angles d'arrivée du rayonnement solaire sur Terre. La quantité de chaleur reçue est directement proportionnelle à l'angle d'arrivée. L'explication de ce phénomène est illustrée à la fig. 2.8. A et B représentent deux quantités égales de rayonnement solaire frappant l'atmosphère terrestre. Les rayons (A) qui arrivent sur la Terre aux latitudes plus élevées frappent la surface à un angle supérieur. En conséquence, ils traversent une couche absorbante et réfléchissante plus dense d'atmosphère et réchauffent une zone plus étendue de la surface terrestre que les rayons plus directs (B). La surface terrestre reçoit donc plus d'énergie calorifique des rayons directs ou concentrés (B) que des rayons moins directs (A). Ce qui explique pourquoi les températures diminuent généralement à mesure que l'on progresse de l'équateur vers les pôles.

Si l'axe de rotation de la Terre n'était pas incliné par rapport au plan de l'écliptique, l'explication des différences de température serait très simple. L'angle des rayons solaires et, en conséquence, leur intensité, demeureraient

Fig. 2.9

Hauteur méridienne ou intensité du soleil à diverses latitudes			
Latitude	22 déc.	21 mars 23 sept.	22 juin
90°N	0°	0°	23,5°
80°N	0°	10°	33,5°
70°N	0°	20°	43,5°
60°N	6,5°	30°	53,5°
50°N	16,5°	40°	63,5°
40°N	26,5°	50°	73,5°
30°N	36,5°	60°	83,5°
20°N	46,5°	70°	86,5°
10°N	56,5°	80°	76,5°
0°N	66,5°	90°	66,5°

les mêmes l'année durant. Nul endroit sur Terre ne serait soumis à des variations saisonnières de température. Le terminateur traverserait l'axe de rotation. En tout endroit de la planète, le jour et la nuit seraient d'égale durée, et il n'y aurait aucun facteur de «durée». Partout sur la Terre, tous les jours seraient des «équinoxes». Aux pôles, la population verrait un coucher de soleil permanent tandis qu'à l'équateur, elle recevrait les rayons du soleil à la verticale et il serait toujours midi.

Le point où les rayons solaires dardent à la verticale sur la tête (perpendiculaires à la Terre) est désigné *point subsolaire*. Toute latitude où ce point existe est évidemment soumise à une intensité maximale de rayonnement. Au cours d'une année, l'emplacement du point subsolaire varie entre 23,5° de latitude nord (tropique du Cancer), verticalité atteinte le 21 juin, et 23,5° de latitude sud (tropique du Capricorne), atteinte six mois plus tard, soit le 22 décembre. Ces latitudes forment les limites des zones connues sous le nom de «tropiques». Aux deux équinoxes, le point subsolaire est situé à l'équateur, à mi-chemin entre ces deux latitudes.

À ces endroits, le soleil n'est directement au-dessus de la tête qu'à midi. En tout autre moment du jour, il tend vers ce point en s'élevant ou s'en éloigne en descendant vers le couchant. De même, à n'importe quelle latitude en progressant des tropiques vers les pôles, le soleil est au zénith à midi. Cependant, l'angle formé par les rayons solaires et la surface est toujours inférieur à 90 degrés.

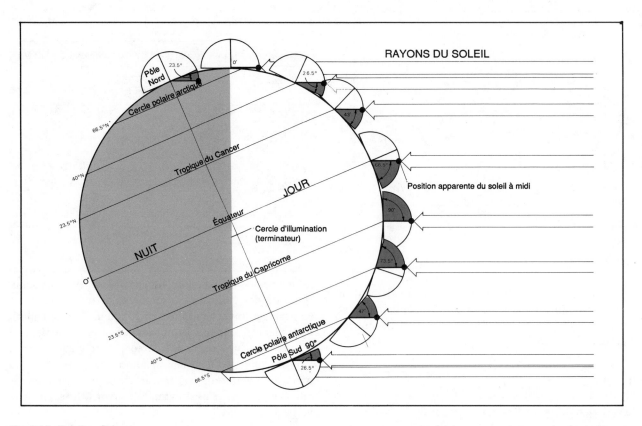

Fig. 2.10 Solstice d'hiver.
(Source: Arthur N. Strahler. *The Earth Sciences*, 2ᵉ édition, Fig. 4.6 (p. 54). Copyright Arthur N. Strahler, 1963, 1971. Réimprimé avec la permission de Harper & Row, Publishers Inc.)

Ces phénomènes constituent la base de notre compréhension des saisons. Lorsque le soleil plombe à la verticale au tropique du Cancer, les latitudes de l'hémisphère boréal reçoivent un ensoleillement en durée et en intensité aux latitudes correspondantes dans l'hémisphère austral (voir fig. 2.9).

La quantité plus élevée d'énergie crée la saison chaude ou estivale dans l'hémisphère Nord tandis que l'hémisphère Sud subit la saison froide ou hivernale. En conséquence, l'on peut définir l'été comme la période de l'année au cours de laquelle la durée et l'intensité de l'ensoleillement atteignent une valeur maximale, et l'hiver comme son opposé.

Les équinoxes constituent des points temporels intermédiaires lorsque la quantité d'énergie reçue dans les deux hémisphères est à peu près équivalente. Les températures à *l'équinoxe d'automne* sont plus chaudes que celles relevées à *l'équinoxe de printemps*, non à cause d'une différence d'intensité ou de période d'ensoleillement, mais parce qu'en automne la terre est engagée dans un processus de refroidissement tandis qu'au printemps, elle se réchauffe progressivement.

La figure 2.9 indique la hauteur méridienne (ou intensité) du soleil à diverses latitudes aux équinoxes et aux solstices, tandis que la figure 2.10 montre l'intensité solaire à diverses latitudes le 22 décembre.

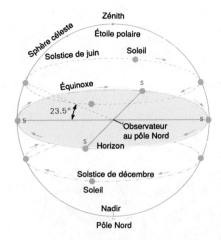

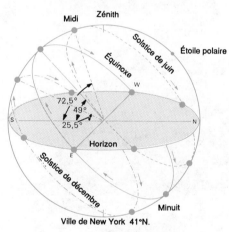

Ville de New York 41°N.

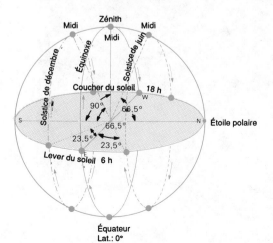

Étude 2-4

1. Tracer deux diagrammes semblables à celui présenté à la fig. 2.10, montrant l'angle formé par les rayons solaires et l'horizon le 21 juin et à l'un des équinoxes.

2. Expliquer les différences saisonnières qui existent, le 21 juin, entre un lieu situé au 40° de latitude N. et un autre situé au 40° de latitude S. Dans la réponse, indiquer la différence réelle dans l'intensité ou l'angle du soleil à midi (fig. 2.9) et la durée de l'ensoleillement (voir Étude 2-3, question 2). Dans le cas de la présente question ainsi que des questions 3 et 4, il est préférable de présenter les valeurs d'intensité et de durée sous forme de tableau.

3. Les écarts saisonniers de température sont très faibles à l'équateur ainsi que sur une distance considérable en progressant vers le nord et vers le sud à partir du cercle équatorial. Par contre aux pôles, les variations saisonnières sont importantes. Expliquer ces phénomènes à l'aide des variables intensité et temps d'ensoleillement.

4. Calculer la différence de température entre Miami et Arctic Bay en janvier et en juillet. Pourquoi cette différence est-elle beaucoup plus considérable au cours d'une saison comparativement à l'autre? Pourquoi note-t-on une plus grande amplitude thermique annuelle à Arctic Bay qu'à Miami?

	Janvier	Juillet
Arctic Bay (73°N. 84°O.)		
Miami (26°N. 81°O.)		

Fig. 2.11 Mouvement apparent du soleil sous trois latitudes différentes.
(Source: A.N. Strahler. *Physical Geography*, 3e édition (New York: John Wiley & Sons, Inc., 1969), p. 72-73.)

5. a) Les trois diagrammes présentés à la fig. 2.11 montrent le mouvement apparent du soleil dans le ciel de l'hémisphère Nord à trois latitudes différentes. Faire une esquisse ou une photocopie d'un ou plus d'un de ces diagrammes, en traçant avec précision (avec la couleur) l'angle dans le diagramme qui représente l'angle (hauteur méridienne) formé par les rayons du soleil et l'horizon.

b) Faire une autre esquisse représentant le même thème pour le 66,5° de latitude N. et le 23,5° de latitude N.

Parc national du lac Cyprus

L'hydrosphère

3 / L'eau: ressource indispensable

Nous oublions souvent que la surface de la Terre entretient un énorme volume d'eau couvrant plus de 70 pour cent de sa superficie totale. Cette eau, ainsi que celle contenue dans l'atmosphère, la glace et la neige des glaciers continentaux (inlandsis), constituent un ensemble, soit l'hydrosphère, l'une des trois parties constituantes de la biosphère.

À cause de la présence de l'eau de l'hydrosphère, notre planète est unique dans le système solaire. L'eau est un composant vital de tout ce qui vit, y compris l'homme et les autres espèces animales. Par exemple, le corps humain est constitué de plus de 60 pour cent d'eau, et chaque personne a besoin d'une ration d'eau équivalente à environ 2 L par jour. On meurt de soif bien avant de mourir de faim.

On utilise l'eau à bien d'autres fins comme le lavage, la cuisson, l'élimination des eaux usées, l'agriculture, à des étapes de la transformation d'un produit, la réfrigération, le transport, la production d'énergie hydro-électrique et les activités récréatives.

L'eau est également essentielle à la croissance des plantes (par ex., la croissance d'un kilogramme de blé dur nécessite environ 475 L d'eau, tandis que pour la même quantité de riz, approximativement 1 600 L sont requis). L'eau joue un rôle majeur dans la photosynthèse (voir p. 124), et sert également à transporter les substances nutritives essentielles à la vie des plantes.

L'eau constitue également un facteur important dans le façonnement du relief terrestre, particulièrement à la surface de la lithosphère. L'eau pénètre dans les fissures et les crevasses de la croûte et, de diverses façons (comme le gel et le dégel), provoque la fragmentation de la couche rocheuse superficielle. Des hauteurs, les cours d'eau entraînent les fragments détachés et les déposent sur des terrains bas ou dans les mers. Bon nombre de formes du relief de la surface terrestre ont été créées de cette façon. (Une explication détaillée de ces processus débute au chapitre 25.)

L'eau est un facteur crucial dans a) la transformation d'une forme d'énergie en une autre forme d'énergie, et b) le transport de l'énergie calorifique (chaleur) d'un lieu à un autre. L'eau (les océans essentiellement) joue un rôle majeur dans le stockage de la chaleur. L'importance de l'eau vis-à-vis de la température et des précipitations est examinée en profondeur dans les chapitres sur le temps et le climat.

Caractéristiques de l'eau

Comme l'air, l'eau constitue une ressource indispensable à toutes les formes de vie. Cependant, aucune des utilisations de l'eau n'en modifie la quantité réelle existant dans la biosphère. On a accès aujourd'hui à la même réserve d'eau qu'il y a des millions d'années, et rien ne laisse croire que cette situation pourrait être modifiée dans quelques milliers d'années.

Cependant, comme on le verra plus loin dans ce chapitre, l'eau de la planète, et particulièrement l'eau douce, est inégalement répartie à la surface des terres, ce qui entraîne de graves pénuries à certains endroits. En outre, bien que la quantité totale d'eau sur la Terre ne varie pas, il n'en va pas de même pour la qualité. La pollution des eaux douces et des eaux salées représente un problème d'envergure planétaire. Afin de comprendre ce problème et d'autres encore, nous aborderons le problème de l'eau sous les aspects suivants:

• L'eau se déplace constamment. Les rivières drainent les terres par un réseau complexe de canaux. Bien que les eaux souterraines se meuvent plus lentement, la majeure partie de l'eau qui s'infiltre dans le sol réapparaît plus tard dans les rivières, les lacs et les océans. Dans les océans, d'importants courants de surface ou des courants abyssaux assurent la circulation de l'eau. L'ensemble de ces mouvements en interaction définit le cycle hydrologique (voir figure 3.2).

• Comme on l'a vu, l'eau, utilisée à une multitude de fins, est une ressource universelle, le milieu sur lequel toute vie dépend.

• Plus que dans le cas de toutes les autres ressources, les utilisations de l'eau sont interdépendantes. Ce phénomène est une source de problèmes, car bon nombre des emplois de l'eau sont incompatibles. Par exemple, l'utilisation d'une rivière ou d'un lac pour l'approvisionnement en eau potable ou la baignade entre en conflit avec la fonction de réceptacle des eaux usées qui peut être attribuée à cette même rivière ou ce même lac. Dans le cas où une rivière est utilisée pour le transport, il est plus difficile de se servir de ses eaux pour produire de l'énergie hydro-électrique.

• Étant donné que la majorité des masses d'eau ne peuvent faire l'objet de propriétés privées, leur gestion est la responsabilité des gouvernements. Cette tâche est compliquée par le fait que les eaux de surface et les eaux souterraines coulent d'un territoire politique à un autre. Par exemple, l'établissement de normes de qualité de l'eau

dans les Grands Lacs nécessite non seulement la coopération des gouvernements du Canada et des États-Unis, mais aussi ceux de la province d'Ontario et de huit États américains. La gestion des eaux océaniques est encore plus complexe en raison de l'incapacité des nations de s'entendre sur des questions de juridiction politique. Ce problème est examiné ultérieurement dans le présent chapitre.

• Le besoin d'eau douce est un problème urgent dans les régions où une forte croissance démographique a encouragé l'expansion de populations dans des secteurs où les précipitations sont faibles. La gestion de l'eau a pris une importance croissante vu la nécessité de conserver les réserves existantes.

Changements d'état

Toutes les substances peuvent se manifester sous trois formes, soit solide, liquide ou gazeuse. On appelle ces formes les *phases* d'une substance. La phase sous laquelle se présente une substance donnée dépend des conditions courantes de température et de pression.

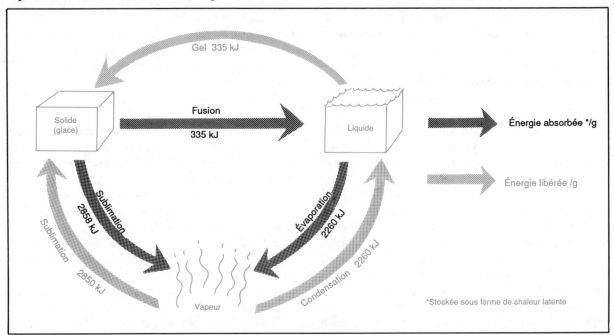

Fig. 3.1   Changements d'état de l'eau.

L'eau est le seul composé chimique commun aux trois phases qui se déroulent dans les conditions naturelles observées à la surface de la Terre. Le changement de phase nécessite l'absorption ou la libération d'énergie thermique. L'eau qui absorbe de l'énergie thermique est transformée en vapeur d'eau (voir fig. 3.1). Lorsque la vapeur d'eau se condense, l'énergie qui a servi à l'évaporation est libérée.

Le cycle hydrologique

Un faible mais essentiel pourcentage de l'eau de la planète passe constamment par une série complexe d'étapes qu'il est convenu d'appeler le *cycle hydrologique*. Ce cycle se décompose en deux parties principales. La première fait référence à un certain nombre de lieux différents, comme les océans ou l'atmosphère, où l'eau est emmagasinée, et la seconde, aux processus de transition de l'eau lorsqu'elle passe d'un lieu de stockage à un autre. L'énergie du soleil est à l'origine de la plupart de ces processus de changement qui comprennent l'évaporation, le transport de la vapeur d'eau par le vent, la condensation, les précipitations et le ruissellement (le déplacement de l'eau en surface). La figure 3.2 présente un modèle simple qui fait ressortir l'aspect quantitatif de certains de ces processus de transition à l'intérieur du cycle hydrologique.

Les océans contiennent un peu plus de 97 pour cent de la réserve d'eau sur Terre. En raison de sa teneur élevée en sel, cette eau ne peut être consommée par l'homme, les autres animaux terrestres et la plupart des végétaux. Lorsqu'il y a

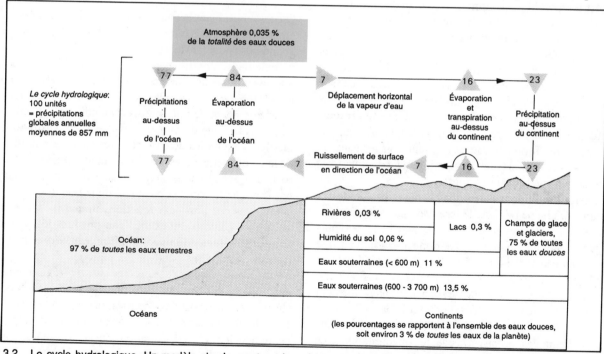

Fig. 3.2 Le cycle hydrologique. Un modèle simple montrant les séquences et le stockage à l'intérieur du cycle hydrologique. Les précipitations globales annuelles moyennes de 857 mm ont été réduites à 100 unités de façon à ce que les différentes quantités à l'intérieur du cycle puissent être exprimées en pourcentages. Sur une réserve totale d'eau terrestre de 1,356 x 10⁹ km³, 1,318 x 10⁹ km³ se trouvent dans les océans; 2,9 x 10⁷ km³, dans les glaciers et les calottes polaires; 1,3 x 10⁴ km³ dans l'atmosphère; et 8,6 x 10⁶ km³, sur les continents. Ces derniers chiffres peuvent être subdivisés comme suit: 1,2 x 10⁴ km³ dans les cours d'eau; 1,2 x 10⁵ km³ dans les lacs d'eau douce; 1,04 x 10⁵ km³ dans les lacs d'eau salée et les mers intérieures; 6,6 x 10⁴ km³ sous forme d'humidité et de transpiration; et 8,3 x 10⁶ km³ sous forme d'écoulement souterrain.

évaporation au-dessus des océans, les sels dissous sont laissés sur place et la vapeur d'eau devient une source d'eau douce. Au cours de longues périodes, une grande partie de cette eau s'est accumulée sous forme de neige et de glace, surtout dans l'Antarctique et au Gröenland. Ces aires de stockage à long terme renferment environ 2,1 pour cent de la réserve totale d'eau. Des quantités plus petites sont stockées sous forme de nappes souterraines sous la surface du sol (0,6 pour cent), dans les cours d'eau et les lacs (0,02 pour cent), dans le sol (0,01 pour cent), et enfin dans l'atmosphère (0,001 pour cent).

La figure 3.2 démontre que l'eau qui tombe sous forme de précipitations suit l'une des trois voies possibles. Une certaine quantité d'eau s'évapore ou retourne à l'atmosphère par transpiration (*évapotranspiration*); un certain pourcentage est transporté par les rivières jusqu'aux océans (ou est temporairement emmagasiné dans les lacs ou les étangs); et le reste s'infiltre dans le sol (eaux souterraines). Les trois voies sont en étroite interaction. Par exemple, l'eau évaporée peut se condenser et tomber pour former des eaux de surface en d'autres endroits. Une partie des eaux de surface qui ont été retenues dans les rivières et les lacs peuvent, après un temps, s'infiltrer dans le sol et rejoindre le réseau d'eaux souterraines. Les eaux souterraines circulent sous la surface et la plupart réapparaîtront, par exemple, sous forme de sources. À leur tour les eaux de source peuvent être stockées temporairement dans les lacs, s'écouler en surface ou s'évaporer.

On estime que l'eau passe de dix à cent jours sur les terres à moins qu'elle ne rejoigne le réseau d'eaux souterraines. Là elles sont retenues pendant une période beaucoup plus longue. À certains endroits, des données indiquent que l'eau souterraine a été piégée à de grandes profondeurs sous la surface et conservée pendant des milliers d'années.

La quantité d'eau dans chaque zone d'emmagasinement demeure plus ou moins en équilibre. La figure 3.2 montre comment cet équilibre hydrique est maintenu. Bien que l'évaporation des océans excède les précipitations, ce déséquilibre apparent est contrebalancé par le déversement des cours d'eau dans l'océan.

Étude 3-1

1. À l'aide de la fig. 3.2, expliquer le bilan hydrologique de la Terre. En utilisant les quantités indiquées, exprimer ce bilan sous la forme d'équations pour a) les océans, b) les continents, et c) la Terre globalement.
2. Indiquer des activités humaines qui peuvent modifier le bilan hydrologique ou nuire au fonctionnement normal du cycle hydrologique. Quels effets auraient ces modifications?

Les eaux continentales

Les eaux continentales sont surtout constituées d'eaux douces sous forme de lacs, de rivières et d'eaux souterraines.

Les lacs

On observe les lacs là où il existe un bassin naturel avec un émissaire restreint et où les précipitations sont suffisamment abondantes pour que le bassin demeure plein. Les lacs sont inégalement répartis parce que ces conditions ne se retrouvent pas dans toutes régions de la planète. Par exemple, les régions septentrionales d'Europe et d'Amérique du Nord possèdent de nombreux lacs tandis qu'il y en a très peu en Amérique du Sud, en Afrique et en Australie. Les meilleurs exemples de surfaces présentant une multitude de lacs sont celles jouissant d'un climat humide et d'un lit rocheux qui a subi une glaciation dans les années récentes, par exemple le bouclier canadien ou le bouclier baltique.

Les lacs ont plusieurs fonctions utiles. Ils servent de réservoirs naturels, stockant l'eau pendant les périodes humides, ce qui aide à maintenir le niveau normal de l'eau dans les émissaires pendant les périodes de sécheresse. Cette fonction de stockage protège aussi les régions en aval des inondations et des érosions destructrices lorsque surviennent les périodes de crues, par exemple lors de la débâcle printanière. L'eau stockée dans les lacs sert également à des fins d'irrigation. Enfin, la construction de barrages crée des lacs qui fournissent un débit régulier et une source d'approvisionnement en eau en vue de générer de l'énergie hydro-électrique.

Les lacs d'importance produisent un microclimat sur les terres avoisinantes en modérant les températures et en dégageant une source d'humidité pour les précipitations. Certains, comme les Grands Lacs, sont utilisés comme voies majeures de transport. Dans les régions éloignées, les lacs constituent une partie ou l'ensemble de l'habitat nécessaire à la survie de nombreux animaux, oiseaux et poissons. Ces lacs sont des points d'approvisionnement pour les villes et les villages, et reçoivent en retour les eaux usées de ces mêmes localités. Grâce aux lacs, on réalise d'importantes activités de loisirs. En effet, les plans d'eau situés près des agglomérations constituent souvent des refuges populaires pour les citadins surmenés.

Les cours d'eau

Les cours d'eau définissent essentiellement les eaux de surface (aussi appelé eaux de *ruissellement*) constituées des eaux excédentaires provenant des précipitations. En s'écoulant vers des altitudes plus basses jusqu'à la mer, ils construisent un réseau hydrographique. Chaque réseau comprend une série de cours d'eau convergents qui captent le ruissellement excédentaire de presque chaque centimètre de presque chaque centimètre carré de terrain de la région. Ces eaux circulent et parviennent à des cours d'eau de plus en plus gros, et parfois des lacs, et se déversent enfin dans l'océan ou s'évaporent. Les cours d'eau ne gonflent pas tous en aval. Dans les régions désertiques, où les taux d'évaporation dépassent les niveaux de précipitations, le débit peut en fait diminuer en aval.

Les termes «rivière» et «cours d'eau» ne désignent pas seulement l'eau qui s'écoule par différents canaux, mais aussi les canaux eux-mêmes. Le cours d'eau constitué des eaux tombant au moment d'un orage ou qui suivent l'orage est appelé cours d'eau *éphémère*; celui où l'eau circule pendant une période plus longue, souvent plusieurs mois, est dit *intermittent*; et le cours d'eau qui coule en toute saison est dit *permanent*. En général, les trois types sont liés à la profondeur de la nappe phréatique. Un débit fluvial permanent n'est possible qu'aux endroits où la nappe aquifère est suffisamment élevée pour permettre un écoulement continu d'eau dans le canal l'année durant.

Une carte du système de drainage dans une région humide du globe ressemble par certains aspects à la ramification d'un arbre à feuilles caduques. Bien sûr, le tronc représente le cours d'eau principal auquel se rattache l'embranchement jusqu'au niveau du sol (de la mer). Plus

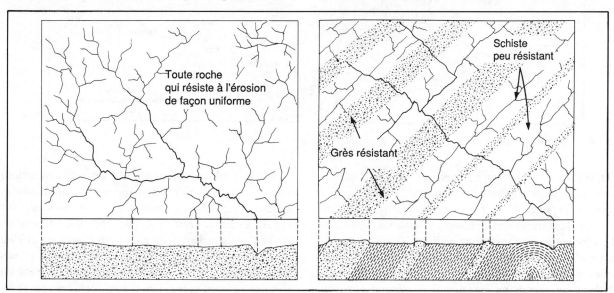

Fig. 3.3   L'incidence de la composition rocheuse sur la structure du réseau fluvial.

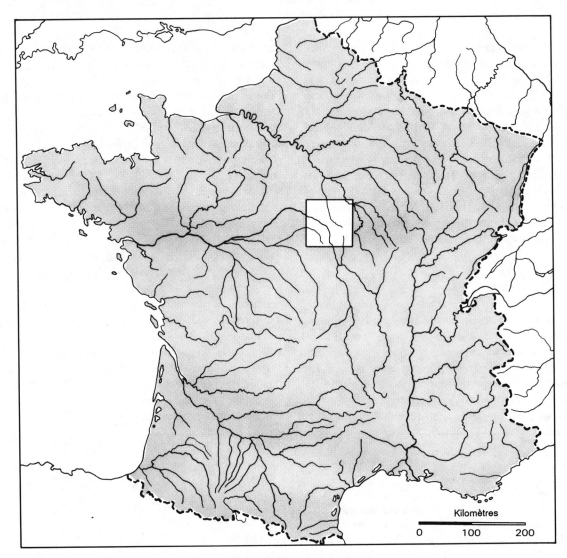

Fig. 3.4   Une carte simplifiée des bassins hydrographiques en France.

haut, le tronc se divise peu à peu en grosses branches qui, à leur tour, se subdivisent en branches de plus en plus petites. L'expression *en dentrite* est utilisée pour décrire cette structure arborescente, comme l'illustre la figure 3.3. Elle survient généralement aux endroits où le lit rocheux résiste à l'érosion de manière uniforme. Là où les types de roches n'ont pas toutes la même résistance, d'autres schémas, ou encore un réseau qui ne répond à aucun modèle, apparaissent.

Dans les régions humides, il n'y a pas de discontinuité entre les bassins versants. Bien que les bassins ne sont que rarement entremêlés comme les arbres dans une forêt peuvent l'être, les rameaux extérieurs d'un réseau sont presque contigus dans certains cas aux rameaux extérieurs d'un bassin voisin. Bien qu'il existe des bassins versants dans les régions arides ou semi-humides, ils sont plus difficiles à identifier. Au lieu d'être orientées vers la mer, les eaux de ruissellement des régions arides s'écoulent vers des bassins fermés où elles s'évaporent, ou s'infiltrent dans le sol. Dans les dépressions de taille supérieure, les eaux de ruissellement forment un lac dont le niveau est contrôlé avec l'évaporation.

Étude 3-2

1. La figure 3.2 constitue une carte assez bien détaillée des bassins hydrographiques en France. À l'aide d'une feuille de papier calque, tracer les principaux cours d'eau indiqués sur la carte, et représenter en couleur chacun des bassins hydrographiques. Dessiner une flèche le long de chacun des principaux cours d'eau pour indiquer l'orientation de l'écoulement. Que peut-on déduire de particulier du paysage français grâce à cette carte?

2. Définir les termes suivants: bassin hydrographique, (ou ligne de partage des eaux), interfluve, tributaire, confluence, cours d'eau principal, rive droite, rive gauche, embouchure et source. Tracer une esquisse d'un bassin hydrographique qui illustre les termes susmentionnés.

3. À l'aide de la fig. 3.4 et d'un atlas, décrire les caractéristiques générales des bassins hydrographiques. Indiquer de quelle façon les bassins peuvent varier en importance, dans leur forme, leur élévation et le réseau hydrographique lui-même. À l'aide des termes cités à la question 2, illustrer certaines de ces caractéristiques sur deux coupes transversales d'un bassin hydrographique représentatif. Dessiner le premier profil de la limite du bassin à l'aval (en suivant plus ou moins le cours d'eau principal), jusqu'à l'embouchure du cours d'eau. Il s'agit dans ce cas d'un profil longitudinal. Le second profil doit représenter une coupe en travers du bassin versant perpendiculaire à la première coupe (profil transversal).

4. À la fig. 3.4, le petit carré au sud de Paris représente une superficie de 6 500 km². Reproduire ce carré en lui accordant 25 cm² de superficie (5 cm x 5 cm), et inclure les cours d'eau qui apparaissent sur la carte originale. Quelle est l'échelle de cette nouvelle carte? L'échelle met en évidence le fait que le réseau hydrographique représenté est incomplet. Tracer des cours d'eau et rivières supplémentaires aux emplacements les plus probables.

Les eaux souterraines

Les eaux retenues sous la surface du sol, sous les roches soumises à l'érosion climatiques (*régolite*), ou dans les espaces qui existent à l'intérieur même de la roche-mère, constituent les *eaux souterraines*. Le rôle des eaux souterraines dans le cycle hydrologique a déjà été examiné à la page 18 et illustré à la fig. 3.2. La figure 3.5 décrit les trois formes de manifestation des eaux souterraines

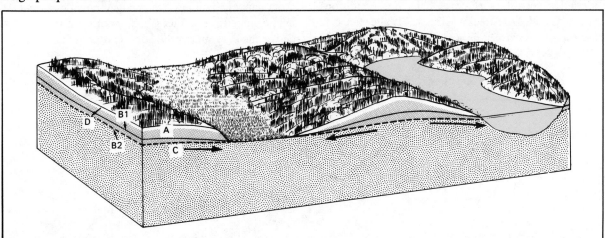

Fig. 3.5   A représente la zone d'aération, B¹ et B², la nappe phréatique (c.-à-d. la limite supérieure de la zone de saturation), et C, la zone de saturation. D est la zone d'humidité du sol. Pourquoi le niveau de la nappe phréatique fluctue-t-il de la position 1 à la position 2? Qu'est-ce qui pourrait contrôler la profondeur de la zone de saturation?

immédiatement sous la surface: la *zone d'aération* où l'air et l'eau coexistent dans le passage entre la roche et les sédiments; la *zone de saturation* où les passages sont complètement saturés d'eau; et *la nappe phréatique* qui constitue la limite supérieure de la zone de saturation. La *zone d'humidité du sol*, immédiatement sous la surface renferme généralement plus d'humidité que le reste de la zone d'aération.

La profondeur de la nappe phréatique est variable. Dans la plupart des régions humides, elle n'est située qu'à quelques mètres ou dizaines de mètres sous la surface, tandis que dans les zones arides elle peut se trouver à des centaines de mètres dans le sous-sol. La nappe phréatique est rarement de niveau mais suit un profil assez semblable à celui de la surface du sol. Ce phénomène s'explique par la résistance naturelle rencontrée par l'eau qui tente de s'infiltrer dans le sol. En conséquence, comme en surface, la nappe phréatique s'incline suffisamment, ce qui permet à l'eau de s'écouler et éventuellement, intercepter la surface du sol et rejoindre les lacs, les rivières et les sources. Grâce à cette fuite, un équilibre est établi entre la quantité d'eau qui pénètre dans le sol et celle qui est évacuée. À l'exception de variations à court terme, ou celles induites par l'intervention humaine, le niveau de la nappe phréatique est relativement stable.

On trouve aussi des eaux souterraines à des profondeurs considérables sous la surface et dans des conditions différentes de celles illustrées à la fig. 3.5. L'alternance de couches rocheuses perméables (*aquifères*) comme le grès, avec des formations à faible perméabilité (*aquicludes*) comme le schiste, est associée à des conditions qui peuvent être propices à l'existence de *puits artésiens*, ou de *sources artésiennes*. Comme l'illustre la fig. 3.6, ces strates sédimentaires doivent présenter une faible pente de façon à ce que l'extrémité supérieure de la formation rocheuse soit exposée aux précipitations. À partir de ce bassin d'alimentation, l'eau s'insinue dans l'aquifère. Étant donné que la strate sédimentaire forme une pente douce, l'eau est généralement sous pression. Si l'on creuse un puits et qu'on traverse l'aquiclude pour rejoindre l'aquifère, la pression fait généralement monter l'eau jusqu'à la surface. La couche de grès du Dakota qui plonge dans les montagnes Rocheuses vers l'est sous les plaines intérieures des États-Unis est un bel exemple de formation aquifère. Les puits creusés dans cet aquifère constituent une source majeure d'approvisionnement en eau pour la région depuis le début de sa colonisation.

Étude 3-3

La figure 3.6 montre que le niveau de la nappe phréatique varie selon les endroits et présente des fluctuations saisonnières. En outre, ce niveau peut être modifié par suite de l'existence d'un certain nombre de puits qui tirent l'eau de la nappe. Expliquer les changements de niveau de la nappe phréatique et tracer un diagramme montrant l'effet de ces facteurs sur la construction d'un puits.

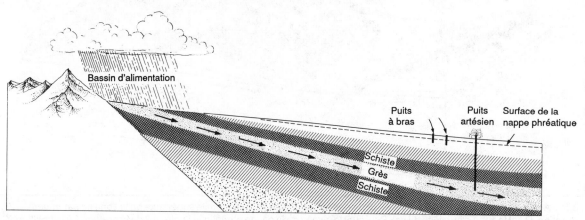

Fig. 3.6 Eaux souterraines piégées dans un aquifère en grès à l'intérieur d'une strate sédimentaire en pente douce.

4 / Les océans

Les océans et les mers contiennent ensemble 97 pour cent des eaux de la planète et couvrent plus de 70 pour cent de sa superficie. La majeure partie des activités physiques et biologiques des océans surviennent dans la couche océanique supérieure appelée *zone trophogène*, du fait que la lumière solaire est limité à 200 m de profondeur. C'est l'énergie solaire qui commande les vagues et les courants, et qui permet la photosynthèse. L'oxygène et le dioxyde de carbone nécessaires à la survie des espèces animales et végétales pénètrent aussi dans l'océan à partir de l'atmosphère.

Les océans, qui entretiennent aussi de maintes façons la vie sur la Terre ferme, génèrent la plus grande quantité de vapeur d'eau et, par conséquent, de l'eau douce qui origine des précipitations. Les océans constituent aussi des réservoirs de chaleur importants. Ce facteur est essentiel

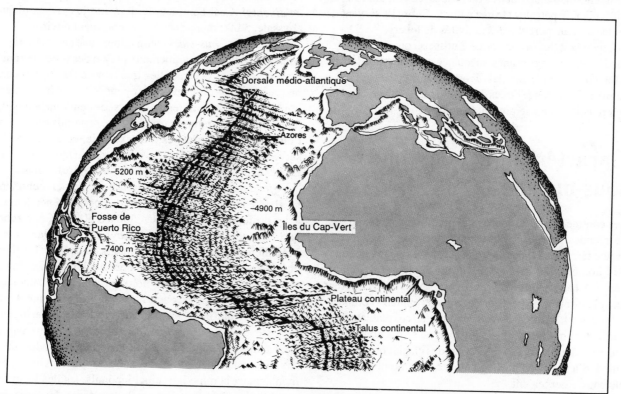

Fig. 4.1 Le bassin de l'Atlantique Nord vidé de son eau. Parmi les traits de relief illustrés, on remarque les plateaux continentaux des deux côtés de l'Atlantique. Bien que le diagramme ne le montre pas de façon évidente, les plateaux continentaux s'ajustent les uns aux autres très étroitement, étayant la théorie de la dérive des continents proposée par Alfred Wegener en 1915. Un autre caractère dominant est la dorsale médio-atlantique, une chaîne montagneuse sous-marine très accidentée de 16 000 km de long, dont la profondeur sous le niveau de la mer varie entre 540 et 1 800 m. La dorsale est déchirée par une vallée centrale où les éruptions volcaniques se succèdent sans répit. Cette dorsale ainsi que les failles d'est en ouest (transformantes) sont liées à une expansion du bassin océanique. Cette expansion survient à mesure que le fond marin et les continents s'éloignent les uns des autres à la vitesse approximative de 3 cm/an (voir p. 220).

pour le contrôle des températures modérées à la surface de la Terre. (Cet aspect des océans est examiné de façon plus détaillée au chapitre 6.) Les océans abritent tout un ensemble d'espèces animales et végétales. Environ 80 pour cent des espèces animales et végétales de la planète vivent dans la mer. Le phytoplancton (micro-organisme végétal de type algue) fournit jusqu'à 70 pour cent de l'oxygène de l'atmosphère. Bon nombre des créatures marines de grande taille constituent pour l'homme une source alimentaire mineure mais encore importante. Les océans contribuent aussi à la survie de l'homme en lui procurant des ressources minérales, certaines provenant de l'eau elle-même et d'autres du soubassement, comme, en particulier, le pétrole et le gaz naturel. Enfin, ils servent de routes de transport et à des activités de loisirs.

Cependant, les océans ont été utilisés comme décharge par l'homme, et certaines substances ont aujourd'hui un effet considérable sur les écosystèmes océaniques. La nature et l'incidence de ces déversements sont abordées un peu plus loin dans le présent chapitre.

Caractéristiques des fonds sous-marins

Les continents sur lesquels vit la population humaine sont de grandes îles qui s'élèvent au-dessus du niveau de la croûte terrestre. Les parties des océans les mieux connues de l'homme sont celles qui longent la plupart des continents. À ces endroits, des eaux peu profondes recouvrent une plate-forme en pente douce appelée *plateau continental* (fig. 4.1). Du point de vue géologique, ces plateaux font partie des continents. (L'explication de ce phénomène est présentée au chapitre 21.) Au cours des glaciations, et peut-être à d'autres époques également, bon nombre de ces plateaux émergeaient.

Les plateaux continentaux sont constitués de strates sédimentaires. En général très peu accidentés (sauf ceux qui ont subi les glaciations), ils s'inclinent en pente douce, en s'éloignant des terres émergées. La profondeur des plateaux varie de 20 à 500 m (moyenne de 130 m). Leur largeur, dont la moyenne est de 80 km, présente cependant des écarts considérables. Bon nombre des plateaux parmi les plus étendus, comme ceux qui sont situés au large des provinces canadiennes de l'Atlantique et de l'Europe septentrionale occidentale, abritent d'importants bancs de pêche. Ces plateaux renferment également des nappes de pétrole et de gaz naturel importants.

Les plateaux continentaux présentent une limite extérieure bien marquée que l'on appelle rupture de pente. Cette rupture amorce le début du *talus continental*. Présentant une pente quatre fois plus inclinée que le plateau, le talus constitue une zone de transition entre les continents et la plaine abyssale. Au fond, l'inclinaison du talus décroît rapidement dans une zone appelée *glacis continental*. Ceci complète la descente jusqu'à la plaine abyssale, 5 000 m au-dessous du continent environ.

Les *canyons sous-marins* constituent une caractéristique commune des talus continentaux et l'un des types de relief majeurs sous les océans. Bien que leur genèse soit encore mal connue, l'on croit que les canyons sous-marins seraient le résultat de l'affouillement des sédiments instables du talus. Certains canyons parmi les plus profonds rejoignent l'embouchure des fleuves. Par exemple, celui qu'on observe à l'embouchure du fleuve Hudson, au large de la côte est des États-Unis, a presque 1 000 m de profondeur.

Le *fond océanique* commence au bas du glacis continental. Il s'étend sous la majeure partie de l'océan, généralement à des profondeurs variant de 4 500 à 5 500 m. Cette zone, que l'on nomme aussi *plaine abyssale*, est plane mais irrégulière et recouverte de sédiments ou de lave. En effet, on observe des irrégularités appréciables sur les fonds sous-marins, dont les plus notoires sont les chaînes de montagnes fracturées ou *crêtes* qui forment une ligne continue au fond des océans Atlantique, Pacifique et Indien. Il existe également des *fosses* très profondes, aux parois extrêmement abruptes, qui sont généralement adjacentes aux talus continentaux et souvent voisines des arcs insulaires montagneux comme l'archipel japonais, les îles Kouriles et les Philippines dans l'ouest du Pacifique. La fosse des Mariannes atteint une profondeur maximale de 10 910 m. Un examen plus complet de l'origine des crêtes et des fosses est présenté au chapitre 21 où il est question de l'expansion des fonds marins et de la tectonique des plaques.

Les volcans océaniques, appelés *monts océaniques*, constituent l'une des particularités les plus intéressantes des fonds sous-marins. Selon les estimations, il existerait, seulement dans le bassin du Pacifique, plus de 10 000 de ces volcans dont le sommet s'élève à plus de 1 000 m au-dessus du fond marin. Bien que certains d'entre eux soient isolés, un grand nombre d'entre eux sont groupés ou forment des chaînes volcaniques linéaires. Tous ceux qui ont été étudiés par des scientifiques sont d'origine volcanique.

L'*atoll corallien* est une autre particularité qui a suscité beaucoup de curiosité à diverses époques. Au cours de son voyage à bord du *Beagle*, Charles Darwin a identifié trois types principaux de récifs océaniques: a) récifs frangeants, b) récifs-barrières, et c) atolls (fig. 4.2). Au milieu du 19e siècle, Darwin croyait que les récifs se transformaient avec le temps, soit de récif frangeant au récif-barrière à l'atoll. Il affirmait que ce phénomène était le résultat de la subsidence de l'île volcanique ou de sa lente érosion. À mesure que progressait cette transformation, le corail montait vers la surface et avançait vers l'extérieur.[1]

Les hypothèses de Darwin ont été plus ou moins confirmées lors des forages réalisés par les États-Unis avant leurs essais de la bombe atomique sur les atolls Bikini et Eniwetok au début des années 1950. Sur l'atoll Eniwetok, la tige de forage a traversé près de 1 400 m de corail qui s'accumulait depuis 60 millions d'années.

[1]Les coraux sont de petits animaux tubulaires à corps mou qui extraient le carbonate de calcium de la mer pour bâtir leur squelette. Ils forment des colonies dans des eaux dont la température est supérieure à 20°C et situées à moins de 45 m de profondeur. Étant donné que l'eau doit être libre de sédiments, les polypes coralliens ne se développent généralement pas à l'embouchure des fleuves. C'est dans l'océan Pacifique tropical, approximativement entre le 30° de latitude N. et le 30° de latitude S., que l'on retrouve le plus grand nombre de récifs coralliens.

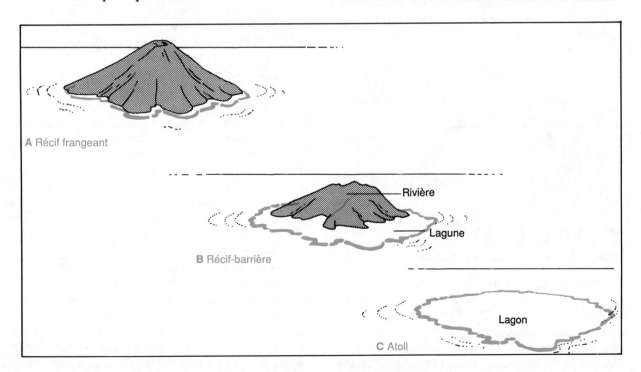

A Récif frangeant

Rivière

Lagune

B Récif-barrière

Lagon

C Atoll

Fig. 4.2   Selon la théorie de Darwin, les coraux continuent de croître vers le haut et l'extérieur à mesure que l'île volcanique descend sous l'effet de l'érosion. À la phase du récif-barrière, la mer recouvre l'ancien récif corallien et crée un lagon d'eau peu profond. À la fin de la séquence, la phase de l'atoll, la surface volcanique est submergée et la majeure partie du fond du lagon est recouverte de coraux morts.

Étude 4-1

1. Le diagramme illustrant le fond de l'Atlantique Nord (fig. 4.1) montre bon nombre des particularités que l'on vient de décrire. À l'aide de ce diagramme et d'un atlas, tracer le profil du bassin de l'Atlantique Nord à partir des provinces canadiennes de l'Atlantique jusqu'à l'Europe occidentale. (Utiliser une échelle approximative et les profondeurs indiquées sur le diagramme ou dans la légende.) Identifier les diverses particularités du fond marin.

2. À l'aide de la fig. 4.2, exécuter trois croquis distincts qui illustrent les différents types d'îles et de récifs coralliens. Chaque croquis doit inclure une coupe transversale et un plan (carte).

L'eau de mer

L'eau de mer est une solution saline ou saumure. Les principaux sels que l'on trouve dans l'eau de mer (présentant une salinité moyenne de 35 parties par 1 000) sont indiqués ci-dessous:

Sel	Formule	Grammes de sel par 1 000 g d'eau
Chlorure de sodium	$NaCl$	23,0
Chlorure de magnésium	$MgCl_2$	5,0
Sulfate de sodium	Na_2SO	4,0
Chlorure de calcium	$CaCl_2$	1,0
Chlorure de potassium	KCl	0,7
Total (incluant des quantités mineures d'autres sels)		35,0

L'eau de mer renferme également a) des traces de la moitié des éléments reconnus sur Terre, et b) tous les gaz atmosphériques en solution. Parmi ces derniers, l'oxygène et le dioxyde de carbone sont essentiels aux processus vitaux des plantes et des animaux océaniques.

On croit généralement que les sels aujourd'hui trouvés dans les océans proviennent de minéraux solubles transportés des terres vers la mer par les cours d'eau et les eaux souterraines. On suppose que la petite quantité de sel dissous dans ces eaux s'est accumulée au cours de l'histoire de la Terre. Cette théorie semble cependant infirmée par le fait que la salinité des océans n'a pas été modifiée depuis au moins 200 millions d'années.

Les facteurs responsables de la teneur en sel des océans sont encore mal connus. Certains scientifiques croient qu'une série de cycles complexes seraient à l'origine du maintien des niveaux actuels de salinité. Dans ces cycles, les sels sont retirés puis retournés à la mer par des mécanismes tels que *l'expansion des fonds océaniques* (chapitre 21) qui entraîne la libération d'eaux neuves ou juvéniles provenant de l'intérieur de la Terre; les éruptions volcaniques; les précipitations; et les cours d'eau. À long terme, l'équilibre est maintenu par des pertes et des gains équivalents.

Le degré de salinité varie d'un endroit à un autre selon un certain nombre de facteurs dont les plus importants sont le régime des précipitations et la vitesse d'évaporation. Des pluies abondantes diluent la salinité, tandis qu'une forte évaporation favorise la concentration des sels. Le degré de concentration est également modifié par les courants océaniques, le déversement des grands fleuves et la présence de la glace fondante. En général, on observe une salinité moyenne dans les régions équatoriales, des valeurs à la hausse dans les océans subtropicaux et des valeurs à la baisse en progressant vers les pôles. Des écarts encore plus considérables sont relevés dans les plans d'eau partiellement fermés. Par exemple, la salinité de la mer Baltique est d'environ 7 parties par 1 000, tandis que celle de la mer Rouge est en moyenne de 40 parties par 1 000. Ce haut taux provient du fait que a) la mer Rouge est presque complètement entourée par les terres, et b) que cette mer est soumise à un climat désertique.

Les mers intérieures (en réalité des lacs) comme la mer Caspienne, la mer d'Aral et la mer Morte renferment les eaux les plus salées de la Terre. Le niveau de ces mers est descendu à un point où aucun écoulement n'est observé. Ces mers sont situées dans des régions où le taux d'évaporation est à peu près équivalent aux précipitations totales avec les eaux de surface et les eaux souterraines. Comme l'apport excédentaire n'est évacué que sous forme de vapeur d'eau, ces lacs accumulent les sels dissous.

Les températures de surface de l'eau de mer varient d'un maximum de 26°C dans les tropiques à un minimum de -2°C (le point de congélation de l'eau salée) aux pôles. La baisse de température, de l'équateur aux pôles, est beaucoup plus régulière au-dessus des océans que sur les continents. Les variations existantes sont dues à l'effet de l'air provenant des continents ainsi qu'à celui des courants océaniques. Ces courants transportent les eaux froides vers les basses latitudes, et les eaux chaudes vers les pôles. En raison de l'effet de différents courants, la température moyenne de la mer au large de la côte du Labrador, par exemple, est inférieure de 10°C à celle des eaux au large des Îles Britanniques à la même latitude. La fig. 4.5 montre parmi les principaux courants océaniques ceux qui sont responsables de cet écart thermique et d'autres variations.

Comparativement aux températures relevées dans les terres, les variations thermiques saisonnières observées dans les couches de surface des océans sont minimes. Ce phénomène s'explique par le fait que l'eau se refroidit et se réchauffe très lentement. Les variations de température relevées sont seulement de l'ordre de 1 à 3°C dans les tropiques, et de 6 à 7°C aux latitudes moyennes. Les écarts entre le jour et la nuit excèdent rarement un degré. Les causes et les conséquences de ces faibles variations de température sont examinées au chapitre 6.

Dans les océans, les températures présentent une structure étagée décroissante avec la profondeur. Une couche de surface chaude d'environ 500 m de profondeur se forme en été aux latitudes basses et moyennes. La zone de la *thermocline*, située immédiatement sous la couche de surface, est caractérisée par une chute rapide de la température. Sous la thermocline, les températures de l'eau sont toujours basses, variant de 0 à 5°C. Les mers polaires ne présentent qu'une seule strate d'eau dont la température est très basse.

Vagues, marées et courants
Les vagues

La création des vagues et leur déplacement sont dus au frottement du vent sur la surface d'un plan d'eau. La taille des vagues dépend de la force et de la durée du vent ainsi que de l'étendue d'eau, ou base d'extension au-dessus de laquelle le vent peut souffler librement. À mesure que les vagues augmentent de taille, il est facile pour le vent d'en accroître encore la hauteur. Dans des conditions idéales, des vagues de 12 à 15 m peuvent être produites.

Jusqu'au moment où une vague déferle sur le rivage, les molécules d'eau engagées dans le mouvement de la vague se déplacent sur le plan vertical plutôt qu'horizontal. En

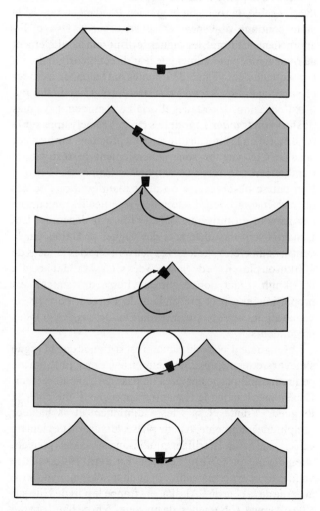

Fig. 4.3 Le flotteur dans ce diagramme illustre bien le fait que même lorsqu'une vague se déplace vers l'avant, l'eau elle-même ne bouge pas. Le flotteur, qui pourrait être une molécule d'eau, trace un cercle à mesure que la vague passe, revenant à moins d'un centimètre ou deux de sa position de départ après le passage de la vague. Les molécules d'eau sous la surface exécutent un cercle semblable quoiqu'avec la profondeur leur orbite diminue.

d'autres termes, seule la forme de la vague se déplace et non l'eau. Lors du passage d'une vague à un endroit donné (fig. 4.3), chaque molécule d'eau trace un cercle dont le diamètre est égal à la hauteur de la vague.

Cependant, à mesure que la vague approche du rivage, elle subit des modifications. Les molécules d'eau sont ralenties à la partie inférieure de leur cercle par le contact avec le sable, la roche ou le gravier. Pendant ce temps, la crête continue d'avancer et se brise sur le rivage. En approchant du littoral, les vagues se disposent parallèlement au rivage, indépendamment de leur direction originale. En conséquence, les vagues déferlantes ont tendance à éroder et, simultanément, à redresser le tracé irrégulier du littoral.

À l'occasion, des vagues d'origine sismique, («vagues tidales») ou *tsunamis*, produites par des cataclysmes sur le fond marin ou le long du littoral, sont projetées à travers les océans. Ces vagues sont généralement le résultat de tremblements de terre ou d'activités volcaniques. Bien que l'on puisse observer une ou deux manifestations de ces phénomènes au cours d'une année, les épisodes majeurs ne surviennent en moyenne qu'une fois par décennie. Les tsunamis sont très différents des vagues produites par le vent et deux crêtes successives peuvent être des lancées de 100 km ou plus; ils se déplacent à des vitesses allant jusqu'à 800 km/h. Étant donné que la vitesse du tsunami est proportionnelle à la profondeur de l'océan, ce type de vague atteint une vitesse maximale au-dessus des grandes profondeurs.

La longueur d'onde du tsunami est si grande que la vague s'élève rarement à plus d'un mètre en haute mer, phénomène peu remarqué par les navires de passage dans le secteur. Cependant, lorsque le tsunami s'approche d'une côte, sa longueur d'onde et sa vitesse diminuent et sa hauteur (amplitude) augmente. À cette phase, le tsunami devient un cataclysme naturel terrifiant, produisant des vagues pouvant atteindre jusqu'à 30 m de haut. En avril 1946, quatre vagues de ce type, engendrées par un tremblement de terre au large de la côte de l'Alaska, ont frappé le port de Hilo sur l'île d'Hawaï. Ces vagues, de presque 15 m de haut, ont tué 160 personnes, fracassé des navires, détruit des immeubles le long de la côte et emporté des routes. Par suite de ce désastre et d'autres semblables, on a établi un système de détection et d'alerte (le Système d'alerte des tsunamis) qui s'est révélé efficace quant à la diminution du nombre de victimes.

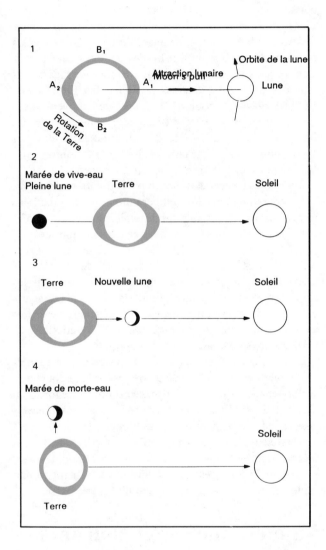

Fig. 4.4 En 1, l'eau à la position A_1 est attirée vers la Lune. Ce phénomène est à l'origine du retrait de l'eau des positions B_1 et B_2, causant les marées basses dans ces régions. En 2, le soleil et la lune combinent leurs forces lors de la pleine lune et de la nouvelle lune, et les marées présentent la plus grande amplitude. Par contre, en 4, on observe un écart minimal.

Les marées

La marée est le nom donné au mouvement périodique, ascendant et descendant, des eaux de la mer. La marée est due principalement à l'attraction qu'exercent les masses de la lune et du soleil sur les eaux de la Terre et qui contribue à son soulèvement. La lune, comparativement au soleil, joue un rôle prépondérant dans l'avènement des marées en raison de sa proximité avec la Terre. La force gravitationnelle de la lune génère deux soulèvements des océans de la Terre (fig. 4.4). L'un se manifeste du côté de la Terre qui fait face à la lune, et l'autre, soit le soulèvement compensatoire, du côté opposé. Étant donné que la Terre tourne sur elle-même d'ouest en est, ces soulèvements se déplacent vers l'ouest autour de la planète. Comme la Terre effectue une rotation complète toutes les 24 heures, deux marées hautes et deux marées basses se produisent théoriquement chaque jour sur toutes les côtes. Bien que l'intervalle réel entre la marée haute et la marée basse soit d'environ 12,5 h, on constate de petites variations d'un endroit à l'autre.

Le *marnage* est la variation du niveau de la mer entre la marée haute et la marée basse. En haute mer, le marnage est d'un mètre ou moins, mais sur certains littoraux exposés, il varie généralement entre 2 et 4 m. Dans les mers intérieures, comme la mer des Caraïbes, il est habituellement de moins d'un mètre. À certains endroits, la forme en entonnoir de la baie ou de l'estuaire est à l'origine du très grand marnage qu'on y observe. Par exemple, dans la baie de Fundy, entre la Nouvelle-Écosse et le Nouveau-Brunswick, le marnage normal se situe entre 12 et 15 m.

Au cours d'un mois donné, la variation du marnage en un même endroit résulte de la position relative de la lune par rapport à la Terre et au soleil. Lorsque la lune, la Terre et le soleil sont alignés dans l'espace (voir fig. 4.4), la force gravitationnelle du soleil accroît celle de la lune. Cette situation survient deux fois par mois lors de la nouvelle lune et de la pleine lune. En ces occasions, la pleine mer est plus haute, la basse mer est plus basse et le marnage est supérieur pendant l'intervalle de 12,5 heures. Ce type de marée extrême est dit *marée de vive-eau.*

Lorsque la lune, la Terre et le soleil forment un angle droit dans l'espace (voir fig. 4.4), la force gravitationnelle du soleil à angle droit avec la lune réduit légèrement la force d'attraction de la lune. On observe cette situation deux fois par mois lors des premiers et derniers quartiers de la lune. En conséquence, les marées hautes sont plus basses et les marées basses plus hautes qu'à l'ordinaire, et le marnage est moins grand au cours d'une période de 12,5 heures. Ce type de marée est dit *marée de morte-eau.*

Les variations annuelles dans les marnages des marées de vive-eau et de morte-eau sont causées par des fluctuations de distance entre la lune, le soleil et la Terre à l'époque de la marée. Les marnages atteignent une valeur maximale lorsque le soleil et la lune sont à une distance minimale de la Terre.

Les marées sont importantes à maints égards. Elles ont un effet appréciable sur la navigation dans les eaux littorales et les ports, et constituent un facteur dont il faut tenir compte dans la conception des installations portuaires. À l'intérieur des baies et des lagunes, les marées sont partiellement responsables de reliefs appelés vasières ou laisses de vases qui sont exposées lors de la marée basse ou de la marée de vive-eau. Ces vasières peuvent varier considérablement en largeur et former des plages exposées à marée basse d'une largeur de plusieurs centaines de mètres. Des marais salants (envahis par des végétaux qui peuvent croître dans l'eau salée) apparaissent parfois sur ces terrains plats et s'étendent jusqu'à ce que la lagune soit comblée, laissant toutefois un réseau de chenaux de marée.

Des marées inhabituellement hautes peuvent être harnachées pour produire de l'énergie hydro-électrique. Des usines marémotrices sont présentement exploitées dans la rivière Rance sur la côte nord de la Bretagne en France, et dans la mer de Barents près de Mourmansk en U.R.S.S. La construction de ce type d'installation hydro-électrique dans le bassin Minas et la baie Chignecto à l'intérieur de la baie de Fundy fait l'objet d'études depuis longtemps. Cependant, les coûts élevés, les problèmes d'ingénierie et les préoccupations environnementales ont jusqu'à présent réduit les probabilités de tout développement à grande échelle dans un avenir prochain.

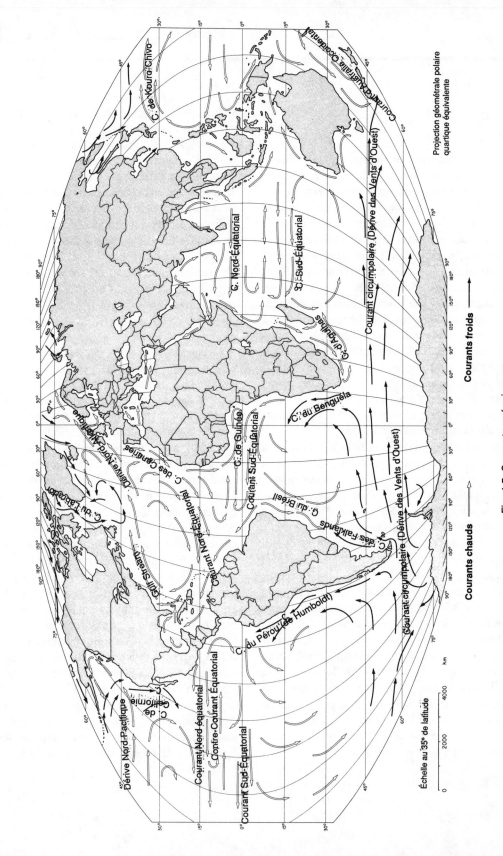

Fig. 4.5 Courants océaniques.

Courants chauds ⟶

Courants froids ⟶

Projection géométrale polaire quartique équivalente

Échelle au 35° de latitude

Km

0   2000   4000

C. de Kouro-Chivo

Courant Australie Occidental

C. Nord-Équatorial

C. Sud-Équatorial

Courant circumpolaire (Dérive des Vents d'Ouest)

C. d'Aguilhas

C. du Benguéla

Dérive Nord-Atlantique

C. des Canaries

C. de Guinée

C. du Labrador

Gulf Stream

Courant Nord-Équatorial

C. Sud-Équatorial

Courant Sud-Équatorial

C. du Brésil

C. des Falklands

Courant circumpolaire (Dérive des Vents d'Ouest)

C. du Pérou (ou Humboldt)

Dérive Nord-Pacifique

C. de Californie

Courant Nord-équatorial

Contre-Courant Équatorial

Courant Sud-Équatorial

Les courants

Bien que les eaux des océans soient engagées dans plusieurs types de mouvements qui assurent leur transport sur de grandes distances, seuls les courants de surface ou un peu en-dessous seront examinés dans la présente section. Ces courants de surface ont une grande importance pour la navigation et la pêche. En outre, ils influent indirectement sur les conditions météorologiques et le climat des côtes.

Les courants océaniques proviennent principalement du réchauffement inégal des eaux de surface par le Soleil. Lorsque, dans les régions polaires, les eaux froides s'enfoncent, les eaux moins froides sont déplacées. Ces eaux se dirigent vers l'équateur et déplacent à leur tour les eaux équatoriales plus chaudes qui prennent la direction du pôle. Cette distribution est compliquée par divers facteurs dont les effets du vent, les limites imposées aux déplacements des eaux par les côtes continentales, et l'effet de la rotation terrestre.

Le courant Humboldt (Pérou) qui circule au large de la côte ouest de l'Amérique du Sud constitue un exemple de l'influence des courants océaniques sur les activités humaines. Normalement, les eaux froides profondes qui remontent en bordure du courant fournissent des éléments nutritifs nécessaires à la survie d'une vaste population d'anchois. Grâce à la capture de ces poissons par les pêcheurs péruviens, le Pérou est devenu, ces dernières années, l'un des principaux pays de pêche au monde. À l'occasion cependant, le courant Humboldt modifie légèrement son parcours, réduisant ainsi l'importance de la remontée d'eaux froides. Lorsque ce phénomène se produit, les anchois disparaissent, précipitant le Pérou dans une période de graves difficultés économiques. Bon nombre d'autres animaux et végétaux océaniques meurent également.

Étude 4-2

Tracer un rectangle de 10 cm x 15 cm, en graduant le côté vertical plus long en degrés de latitude d'un pôle à l'autre. En supposant que le rectangle représente l'Atlantique Nord et l'Atlantique Sud, compléter le diagramme en exécutant ce qui suit.

a) À l'aide de la fig. 4.5, tracer les principaux courants de l'Atlantique Nord et de l'Atlantique Sud en utilisant des flèches simples pour indiquer la direction.
b) Nommer les principaux courants et indiquer s'ils sont froids ou chauds.
c) Bien que les variations de température et de salinité ainsi que la configuration des bassins océaniques et des littoraux influent sur les mouvements des courants océaniques, ceux-ci résultent principalement de l'action des vents qui circulent au-dessus de la surface de l'eau. Examiner dès maintenant les figures 6.4 et 6.5. Décrire la relation entre le mouvement des vents et la répartition générale des courants océaniques illustrés dans le rectangle. Un examen attentif indique que les courants océaniques apparaissant dans le rectangle se déplacent plus loin vers la droite dans l'hémisphère Nord, et plus loin vers la gauche dans l'hémisphère Sud, que les courants éoliens. Expliquer ce phénomène.

Les ressources de la mer

L'océan est important en tant que moyen de transport, en tempérant le climat, comme réservoir possible de vapeur d'eau, comme source d'aliments et pour d'autres richesses. Par exemple, bien que le poisson ne constitue que un pour cent de la totalité des aliments consommés par l'homme, la valeur des ressources halieutiques en 1982 a atteint environ 15 milliards $ (U.S.). Le fret océanique a rapporté presque le double, et l'extraction minière, particulièrement celle du pétrole et du gaz, a multiplié ce nombre.

Il semble certain que la valeur des produits de la mer, surtout les richesses minières d'importance économique comme le pétrole et le gaz, est destinée à croître dans l'avenir. Bon nombre de scientifiques considèrent les océans comme le dernier grand territoire inexploré sur la Terre. Des sciences d'exploration comme l'océanographie et la biologie marine ont connu une expansion rapide ces dernières années. Leur principal objectif est de mettre au point des méthodes d'exploration et d'extraction des ressources océaniques sans endommager l'écosystème de l'océan. L'exploitation des ressources de la mer nous permettra de mieux connaître notre planète, et fournira les aliments essentiels ainsi que d'autres ressources à une population mondiale en croissance rapide.

Les minéraux marins

L'homme retire des sels de la mer depuis plus de 4 000 ans. Dans la plupart des cas, l'extraction s'effectue encore en retenant l'eau de mer dans des bassins peu profonds. Différents composés demeurent dans les bassins suite à l'évaporation naturelle. Des sels, comme le sulfure de fer, le carbonate de calcium, le sulfate de calcium, ainsi que la substance la plus abondante et la plus importante, le chlorure de sodium (sel de table), sont récupérés de cette façon. On a découvert que le liquide restant, appelé eau mère, qui était autrefois éliminé, contient d'autres éléments utiles comme le magnésium, obtenu du chlorure de magnésium par l'évaporation.

Il est également possible d'extraire certains éléments directement de l'eau de mer. L'on sait qu'il existe des secteurs de l'océan à teneur inhabituellement élevée en oligo-éléments comme l'or, le cuivre et le plomb. Par exemple, on a découvert qu'une zone profonde de la mer Rouge contenait de 1 000 à 50 000 fois plus de fer, de cuivre, de manganèse et de plomb que les taux trouvés généralement dans l'eau de mer. L'exploitation de ces éléments dépendra de leur rareté dans le futur sur terre, ou du développement de procédés économiquement faisables d'extraction à partir de l'eau de mer.

Les possibilités d'exploitation minière sont encore plus considérables sur les plateaux continentaux parce que les roches qui s'y trouvent sont de même nature que celles des continents. On croit qu'elles renferment presque la moitié des réserves de pétrole et de gaz de la Terre. Des gisements en haute mer d'étain, d'or, de platine et de diamants ont déjà été découverts. Le sable et le gravier sont accessibles en grandes quantités ainsi que la glauconie, source de potassium pour l'engrais. L'existence d'autres dépôts miniers est également connue. Dans ces cas également, l'exploitation dépendra de la rareté de ces minéraux sur terre ainsi que de l'élaboration de nouvelles technologies minières.

Sur le plancher des mers profondes se trouvent des dépôts appelés *nodules de manganèse*. Composés surtout de manganèse (25 à 30 pour cent), ces nodules contiennent aussi du nickel (1,3 pour cent), du cuivre (1,1 pour cent) ainsi que de petites quantités de cobalt, de molybdène et de vanadium. Les plus riches dépôts de nodules ont été détectés à des profondeurs supérieures à 4 000 m et dans les eaux équatoriales (fig. 4.6). Certains éléments, notamment le cuivre, le cobalt et le nickel, s'accumulent sur le plancher de l'océan Pacifique seulement à raison d'environ 6 à 10 millions de tonnes annuellement, selon les estimations.

Bien qu'une technologie d'extraction appropriée ait déjà été mise au point, ces nodules n'ont pas encore fait l'objet d'une exploitation minière. Comme on le verra plus loin dans le présent chapitre, il n'existe pas encore d'entente internationale sur les méthodes à employer dans le cadre d'une exploitation minière sous-marine.

On a découvert dans la mer Rouge en 1948 un autre type de gisement minier, connu sous le nom de *sédiment métallifère*. Trois bassins fermés, aux couches d'eau anormalement chaudes, ont un lit stratifié contenant des argiles jaune, rouge et bleue. Ces argiles contiennent divers métaux dont le cuivre et le zinc ainsi que des traces d'argent et d'or. Dans Atlantis II, le plus grand de ces bassins, l'on a estimé que si le cuivre et le zinc étaient extraits, leur valeur atteindrait entre 4 et 5 milliards $ (U.S.) (valeur des métaux en 1974). On croit que de tels gisements sont le résultat de déversements volcaniques sous-marins associés aux crêtes sous-marines. Étant donné que ces crêtes s'étendent dans tous les océans, il est très probable que d'autres sédiments métallifères semblables seront découverts. Cependant, l'exploitation minière sous-marine comporte bien d'autres aspects à part la simple découverte de gisements. En effet, il faut extraire les minéraux et les traiter et, comme dans le cas des nodules de manganèse, résoudre bon nombre de problèmes technologiques, économiques et environnementaux avant de s'engager à fond dans les activités d'exploitation.

Sur le fond marin, d'autres types de gisements, dont les dépôts de phosphorite (le phosphore a une grande valeur comme engrais et est utilisé dans maints secteurs de l'industrie chimique), d'or et de diamants attendent encore qu'on les exploite. Bien entendu, on extrait déjà depuis de nombreuses années le pétrole et le gaz sous-marins dans des régions comme le golfe du Mexique et le golfe Persique. Des découvertes ultérieures de gisements pétrolifères et gazéifères ont été effectuées dans les plateaux continentaux. On prévoit d'autres découvertes à mesure que de nouvelles méthodes de prospection et de forage dans les zones d'eaux profondes seront mises au point.

La pollution océanique

Bon nombre des substances que l'homme met au rebut trouvent leur chemin jusqu'à l'océan. Jusqu'à 90 pour cent de ces polluants demeurent dans les eaux littorales, considérées comme les secteurs océaniques les plus productifs du point de vue biologique. Même une grande partie de ce que l'homme élimine dans l'atmosphère se retrouve dans l'océan. La liste des polluants est très longue et comporte des produits aussi divers que le pétrole, les eaux usées concentrées, les gaz employés dans les guerres chimiques, les détergents, les produits chimiques comme le DDT et les BPC (biphényles polychlorés), les métaux lourds (mercure, plomb et cadmium) et les déchets radioactifs. Bien que certains problèmes causés par ces substances soient très visibles, on s'aperçoit de plus en plus que les effets de bon nombre d'entre elles sont encore très mal compris. Les risques de dommages irréparables à l'environnement océanique s'accroissent avec le nombre et la quantité de polluants qui y sont déversés.

Parmi les plus dangereux des polluants figurent les hydrocarbures. En 1985, 3 300 navires transportaient 11 milliards de tonnes de pétrole. La quantité annuelle moyenne d'hydrocarbures déversés dans les océans a atteint 161 000 tonnes pour la période 1973 - 1985. Ce chiffre n'inclut que les déversements accidentels d'hydrocarbures et non ceux résultant des activités de nettoyage et de lestage. Bien que les effets des déversements majeurs sur la vie océanique soient bien documentés, on comprend encore mal les conséquences à long terme d'un accroissement des déversements. Par exemple, on ne connaît pas encore les effets à long terme du bris de l'*Amoco Cadiz* au large de la côte de Bretagne au printemps de 1978. Les effets à court terme du déversement de milliers de tonnes d'hydrocarbures le long de cette côte ont été catastrophiques.

Quel impact de tels déversements ont-ils sur l'écosystème de l'océan? L'homme perturbe l'approvisionnement en oxygène de la Terre lorsqu'il jette des polluants à la mer. Comme il a été cité antérieurement, environ 70 pour cent de l'oxygène de la planète est produit par le phytoplancton qui a recours au processus de photosynthèse. Il a été démontré qu'à certains endroits, les herbicides et les pesticides, comme le DDT, détruisent le phytoplancton. Ce phénomène survient au moment où la végétation continentale productrice d'oxygène est en voie d'être détruite et que la consommation d'oxygène augmente rapidement surtout à cause du brûlage des combustibles fossiles.

En 1972, quatre-vingts pays ont signé un accord international visant à réglementer le déversement de déchets dans les océans. Cette convention, qui est entrée en vigueur en 1975, défend le déversement de substances comme les matériaux radioactifs, les produits de la guerre biologique et chimique, divers types d'hydrocarbures, ainsi que des composés du cadmium, du mercure et des organohalogènes (par ex. les BPC). Certains autres produits, comme l'arsenic, le plomb, les fluorures et les pesticides, peuvent être déversés en quantités limitées seulement à des endroits déterminés à condition d'obtenir une permission au préalable. Bien que cet accord comporte des points faibles, il est considéré comme une importante percée dans l'élaboration d'une loi internationale sur l'environnement.

Les lois de la mer

Les masses continentales de la Terre (sauf l'Antarctique) sont divisées en pays qui exercent tous une juridiction sur les ressources à l'intérieur de leurs frontières respectives. La plupart des pays ont adopté des lois visant à réglementer le mode d'exploitation de ces ressources. L'exploitation forestière, la destruction de la faune et de la flore, l'extraction minière, le déversement de polluants, et l'utilisation de produits chimiques sur la végétation, ne constituent que quelques exemples. Cela ne signifie pas que tous les pays en font assez, ou même qu'ils s'entendent sur les secteurs à réglementer, mais qu'ils ont le pouvoir juridique pour agir sur l'environnement.

Cette situation ne s'applique pas à l'hydrosphère et à l'atmosphère. L'air et l'eau circulent indépendamment des frontières politiques. Tout pays peut réglementer ce qui pénètre dans l'air et l'eau à l'intérieur de ses frontières, mais il n'a aucune juridiction sur le comportement des pays voisins. Les implications de cette situation relativement aux dépôts acides sont examinées au chapitre sur la pollution de l'air. Cependant, le problème des océans est tout autre. Les sections qui suivent présentent certaines étapes qui ont été franchies en vue de contrôler l'utilisation des océans et de leurs ressources.

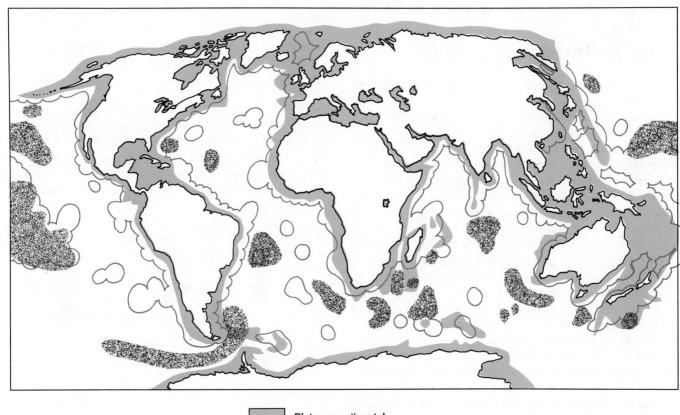

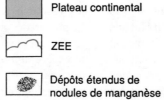

Plateau continental

ZEE

Dépôts étendus de
nodules de manganèse

Fig. 4.6 Les ZEE, les plateaux continentaux et les dépôts de nodules de manganèse.
(Source: GAIA: *An Atlas of Planet Management*, Norman Myers, Ph.D., dir. de publ. (Garden City, N.-Y.: Anchor Books, Anchor Press/Doubleday & Company Inc., 1984) p. 97.)

«La liberté de la haute mer»

Le premier événement majeur remonte à 1609 lorsque les puissances maritimes de l'Europe se sont mises d'accord sur une doctrine appelée «la liberté de la haute mer», selon laquelle un pays donné ne pouvait exercer sa souveraineté en mer que sur une étroite zone d'eaux littorales (3 milles nautiques de largeur). À l'intérieur de cette zone d'eaux dites territoriales, les navires devaient se soumettre aux lois de l'État à qui appartenait le littoral, tandis qu'à l'extérieur, c'est-à-dire en haute mer, tous les navires pouvaient naviguer selon leur bon plaisir. Bien que la piraterie et le commerce des esclaves aient été interdits, quiconque pouvait pêcher en toute liberté. Plus tard, cette liberté a été étendue afin d'inclure la pose de câbles et de pipelines.

L'un des auteurs de cette doctrine, le juriste hollandais Hugo Grotius, a écrit en 1609: «La plupart des ressources s'épuisent si elles sont soumises à une utilisation chaotique. Ce n'est pas le cas des mers, car on ne peut les épuiser par la pêche ou la navigation, qui sont les deux seules exploitations marines.» Cette affirmation était vraie à l'époque et l'est demeurée même jusqu'aux premières décennies du 20e siècle. La doctrine a servi les intérêts de l'Europe en encourageant le commerce. (Bien entendu, ce commerce n'était pas toujours à l'avantage des autres pays souvent exploités par les Européens.) Elle a également aidé à préserver la paix et contribué à l'émigration massive des peuples européens aux 19e et 20e siècles. Cependant, dès les premières décennies du 20e siècle, le besoin de nouveaux règlements est devenu évident.

Conférences sur le droit de la mer

Après deux tentatives antérieures, la Conférence des Nations Unies sur le droit de la mer a été organisée de nouveau en 1973 (CNUDM [UNCLOS] III) et a eu lieu tous les ans par la suite jusqu'en 1982. À la fin de leurs travaux, les 119 pays participants ont réussi à établir une «constitution pour les océans». Les problèmes qui ont suscité ces conférences sont décrits ci-dessous.

• Les techniques modernes de pêche et l'absence de réglementation de cette activité sont à l'origine d'un certain nombre de problèmes. La surexploitation a épuisé les stocks de maintes espèces d'intérêt commercial. Comme la gestion des stocks de poissons est très difficile, bon nombre d'espèces commerciales ont été mises en danger ou même menacées de disparition dans certains cas. Il a fallu adopter des mesures pour réglementer le nombre de poissons capturés.

• Le début de l'exploitation commerciale des nodules de manganèse sur le fond océanique n'était plus qu'une question de temps. Il n'y avait aucun doute sur le fait que cette entreprise serait gérée par de vastes sociétés ayant leur siège social dans les pays industrialisés. Les nations en voie de développement étaient très préoccupées par le fait qu'on les mettait à l'écart et, qu'en conséquence, on leur refusait leur part des énormes profits financiers que rapporterait à long terme cette exploitation minière.

• Les règlements relatifs à la pollution des océans comportaient encore bien des points faibles ou étaient carrément inexistants. Bon nombre de pays souhaitaient des normes anti-pollution plus rigoureuses, particulièrement dans les eaux littorales. Parmi les préoccupations, on évoquait les possibilités d'un déversement massif d'hydrocarbures par un superpétrolier, la pollution par l'exploitation minière sous-marine et le déversement de déchets toxiques, particulièrement les substances radioactives.

La tâche de la CNUDM III (1973-1982) consistait à produire un ensemble de lois qui résoudraient ces problèmes et d'autres d'une façon satisfaisante pour tous les pays du monde. Il s'agissait donc d'un défi de taille. La section suivante présente certains des articles les plus importants de la Convention des Nations Unies sur le droit de la mer, qui a été signée en Jamaïque en 1982.

Les termes de la CNUDM III

Environ 40 pour cent des océans sont placés sous la juridiction des États côtiers dans quatre zones.

• *Les eaux intérieures.* Cette zone comprend les ports, les baies et les estuaires qui font partie intégrante du territoire souverain de l'État côtier.

• *Les eaux territoriales.* Cette zone, d'une largeur de 12 milles nautiques à partir de la côte, fait partie intégrante du territoire souverain de l'État côtier. Cependant, l'État doit accorder la liberté de «passage inoffensif» dans ces eaux, ce qui signifie que des navires d'autres pays peuvent les traverser à condition de ne pas les utiliser à des fins militaires, économiques ou scientifiques.

• Dans la *zone économique exclusive (ZEE)*, qui s'étend jusqu'à une distance de 200 milles nautiques à partir de la côte (voir fig. 4.6), l'État côtier a pleine souveraineté sur les ressources naturelles qui s'y trouvent. On autorise la pêche effectuée par les navires étrangers dans cette zone lorsque la récolte possible est supérieure à la quantité recueillie par l'État côtier. Cette loi permet à l'État côtier de limiter la quantité de poissons capturés, et donc d'empêcher la surexploitation.

• *Le plateau continental.* L'État côtier peut revendiquer le droit exclusif au fond sous-marin du plateau continental (y compris le talus et le glacis) ainsi qu'aux ressources sous la surface au-delà de la limite de 200 milles nautiques. Ce droit vise surtout les découvertes de vastes gisements de pétrole et de gaz naturel effectuées récemment dans le plateau continental. Il est bien évident toutefois que les États côtiers ont l'obligation d'adopter de saines politiques de gestion de ces ressources et d'autres encore, de même que des lois et des règlements visant à combattre la pollution dans cette zone et la ZEE.

Bien que la doctrine traditionnelle de «liberté de la haute mer» s'applique aux eaux de surface des 60 pour cent de la superficie des océans qui reste, le fond océanique est le composant qui a suscité le plus de controverse. En 1967, l'ambassadeur Pardo, représentant de Malte aux Nations Unies, a déclaré que les ressources du fond océanique devraient être considérées comme le «patrimoine de l'humanité entière». Selon la CNUDM III, elles devront être réglementées par l'Administration internationale des fonds marins (International Seabed Authority) qui assurerait la répartition équitable (y compris aux pays en voie de développement) des profits de l'exploitation minière des nodules de manganèse. Malheureusement, plusieurs pays industrialisés, dont les États-Unis s'opposent à cette politique et ont refusé de ratifier le traité.

Les mesures décrites dans la Convention de la Jamaïque tiennent compte de tous les types de pollution, indépendamment de leur source. Les pays doivent être tenus responsables de tout dommage qu'ils pourraient causer aux eaux sous la juridiction de pays étrangers ainsi qu'à celles de la haute mer. Bien entendu, l'efficacité de ces lois internationales reste à démontrer. Quel sera le mode de mise en application et que fera-t-on quand un pays choisira de ne pas obéir à la loi internationale?

Le succès du Droit de la mer est crucial non seulement pour l'avenir des océans, mais aussi pour celui de la planète, car tout ce qui aide à promouvoir la coopération internationale, particulièrement en matière d'environnement, est vital pour la Terre. C'est pourquoi l'adoption universelle de ces lois est un test critique que les pays de la Terre se doivent de réussir.

La Convention de la CNUDM III comporte un point faible de taille: elle a été présentée comme un tout qui doit être accepté en totalité ou rejeté complètement. En d'autres termes, un pays doit adhérer à toutes les clauses ou rejeter le traité en bloc. Cet état de choses a considérablement ralenti le processus de ratification. En dépit de ce contretemps, bon nombre de clauses de la Convention ont fait l'objet d'une acceptation générale et sont déjà en application à l'échelle internationale.

Étude 4-3

1. Le point de vue d'Hugo Grotius au début du 17e siècle a été considéré à l'époque comme très logique. Pourquoi était-il approprié alors et inapproprié maintenant?

2. L'épave du Titanic a été localisée en 1985 à environ 4 000 m de profondeur au large de la plate-forme continentale au sud-est de Terre-Neuve. Cette découverte a soulevé la question à savoir à qui revient la juridiction des restes du navire. Sur quelles bases le Canada pourrait-il revendiquer cette juridiction?

3. Plusieurs pays se sont opposés à la déclaration de 1967 selon laquelle le fond océanique devrait être le «patrimoine de l'humanité entière». Pourquoi cette déclaration serait-elle nécessaire et quelles sont les raisons pour lesquelles on s'y oppose?

4. Il a été difficile d'arriver à un accord sur les règlements internationaux portant sur l'océan. Les pays sont dans des situations différentes relativement aux océans. Certains pays n'ont pas de fenêtre sur la mer, d'autres possèdent des plateaux continentaux très larges ou très étroits, ou sont plus avancés technologiquement que leurs voisins; certains encore ont une grande flotte marchande et d'autres, une longue histoire d'activités de pêche dans les eaux littorales de pays étrangers. Quels sont les types de garanties sur lesquels les différents groupes de pays auraient insisté avant de signer l'accord de la CNUDM III en 1982?

L'atmosphère

5 / La composition de l'atmosphère

L'atmosphère ou air, qui est le composant gazeux de la biosphère, fournit bon nombre des conditions essentielles à la vie, dont celles décrites ci-dessous.

• Les gaz de l'atmosphère constituent les réservoirs majeurs des quatre éléments les plus importants requis par tous les organismes vivants: l'oxygène, l'azote, le carbone (dans le dioxyde de carbone) et l'hydrogène (dans la vapeur d'eau).

• Bien que les gaz atmosphériques protègent les organismes vivants contre certains types nuisibles de rayonnement solaire, ils sont suffisamment transparents pour que la lumière puisse pénétrer, réchauffer et assurer le maintien des processus vitaux comme la photosynthèse.

• Les gaz atmosphériques agissent comme isolants, en rendant la surface de la biosphère plus chaude globalement qu'elle ne le serait s'il n'y avait pas d'atmosphère.

• L'atmosphère, constamment en mouvement, est responsable de la plupart des variations climatiques que l'on observe sur la Terre.

Les termes température et climat se rapportent aux conditions atmosphériques qui sont sujettes à des variations. Elles comprennent la chaleur, l'humidité et le déplacement de l'air. Le terme «température» se rapporte à l'état quotidien de l'atmosphère au-dessus d'une région donnée. Le terme «climat» désigne l'état moyen de l'atmosphère à un endroit donné pendant un grand nombre d'années, tout en incluant les extrêmes et les événements rares.

Le climat a une grande influence sur bon nombre de composants de la biosphère, tant biologiques (animaux, plantes) que physiques (par ex., les sols, les courants océaniques et les formes du relief). La quantité de chaleur ou d'humidité accessible à un endroit donné fixe des limites rigoureuses quant aux formes de vie que la région peut entretenir. Une connaissance de ces conditions est essentielle pour quiconque désire comprendre les systèmes qui entretiennent la vie sur la Terre.

Les gaz atmosphériques

L'atmosphère est un mélange extrêmement compressible de gaz qui forment des «couches» concentriques autour de la Terre (fig. 5.1). Bien que des traces de gaz atmosphériques peuvent être observées jusqu'à 10 000 km au-dessus de la Terre, la force gravitationnelle retient environ 97 pour cent de la masse totale de l'atmosphère à moins de 30 km de la surface.

L'air pur et sec

Du point de vue du volume, deux gaz, soit l'azote et l'oxygène, forment jusqu'à 99 pour cent de l'atmosphère. L'azote (78,08 pour cent du volume) est un gaz inactif généralement considéré comme une substance neutre dans l'atmosphère. Il s'agit cependant d'un élément nutritif crucial dont tous les êtres vivants ont besoin pour fabriquer des protéines (voir p. 131). Il existe dans le sol des bactéries spéciales qui extraient l'azote de l'atmosphère de façon à ce que cet élément puisse être assimilé par les racines des plantes. L'oxygène (20,94 pour cent) est très actif chimiquement; par exemple, il se combine avec des combustibles au cours du processus de combustion. L'oxygène qui se trouve dans l'air respiré par les êtres vivants se combine chimiquement avec les aliments au cours du processus de la digestion pour produire de la chaleur et de l'énergie.

L'air pur et sec contient également un certain nombre de gaz mineurs dont l'argon (0,93 pour cent) et des quantités très inférieures de néon, d'hélium, d'ozone, d'hydrogène, de krypton, de xénon, de dioxyde de carbone et de méthane. Le dioxyde de carbone (0,03 pour cent), quoique très peu abondant, joue deux rôles particuliers dans l'atmosphère. Il s'agit de l'un des gaz qui absorbent l'énergie rayonnante, et il constitue un facteur essentiel dans le processus de photosynthèse. Les activités humaines sont responsables d'un accroissement de la concentration de CO_2 dans l'atmosphère ces dernières années. L'effet de ce phénomène sur les températures à l'échelle mondiale est examiné dans une section ultérieure (p. 109). L'ozone, autre gaz peu abondant qui joue un rôle très particulier, sera abordé plus loin dans le présent chapitre.

Air humide impur

L'atmosphère est rarement, sinon jamais, sèche et pure. Les couches inférieures contiennent de la vapeur d'eau et des quantités appréciables, quoique variables, d'aérosols. Ces derniers comprennent des particules de poussière, de fumée et de sel de mer qui sont toujours présentes dans l'atmosphère indépendamment du degré de «propreté» de l'environnement. Les aérosols jouent divers rôles dans l'environnement. Par exemple, ils absorbent et dispersent le rayonnement solaire et forment le noyau de condensation autour duquel la vapeur d'eau se condense en gouttelettes. Les aérosols constituent aussi un facteur de visibilité et de pollution. Par exemple, certains types de brouillard (fumeux) apparaissent lorsque les activités humaines font croître la quantité d'aérosols, généralement en faisant usage de matière en combustion.

Dans la basse atmosphère, la vapeur d'eau varie en volume d'une valeur presque nulle jusqu'à trois pour cent. Étant donné que sa quantité dépend largement de la température, les quantités les plus élevées de vapeur d'eau se retrouvent sous les tropiques ainsi que dans l'air chaud estival des latitudes moyennes.

La vapeur d'eau est une composante essentielle de la température, du climat et des processus vitaux sur la Terre. Elle fournit de l'humidité, qui est essentielle dans tous les processus qui engendrent la vie. Elle se combine avec le dioxyde de carbone dans le processus de photosynthèse et joue un rôle décisif dans tous les cycles nutritifs. Avec

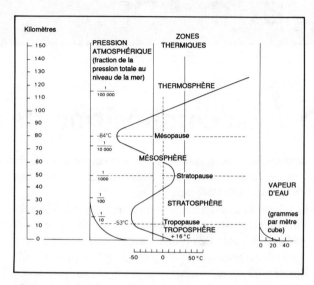

Fig. 5.1 Divisions de l'atmosphère selon les zones thermiques.

l'ozone et le dioxyde de carbone, la vapeur d'eau absorbe autant le rayonnement qui arrive du soleil que celui qui quitte la Terre. La vapeur d'eau est un moyen qu'utilise la chaleur latente pour être transférée des océans et des mers à l'atmosphère. Toutes ces fonctions seront examinées dans des chapitres ultérieurs.

Les divisions de l'atmosphère

Les diverses couches de l'atmosphère et certaines de leurs caractéristiques sont illustrées à la fig. 5.1. L'atmosphère est composée de couches réparties selon les températures. C'est dans la *troposphère*, couche d'air adjacente à la surface terrestre, que surviennent les phénomènes météorologiques. Il s'agit de la seule zone de l'atmosphère où l'on observe de la turbulence (mouvement vertical d'air) avec des déplacements d'air horizontaux.

À l'intérieur de la troposphère, les températures descendent assez régulièrement à mesure que l'on s'éloigne de la surface terrestre. Cette variation est formulée par le taux de décroissance de la température environnementale (expression abrégée: *gradient vertical*). Le gradient *moyen* est de 6,4°C/1 000 m. Il est à remarquer toutefois, qu'en n'importe quel endroit ou temps, le gradient vertical peut s'écarter considérablement de cette moyenne.

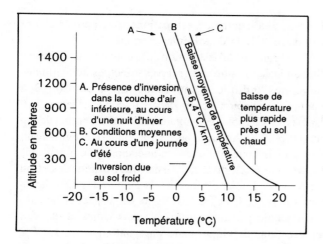

Fig. 5.2 Répartition verticale de température en présence de conditions variées. Quelle ligne (A, B ou C) représente une inversion? Qu'est-ce qui peut survenir lorsque le gradient vertical de température est nettement plus élevé que la valeur moyenne? (Source: Trewartha, Robinson et Hammond, *Fundamentals of Physical Geography*.)

Dans certains cas, la température peut même s'élever sur une courte distance de sorte qu'une couche d'air chaud recouvre une couche d'air froid. On obtient alors une *inversion thermique* (voir fig. 5.2). Cette inversion se produit souvent la nuit, lorsqu'il n'y a pas de rayonnement solaire. La Terre continue d'être la source de rayonnement thermique et, comme elle fait preuve en cela d'une plus grande efficacité que l'air, la surface terrestre et l'air immédiatement au-dessus ont une température inférieure comparativement aux couches atmosphériques situées à plus haute altitude. Étant donné que l'air froid est plus dense que l'air chaud, il ne peut s'élever. Lorsque ce phénomène survient au-dessus des grands centres urbains, les divers polluants sont retenus dans cette couche d'air immobile, créant un parapluie de pollution. Ce parapluie se dissipe normalement lorsque le soleil réchauffe la Terre et que s'élève la température de la couche d'air adjacente à la surface terrestre. Le phénomène d'inversion est examiné au chapitre 13.

Le haut de la troposphère, appelé *tropopause*, est situé à une altitude moyenne de 9 km aux pôles et de 16 km à l'équateur. À cet endroit, les températures ne descendent

plus et demeurent constantes ou s'élèvent jusqu'à environ 0°C au niveau de la *stratopause*. C'est à l'intérieur de la stratosphère que se situe la très importante couche d'ozone. La température s'élève dans cette couche parce que l'ozone absorbe l'énergie solaire. Au-dessus de la couche d'ozone, la température baisse de nouveau pour atteindre -83°C au niveau de la *mésopause*. Au-delà de cette zone dans la thermosphère, les températures atmosphériques peuvent s'élever jusqu'à 1 100°C et plus. À de telles altitudes cependant, ces données n'ont guère de signification, car l'air y est si rare que les quantités de chaleur retenues ou véhiculées sont extrêmement minimes.

La couche d'ozone

L'ozone est produite par des décharges électriques sur des atomes normaux d'oxygène ou lorsque ceux-ci sont traversés par des rayons ultra-violets du soleil, ce qui provoque la combinaison de trois atomes d'oxygène (O_3) au lieu de deux comme c'est habituellement le cas. L'ozone se présente sous la forme d'un gaz très instable, légèrement bleuté, qui dégage une odeur distinctive de fraîcheur ou une odeur pénétrante. L'ozone se retrouve en concentration maximale dans la stratosphère, entre 20 et 30 kilomètres au-dessus de la surface terrestre. Même à cet endroit cependant, les taux de concentration d'ozone sont très minimes, soit de l'ordre de 15 parties par million ou 0,0015 pour cent.

Son importance est beaucoup plus grande que pourrait le laisser croire sa quantité. L'ozone de la stratosphère agit comme un bouclier en absorbant certains rayons ultra-violets qui se propagent en ondes très petites et qui sont nuisibles à la santé de l'homme, des animaux et des végétaux. Par exemple, il a été établi de façon assez concluante qu'un appauvrissement modeste de la couche d'ozone provoquerait un accroissement des cancers de la peau sans mélanomes chez l'homme. En outre, l'ozone absorbe le rayonnement infrarouge qui est la principale source de chaleur dans la stratosphère. Bien que cette énergie calorifique n'ait pas d'effet direct sur la vie dans la biosphère, elle joue un rôle important dans les divers processus qui déterminent les conditions du temps et du climat dans la troposphère. Par conséquent, la modification de la quantité d'ozone aura un effet sur les climats planétaires, en plus des répercussions sur son rôle de défense contre les rayons ultra-violets. Il est donc évident que la couche d'ozone constitue un important facteur qui rend la vie possible sur la planète Terre.

L'ozone est continuellement créé et détruit. L'ozone est formé lorsque les rayons ultra-violets du soleil provoque la scission des molécules d'oxygène. Les atomes d'oxygène libérés s'attachent alors à d'autres molécules d'oxygène de la façon indiquée ci-dessous:

$$O_2 \rightarrow O + O$$
$$O + O_2 \rightarrow O_3$$

L'atome d'oxygène excédentaire dans la réaction ci-dessus peut former une autre molécule d'ozone ou, comme dans la première réaction ci-dessous, se joindre à l'ozone, en redivisant O_3 en deux molécules d'oxygène. Cette réaction est l'un des modes normaux de destruction de l'ozone.

$$O + O_3 \rightarrow O_2 + O_2$$
$$2O_3 \rightarrow 3O_2$$

Bien que la destruction soit un processus normal, elle peut être accélérée en présence de nombreux catalyseurs comme les oxydes d'azote (NO), le chlore atomique (Cl) ou le méthane.

C'est dans ce contexte que les activités humaines entrent en jeu. En effet, d'énormes quantités d'oxydes nitriques sont produites lors d'essais nucléaires ainsi que dans les gaz d'échappement des véhicules, et des quantités plus petites avec l'emploi d'engrais azotés. Le chlore est libéré dans l'atmosphère lorsqu'on l'utilise pour purifier l'eau potable. Cependant, le groupe de produits chimiques connus sous le nom de chlorofluorocarbures (CFC), considérés comme des catalyseurs majeurs, est celui qui suscite le plus d'inquiétude chez les scientifiques. Ces composés, découverts en 1928, sont utilisés comme système à vaporiser, en réfrigération, dans les tasses en mousse de polystyrène, dans divers solvants industriels et d'autres produits utiles. Les CFC sont les composés les plus préoccupants en raison des qualités qui les rendent attrayants à l'industrie. Ils sont durables, ininflammables, non toxiques et leur fabrication est peu coûteuse. Ils montent lentement vers la stratosphère où, frappés par le rayonnement solaire, ils libèrent des atomes de chlore. Par une série de réactions chimiques, ce chlore provoque la destruction de la molécule d'ozone. Selon certaines estimations, un atome de chlore peut détruire 10 000 molécules d'ozone.

L'envergure de la destruction de la couche d'ozone varie d'un endroit à l'autre. Des relevés effectués aux latitudes moyennes indiquent une réduction d'environ 3 à 4 pour cent au cours des dix dernières années. Cependant, dans les régions polaires, les valeurs obtenues sont beaucoup plus élevées. En Antarctique, on a découvert récemment un trou dans la couche d'ozone d'une superficie à peu près équivalente à celle du Canada. Bien que l'origine de ce trou fasse encore l'objet d'un débat, la plupart des chercheurs sont d'avis que les CFC font figure de suspect principal.

Un accord parrainé par les Nations Unies et que des représentants de vingt-quatre pays ont signé en 1987, à Montréal, permettra, lorsqu'il sera ratifié, de limiter la production de certains des plus nuisibles CFC. En termes généraux, cet accord vise à ramener, en 1989, la production de CFC au niveau de celle de 1986 (environ un million de tonnes) et de la réduire progressivement de façon à ce qu'en 1999, les quantités produites soient équivalentes à la moitié de celles de 1986. Les pays d'Amérique du Nord et d'Europe ont déclaré leur intention de ratifier l'accord, malgré une certaine opposition. Étant donné que ces pays produisent plus de 80 pour cent du stock mondial de CFC, cette mesure attaque la source du problème. L'accord comporte cependant des exceptions notoires. Par exemple, on permet aux pays en voie de développement d'augmenter leur consommation à condition qu'elle ne dépasse pas 0,3 kg/habitant.

Bien entendu, il n'y a rien que le traité ou quiconque puisse faire en ce qui concerne les CFC et d'autres substances qui sont déjà dans l'atmosphère. Ces produits continueront encore de détruire l'ozone lorsque le 21e siècle sera déjà bien entamé.

Étude 5-1

1. Le climat peut être défini comme l'ensemble des conditions atmosphériques plutôt que les conditions moyennes. Expliquer.

2. On décrit l'atmosphère comme un «mélange de gaz hautement compressible». Expliquer.

3. Examiner certains moyens découverts par l'homme pour contourner les difficultés créées par des conditions météorologiques ou climatiques comme l'insuffisance des précipitations ou des températures maximales et minimales.

4. a) Examiner les répartitions de température suivantes. Indiquer celle qui se rapproche le plus du gradient vertical moyen de température, et celle qui représente une inversion.

Sol	300 m	600 m	900 m	1 200 m	1 500 m
x	18,0°C	20,0°C	16,5°C	14,0°C	12,5°C
y	18,0°C	16,0°C	14,5°C	12,5°C	10,0°C
z	18,0°C	15,5°C	12,5°C	10,0°C	9,0°C

b) Les conditions favorables aux inversions de température près du sol comprennent les longues nuits d'hiver, les ciels dégagés, l'air sec, l'absence de vent, ou un sol enneigé. Expliquer comment l'un de ces facteurs, ou une combinaison parmi eux, peut provoquer une inversion de température.

c) Pourquoi existe-t-il souvent une étroite relation entre les inversions de température en surface et le brouillard et la gelée?

5. a) Pourquoi un citoyen peut-il aussi facilement se désintéresser de problèmes tels que la destruction de l'ozone dans la stratosphère?

b) Quels groupes pourraient s'opposer activement à l'accord visant à limiter la production de CFC ou d'autres substances nuisibles à l'ozone?

c) Comment peut-on justifier la permission accordée aux pays en voie de développement d'augmenter leur production de CFC?

d) Interpréter ce commentaire fait à l'époque de la conférence à Montréal: «Il serait préférable de ralentir la démarche visant à réduire les CFC jusqu'à ce qu'il ait été démontré que ces produits sont les vrais coupables.»

Remarque: Une activité d'analyse statistique des conditions du temps est présentée à la fin du chapitre 9 (p. 84). Cette démarche engage à une collecte de données pendant un minimum de trente jours. Votre classe souhaite-t-elle commencer dès maintenant à relever quotidiennement les conditions du temps de la façon qui est décrite dans l'activité?

6 / L'énergie solaire

Tous les processus physiques et naturels que l'on observe sur la Terre nécessitent de l'énergie. En fait, l'énergie est la mesure de toute chose et tout ce qui existe est énergie. En conséquence, un ouvrage qui traite des processus physiques sur la Terre, et de leur rapport avec l'homme, les animaux et les végétaux, doit expliquer la fonction du soleil, la principale source d'énergie.

Si le soleil venait à s'éteindre soudainement, la température à la surface de la Terre baisserait jusqu'à une valeur très voisine du zéro absolu (-273°C) provoquant, bien entendu, la disparition de toute vie sur la planète. En produisant la presque totalité de l'énergie disponible à la surface terrestre, le soleil est responsable de tous les processus vitaux que l'on y observe. Il est source de lumière et crée des températures assez élevées pour entretenir la vie. Il est également essentiel au processus de photosynthèse qui produit les substances chimiques requises par les végétaux. Étant donné qu'à peu près toutes les formes de vie dépendent directement ou indirectement des végétaux pour s'alimenter, la photosynthèse est la base de toute vie sur la Terre. Le chapitre 14 présente un examen plus détaillé de ce processus.

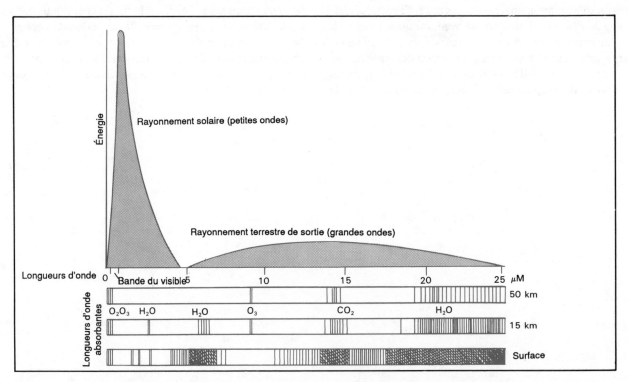

Fig. 6.1 Les courbes qui représentent le rayonnement solaire et terrestre indiquent la répartition d'énergie dans les différentes longueurs d'onde du rayonnement provenant de ces deux sources. Les bandes ombrées sous les courbes montrent les longueurs d'onde où l'atmosphère absorbe le rayonnement, ainsi que les gaz absorbants. On remarquera que l'absorption du rayonnement terrestre de sortie par les couches inférieures est très importante tandis que celle observée dans les couches supérieures est infime.
(Source: G.M.B. Dobson, *Exploring the Atmosphere*, (Oxford: Oxford University Press, 1968).

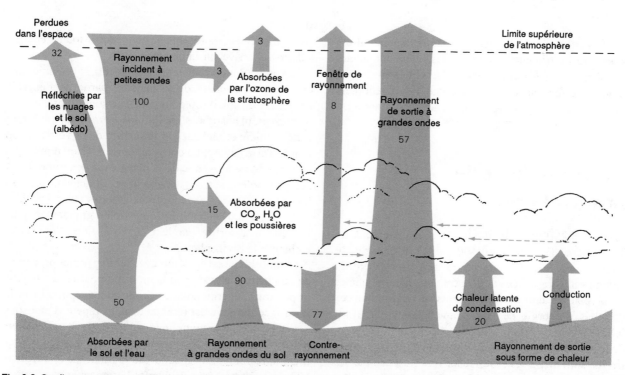

Fig. 6.2 Ce diagramme montre le cheminement de 100 unités de rayonnement solaire qui atteignent la limite supérieure de l'atmosphère. Les divers transferts d'énergie (les chiffres représentent les valeurs globales moyennes) sont expliqués dans le texte. Le bilan énergétique de la Terre, illustré dans le diagramme, est également examiné dans le texte. Utiliser les valeurs du diagramme pour démontrer les points suivants: a) l'énergie reçue à la limite supérieure de l'atmosphère est équivalente à l'énergie perdue par l'atmosphère, et b) l'énergie reçue à la surface de la Terre est équivalente à celle perdue par la surface. S'il n'existait pas de contre-rayonnement (rayonnement à grandes longueurs d'onde de l'atmosphère vers la Terre), la température moyenne de la basse atmosphère (troposphère) descendrait à -20°C. Expliquer.

L'énergie solaire produit aussi des combustibles fossiles: pétrole, gaz naturel et charbon. Ces substances sont formées à partir des débris d'organismes vivants qui ont été préservés sous terre pendant des millions d'années. Ces organismes renferment de l'énergie chimique qui a été produite à l'aide de l'énergie solaire.

Le soleil favorise les précipitations en fournissant la chaleur nécessaire à l'évaporation de l'eau des océans. La chaleur solaire crée aussi le vent, car ce sont les différences de température, et donc de pression, qui produisent les déplacements d'air. Le présent chapitre, ainsi que le suivant, traitent des effets de l'énergie solaire sur le climat.

Les gaz à température très élevée qui forment la surface du soleil produisent une forme d'énergie appelée *rayonnement électromagnétique*, ou énergie *de rayonnement*. Cette énergie, qui voyage à la vitesse de la lumière, met un peu plus de huit minutes à rejoindre la Terre où elle est transformée en chaleur. Étant donné que la Terre n'occupe que très peu de place dans la galaxie, elle n'intercepte qu'un deux milliardièmes ($1/2 \times 10^9$) de la production solaire totale.

Le soleil émet des ondes de rayonnement de longueurs différentes. Les longueurs d'onde sont mesurées en microns (un micron égale 0,0001 cm). Le spectre électromagnétique du soleil (fig. 6.1) s'étend des longueurs d'onde les plus petites, dans l'ultraviolet, en passant par la bande visible du spectre que l'on perçoit comme la lumière solaire, jusqu'aux grandes longueurs d'onde de l'infrarouge. La longueur d'onde de tout rayonnement est inversement proportionnelle à sa température: plus la température est élevée, plus la longueur d'onde est courte. Il s'ensuit que non seulement les corps les plus chauds émettent la plus grande quantité d'énergie, mais que ce rayonnement est produit dans l'ultraviolet ou portion des petites longueurs d'onde du spectre électromagnétique. Les objets dits froids, comme la Terre et le corps de l'homme, rayonnent dans l'infrarouge ou portion à grandes longueurs d'onde du spectre.

Réchauffement de l'atmosphère

La figure 6.2 illustre le mode de réchauffement de l'atmosphère. En adoptant 100 unités d'énergie de rayonnement à la limite supérieure de l'atmosphère, le diagramme illustre (à l'aide de données annuelles moyennes pour la planète entière) les processus variés que ces 100 unités d'énergie de rayonnement subissent avant qu'elles ne soient définitivement perdues dans l'espace.

En moyenne, 32 pour cent de la totalité du rayonnement d'arrivée sont dispersés et réfléchis vers l'espace par les nuages, les aérosols, les gaz et la surface de la Terre elle-même. Ce rayonnement ne joue aucun rôle dans le réchauffement de l'atmosphère. La vraie quantité réfléchie à un moment donné dépend de la nébulosité et du type de nuage, de l'angle des rayons solaires et des caractéristiques de la surface terrestre. La quantité d'énergie solaire réfléchie par la surface s'appelle l'*albédo*. La neige et la glace réfléchissent une proportion élevée de rayonnement, tandis que l'eau absorbe la majeure partie des rayons reçus. La forêt et les terres agricoles présentent des variations entre ces deux extrêmes.

À l'exception de la petite quantité d'énergie solaire utilisée au cours de la photosynthèse, l'énergie non réfléchie ou dispersée réchauffe l'atmosphère et le sol. La chaleur émise ne peut réchauffer une substance que dans la mesure où cette chaleur est absorbée et transformée en énergie calorifique. Lorsque des ondes très petites, soit de moins de 0,3 microns atteignent la zone extérieure de l'atmosphère, elles sont absorbées principalement par l'ozone. Certaines ondes infrarouges plus grandes (supérieures à 0,71 microns) sont également absorbées par le CO_2, le H_2O et l'ozone. Au total, l'énergie solaire absorbée directement par l'atmosphère représente 18 pour cent de toute l'énergie solaire qui arrive sur la planète.

Les ondes dont la longueur varie entre 0,3 et 0,7 microns, et qui sont porteuses de la majeure partie de l'énergie provenant du soleil (50 pour cent), ne sont ni reflétées, ni dispersées, ni absorbées par l'atmosphère, mais traversent cette dernière et réchauffent la surface de la Terre. À son tour la Terre devient un corps rayonnant. Étant donné que la température moyenne de la planète est très inférieure à celle du soleil, son rayonnement se caractérise par des longueurs d'onde beaucoup plus grandes (voir fig. 6.1). Cette énergie d'ondes infrarouges plus grandes est plus facilement absorbée par le CO_2, le H_2O et l'ozone, et réchauffe la troposphère.

L'atmosphère est également réchauffée par les processus de condensation et de conduction. Le premier est le plus important. L'énergie solaire utilisée pour évaporer l'eau de la surface terrestre est retenue dans la vapeur d'eau sous forme latente ou potentielle, que l'on désigne par *chaleur latente*. À mesure qu'il s'élève, l'air contenant la vapeur d'eau se refroidit. La vapeur d'eau se condense et la chaleur latente, qui est libérée, réchauffe l'atmosphère.

La conduction de la chaleur survient lorsque deux corps dont la température est différente entrent en contact. La chaleur est transférée du corps plus chaud au corps plus froid jusqu'à ce que les deux corps aient la même température. Par exemple, lorsque le sol est réchauffé pendant le jour, une partie de cette chaleur est directement transférée ou amenée par conduction à la couche d'air adjacente à la surface. Cet air chaud s'élève, propageant la chaleur à travers la troposphère.

Bien qu'une certaine partie de l'énergie absorbée par la basse atmosphère se propage et se perde dans l'espace, une portion plus grande est retournée vers la Terre (contre-rayonnement). La rétention de cette énergie dans l'atmosphère est très importante. En l'absence de ce phénomène, la température moyenne à la surface du sol baisserait considérablement la nuit et pendant l'hiver. Par exemple, une plus grande perte de chaleur se produit au cours d'une nuit claire que durant une nuit où le ciel est couvert. Ceci démontre l'importance de la vapeur d'eau dans la rétention de la chaleur et le contre-rayonnement de la chaleur à partir de la Terre.

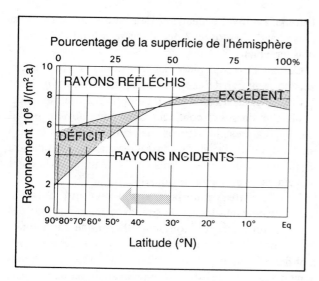

Fig. 6.3 Une illustration de l'équilibre entre les rayons incidents et les rayons réfléchis. Que sait-on de la relation entre les zones désignées «excédent» et «déficit»? L'équilibre entre les zones permanentes d'excédent et de déficit est maintenu grâce au transfert d'énergie vers les pôles. Comment ce transfert est-il effectué?

Ce qui précède démontre donc clairement que la troposphère est en réalité réchauffée dans une plus grande mesure par la Terre, c'est-à-dire par le rayonnement infrarouge à grandes ondes, la condensation et la conduction, que par l'absorption du rayonnement solaire direct. C'est ce qui explique la situation apparemment contradictoire selon laquelle les températures dans la troposphère baissent à mesure que l'on monte vers le soleil (gradient vertical de température).

Ce phénomène explique également l'existence d'un désordre dans les couches d'air verticales de la troposphère. Étant donné que la Terre émet plus d'énergie calorifique que la planète n'en reçoit directement du soleil, il y a production constante d'air chaud sous la couche d'air froid. Comme l'air chaud est moins dense que l'air froid, il s'élève et la troposphère est perpétuellement instable. La chaleur continuellement transférée vers le haut est accompagnée de vapeur d'eau qui se refroidit, se condense et forme des précipitations. Les autres couches de l'atmosphère ont tendance à demeurer stables, avec l'air

chaud au-dessus de l'air froid, ce qui réduit à une valeur très faible le mélange à la verticale.

Bilan de rayonnement (thermique)

La figure 6.2 montre que la quantité d'énergie reçue par l'atmosphère et le sol est équivalente à la perte d'énergie subie par les deux systèmes. Ce raisonnement est valable étant donné qu'à court terme (mois et années), les températures moyennes à la surface de la Terre ne baissent ni ne s'élèvent. Il faut des décennies ou des siècles pour que des changements surviennent, et ceux-ci sont étudiés au chapitre 11.

La quantité d'énergie solaire gagnée ou perdue varie d'un endroit à un autre à la surface de la Terre. Comme le montre la fig. 6.3, les latitudes inférieures (de 34°N. à 34°S.) reçoivent plus d'énergie qu'elles n'en perdent, tandis que l'inverse est vrai aux latitudes supérieures à 34°. Ce déséquilibre thermique est le principal responsable des vents et des courants océaniques. Ces phénomènes agissent comme mécanismes de transfert de la chaleur, déplaçant l'excédent de chaleur des basses latitudes vers les latitudes plus hautes, maintenant ainsi le bilan calorifique de la Terre.

Régulation thermique

Personne n'ignore que les températures varient considérablement d'un endroit à un autre sur la Terre, et que ces variations affectent la vie de maintes façons. Comme nous avons maintenant compris comment la chaleur parvient à l'atmosphère, on peut examiner les facteurs responsables des températures sur la planète.

Variations du rayonnement solaire selon la latitude

La baisse générale des températures de l'équateur vers les pôles est un phénomène généralement bien connu. La raison de cette baisse, c'est-à-dire le fait que les différentes

latitudes ne reçoivent pas toutes la même quantité de rayonnement, a déjà été examinée à la page 11. Les deux principaux facteurs associés à ces variations sont:
• la durée de la lumière solaire ou période d'ensoleillement;
• l'intensité des rayons solaires, c.-à-d. l'angle selon lequel les rayons atteignent le sol (angle d'incidence).

Comme on l'a vu, les différences de durée et d'intensité, qui se produisent dans la plupart des localités au cours d'une année, engendre les variations climatiques saisonnières.

Réchauffements particuliers de la terre et de l'eau

Bien que la quantité de rayonnement solaire reçue est à peu près la même le long de n'importe quel parallèle de latitude, on remarque souvent une variation considérable dans la température moyenne entre deux localités à la même latitude. Par exemple, bien que Rome et Toronto soient deux villes situées à une latitude semblable, la température moyenne en janvier est de 8°C à Rome et de -7°C à Toronto. L'une des principales causes de cette situation est la position des deux localités par rapport à de grands plans d'eau. L'eau se réchauffe ou se refroidit beaucoup plus lentement que la Terre.
• La chaleur massique de l'eau est supérieure à celle de la terre. (La chaleur massique est le taux d'énergie calorifique nécessaire pour élever de 1° à une unité de masse fournie la température de l'unité de masse d'un corps.) En conséquence, un volume d'eau se réchauffe plus lentement que le même volume de terre.
• Les rayons du soleil pénètrent dans l'eau, réchauffant un volume appréciable, tandis que seuls les horizons de surface du sol sont réchauffés par le rayonnement.
• Le brassage que l'on observe dans l'eau transporte la chaleur vers les couches inférieures.
• Les couches de surface de l'eau perdent de la chaleur à cause de l'évaporation.

En été, les températures de l'air sont donc considérablement plus élevées au-dessus d'une vaste zone de terres qu'au-dessus d'un grand plan d'eau à une même latitude. En hiver cependant, l'air au-dessus de l'eau est plus chaud, étant donné que l'eau se refroidit beaucoup plus lentement.

Comme l'air se déplace, les températures d'une région sont souvent transférées à une autre. Les terres avoisinant les vastes plans d'eau subissent les effets de l'air qui s'est déplacé au-dessus du continent. C'est pourquoi Rome jouit de températures plus douces que Toronto en hiver grâce à sa position sur la côte de la Méditerranée. La ville est également exposée aux vents de l'Atlantique. (Un autre facteur est expliqué ci-dessous.)

Les localités soumises aux vents qui naissent généralement au-dessus de grands plans d'eau ont des climats dits à régulation hydrothermique ou climats maritimes. Celles qui sont soumises aux vents terrestres ont des climats dits à régulation continentale ou climats continentaux. Une explication plus détaillé de ce phénomène en relation avec le modèle des vents terrestres sera fournie au chapitre 7.

L'altitude

En général, les températures sont modifiées par les altitudes. Les localités situées à une altitude élevée connaissent durant toute l'année des températures plus fraîches que les localités à la même latitude, mais moins élevées. La principale raison de ce phénomène a déjà été expliquée.

Les reliefs-barrières

Des obstacles physiques comme les collines et les montagnes peuvent influer considérablement sur la température (et les précipitations comme on le verra). Ils agissent principalement comme barrières au vent. Par exemple, les Cordillères de l'Ouest en Amérique du Nord empêche les vents du Pacifique d'atteindre l'intérieur du continent. En conséquence, le climat de l'intérieur est beaucoup plus froid en hiver et plus chaud en été que le climat de la côte à la même latitude.

Expliquer en quoi ce facteur est aussi responsable des hivers plus doux à Rome.

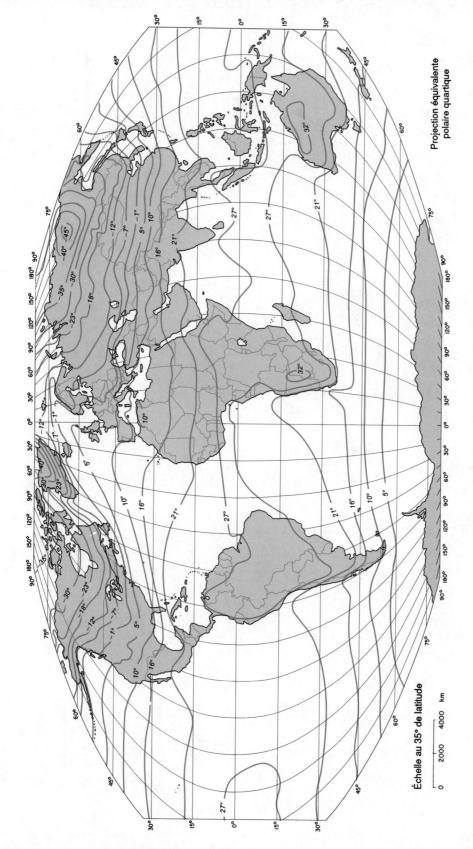

Échelle au 35° de latitude

0   2000   4000   km

Projection équivalente
polaire quartique

Fig. 6.4 Températures moyennes au niveau de la mer en janvier.

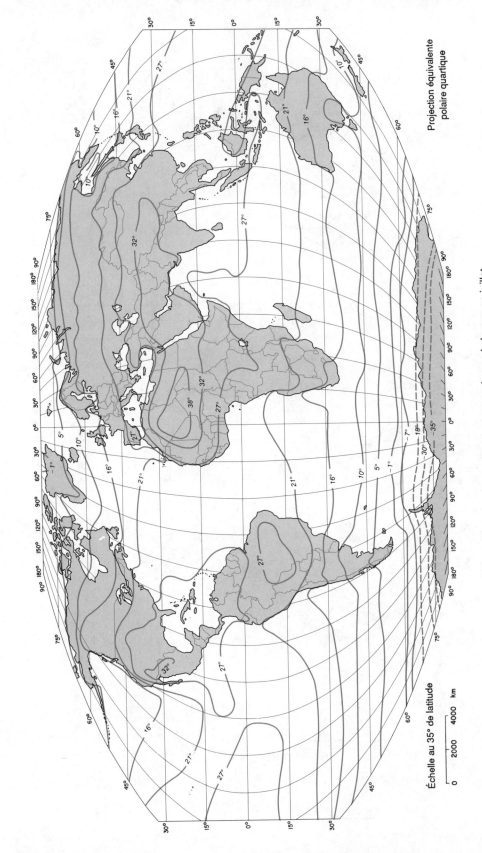

Échelle au 35° de latitude

0   2000   4000   km

Projection équivalente
polaire quartique

Fig. 6.5 Températures moyennes au niveau de la mer en juillet.

Répartition des températures sur la planète

Les moyennes de température sont calculées à partir des températures moyennes journalières, qui constituent une moyenne des amplitudes thermiques au cours d'une période de 24 heures. À la plupart des endroits, la température minimale est relevée juste avant le lever du soleil, tandis que la température maximale l'est vers 14 ou 15 heures.

Trois autres modes d'expression de la température sont fréquemment utilisés:

• l'amplitude thermique diurne ou journalière est la différence entre la température maximale et la température minimale au cours d'une période de 24 heures;

• la température moyenne mensuelle est la moyenne des températures moyennes journalières durant le mois;

• l'amplitude thermique annuelle est la différence entre la moyenne mensuelle minimale et la moyenne mensuelle maximale.

Les données les plus utiles pour un examen initial de la température sont les moyennes du mois le plus chaud et du mois le plus froid qui sont, pour la plupart des endroits, juillet et janvier.

Les lignes illustrées aux figures 6.4 et 6.5, qui joignent les lieux d'égale température sont appelées *isothermes*. Ces cartes constituent des documents de base pour l'analyse des traits généraux et des variations saisonnières du régime thermique mondial.

Étude 6-1

À la lumière de ce qui a été appris jusqu'à présent au sujet de la température, examiner attentivement les figures 6.4 et 6.5. On peut utiliser les questions suivantes comme modèles. La première section concerne les caractéristiques des températures mondiales qui sont communes à toutes les saisons, et la seconde, les variations de température de l'été à l'hiver. Justifier toute vos réponses à toutes les questions.

Caractéristiques communes aux cartes de températures mensuelles

1. Quelle est la tendance dans l'orientation générale des isothermes, et dans quelle orientation la température change-t-elle le plus rapidement? Quelle est la cause de ce changement?

2. a) Si la Terre était toute en eau ou toute en continents, quelle serait la relation entre les isothermes et les parallèles de latitude?

b) À quel endroit sur la planète les isothermes suivent-ils les parallèles le plus étroitement?

c) Dans quelles circonstances les isothermes dévient-ils le plus de leur tendance normale?

d) Dans quelles régions de la Terre se trouvent, en janvier et en juillet, i) les zones les plus chaudes, et ii) les zones les plus froides? Expliquer pourquoi.

3. Comparer le taux de variation des températures le long de la côte Ouest de l'Amérique du Nord et le long de la côte Ouest de l'Europe. Quels contrastes similaires d'autres régions du monde peuvent-elles offrir?

Variations des températures saisonnières

Les cartes de janvier et de juillet présentent des variations de température saisonnières importantes.

1. Examiner l'isotherme de 16°C dans l'hémisphère Nord en janvier et en juillet. Sur une carte muette de l'Amérique du Nord, indiquer la position approximative de cet isotherme en janvier et en juillet. Noter l'importance du déplacement de l'isotherme en degrés de latitude entre ces deux mois au a) 135° de longitude ouest, et au b) 105° de longitude ouest. À l'aide de cet exemple, expliquer le mouvement saisonnier des isothermes.

2. Examiner la figure 4.5 et donner trois exemples de courants chauds et froids qui réduisent ou intensifient la déviation saisonnière des isothermes.

3. L'amplitude thermique annuelle d'une localité donnée indique ses variations saisonnières de température.

a) Trouver des régions où l'amplitude thermique annuelle est supérieure à 30°C et expliquer pourquoi cette amplitude est si considérable à ces endroits?

b) Pourquoi les basses latitudes présentent-elles généralement une amplitude thermique annuelle faible?

c) Nommer les régions à l'extérieur des tropiques qui présentent une amplitude thermique annuelle faible (inférieure à 15°C), et expliquer pourquoi l'amplitude est si faible à ces endroits.

7 / La pression atmosphérique et les vents

On s'attend à ce qu'une couche d'air froid en provenance du Nord du Canada se déplace rapidement vers le Sud-Est aujourd'hui atteignant le Sud de la province en début de soirée. On prévoit pour cette nuit, une baisse des températures jusqu'à une température minimale de -10°C, ce qui est au-dessous de la normale saisonnière. Demain, la température maximale atteindra seulement -5°C, la province demeurant sous l'influence de cette masse d'air froid de l'Arctique.

Ce rapport météorologique journalier est un exemple du type de prévisions atmosphériques présenté dans de nombreuses localités des latitudes moyennes (30° à 60° de latitude nord et sud). Il illustre que la température et le climat peuvent être expliqués en termes de déplacements d'air dans l'atmosphère. Les déplacements de l'air sont de deux types: horizontaux (vents) et verticaux (courant ascendant ou courant descendant). Étant donné que l'air se déplace d'un endroit à un autre, il transfère continuellement les conditions de température et d'humidité d'une région à d'autres régions. Parfois ce phénomène peut produire des résultats très soudains et très surprenants, particulièrement aux latitudes moyennes.

Les mouvements de l'air résultent directement de petites variations dans la pression de l'air. En conséquence, avant d'examiner le modèle terrestre de la circulation de l'air (ou vents), il est nécessaire d'examiner la pression atmosphérique et ses types de variations au-dessus de la surface de la Terre.

Mesure de la pression atmosphérique

Étant donné que les gaz atmosphériques sont soumis à la force d'attraction de la Terre, ils exercent une pression sur la surface de la planète. Cette pression atmosphérique s'exprime en kilopascals (kPa). Le pascal est une unité métrique équivalente à la force d'un newton (N) sur une superficie d'un mètre carré ($1\ Pa = 1\ N/m^2$). La pression atmosphérique moyenne au niveau de la mer est d'environ 101,3 kPa. Les écarts de cette moyenne, bien que très significatifs, dépassent rarement 4 kPa en plus ou en moins.

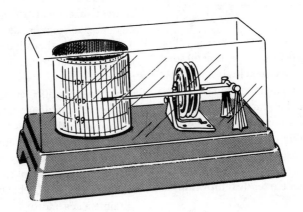

Fig. 7.1 Baromètre enregistreur.

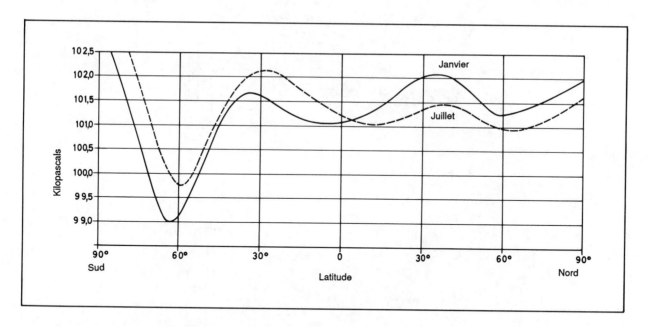

Fig. 7.2 Courbes de la pression atmosphérique au niveau de la mer d'un pôle à l'autre, décrivant la moyenne pour toutes les longitudes.

La pression atmosphérique est mesurée par un instrument appelé *baromètre*. Le *baromètre à mercure* ou *baromètre de Fortin* est l'instrument le plus précis, et il sert à régler la plupart des autres baromètres. L'instrument de forme simple, qui a environ un mètre de longueur, comprend un tube de verre vertical fermé hermétiquement à l'une des extrémités. Le tube est rempli de mercure, et son extrémité ouverte, placée dans une cuve de mercure. Le mercure dans le tube est équilibré par la pression de l'atmosphère sur le mercure dans la cuve. À la pression moyenne au niveau de la mer, le tube contient 770 mm de mercure. À mesure que la pression change, le mercure réagit en s'élevant ou en baissant. On pourrait utiliser un baromètre à l'eau plutôt qu'au mercure, mais la densité de l'eau nécessiterait l'emploi d'un tube de plus de 11 m de haut.

Étant donné que les baromètres à mercure sont plutôt encombrants, on utilise plus couramment le *baromètre anéroïde* (fig. 7.1). Ce baromètre comporte une boîte métallique hermétique, partiellement vidée d'air, dont les côtés sont élastiques. À mesure que la pression atmosphérique augmente ou diminue, les parois de la boîte se contractent ou prennent de l'expansion. Ces mouvements

sont transmis par un système de leviers et de ressorts jusqu'à un indicateur qui se déplace devant un cadran gradué indiquant la pression. L'indicateur peut être remplacé par une plume dans un instrument appelé *barographe*. Cette plume se déplace sur un tambour en rotation de façon à tracer un enregistrement graphique des changements de pression.

Étant donné que la pression atmosphérique baisse à mesure que l'on s'éloigne de la surface de la Terre, la mesure de cette pression, à l'aide d'un *altimètre* d'aéronef, par exemple, peut servir à déterminer les altitudes.

Répartition de la pression sur la Terre

La pression de l'air à un lieu donné résulte souvent de la quantité d'énergie solaire reçue à la surface de la Terre. Lorsque l'air immédiatement au-dessus de la surface est réchauffé, il s'élève et s'étend. Sa pression baisse ou, en d'autres termes, la planète exerce sur ce fluide gazeux une

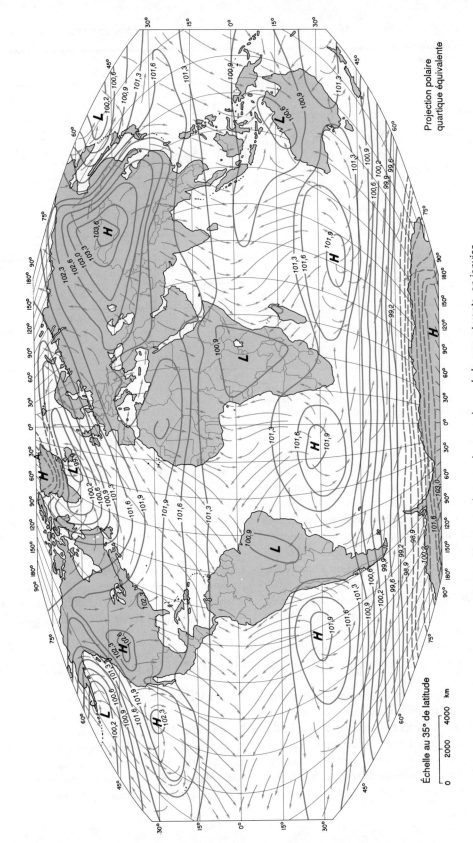

Fig. 7.3 Moyennes des pressions au niveau de la mer, et vents, en janvier.

Projection polaire quartique équivalente

Échelle au 35° de latitude

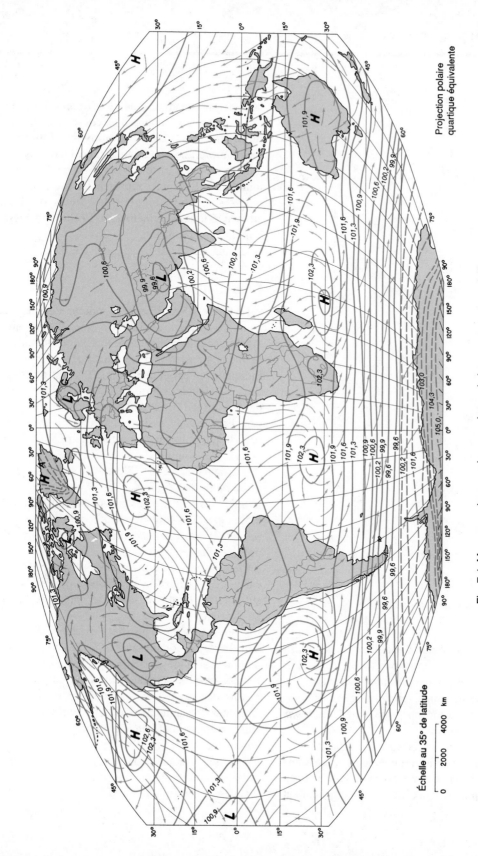

Échelle au 35° de latitude

0   2000   4000   km

Projection polaire
quartique équivalente

Fig. 7.4 Moyennes des pressions au niveau de la mer, et vents, en juillet.

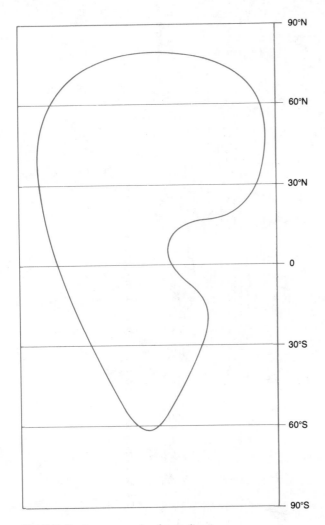

Fig. 7.5 Contour sommaire de continent.

la pression moyenne sous tous les méridiens d'un pôle à l'autre. On remarquera que ces cartes et ces courbes indiquent les conditions moyennes pour les mois susmentionnés. Des variations considérables peuvent être relevées sur une carte des pressions et des vents pour un jour donné. Les lignes représentées sur les cartes sont des *isobares*. Elles joignent les lieux où la pression atmosphérique est la même. Les flèches indiquent la direction du vent dominant.

Étude 7-1

1. La figure 7.5 représente le contour sommaire des continents de l'Amérique du Nord et de l'Amérique du Sud. Agrandir ce diagramme et le reproduire en deux exemplaires de façon à représenter les mois de janvier et de juillet en indiquant les parallèles comme le montre l'illustration.

2. a) À l'aide des figures 7.2 et 7.3, indiquer les zones de dépression et d'anticyclone sur la carte du mois de janvier. Localiser ces dépressions et anticyclones de façon la plus précise possible par rapport aux parallèles. Tracer un ou deux isobares autour de chacune des dépressions et chacun des anticyclones afin d'illustrer le schème des isobares.
b) À l'aide des figures 7.2 et 7.4, montrer de la même manière les schémas des pressions pour le mois de juillet.

3. Les questions suivantes sont basées sur deux cartes de la pression atmosphérique simplifiées, qui ont été dressées par l'étudiant.
a) Quelles zones de pression sont communes aux deux cartes? Identifier l'anticyclone polaire, la dépression subpolaire, l'anticyclone subtropical et la dépression équatoriale.
b) Comment peut-on justifier l'existence d'une dépression dans la région équatoriale?

4. Pourquoi la pression atmosphérique au-dessus des continents est-elle généralement plus basse que celle au-dessus des océans en été? Que se passe-t-il en hiver? Imaginer de quelle manière cette évolution de la pression saisonnière peut affecter le climat au-dessus des régions concernées.

5. Pourquoi les zones de pression en janvier et en juillet ont-elles une forme plus continue dans l'hémisphère Sud que dans l'hémisphère Nord?

force gravitationnelle réduite. Le phénomène inverse survient lorsque la surface terrestre est très froide. Par exemple, la pression au-dessus de l'Antarctique est toujours très haute, particulièrement en hiver. On dit que ces modifications de la pression atmosphérique sont *induits par l'état thermique*.

Les figures 7.3 et 7.4 illustrent la répartition planétaire de la pression atmosphérique au niveau de la mer, ainsi que celle des vents dans la basse atmosphère en janvier et en juillet. La figure 7.2 montre deux courbes qui représentent

6. Les schémas qu'illustrent les isobares décrivent différents cas relatifs à la pression que l'on appelle *cellules*, *creux barométriques*, *crêtes* ou *dorsales barométriques*. Expliquer ces termes et donner des exemples pour chacun.

7. Il est important de se rappeler que les termes «haute» et «basse» sont tout à fait relatifs quand on les applique à la pression atmosphérique. Expliquer.

Distribution planétaire des vents

Le déplacement horizontal de l'air est causé par des différences dans la pression atmosphérique au moment où l'air circule naturellement d'un anticyclone vers une dépression pour tenter de parvenir à un équilibre de la pression. La vélocité des vents est déterminée par le *gradient barométrique*, qui indique le taux de variation barométrique et sa direction. Un gradient barométrique peut être comparé à une dénivellation de terrain. Tout comme une haute terre s'incline vers un terrain bas, l'anticyclone au-dessus d'une région effectue une descente sur une certaine distance jusqu'à une zone dépressionnaire au-dessus d'une autre région. Considérés de cette façon, les isobares sont très semblables en principe aux courbes de niveau (voir p. 330). Les isobares sont conçues pour représenter des gradients de dénivellation. Lorsque les isobares sont très rapprochées les unes des autres, c'est-à-dire dans le cas où les variations de pression sont relativement grandes sur une distance relativement courte, le gradient de pression est raide et les vents sont forts.

Le phénomène des brises de terre et des brises de mer que l'on observe fréquemment le long des côtes illustre de façon simple la création des vents. Au cours d'une journée ensoleillée, le sol se réchauffe rapidement, ce qui entraîne le réchauffement des couches inférieures de l'atmosphère. L'air chaud se dilate et sa densité est réduite. En conséquence la pression atmosphérique au-dessus des terres descend au-dessous de celle de la surface de l'eau plus froide. Ce phénomène établit un gradient barométrique qui va du plan d'eau vers la terre, ce qui produit une brise de mer. La nuit, la situation inverse peut survenir. L'air au-dessus de la terre se refroidit, se contracte et devient plus dense que l'air au-dessus de l'eau. Étant donné que les différences de température entre la terre et l'eau ne sont pas aussi importantes la nuit, le gradient barométrique est réduit et, en conséquence, la brise de terre est généralement plus faible.

On identifie les vents par l'orientation d'origine. Bien qu'un vent qui souffle du sud-ouest se déplace vers le nord-est, il est identifié comme un vent du sud-ouest. La vitesse du vent est mesurée en kilomètres par heure avec un instrument appelé *anémomètre*.

Étude 7-2

Cette étude est semblable à la précédente portant sur la pression atmosphérique. Les deux cartes préparées par l'étudiant en vue de représenter les systèmes de pression peuvent servir à illustrer la circulation atmosphérique.

1. À la figure 7.3, examiner attentivement la relation entre les vents et les zones de pression. En partant de l'anticyclone subtropical, dessiner un schéma semblable mais simplifié des vents sur la carte représentant le mois de janvier. Utiliser des lignes continues ou des flèches qui s'étendent de la zone anticyclonale jusqu'aux zones dépressionnaires adjacentes (les dépressions subpolaire et équatoriale).

Faire de même dans le cas des vents qui s'écartent des fronts polaires. Lorsque le travail cartographique est terminé, le schéma des vents dominants devrait apparaître clairement dans toutes les régions de la carte.

2. À l'aide de la fig. 7.4, illustrer de façon analogue le système de vents sur la carte représentant le mois de juillet.

3. a) Quelle est l'orientation de la circulation de l'air aux basses latitudes (0° à 30°) et aux latitudes moyennes (30° à 60°)?

b) Terminer l'identification des composants du diagramme en incluant les appellations suivantes données aux vents dominants: alizés du nord-est et du sud-est, vents d'ouest (les deux hémisphères) et vents d'est polaires (les deux hémisphères).

4. Existe-t-il des variations majeures dans le régime de vents entre janvier et juillet? Justifier les différences repérées.

5. À l'aide des figures 7.3 et 7.4 qui constituent la source documentaire, réaliser quatre esquisses représentant quatre systèmes de pression cellulaires simplifiés. Chacun des hémisphères devrait comprendre une cellule anticyclonale et une cellule dépressionnaire. Dessiner les vents et noter a) s'ils s'écartent ou convergent, ou b) s'ils tournent dans le sens des aiguilles d'une montre ou en sens inverse. (L'importance de ces mouvements est examinée au chapitre 9.)

La force de Coriolis

Vous avez probablement remarqué que l'air ne se déplace pas en ligne droite d'une aire anticyclonique à une aire dépressionnaire. En effet, les vents sont déviés en cours de déplacement vers la droite dans l'hémisphère Nord, et vers la gauche dans l'hémisphère Sud, indépendamment de la direction indiquée par la boussole. La perception que l'on de cette déviation résulte de la rotation de la Terre, qui produit l'effet connu sous le nom de force de Coriolis.

La force de Coriolis n'est pas une force réelle. Elle a d'abord été découverte par le mathématicien français Coriolis (1792-1843) qui l'a utilisée pour expliquer le mouvement de tous les projectiles ou fluides qui se déplacent librement, comme l'air et l'eau, au-dessus de la surface de la planète en rotation.

Considérant le mouvement de rotation de la Terre, tout point à l'équateur parcourt une plus grande distance et a donc une plus grande vitesse que tout point au nord ou au sud. De même, le vent au-dessus de l'équateur a une plus grande vélocité que partout ailleurs. À mesure que cet air se déplace vers le nord, par exemple, il conserve sa vélocité. Étant donné que la surface de la Terre dans l'hémisphère Nord voyage plus lentement vers l'est que l'air qui circule au-dessus, il apparaît à un observateur au sol que l'air se déplace vers l'est. Par contre, il semblerait à un observateur sur la lune que l'air se dirige franc nord et non vers l'est également. Cependant, comme la totalité de l'humanité vit sur la Terre, la seule chose qui importe est le mouvement apparent de l'air. L'effet de Coriolis qui, bien entendu, est absent à l'équateur, augmente d'intensité progressivement vers les pôles.

En plus de la force de Coriolis et du gradient barométrique, la friction constitue un autre facteur qui influence l'orientation et la vitesse des vents. Lorsque de l'air en mouvement vient en contact avec la surface de la Terre, sa vitesse est réduite. L'importance de cette réduction dépend de l'importance du relief à la surface.

Circulation atmosphérique planétaire

On peut décrire la circulation atmosphérique près de la surface de la Terre de la façon suivante: l'air réchauffé dans la région équatoriale s'élève et se dirige vers les pôles afin d'équilibrer la pression atmosphérique. À mesure que cet air progresse vers les pôles, il se refroidit rapidement et est dévié sous l'effet de la force de Coriolis. Ces deux facteurs forcent l'air à descendre au 30° de latitude environ. Dès que l'air rejoint la surface, il y a création de deux systèmes, c'est-à-dire qu'une partie de l'air retourne à l'équateur pour boucler un système de circulation appelé cellule de Hadley, le reste continuant son périple vers le pôle.

L'air en route vers le pôle, qui est également dévié vers l'est, forme les vents d'ouest. Lorsque cet air chaud vient en contact avec les vents d'est polaires beaucoup plus froids, il est forcé de s'élever. On observe alors la formation de cellules et de creux barométriques. Cette aire de contact est l'une des zones météorologiques les plus turbulentes sur Terre. Ce qui survient dans ces secteurs est décrit au chapitre 9.

Il est important de se rappeler que les figures 7.3 et 7.4 représentent les conditions mensuelles moyennes et qu'une carte des conditions journalières du temps tracée pour un jour donné aurait probablement un tout autre aspect. La partie qui change le moins sur une base quotidienne dans tout le système de pression atmosphérique est la cellule de Hadley. Les alizés qui forment cette cellule figurent parmi les vents les plus constants à la surface de la Terre, en partie à cause des températures plus uniformes aux basses latitudes. Par contre, les vents d'ouest et les vents d'est polaires présentent des variations considérables sur une base journalière. Ces variations sont responsables des conditions météorologiques changeantes qui caractérisent les latitudes moyennes.

Étude 7-3

Tracer un profil d'un pôle à l'autre. La forme pourrait être celle d'un demi-cercle, chaque extrémité du cercle représentant les pôles. Identifier dans les deux hémisphères les parallèles suivants: 60°, 30° et 0°. Illustrer les systèmes de pression et de vents en coupe à l'extérieur du cercle. Lorsque le diagramme est achevé, les vents forment trois cellules distinctes dans chaque hémisphère. Identifier les systèmes de pression et de vents. Lequel est la cellule de Hadley?

Les moussons tropicales

Au-dessus de vastes terres continentales, on observe une chute marquée de la pression moyenne de l'hiver à l'été. Il en résulte des vents de surface qui circulent de la terre vers la mer en hiver, et de la mer vers la terre en été. Ces vents sont les *moussons* (terme dérivé du mot arabe *mausim* signifiant saison).

La mousson la plus régulière et la plus développée est observée en Asie. Au cours de l'hiver, l'intérieur asiatique devient très froid, ce qui crée une cellule anticyclonale très stable connue sous le nom d'anticyclone sibérien. (Les cellules de pression qui produisent la mousson sont nettement visibles sur les cartes exprimant la moyenne des vents et la pression atmosphérique, figures 7.4 et 7.5.) Cette cellule est responsable d'une circulation assez constante d'air froid et sec de la terre vers la mer. Ces conditions amènent du temps clair à la plus grande partie du sud et de l'est de l'Asie.

Pendant l'été, le réchauffement des terres produit une cellule dépressionnaire au-dessus de la vallée de l'Indus au Pakistan, qui est à l'origine d'une circulation d'air chaud et humide (mT) des océans du sud vers la côte asiatique. Ce phénomène, qui s'accentue surtout au-dessus du sous-continent indien, génère des pluies abondantes sur la majeure partie de la région. Là où des collines, des montagnes, forcent l'air (mT) à s'élever, on observe des précipitations de relief extrêmement abondantes.

Des moussons plus faibles surviennent au-dessus des régions suivantes: Chine, Japon, nord de l'Australie, côte du golfe de Guinée en Afrique et sud des États-Unis.

Des centaines de millions de personnes attendent chaque année les pluies de la mousson, facteur essentiel d'humidité pour leur production agricole. En Inde, jusqu'à 75 pour cent des précipitations totales proviennent de la mousson. Des précipitations excessives ou insuffisantes (au cours de certaines années, la mousson ne s'est pas manifestée) ont un effet direct sur la vie de millions de personnes en réduisant la quantité d'aliments qu'elles peuvent produire pour se nourrir. Dans des pays comme le Bangladesh et l'Inde, où les membres du plus pauvre segment de la société ont comme seul objectif la survie, les pluies de la mousson apparaissent comme la différence entre la vie et la mort.

Circulation atmosphérique planétaire et courant-jet

Jusqu'à présent, seuls les mouvements d'air dans la partie inférieure de la troposphère ont été examinés. Dans la partie supérieure de la troposphère, les caractéristiques de la pression et des vents sont très différentes. Le gradient barométrique et la force de Coriolis n'existent pas car la force gravitationnelle est très faible à ces altitudes. En conséquence, les vents circulent parallèlement aux isobares et engendrent un flux circulaire autour des cellules anticyclonales et dépressionnaires.

Deux systèmes de vent dominent la circulation atmosphérique supérieure à des altitudes comprises entre 9 000 et 12 000 m. Le premier compose avec les vents d'ouest des couches supérieures de l'atmosphère qui effectuent un circuit complet de la planète dans les deux hémisphères entre le 25° de latitude et les pôles approximativement. Le second, appelé vents d'est tropicaux, boucle aussi un circuit de la Terre dans la région équatoriale.

Entre ces deux systèmes de vents se situe un front des couches supérieures de l'atmosphère qui est fréquemment perturbé par la formation d'un régime d'ondes connu sous le nom d'ondes de Rossby. Comme l'illustre la figure 7.6, ces ondes grossissent jusqu'à un point où elles sont coupées comme les méandres d'une rivière (p. 263). Ces ondes transportent l'air chaud vers les pôles et l'air froid vers l'équateur. Ce type d'échange de chaleur fait partie d'un processus qui permet à la planète de conserver l'équilibre thermique (voir p. 45).

Les courants-jets, qui sont des courants d'air concentrés à l'intérieur des ondes de Rossby, comportent un centre de jet, et même jusqu'à trois centres distincts. Les vents qui se trouvent au coeur de ces centres atteignent des vitesses allant de 300 à 450 km/h. L'on croit généralement qu'au moment où les ondes de Rossby atteignent leur plein développement, il y a convergence entre les masses d'air froid qui font route vers l'équateur et les masses d'air chaud qui se dirigent vers les pôles. Ce phénomène semble favoriser les tempêtes (par ex., les tempêtes cyclonales aux latitudes moyennes, qui sont étudiées au chapitre 9) et les conditions météorologiques généralement variables. Lorsque les ondes sont petites, les conditions météorologiques sont plus stables.

Un exemple de l'effet des ondes de Rossby et de leurs courants-jets a été observé au cours d'un hiver récent. Pendant la majeure partie de cet hiver, les courants-jets ont dévié considérablement de leur trajectoire vers le sud, s'étendant au-dessus du sud-est des États-Unis. Ce développement a produit des conditions météorologiques variables au-dessus d'une grande partie de l'Amérique du Nord. Des températures élevées records ont été enregistrées et une sécheresse a sévi dans la partie ouest du continent obligeant au rationnement de l'eau, causant la perte de cultures et provoquant des feux de forêts. Dans les États du Nord-Est ainsi que dans les régions canadiennes voisines, des températures anormalement basses accompagnées de fortes chutes de neige ont entraîné des pénuries d'énergie et la fermeture des services de transport dans de nombreux secteurs.

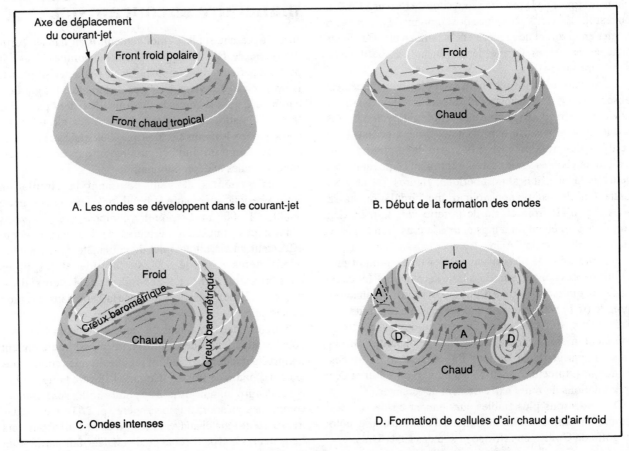

A. Les ondes se développent dans le courant-jet

B. Début de la formation des ondes

C. Ondes intenses

D. Formation de cellules d'air chaud et d'air froid

Fig. 7.6 Ondes de Rossby et courants-jets. Les flèches plus prononcées montrent la position du courant-jet.
(Source: *The Earth Sciences*, 2ᵉ édition, Arthur N. Strahler: Fig. 15.26 (p. 247). Copyright 1971 par Arthur N. Strahler. Réimpression avec la permission de Harper & Row, Publishers, Inc.)

8 / L'humidité atmosphérique

De toutes les substances gazeuses qui constituent l'atmosphère, la vapeur d'eau varie le plus en quantité, soit de 0 à 3 pour cent par volume. Bien que seulement une fraction infime de l'eau de la planète (voir fig. 3.2) soit emmagasinée sous forme de vapeur d'eau dans l'atmosphère à un moment donné, sa présence est déterminante pour toutes les formes de vie dans la biosphère.

• La vapeur d'eau, source de toutes les précipitations, fournit l'eau douce qui est essentielle à la plupart des formes de vie.

• En absorbant le rayonnement solaire qui frappe la Terre et l'énergie rayonnée par la planète, la vapeur d'eau joue un rôle important dans le réchauffement de l'atmosphère. Sa capacité de stockage de la chaleur est très supérieure à celle de l'air ou du sol.

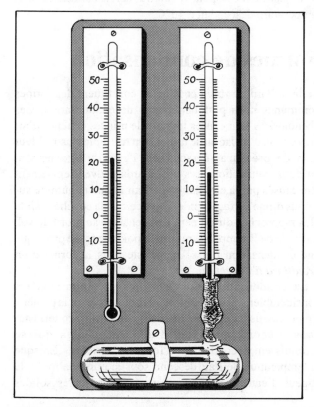

Fig. 8.1 Hygromètre de Mason.

• L'évaporation de l'eau de la surface terrestre amène également une chaleur latente dans l'atmosphère. Ce processus constitue un élément important concourant au réchauffement de l'atmosphère et à la formation des tempêtes.

• La vapeur d'eau est le principal déterminant du degré d'humidité, de nébulosité et de visibilité.

Transfert de la vapeur d'eau

L'évaporation de l'eau à la surface de la Terre et son retour constituent la partie du cycle hydrologique liée à l'atmosphère, étudiée au chapitre 3. L'eau de surface s'évapore, formant un gaz sous l'action de l'énergie solaire. La glace ou la neige peuvent être transformées en vapeur d'eau par un processus appelé *sublimation*. Lorsque la vapeur d'eau se condense en gouttelettes d'eau dans l'atmosphère, l'énergie (chaleur latente) que requiert le processus d'évaporation est libérée. Ces gouttelettes se manifestent sous forme de nuages ou de brouillard dans l'air, ou encore de gelée ou de rosée au sol. Des précipitations sont produites lorsque les gouttelettes se fusionnent dans l'atmosphère et deviennent suffisamment lourdes pour tomber sous forme de pluie, de neige ou de grêle.

Mesure de la vapeur d'eau

Dans l'atmosphère, la vapeur d'eau s'appelle *humidité*. La quantité de vapeur d'eau que l'air peut contenir dépend presque totalement de la température de cet air, comme l'indique la fig. 8.2. Il existe deux modes courants d'expression de la quantité de vapeur d'eau dans l'air. *L'humidité absolue* est la quantité réelle de vapeur d'eau dans un volume atmosphérique particulier. La masse de vapeur d'eau par unité cubique d'air est généralement exprimée en grammes par mètre cube (g/m^3). *L'humidité relative* est le rapport entre la quantité de vapeur d'eau contenue dans l'air et la quantité maximale de vapeur que l'air peut contenir à la même température. Cette valeur est exprimée en pourcentage. Par définition, l'air saturé présente une humidité relative de 100 pour cent. Le degré de température qui représente le point de saturation de l'air, conséquence du refroidissement, et le début de la condensation s'appelle le *point de rosée* ou *point de condensation*. (Lorsque la température de l'air est inférieure au point de congélation, il est plus approprié de parler de point de gelée.)

L'hygromètre est un instrument qui mesure l'humidité relative. Le type d'hygromètre le plus répandu est un thermomètre à cuvette mouillée et à cuvette sèche (fig. 8.1). La cuvette sèche mesure la température de l'atmosphère. L'une des extrémités d'un morceau de tissu absorbant recouvre la cuvette mouillée, tandis que l'autre extrémité est immergée dans un réservoir d'eau. Étant donné que le tissu perd de la chaleur à mesure que l'eau dont il est imbibé s'évapore, la température de la cuvette mouillée ne peut jamais être supérieure à celle de la cuvette sèche. Lorsque l'air est humide, l'eau dans le morceau de tissu s'évapore lentement et le refroidissement de la cuvette mouillée n'est pas aussi important. Plus l'air est sec, plus grande est la perte de chaleur subie par le tissu, et plus considérable est l'écart entre les deux lectures. De cette façon, l'écart entre les lectures des deux thermomètres peut servir à calculer l'humidité relative à l'aide de tables qui sont fournies avec l'instrument.

Fig. 8.2

Capacité maximale de rétention de vapeur d'eau d'un mètre cube d'air à des températures variées (approximation)	
Température °C	Vapeur d'eau grammes par mètre cube
-15	1,4
-10	1,9
-5	3,0
0	4,9
5	6,9
10	9,4
15	12,6
20	17,3
25	23,0
30	30,4
35	39,8

Étude 8-1

1. À l'aide de la fig. 8.2, déterminer combien de grammes supplémentaires de vapeur d'eau un mètre cube d'air peut contenir à 5°C comparativement à 0°C. Combien de grammes supplémentaires de vapeur d'eau un mètre cube d'air peut contenir à 35°C comparativement à 30°C? Quelle conclusion générale peut-on tirer au sujet du taux d'accroissement de la capacité de rétention d'eau de l'air en relation avec l'augmentation de température?

2. Quelle est l'humidité relative d'un mètre cube d'air qui contient 3,0 g de vapeur d'eau à 10°C? De combien de degrés la température doit-elle s'abaisser avant que l'humidité relative atteignent 100 pour cent? Qu'arrive-t-il alors?

3. Quel est le point de condensation d'une masse d'air dont l'humidité relative est de 75,7 pour cent à 30°C?

4. Si l'humidité relative est de 73 pour cent et la température de 25°C, déterminer l'humidité absolue, le point de rosée et la quantité de vapeur d'eau qui serait condensée si la température descendait à 15°C.

Formes de condensation

Le brouillard, la rosée et la gelée constituent des formes communes mais plutôt mineures de condensation. Ces phénomènes sont causés lorsque de minces couches d'air près du sol, d'un lac ou de la mer sont refroidies jusqu'à leur point de rosée ou au-dessous sous l'effet du rayonnement ou de la conduction. Les brouillards peuvent également être causés par la circulation de l'air chaud et humide au-dessus d'une surface froide. Dans ce cas, la couche d'air la plus rapprochée du sol perd de la chaleur au profit du sol. La chute de la température sous le point de rosée provoque une condensation qui se manifeste sous la forme d'un *brouillard d'advection*.

La condensation qui cause les précipitations est considérablement plus importante pour la vie sur la planète. Ce processus a lieu bien au-dessus de la surface terrestre dans d'énormes masses d'air ascendantes qui se refroidissent, se condensent et forment des nuages. Lorsque la température de l'air descend sous le point de rosée, la vapeur d'eau se condense autour de particules solides

Cirrus

Stratus

Fig. 8.3 Cumulus.

microscopiques (dont le rayon dépasse rarement 0,001 mm) appelées *noyaux de condensation*. Il peut s'agir de particules de poussière, de sel commun ou d'acide sulfurique. Les nuages en constituent la manifestation visible. Tous les nuages sont constitués de gouttelettes d'eau très fines ou de minuscules cristaux de glace dont le poids est si faible qu'ils peuvent être maintenus dans l'atmosphère seulement par un léger mouvement ascendant de l'air. (Dans des conditions naturelles, la condensation n'est jamais entravée par une insuffisance de particules. En laboratoire cependant, il est possible de refroidir de l'air extrêmement pur jusqu'à une température bien inférieure à son point de condensation sans que la vapeur d'eau se condense.) La figure 8.3 présente trois des principaux types de nuages.

Bien entendu, la condensation atmosphérique qui se manifeste sous forme de nuages ne produit pas toujours des précipitations. Les précipitations ne surviennent que lorsque les gouttelettes, en s'agglomérant, deviennent trop lourdes (rayon supérieur à 0,02 mm) pour demeurer en suspension. Il est probable que ce phénomène se produit de manière plus rapide lorsque le même nuage renferme à la fois des particules d'eau et des particules de glace. Les nuages alimentés de neige carbonique ou d'iodure d'argent pour provoquer de la pluie s'inspire de ce processus.

Précipitations

Le terme *précipitations* désigne l'eau qui tombe sur la surface terrestre sous forme liquide ou solide; elles incluent la pluie, la neige, le grésil et la grêle.

La pluie est de loin la forme de précipitations la plus courante et la plus répandue. La neige se forme lorsque la température de l'air est inférieure au point de congélation. (Un millimètre de pluie équivaut généralement à 10 - 12 mm de neige.) Le grésil se manifeste lorsque la pluie en tombant, franchit une couche d'air dont la température est inversée et que la couche d'air inférieure est suffisamment froide pour geler les gouttelettes. Si la température au sol est supérieure au point de congélation, le grésil peut être extrêmement destructeur; en effet, il peut briser les lignes de transport d'énergie et les branches d'arbres, et rendre les routes très dangereuses. Le grésil est souvent confondu avec la pluie verglaçante, pluie qui gèle au contact d'une surface froide.

La grêle est presque toujours associée aux orages d'été. Les violents courants atmosphériques ascendants de convection à l'intérieur d'un nuage d'orage (fig. 8.4) projettent les gouttes de pluie vers des couches d'air supérieures plus froides où elles gèlent et forment des grains de glace. À une altitude plus grande encore, des cristaux de glace les enveloppent pour former une couche de neige. Leur périple dans l'atmosphère se termine par un bain de condensation durant leur descente vers la surface de la Terre. Ce processus peut se répéter un certain nombre de fois. La taille des grêlons varie selon l'intensité du courant de convection qui les a produits.

Courants d'air ascendants

Les précipitations suivent obligatoirement une condensation, une sublimation, ou une combinaison des deux. Toutes les précipitations sont le résultat du refroidissement de masses d'air ascendantes au-dessous du point de condensation.

Lorsque l'air s'élève sous l'effet d'une force ou d'une manière spontanée, la réduction de la pression qui s'exerce sur lui à une plus grande altitude provoque sa dilatation. Cependant, en se dilatant, il tend à occuper un plus grand volume et, par conséquent, contraint d'autres masses d'air à se déplacer. Le travail de déplacement nécessite de l'énergie qui est prélevée de la chaleur des masses d'air en expansion. En conséquence, la température de l'air ascendant s'abaisse bien qu'aucune énergie calorifique ne soit perdue au profit du milieu extérieur. L'air ascendant se dilate donc et refroidit, tandis qu'à l'opposé, l'air descendant est comprimé et se réchauffe.

Le taux de refroidissement ou de réchauffement qui résulte de ce courant d'air ascendant est le *gradient adiabatique*. Dans le cas de l'air non saturé (dans lequel il n'y a pas de condensation), ce taux est constant à raison d'environ 1°C/100 m. Il s'agit alors d'un *gradient adiabatique sec*. Pour ce qui est de l'air saturé (suffisamment humide pour que survienne la condensation et, par conséquent, une libération de chaleur), le taux de variation thermique est moindre (voir fig. 8.8). Bien que ce taux

puisse varier selon la température de l'air, la valeur moyenne est de 0,6°C/100 m. Il s'agit dans ce cas d'un *gradient adiabatique humide ou saturé*.

Il est important de distinguer entre le gradient adiabatique et le gradient vertical de température (fig. 8.9). Le gradient adiabatique est associé aux changements de température de l'air ascendant ou descendant à cause de sa dilatation ou de sa contraction. Ce phénomène n'est accompagné d'aucun échange calorifique avec l'extérieur (perte ou gain). Par contre, le gradient vertical de température (6,4°C/km en moyenne) est l'expression de la variation de la température à différentes altitudes dans la partie inférieure de l'atmosphère, soit à un endroit particulier à un moment donné, *à condition que l'air n'effectue pas de mouvement ascendant ou descendant*.

L'air est forcé de s'élever dans trois situations dites *de convection*, *de relief*, ou *frontale*. On pourrait les comparer à des mécanismes déclencheurs qui fournissent simplement à l'air de surface une poussée initiale ascendante. Il est important de noter que les précipitations sont souvent le résultat des effets combinés de plus d'un de ces déclencheurs.

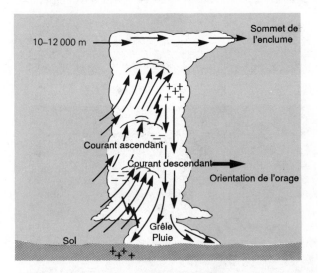

Fig. 8.4 Diagramme représentant l'intérieur d'une cellule orageuse montrant une tête en forme d'enclume ainsi que les charges électriques positives et négatives.
(Adaptation permise de la fig. 6.17, p. 104, dans *Introduction to Physical Geography*, 3ᵉ édition, de A.N. Strahler. Copyright 1973 par John Wiley & Sons, Inc.)

Fig. 8.5 Système de cumulonimbus déversant son chargement de pluie.

Courants de convection

Les précipitations de convection surviennent dans les régions tropicales et aux latitudes moyennes au-dessus des continents en été. Elles se manifestent souvent au cours de chauds après-midis d'été lorsque la température du sol est anormalement élevée. L'air de surface est réchauffé, devient instable et des courants verticaux ascendants spontanés, ou ascendance thermique, sont mis en mouvement à l'intérieur d'une *cellule de convection* (fig. 8.4). La cellule ascendante se manifeste sous la forme d'un cumulus ou d'un cumulonimbus d'une grande hauteur. La base aplatie du nuage indique le lieu d'origine de la condensation et le sommet houleux est le haut du courant ascendant.

Ces précipitations, qui se manifestent souvent sous forme d'orages, sont généralement abondantes et, à certains endroits, torrentielles. Elles durent rarement très longtemps et, dans la plupart des cas, ne perturbent qu'un secteur relativement peu étendu. La rapidité avec laquelle l'air s'élève dans un courant ascendant de convection est à l'origine des précipitations abondantes et de la turbulence qui est dangereuse même pour les avions long-courriers.

Courants de relief (orographiques)

Le terme *orographique* signifie «qui a rapport aux montagnes». Une modification dans la hauteur du relief peut être suffisante pour provoquer un mouvement ascendant de l'air (fig. 8.6). En examinant la répartition des précipitations sur la planète (fig. 8.11) en regard de la carte morphologique de la Terre (fig. 28.1), on voit comment les grandes montagnes ont une influence sur l'air en le forçant à s'élever. Par exemple, les vents d'ouest dominants qui soufflent sur le Pacifique amènent de l'air froid et humide aux chaînes de montagnes situées sur la côte de la Colombie-Britannique. L'air s'élève sur les versants *au-vent* des montagnes et se refroidit davantage, ce qui provoque généralement de la condensation et des pluies abondantes. Le même air est asséché et réchauffé par transformation adiabatique lorsqu'il descend les versants *sous-le-vent* ou abrités des mêmes chaînes de montagne. De tels vents chauds et secs, qui peuvent être responsables de variations rapides de température du côté sous-le-vent des montagnes, s'appellent *chinooks* dans l'ouest de l'Amérique du Nord et *foehn* en Europe.

De plus modestes variations dans la hauteur du relief peuvent aussi causer des ascendances de relief, particulièrement au-dessus des continents pendant l'été. En outre, les régions en altitude constituent un facteur qui intensifie des précipitations déjà associées à un courant d'air ascendant frontal ou de convection.

Courants frontaux

Lors de la rencontre de deux masses d'air qui se déplacent dans des directions différentes avec des températures (densités) différentes, l'air plus chaud et plus léger est forcé de s'élever. La surface ou limite entre les masses d'air de caractéristiques différentes s'appelle un front (fig. 8.7).

Dans les régions tropicales, où les courants d'air en opposition (les alizés) sont de même température, l'élévation se fait généralement à la verticale et elle est accompagnée de mouvements de convection. Aux latitudes moyennes, la convergence frontale est associée à des courants d'air de

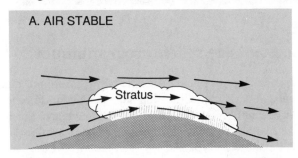

A. AIR STABLE

Stratus

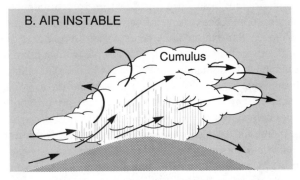

B. AIR INSTABLE

Cumulus

Fig. 8.6 Qu'est-ce qui détermine la quantité de précipitations qui tombe sur les côtés au-vent et sous-le-vent d'un relief-barrière? (Les différents effets des montagnes sont expliqués dans la section sur la stabilité.)

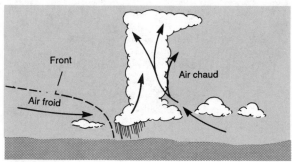

Front

Air chaud

Air froid

FRONT FROID

Front

Air chaud

Air froid

FRONT CHAUD

Fig. 8.7 Le long d'un front froid, l'air chaud s'élève rapidement et, s'il y a condensation, des cumulus épais se forment généralement. Le long d'un front chaud, l'air chaud s'élève au-dessus de l'air froid en formant une pente très douce (1 sur 150). S'il y a condensation, on observe la formation de stratus horizontaux très étendus.

températures différentes. En s'élevant, l'air chaud doit simultanément repousser l'air froid, phénomène qui le fait s'élever plus progressivement, en pente. En conséquence, la condensation survient moins rapidement dans ces régions que sous les tropiques, et les nuages ainsi que les précipitations qui en résultent s'étendent davantage. Pendant les mois plus froids de l'année, il se peut qu'un secteur des latitudes moyennes connaisse un système nuageux continu pendant plusieurs jours accompagné de bruine intermittente. Cette forme de précipitations est examinée de façon plus détaillée dans le chapitre suivant.

La stabilité

La stabilité est définie comme la capacité d'un objet de revenir à sa position d'origine après avoir été soumis à une perturbation ou à un déplacement. Les météorologues

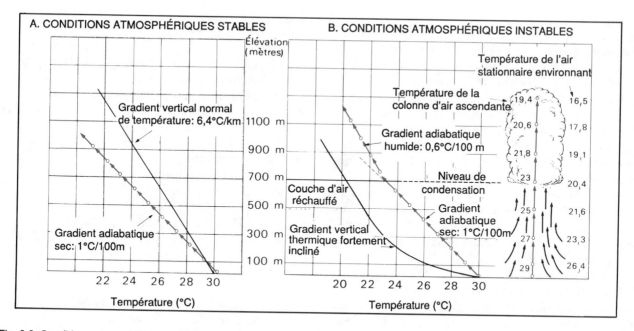

Fig. 8.8 Conditions atmosphériques stables et instables.
(Source: *Introduction to Physical Geography*, 3ᵉ édition, de A.N. Strahler. Copyright 1973 par John Wiley & Sons, Inc.: Figure 6.15, p. 103. Adaptée avec permission.)

utilisent ce terme pour décrire les conditions de l'air. Lorsque l'air est forcé de s'élever, les masses d'air qui présentent un faible gradient vertical de température finissent par retomber aux niveaux inférieurs. On dit que cet air est stable. Par contre, une masse d'air instable, dont le gradient vertical est plus grand, s'élève seule, même lorsque le déclencheur n'opère plus.

La fig. 8.8 illustre une masse d'air stable. Si elle est forcée de s'élever sous l'effet d'un des déclencheurs déjà décrits, sa température devrait baisser à 27°C à 300 m d'altitude avec un gradient adiabatique sec de 1°C/100 m. Cependant, l'air environnant stationnaire présente une température de 28,1°C (en supposant un gradient vertical thermique de 6,4°C/km). L'air ascendant est donc plus froid et plus dense que l'air environnant. À moins qu'une très grande force le pousse vers le haut, l'air ascendant aura tendance à retomber vers le sol et il y aura très peu de condensation, voire aucune. On relève bon nombre de journées caractérisées par ce type de conditions, c'est-à-dire ensoleillées et avec passage dans le ciel de petits cumulus bouffis qui se dissipent aussi rapidement qu'ils sont produits par les courants ascendants de convection.

La fig. 8.8 illustre également une masse d'air instable. Le soleil a réchauffé la surface terrestre qui, à son tour, a contribué à élever de façon appréciable la température des couches inférieures de l'atmosphère. Il en résulte un gradient vertical de température considérablement supérieur à la valeur moyenne de 6,4°C/km. La masse d'air près du sol est forcée de s'élever par convection parce qu'elle est plus légère que l'air chauffé de façon moins intense au-dessus de la zone voisine. (Le réchauffement différentiel de la surface terrestre s'explique par les diverses capacités de réchauffement des forêts, des terres en culture, des centres urbains, etc.) À mesure qu'elle s'élève, cette masse d'air ascendante est refroidie par variation adiabatique. À 300 m, sa température étant encore supérieure à celle de l'air environnant, elle continue de s'élever.

À 700 m, le point de rosée est atteint et, avec la perte de chaleur latente libérée lors du processus de condensation, l'air se rafraîchit au taux de variation adiabatique inférieur de saturation. L'air instable continue de s'élever aussi longtemps que sa température demeure supérieure à celle de l'air environnant. L'ascendance se termine généralement lorsque la majeure partie de la vapeur d'eau s'est condensée, c'est-à-dire quand les précipitations se sont manifestées. La gradient adiabatique sec réduit alors rapidement la température de l'air ascendant jusqu'à une valeur inférieure à celle de l'air environnant, et l'air cesse de monter.

En conséquence, lorsque le gradient vertical de température est supérieur à la moyenne et que l'air est humide, une situation d'instabilité prévaut. Un gradient moins important, particulièrement celui dont la température augmente avec l'altitude (l'inversion thermique), indique généralement la présence d'air stable.

La stabilité est importante car elle influe sur la quantité de précipitations. Il est beaucoup plus probable qu'une masse d'air instable produise des précipitations abondantes qu'une masse d'air stable. Bien entendu, la quantité d'eau contenue dans l'air ainsi que l'influence du type de déclencheur doivent aussi être pris en considération.

La stabilité de l'air constitue également un important facteur de la pollution atmosphérique, particulièrement dans les centres urbains. La stabilité détermine le degré de facilité avec lequel l'air s'élève et, par conséquent, disperse les polluants. Au chapitre 13, on montre comment une inversion de température peut avoir un effet semblable sur la dispersion des polluants.

Étude 8-2

1. Un vent d'ouest provenant du Pacifique s'approche du point A (au niveau de la mer), s'élève le long du versant au-vent de la chaîne de montagnes jusqu'en B (altitude de 400 m), atteint le sommet en C (altitude de 2 000 m), et descend le versant sous-le-vent jusqu'au-delà du point D (altitude de 700 m). Les conditions suivantes s'appliquent à ce courant atmosphérique.

• gradient adiabatique humide = 0,6°C/100 m
• gradient adiabatique sec = 1,0°C/100 m
• conditions initiales de l'air au niveau de la mer: stable, température de 20°C, et point de rosée à 10°C.

À l'aide des données susmentionnées, ainsi que de la fig. 8.2, déterminer les valeurs suivantes:
a) humidité absolue et relative en A
b) humidité relative en B
c) altitude qui marque le début de la condensation
d) humidité absolue et relative en C
e) quantité d'humidité condensée lorsque la masse d'air rejoint C (en grammes par mètre cube)
f) température et le point de condensation en D
g) humidité absolue et relative en D

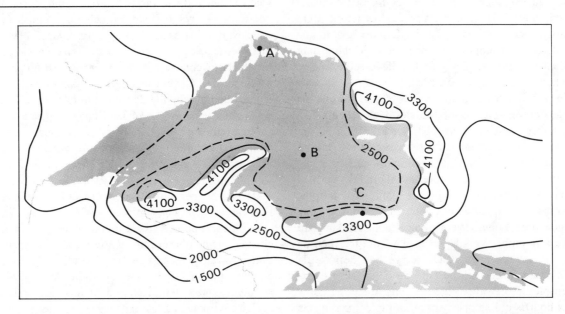

Fig. 8.9 Ceintures de neige le long de la rive sud du lac Supérieur. Les valeurs indiquent les chutes de neige en millimètres.

2. La figure 8.9 montre les ceintures de neige du côté au-vent du lac Supérieur. Les conditions suivantes s'appliquent à un vent du nord-ouest qui traverse le lac.
• date: 30 novembre
• température de surface en A: -15°C
• gradient vertical de température de la masse d'air passant au-dessus du point A: 0,3°C/m
• température de l'eau: 2°C

a) Tracer trois graphes illustrant les premiers 500 m de ce courant atmosphérique en A, B et C. Estimer le degré de température de l'air à la surface en B et C.

b) Comment le passage de la masse d'air au-dessus du lac et les variations de température de l'air peuvent-ils expliquer la présence de ceintures de neige, particulièrement sur la rive du Michigan? Pourquoi ces ceintures sont-elles généralement très étroites? Doit-on s'attendre à des chutes de neige plus abondantes en novembre ou en février? Expliquer.

Répartition des précipitations sur la planète

La variation dans la répartition des précipitations d'un endroit à un autre constitue l'un des aspects les plus importants du climat. En fait, cette variation a peut-être plus d'importance que les différences de température. Les variations de précipitations influencent directement ou indirectement bon nombre d'autres aspects de la vie dans la biosphère, dont la croissance des plantes et la production alimentaire en tête.

Étude 8-3

On peut expliquer le modèle des précipitations annuelles de la planète comme le résultat des facteurs d'influence qui ont été étudiés. Répondre aux questions suivantes en se

Fig. 8.10 Levée construite le long du fleuve Mississippi qui sert à protéger les fermes adjacentes des inondations.

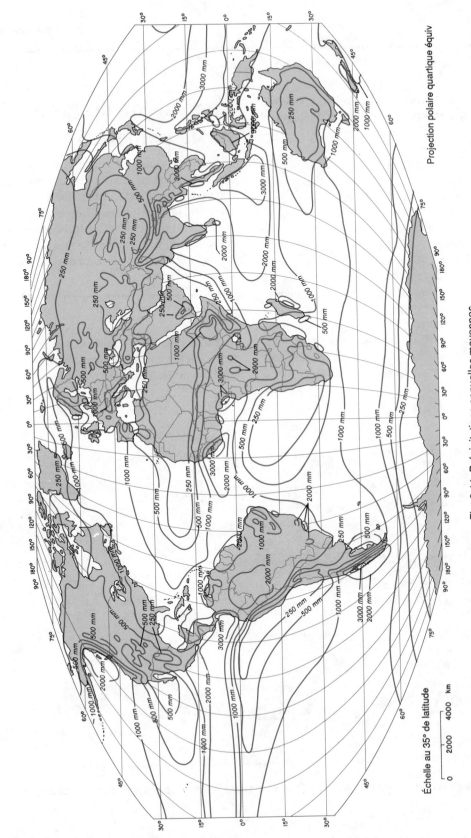

Échelle au 35° de latitude

0   2000   4000   km

Projection polaire quartique équiv

Fig. 8.11 Précipitations annuelles moyennes.

reportant à la fig. 8.11. (Les lignes qui joignent divers lieux présentant le même total de précipitations annuelles s'appellent *isohyètes*.)

1. Estimer le total annuel de précipitations pour chaque degré de latitude, d'un pôle à l'autre, le long de la côte ouest de l'Amérique du Nord et des côtes occidentales d'Europe et de l'Afrique.

2. a) Quelle est la quantité annuelle de précipitations reçue par la plupart des régions tropicales? Établir un rapport entre les caractéristiques de la température de ces régions et la quantité de précipitations. Quelle est l'influence de la pression atmosphérique dans les régions tropicales sur le déplacement vertical de l'air et la quantité de précipitations?

b) Expliquer pourquoi les maxima de température journalière à l'équateur ne sont pas les plus élevés sur la planète. Où les températures sont-elles les plus élevées?

3. a) Qu'arrive-t-il généralement à la quantité annuelle moyenne de précipitations des tropiques vers les pôles et, particulièrement, sur les côtes occidentales des continents? Justifier et fonder vos réponses à l'aide de données statistiques particulières.

b) Quels systèmes de pressions sont bien développés du côté est des océans à ces latitudes? Établir un rapport entre ces systèmes et le modèle des précipitations. Les courants océaniques froids qui circulent parallèlement aux côtes de ces régions influent-ils sur les données de précipitations?

4. Décrire les précipitations annuelles aux latitudes moyennes et fournir des exemples. Quelle est l'orientation générale des vents qui soufflent dans ces régions? Quel système zonal de pression influe sur le mouvement vertical de l'air?

5. Expliquer pourquoi les précipitations annuelles sont généralement faibles aux latitudes élevées.

Répartition saisonnière des précipitations

L'absence saisonnière (ou l'excès) de précipitations caractérise davantage certains endroits, que le total des précipitations annuelles. La présence d'humidité dans le sol pendant la saison de croissance végétale est particulièrement vitale. Il existe peu d'endroits sur la planète où les précipitations sont réparties de façon vraiment

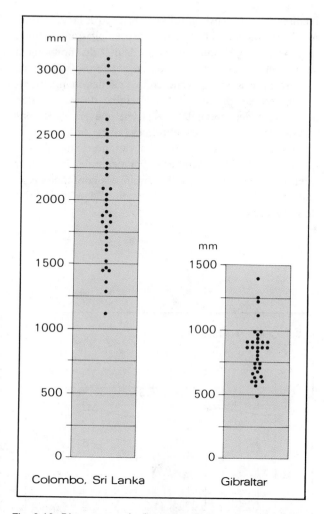

Fig. 8.12 Diagrammes de dispersion illustrant les précipitations annuelles. Les précipitations de chaque année sont indiquées par un point sur l'échelle verticale. De cette façon, il est possible de voir l'amplitude des années humides, moyennes et sèches.
(Source: F.J. Monkhouse, *Principles of Physical Geography*, 6ᵉ édition. London: University of London Press, 1967).

uniforme sur toute l'année, bien qu'ils puissent recevoir des quantités adéquates de précipitations en toute saison.

Sur les étendues voisines des régions géographiques qui reçoivent des quantités annuelles très élevées ou très faibles de précipitations, on observe souvent une répartition inégale des précipitations. De telles régions (par exemple la région méditerranéenne ainsi que le littoral et le sud de la Californie) reçoivent considérablement plus de précipitations en hiver qu'en été. Ce phénomène est le résultat du mouvement saisonnier des systèmes de pressions et de vents. En Inde, une inversion totale des vents causée par des changements saisonniers de pression est à l'origine de la variation saisonnière des précipitations. Bien que les moussons d'Asie constituent des cas extrêmes (voir p. 56), on relève aussi sur d'autres continents des variations importantes quoique moins spectaculaires. Par exemple, la chaleur intense qui se manifeste à l'intérieur des continents pendant les mois d'été favorise la formation de précipitations de convection.

Fiabilité des précipitations

Les quantités annuelles de précipitations varient d'une année à l'autre. Dans certaines parties du globe, cette variation est peu importante et la probabilité des précipitations est par conséquent élevée. Ailleurs, cette probabilité est faible, ce qui signifie que le total des précipitations au cours d'une année donnée peut être considérablement supérieur ou inférieur à la moyenne à long terme. Règle générale, le degré de fiabilité des précipitations est directement proportionnel au total annuel des précipitations. Le faible degré de fiabilité joue un rôle important dans le processus de désertification étudié au chapitre 19.

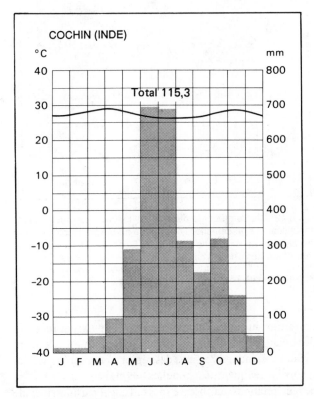

Fig. 8.13 Cochin (Inde).

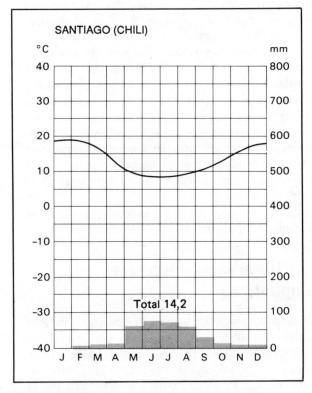

Fig. 8.14 Santiago (Chili).

Étude 8-4

1. Quelles sont les causes des inégalités dans la répartition saisonnière des précipitations dans chacune des localités citées aux figures 8.13, 8.14 et 8.15?

2. Dans quelles régions du globe et sous quelles conditions le degré de fiabilité est-il une importante caractéristique des précipitations?

3. Décrire la méthode utilisée pour indiquer le degré de fiabilité dans les représentations graphiques de Colombo et de Gibraltar (fig. 8.12). Expliquer la différence de degré de fiabilité sur les précipitations entre les deux stations.

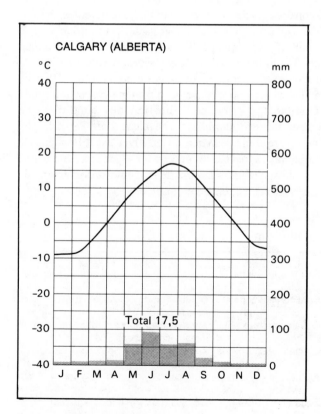

Fig. 8.15 Calgary (Alberta).

9 / Masses d'air, fronts et tempêtes

Les masses d'air

Dans le chapitre 7, nous avons étudié de quelle façon une masse d'air caractérisée par les conditions de température et d'humidité d'une région, maintient ces traits en se déplaçant vers une autre région. De cette façon, les conditions du temps d'une région sont transférées dans une autre. On appelle *masses d'air* les corps atmosphériques qui sont engagés dans ces processus de transferts de température et d'humidité. Par exemple, bien que les Îles Britanniques et la côte du Labrador au Canada soient situées à la même latitude, elles sont soumises à des conditions atmosphériques et à un climat très différents. Les Îles Britanniques sont presque toujours sous l'influence d'une masse d'air dont la chaleur et l'humidité ont été créées au-dessus de l'Atlantique, tandis que la côte du Labrador subit l'effet d'une masse d'air qui a traversé les masses continentales de l'Amérique du Nord.

Les masses d'air prennent naissance soit au-dessus de vastes continents, soit au-dessus d'un plan d'eau très étendu. Ces zones sont les *régions sources*. Les masses d'air ne se forment que dans les régions où l'air demeure stationnaire pendant un certain temps ou circule en couvrant de grandes distances. Les couches d'air inférieures se dotent de caractéristiques de chaleur et d'humidité relativement uniformes qui varient du chaud au froid et des conditions sèches à humides. Plus une masse d'air s'éloigne de sa région source, plus sa température et son humidité initiales sont modifiées au contact de la terre ou de l'eau au-dessus de laquelle elle passe.

Qu'elles se trouvent au-dessus de la terre ou de l'eau, les masses d'air prennent généralement naissance dans les régions anticyclonales où l'air descend vers la surface et souffle ensuite vers l'extérieur. (Il est improbable que les zones dépressionnaires constituent des régions sources car ces zones sont le lieu de convergence de masses d'air.) Les masses d'air ont généralement une plus grande incidence aux latitudes moyennes. À ces latitudes, les masses d'air froid provenant des régions sources des latitudes polaires rencontrent les masses d'air chaud des latitudes inférieures. La rencontre de ces masses d'air dissemblables dans la zone dépressionnaire subpolaire constitue l'une des principales causes des variations de température journalières ainsi que des précipitations frontales, caractéristiques des conditions du temps aux latitudes moyennes.

Classification des masses d'air

Afin d'expliquer le climat de la plupart des régions du globe, il est nécessaire de comprendre le type et le mode de déplacement des masses d'air (voir fig. 9.2), ainsi que la façon dont ces dernières influent sur les différentes régions.

Les masses d'air sont classées selon leur région source: polaire (P) ou tropicale (T), continentale (c) ou océanique (m). On utilise aussi parfois les désignations suivantes: arctique (A), antarctique (AA) ou équatoriale (E). Une majuscule et une minuscule qui apparaissent ensemble constituent une bonne indication des conditions de température et d'humidité d'une masse d'air. Par exemple, une masse d'air désignée cP en hiver est à l'origine de températures très basses et d'un air assez sec. Une masse d'air désignée mT au cours de la même saison amène de l'air relativement chaud et humide.

Fig. 9.1

Masse d'air	Région source
Océanique polaire mP	Océans, du 40° de latitude vers le pôle
Continentale polaire cP	Continents, du 60° de latitude vers le pôle
Océanique tropicale mT	Aires d'anticyclones subtropicaux au-dessus des océans
Continentale tropicale cT	Terres des basses latitudes, surtout les déserts
Arctique (Antarctique) A (AA)	Surfaces de neige ou de glace
Équatoriale E	Océans à proximité de l'équateur

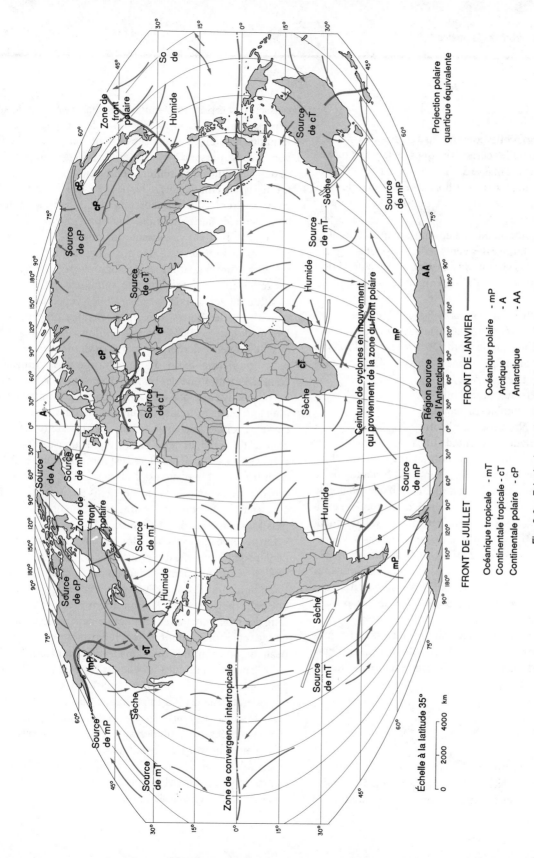

FRONT DE JUILLET ——

Océanique tropicale - mT
Continentale tropicale - cT
Continentale polaire - cP

FRONT DE JANVIER ——

Océanique polaire - mP
Arctique - A
Antarctique - AA

Échelle à la latitude 35°

0   2000   4000   km

Fig. 9.2   Principales masses d'air de la planète.

Projection polaire quartique équivalente

Étude 9-1

1. Ajouter une nouvelle colonne au tableau des masses d'air afin d'indiquer les caractéristiques de température et d'humidité de chaque masse d'air en été et en hiver. Ne pas oublier que ces caractéristiques doivent être généralement exprimées en termes relatifs, par exemple, de l'air «plus chaud» ou «plus sec».

2. Comparer la carte du monde des masses d'air (fig. 9.2) avec les cartes du monde des vents et des pressions (fig. 7.3 et 7.4). Indiquer les similitudes. Dans quel type de région de pressions les masses d'air prennent-elles naissance? Expliquer.

3. À l'aide des lettres apparaissant à la fig. 9.1, énumérer les masses d'air qui exercent une influence sur les régions suivantes de l'Amérique du Nord. Décrire les conditions de température et d'humidité amenées dans ces régions par les masses d'air en été et en hiver.

a) la côte du Golfe aux États-Unis
b) l'ouest de la Colombie-Britannique
c) les États de la Nouvelle-Angleterre
d) la région inférieure des Grands Lacs

4. Certaines masses d'air sont normalement plus stables que d'autres. Par exemple, les couches inférieures de la masse d'air qui influe sur la côte de la Colombie-Britannique en été ont été refroidies par l'océan. Ce phénomène est à l'origine d'un gradient vertical de température relativement petit et, en conséquence, d'une masse d'air assez stable. Commenter la stabilité des masses d'air qui influencent la côte du Golfe aux États-Unis et les États de la Nouvelle-Angleterre. Qu'en est-il de la stabilité des masses d'air qui influent sur la côte du Golfe à mesure que ces masses arrivent au-dessus des terres?

5. Où les masses d'air présentant des caractéristiques dissemblables se rencontrent-elles, et que survient-il alors? Au cours de quelle saison la différence de température est-elle la plus grande?

Les fronts

On a déjà vu comment la circulation générale de l'atmosphère conduit à la formation d'aires anticyclonales aux latitudes polaires et subtropicales, où bon nombre de masses d'air prennent naissance. Par contre, les aires dépressionnaires sont situées dans les tropiques et aux latitudes moyennes. Dans ces régions, on observe la convergence de masses d'air caractérisées par des températures et des humidités différentes. Étant donné que ces masses n'ont pas la même densité, elles ne se mêlent pas lorsqu'elles se rencontrent. Elles demeurent séparées par une limite en pente appelée surface frontale ou front.

Comme il a été mentionné au chapitre 8, les fronts constituent l'un de trois déclencheurs qui forcent l'air à s'élever. Sur une carte météorologique (fig. 9.3), le front est représenté par une ligne de symboles qui indique sa position au sol. Il ne faut pas oublier cependant que les fronts sont des zones à trois dimensions qui varient en largeur de quelques kilomètres à 80 kilomètres, et s'étendent aussi bien verticalement qu'horizontalement.

La position d'un front change constamment. Généralement, l'une des masses d'air séparées par le front est plus active et repousse l'autre. Lorsque l'air froid est le plus fort, on dit qu'il s'agit d'un front froid. Cette situation survient lorsqu'une masse d'air froid pénètre dans une zone d'air chaud, et que l'air froid plus dense demeure en contact avec le sol. L'air chaud est forcé de s'élever le long d'un front dont la pente est d'environ 1 sur 40. Les fronts froids peuvent causer de graves perturbations atmosphériques comme les orages, thème qui sera abordé plus loin dans le présent chapitre.

On observe un front chaud lorsqu'une masse d'air chaud pénètre dans une zone d'air plus froid. L'air chaud est forcé de s'élever sur une pente variant entre 1 sur 100 et 1 sur 200. Étant donné qu'il s'agit d'une pente beaucoup plus douce que celle du front froid, les conditions météorologiques le long des fronts chauds sont généralement plus stables. Les nuages et les précipitations sont répartis sur une superficie beaucoup plus grande que dans le cas d'un front froid.

Le front des latitudes moyennes (appelé *front polaire*) présente des différences entre ses masses d'air convergentes considérablement plus importantes que le front tropical (appelé *zone de convergence intertropicale*). Dans les régions situées aux latitudes moyennes, les poussées d'air chaud ou d'air froid, et les tempêtes associées aux masses d'air qui se déplacent rapidement, sont à l'origine des conditions météorologiques très changeantes qui caractérisent le climat de ces zones.

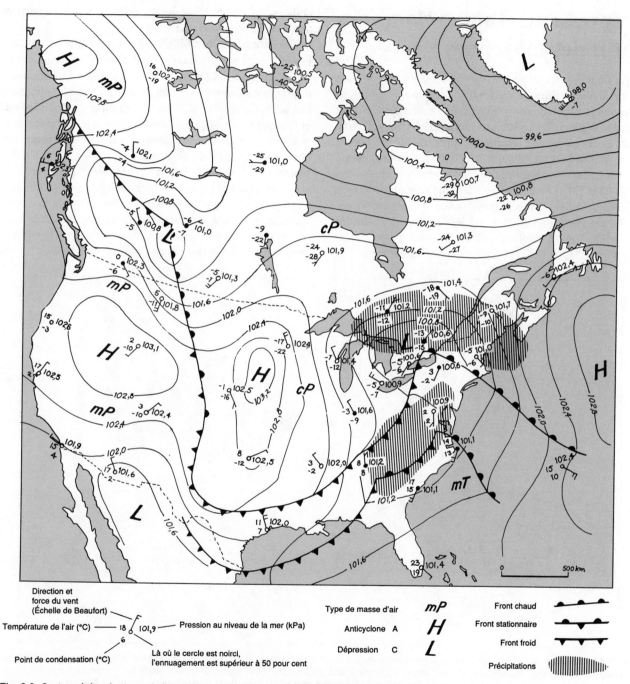

Fig. 9.3 Carte météorologique de l'Amérique du Nord. Le 16 février à 07h00 HNE.
(Modification d'une carte fournie par la Direction de météorologie du service aérien du ministère des Transports, Canada).

Dépressions et anticyclones des latitudes moyennes

Afin de comprendre ce qui survient lorsque des masses d'air dissemblables se rencontrent et que des fronts se forment aux latitudes moyennes, il faut examiner une carte météorologique des conditions journalières (fig. 9.3). Une telle carte fournit une information plus réaliste des conditions atmosphériques typiques des latitudes moyennes que les cartes des moyennes mensuelles de vents et de pressions (fig. 7.3 et 7.4). La carte météorologique journalière illustre la complexité de la répartition des vents et des pressions. Contrairement aux latitudes inférieures, l'air aux latitudes moyennes ne se déplace pas en formant des courants rectilignes. En effet, la circulation est assurée par des cellules de basse et de haute pression en mouvement appelées *dépressions* et *anticyclones*.

Ces cellules ou tourbillons sont semblables aux petits remous causés par le mouvement d'un aviron dans l'eau. En pénétrant dans l'eau, l'aviron provoque la formation d'un remous qui ensuite s'éloigne en réaction au courant de la rivière. Ce remous effectue une rotation en se déplaçant et finit par se dissiper. Les dépressions et les anticyclones tournent aussi autour de leur centre. Leur vie n'est que de quelques jours, et ils se déplacent d'ouest en est dans l'ensemble des flux atmosphériques. Dans ce processus, les dépressions et les anticyclones peuvent provoquer des changements de température soudains et parfois spectaculaires sur les secteurs qu'ils franchissent. Les dépressions sont aussi une source majeure de précipitations pour la plupart des régions aux latitudes moyennes.

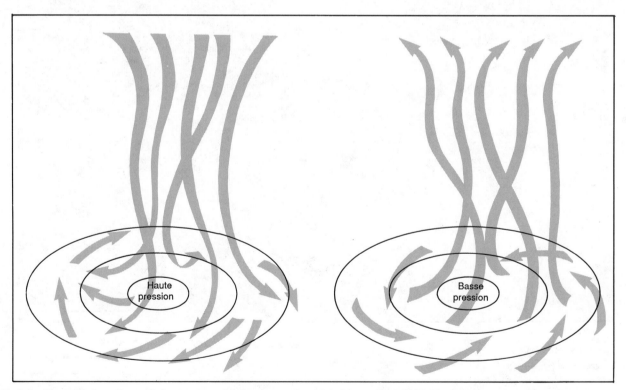

Fig. 9.4 Un anticyclone (à gauche) est une zone de haute pression. L'air descend de la partie supérieure de la troposphère et dévie vers l'extérieur (dans le sens des aiguilles d'une montre) le long de la surface terrestre. Une dépression (à droite) est une zone de basse pression où l'air converge vers l'intérieur (en sens inverse des aiguilles d'une montre) le long de la surface terrestre, et s'élève jusqu'à la partie supérieure de la troposphère. La direction des vents est indiquée pour l'hémisphère Nord.

Les anticyclones

Les anticyclones sont des cellules de haute pression en mouvement qui tournent dans le sens des aiguilles d'une montre dans l'hémisphère Nord, et en sens inverse des aiguilles d'une montre dans l'hémisphère Sud (voir fig. 9.4). Dans ces cellules, l'air descend et s'écarte vers l'extérieur (dévie). Étant donné que l'air dans ces systèmes descend, il se réchauffe aussi par transformation adiabatique. En conséquence, l'humidité est généralement très faible. La condensation et les précipitations sont très improbables, et le temps est habituellement clair et ensoleillé.

Les anticyclones se déplacent vers l'est dans le flux dominant en ouest que l'on observe aux latitudes moyennes. Ces anticyclones ont également tendance à se rapprocher de l'équateur. C'est en hiver qu'ils sont le mieux développés et on les associe aux températures basses et aux journées froides et claires. Occasionnellement, leur déplacement vers l'équateur amène de l'air très froid à des régions méridionales comme la Floride et la côte du Golfe en Amérique du Nord. Ces poussées d'air cP sont le résultat de la sortie, du côté est de l'anticyclone, de l'air se déplaçant dans le sens des aiguilles d'une montre (voir fig. 9.4).

Un anticyclone se déplace donc toujours à partir d'une direction polaire. Si l'anticyclone est important, l'air froid sorti du côté est et amené jusque dans les basses latitudes cause souvent de graves dommages par la gelée qu'il provoque. Du côté ouest ou zone de retrait de l'anticyclone, l'air qui sort vers l'extérieur en se déplaçant dans le sens des aiguilles d'une montre circule en sens inverse vers le pôle. C'est pourquoi les températures ont tendance à s'élever à mesure que l'anticyclone traverse une région.

Non seulement les anticyclones amènent des masses d'air polaire vers l'équateur, mais l'air clair et sec véhiculé est responsable d'une rapide perte de chaleur dans l'atmosphère par rayonnement pendant les longues nuits d'hiver. Les précipitations n'accompagnent pas habituellement les anticyclones à moins que la masse d'air traverse un plan d'eau majeur comme les Grands Lacs. En été, bien qu'un ciel dégagé soit la norme, les anticyclones ne sont pas aussi bien développés qu'en hiver et ils ont un effet réduit sur les températures.

Les dépressions

Toutes les cartes représentant les conditions météorologiques quotidiennes aux latitudes moyennes (par ex. à la fig. 9.3), comportent au moins une cellule de basse pression ou dépression des latitudes moyennes (aussi appelé tempête cyclonale ou dépression) qui se déplace le long du front polaire. Comme les anticyclones, ces tempêtes provoquent des changements de température, mais contrairement aux cellules anticyclonales, elles amènent aussi de la pluie.

Les dépressions des latitudes moyennes prennent souvent naissance le long d'un segment stationnaire du front polaire, généralement du côté ouest des continents. Ils sont déclenchés par des perturbations qui surviennent dans les vents d'ouest des couches supérieures de l'atmosphère, soit, par exemple, une onde dans un courant-jet. Cette onde cause une légère chute de pression en un point le long du front. L'air amorce un mouvement de spirale vers le centre, créant une ondulation sur le front polaire (voir fig. 9.5). L'air chaud est forcé de s'élever et est refroidi par transformation adiabatique. Ce phénomène peut conduire à la condensation et à la chute de précipitations qui, par définition, sont dites d'origine frontale (voir p. 63-64).

Étant donné que le segment de front froid de l'onde se déplace plus rapidement que le segment de front chaud, il finit par rattraper le front chaud. L'air plus chaud entre les deux fronts est soulevé au-dessus du sol (fig. 9.5). Cette dernière phase d'une tempête cyclonale s'appelle une *occlusion*.

Bien que bon nombre de cyclones se dissipent assez rapidement dès le début de leur formation, certains augmentent de taille et évoluent jusqu'à un stade de plein développement, se déplaçant vers l'est à des vitesses qui varient entre 30 et 80 km/h. Certains atteignent plus de 1 000 km de diamètre. Ces tempêtes peuvent amener des précipitations régulières, souvent sous la forme de bruine couvrant une très vaste superficie.

Ce type de précipitations est le résultat de différences de température entre les deux masses d'air qui forment le front polaire. Lorsque l'air plus chaud s'élève très lentement au-dessus de l'air froid, il peut s'étendre sur des centaines de

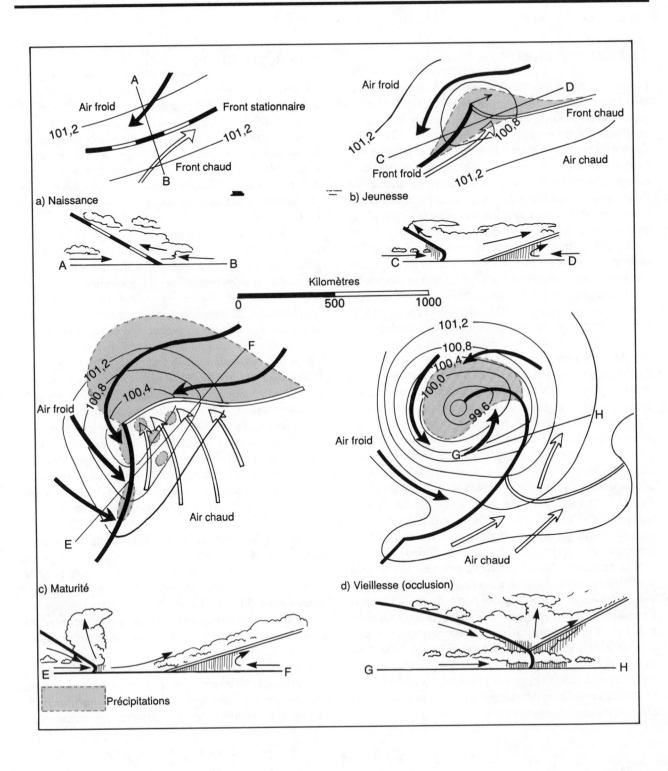

a) Naissance

b) Jeunesse

Kilomètres

c) Maturité

Précipitations

d) Vieillesse (occlusion)

kilomètres au-dessus de l'air froid en avant du front chaud. C'est à cet endroit que la condensation et les précipitations sont les plus étendues. Les précipitations sont habituellement très généralisées, rarement abondantes et peuvent se prolonger pendant de nombreuses heures dans un secteur donné.

La probabilité de précipitations est moindre le long du front froid qui s'avance, là où l'air froid force l'air chaud à s'élever. La chute des précipitations peut s'expliquer par le fait que l'air chaud, sapé par l'air froid, s'élève plus rapidement à cet endroit qu'ailleurs le long du front. Il en résulte souvent des précipitations de courte durée, très dispersées, mais parfois abondantes, les orages n'étant d'ailleurs pas rares.

L'effet des cyclones de latitudes moyennes est plus important l'hiver que l'été parce que les différences de température entre les masses d'air polaires et tropicales sont plus grandes en hiver.

Étude 9-2

1. Tracer une esquisse ou faire une photocopie de la carte météorologique du 16 février (fig. 9.3). À l'aide de couleurs et d'étiquettes, identifier les phénomènes suivants: anticyclones, dépressions des latitudes moyennes, trois types de fronts, des masses d'air, des zones de précipitations, et l'orientation générale de la circulation des masse d'air de surface. Identifier chaque masse d'air clairement, et utiliser des flèches de deux à trois centimètres de longueur pour illustrer l'orientation des masses d'air.
2. Tracer une esquisse de l'anticyclone centré près du Nebraska à la fig. 9.3, montrant la direction du vent. Expliquer la différence de température entre les stations météorologiques qui subissent les effets de l'anticyclone.

Fig. 9.5 Stades de développement d'une tempête cyclonale des latitudes moyennes. Les quatre stades surviennent à un intervalle de 24 à 36 heures, tandis que la tempête peut parcourir plusieurs milliers de kilomètres entre a) et d). Les coupes transversales montrent les formations nuageuses caractéristiques et les zones de précipitations.

3. Tracer trois esquisses distinctes du cyclone des latitudes moyennes qui vient de dépasser Toronto. Localiser la tempête aux dates et aux heures suivantes: 15 février à 17 h (en d'autres termes, déterminer approximativement l'endroit où se trouvait la tempête douze heures avant le relevé météorologique signalé sur la carte); 16 février à 7 h (comme le montre la carte); et 16 février à 19 h (12 heures plus tard). Représenter Toronto par un point et utiliser des traits colorés pour indiquer les fronts et les isobares. Supposer que la tempête se déplace vers le nord-est à la vitesse de 40 km/h.

Pour chacune des trois esquisses, élaborer un tableau présentant l'information suivante sur Toronto: température; direction du vent; changement de pression (par ex. à la hausse, à la baisse); nébulosité; et possibilités de précipitations. Expliquer les changements notés. (Remarque: Étant donné que toutes les données, à l'exception de celles du 16 février à 7 h, sont le résultat d'estimations, aucune réponse individuelle ne sera semblable à celles des autres.)
4. La seconde carte météorologique (fig. 9.6) identifie un certain nombre de stations météorologiques dans l'est de l'Amérique du Nord, dont le rapport est valable pour le 2 mars à 7 h. Utiliser une photocopie de cette carte pour élaborer une nouvelle carte météorologique.
a) Tracer les isobares à des intervalles de 1 kPa (par ex. 99, 100 et 101 kPa). L'isobare de 98 kPa a déjà été dessinée.
b) Tracer les fronts de la tempête cyclonale de latitude moyenne. (Remarque: les différences thermiques et les directions des vents doivent être utilisées pour localiser les fronts.)
c) Ombrer les zones où tombent les précipitations.
d) Effectuer le diagramme d'une coupe transversale le long de l'axe A - B et bien identifier les composants.
e) Indiquer et expliquer les changements météorologiques probables à Ottawa au cours des 24 heures suivantes (température, précipitations, pression et direction du vent).

Perturbations tropicales

Un certain nombre d'aires dépressionnaires faibles sont relevées dans la zone de convergence intertropicale. Parfois, ces aires apparaissent sur la carte météorologique sous la

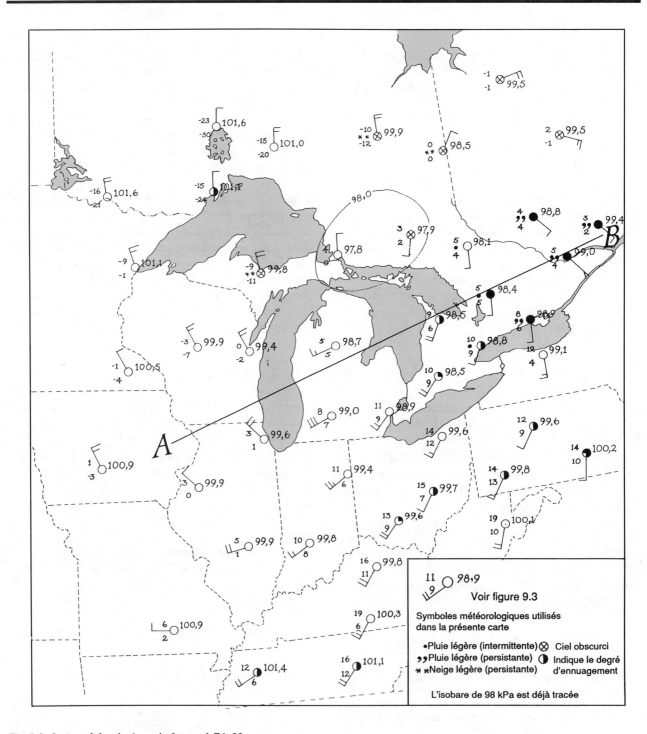

Fig. 9.6 Carte météorologique du 2 mars à 7 h 00.

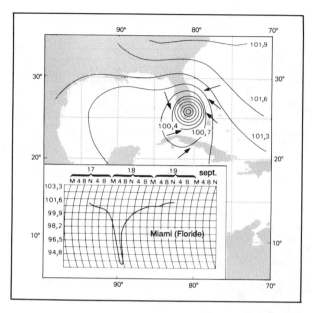

Fig. 9.7 Ouragan des Indes occidentales, relevé à Miami en Floride. (La pression est exprimée en kilopascals.)

forme de vagues dans les isobares, qui sont des vagues de vents d'est. Des zones dépressionnaires sont fréquemment créées au-dessus des océans dans la bande allant du 5° au 30° de latitude, au nord et au sud de l'équateur, mais non à l'équateur lui-même. Ces vagues représentent des creux barométriques faibles qui se déplacent vers l'ouest à la vitesse de 300 à 500 km/j. Bien que les conditions météorologiques tropicales ne soient pas généralement perturbées, ces vagues ont un effet sur le climat des régions équatoriales qui sont sous l'influence des alizés, amenant des orages et des averses dispersées.

Les dépressions tropicales sont semblables à ces vagues. Bien que leurs gradients de pression soient faibles et leurs systèmes de vents mal développés, elles constituent une importante source de nuages et de pluie.

Les cyclones tropicaux s'appellent des ouragans dans les Caraïbes et des typhons au large de la côte de Chine. Ces phénomènes sont semblables aux dépressions cycloniques de latitudes moyennes en ce qui a trait à leurs caractéristiques de base. Ils surviennent moins fréquemment que les

Fig. 9.8 Une photographie de l'ouragan Gladys à environ 240 km au sud-ouest de Tampa en Floride, prise à bord de l'engin spatial Apollo 7. Les cyclones en mouvement, comme cet ouragan, ainsi que les modèles de dépressions des latitudes moyennes, contribuent au transfert de chaleur vers les pôles.

NAISSANCE D'UNE TORNADE

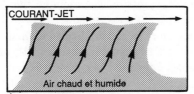

Des orages forts sont souvent produits lorsqu'une masse d'air sèche et froide, provenant de courants-jets d'ouest, recouvre un courant sud d'air chaud et humide près du sol. Ce phénomène provoque un courant d'air ascendant concentré nécessaire à la formation d'une tornade.

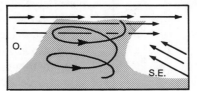

À l'intérieur de l'orage, les vents changent rapidement de vitesse et de direction. Le courant d'air ascendant de l'orage est tortillé par des vents de direction opposée et commence à effectuer une rotation. À mesure que l'orage

se développe vers le haut, le courant ascendant en rotation se rétrécit et la vitesse du vent augmente. Enfin, la colonne d'air tourbillonnante s'étire vers le bas jusqu'au sol et se transforme en tornade.

NUÉE SINUEUSE EN FORME D'ENTONNOIR

C'est à l'intérieur du secteur adjacent aux parois du coeur que se trouve le courant ascendant le plus fort, incluant des vents dont la vitesse varie entre 150 et 300 km/h. Ce courant est rendu visible par des accumulations nuageuses formées par condensation.

LE COEUR

Oeil central calme de basses pressions où l'air effectue une descente relativement douce à partir du haut.

LES VENTS TOURBILLONNANTS

Tiré par une pression atmosphérique considérablement abaissée, l'air s'engouffre continuellement dans la base du tourbillon. Ces vents tourbillonnants peuvent atteindre 400 km/h.

L'ITINÉRAIRE

Une tornade peut s'ouvrir une voie de plusieurs dizaines de mètres de largeur généralement. La tempête avance avec une vitesse variant entre 40 et 80 km par heure. Elle s'approche habituellement à partir de l'ouest. Les immeubles à l'extérieur de son périmètre ne sont pas en général menacés, mais ceux qui se retrouvent à l'intérieur peuvent être lourdement endommagés.

Fig. 9.9 Anatomie d'une tornade.
(Michael J. Newark et Barry Greer, Environnement Canada)

dépressions de latitudes moyennes, mais ont des conséquences considérablement plus catastrophiques. Les cyclones tropicaux ne se forment qu'au-dessus de l'eau, généralement là où la température de l'air est supérieure à 26°C, et entre le 8° et le 15° de latitude nord et sud. Au moins certains cyclones prennent naissance à partir d'une vague dans les vents d'est, ou proviennent d'une dépression tropicale faible qui s'intensifie et forme une zone circulaire et profonde de basses pressions (95 kPa ou moins au centre) dont le diamètre peut varier entre 150 et 500 km (voir fig. 9.7).

Bien que les mécanismes précis qui déclenchent les ouragans (cyclones) soient mal compris, on connaît bien, en revanche, les conditions qui génèrent ces tempêtes. Les ouragans surviennent généralement vers la fin de la saison estivale dans chaque hémisphère, lorsque la dépression équatoriale s'est déplacée vers le pôle. La tempête prend naissance au-dessus des eaux chaudes tropicales où la teneur en vapeur d'eau de l'atmosphère est élevée. Le déclenchement des précipitations dans une masse d'air ascendante provoque la condensation de volumes considérables de vapeur d'eau et, par conséquent, le dégagement d'une grande quantité de chaleur. Ce dégagement entraîne une réduction du gradient adiabatique de refroidissement. La masse d'air devient instable relativement à l'atmosphère qui l'entoure. L'air s'élève plus rapidement, ce qui provoque une baisse de la pression atmosphérique dans la région immédiate et la création d'un gradient de pression très incliné. À cause de la forte inclinaison du gradient, l'air passe rapidement des secteurs environnants au «trou» de pression. Ce mouvement d'air extrêmement rapide ainsi que le système nuageux circulaire et les précipitations intenses qui y sont associées constituent les principales caractéristiques de l'ouragan.

L'oeil central d'un ouragan est une zone de 8 à 40 km de largeur où les nuages et la pluie sont relativement absents. L'air descend des hautes altitudes et est réchauffé par transformation adiabatique. Ailleurs dans la dépression discoïde, les vents se meuvent en spirale à des vitesses d'au moins 120 km/h; au bord de l'oeil, ces vitesses peuvent dépasser 200 km/h.

Lorsqu'elles sont formées, ces tempêtes se déplacent vers l'ouest et ensuite vers le pôle à des vitesses de 10 à 15 km/h aux basses latitudes, et de 30 à 60 km/h aux latitudes supérieures où leur intensité commence à diminuer. Enfin certains ouragans peuvent être transformés en tempêtes cyclonales des latitudes moyennes.

Les cyclones tropicaux sont excessivement destructeurs, surtout le long des régions littorales basses. Le typhon probablement considéré comme le plus catastrophique du 20e siècle a frappé le Bangladesh en novembre 1970. Des vents de 160 à 240 km/h ont été relevés au moment où les marées de vive-eau étaient inhabituellement hautes. Cette coïncidence a engendré des lames de tempête qui ont inondé la presque totalité de la région côtière. La profondeur de l'eau dans le delta et la région littorale a varié entre 60 cm et 5 m. Bien que des alertes aient été diffusées à l'avance, peu de gens ont quitté la région avant le désastre. Selon les estimations officielles, 400 000 personnes sont mortes dans ce cataclysme, la plupart noyées. Enfin, les cultures, les champs, le bétail et les immeubles ont subi des pertes et des dommages énormes.

Les tornades

La tornade est un petit cyclone intense qui se manifeste sous la forme d'un entonnoir de couleur noire (quelquefois appelé une trompe d'éléphant) suspendu à des cumulo-nimbus (fig. 9.9). Au sol, la tornade ne couvre qu'une petite superficie de 90 à 500 m de diamètre. Ses vents transportent de l'humidité et des débris à des vitesses allant jusqu'à 400 km/h. Le mécanisme déclencheur précis des tornades est encore mal connu. Les tornades sont couramment associées à des conditions engendrées par la rencontre d'air froid et sec et d'air chaud et humide, et donc à des fronts froids. Ces tempêtes prennent naissance là où la turbulence est maximale le long de ce front, et se déplacent à des vitesses variant approximativement entre 30 et 70 km/h. La plupart surviennent en mai ou juin. Bien qu'elles soient presque toutes concentrées dans le centre de l'Amérique du Nord, particulièrement dans l'Oklahoma et au Kansas, on les retrouve aussi dans les provinces des Prairies et en Ontario.

Dans les étroites limites du chemin emprunté par la tornade (entre 100 et 150 m de largeur), la destruction est rapide et complète. Les tornades surviennent souvent en groupes. Par exemple, le 4 avril 1974, 148 tempêtes distinctes ont tué plus de 300 personnes et causé des dommages évalués à plusieurs centaines de millions de dollars dans le centre des États-Unis.

Les orages

Un orage (fig. 8.4) est une tempête intense, bien que généralement localisée, d'une durée relativement courte. Il est associé à des courants d'air ascendants et descendants très forts. Plusieurs courants d'air verticaux différents peuvent être présents simultanément dans les épais cumulonimbus qui s'étendent entre 3 000 et 15 000 m dans l'atmosphère. Au sommet, l'étalement des nuages donne lieu à une formation rappelant l'enclume, appelée cumulus bourgeonnant. De fortes précipitations (parfois la grêle), des rafales, le tonnerre et les éclairs sont associés à ces tempêtes.

Certains orages sont le résultat de cellules de convection ascendantes constituées d'air chaud et humide. Ils peuvent aussi se former le long d'un front froid où de l'air chaud et humide est sapé par l'air froid, ou lorsque de l'air chaud et humide instable est forcé de s'élever au-dessus d'un relief-barrière. Leur intensité est liée à la quantité disponible et à la vitesse de dégagement de l'énergie latente.

L'énorme arc ou étincelle d'électricité que constitue l'éclair est le résultat de processus complexes. Les formidables courants d'air qui existent dans les nuages orageux forcent les électrons négatifs à s'assembler au bas du nuage. Ces électrons attirent des ions positifs dans le sol sous le nuage. Lorsque la résistance de l'air est surmontée, un courant d'électrons négatifs perce soudainement le nuage pour se joindre aux ions positifs sur le sol. Le résultat de ce phénomène est l'éclair. Ce que l'on perçoit en réalité n'est pas l'éclat électrique lui-même, mais l'air qui luit autour de l'éclair, après avoir été réchauffé jusqu'à environ 10 000°C.

Le tonnerre est le résultat du réchauffement violent et de la dilatation de l'air autour du courant électrique qui passe entre le nuage et le sol. Étant donné que le courant ne dure qu'un moment, l'air se contracte de nouveau instantanément. La dilatation et la contraction de l'air sont à l'origine du coup de tonnerre que l'on entend.

Étude 9-3

La figure 9.7 montre un ouragan tel qu'il apparaît sur une carte météorologique, ainsi qu'un tracé au baromètre enregistreur (barographe) des lectures prises à un endroit donné au passage de la perturbation. Organiser les réponses aux questions suivantes de façon à élaborer une explication des cyclones tropicaux.

1. De quelle manière les cyclones tropicaux diffèrent-ils des dépressions de latitudes moyennes? Décrire les facteurs suivants en fonction du cyclone tropical:
a) la forme précise des isobares, le degré d'inclinaison des gradients de pression et la force des vents;
b) la présence de fronts ainsi que les précipitations et les températures caractéristiques de chaque perturbation;
c) la direction des vents;
d) la fréquence de ces perturbations et les saisons au cours desquelles elles surviennent;
e) la taille de la majorité des cyclones tropicaux.
2. Identifier les régions où les cyclones tropicaux se manifestent et les terres continentales qu'ils perturbent. Décrire des mesures de protection qui ont été adoptées dans ces régions pour lutter contre les vents forts et les lames de tempête associées à ces perturbations.
3. Les températures de surface élevées, l'instabilité et l'humidité constituent les principales conditions favorisant la formation d'orages. Expliquer pourquoi toutes ces conditions doivent être présentes.
4. Décrire la répartition des orages sur la planète en utilisant les en-têtes suivants:
a) latitude;
b) saison;
c) heure de la journée.

Analyse des données météorologiques

On peut accroître considérablement ses connaissances sur l'atmosphère en examinant les diverses données obtenues au cours d'une certaine période. La majeure partie de l'information présentée ci-dessous est fournie par les quotidiens. Bien entendu, une station météorologique scolaire pourrait fournir la plupart de ces données.

Indications

Toutes les données citées ci-dessous devraient être recueillies pendant une période d'au moins trente jours. Si la collecte de l'information est effectuée par un groupe important, la charge des activités peut être partagée. Dans la plupart des cas, la façon idéale de présenter les données est sous forme de représentations graphiques de divers types. Après avoir été mise sous forme graphique, l'information peut être interprétée en répondant aux questions suivantes.

Première étape: collecte des données

1. Consigner quotidiennement l'heure du lever et l'heure du coucher du soleil. Ces données sont illustrées idéalement par une courbe où la ligne supérieure représente le lever du soleil et la ligne inférieure, le coucher.

2. Déterminer quotidiennement la direction moyenne du vent. On peut construire un diagramme en forme de rose des vents à partir de cette information. Voir la rose des vents à la p. 327 pour connaître la forme du graphe. Les vents journaliers peuvent être représentés par une ligne de 5 mm de longueur.

3. Porter sur un diagramme les températures minimales et maximales journalières.

4. Élaborer un diagramme rectangulaire pour illustrer la pression d'air journalière. Les blocs pourraient être ombrés pour indiquer le degré de nébulosité de la journée. Sur ce diagramme, indiquer aussi la quantité et le type de précipitations (s'il y a lieu) qui sont tombées au cours de la période de 24 heures.

5. Si elle n'est pas présentée dans les journaux, tenter d'obtenir du bureau météorologique local une carte météorologique couvrant une journée ou plus de la période de collecte des données.

Seconde étape: interprétation des données

1. À l'aide d'un diagramme (voir fig. 2.10), expliquer le changement dans la durée de l'ensoleillement au cours de la période de collecte des données. Utiliser le tableau au chapitre 2 pour estimer l'intensité du rayonnement au cours de cette période.

2. La rose des vents indique-t-elle clairement l'orientation du vent dominant? Y a-t-il une relation entre la direction du vent à un moment donné et la température relevée au même moment? (Indice: les masses d'air.) Existe-t-il un rapport entre la direction du vent et les précipitations, c'est-à-dire qu'un changement assez soudain dans la direction du vent s'observe-t-il avant ou après une période de précipitations?

3. À l'aide du climatographe, expliquer ce qui suit:

a) la tendance générale de la température au cours du mois d'observation (expliquer en termes d'intensité et de durée);

b) certaines variations journalières appréciables, par ex. le changement de direction du vent ou les variations de pression;

c) la relation entre les variations de température et le degré d'humidité ou de nébulosité.

4. Commenter la relation entre la pression de l'air et la nébulosité ainsi que la quantité de précipitations. Y a-t-il des indices qui laissent croire que, pendant cette période, les conditions météorologiques ont été modifiées par des tempêtes ou des anticyclones de latitudes moyennes?

5. L'obtention de cartes météorologiques permettrait un examen plus détaillé des conditions atmosphériques relevées au cours d'un jour donné.

10 / Classification des climats

Il existe sur la Terre une panoplie de combinaisons différentes de températures et de précipitations. Cependant, il est rare qu'une combinaison particulière de températures et de précipitations ne soit observée qu'à un seul endroit. En effet, une même combinaison se manifeste généralement dans plusieurs régions du globe à des latitudes semblables. On peut identifier de grands territoires où les caractéristiques de température et de précipitations sont les mêmes. Bien qu'il existe des variations significatives à l'intérieur de ces vastes régions, les caractéristiques de température et de précipitations que l'on y observe sont suffisamment rapprochées pour que ces zones puissent être rattachées à un type climatique distinct.

Les critères utilisés pour déterminer et tracer des limites entre les différents groupes climatiques varient selon les objectifs de l'étude. La classification la plus couramment utilisée a été établie en 1918 par Wladimir Köppen, Ph.D., (1846-1940), à l'université de Graz en Autriche. Elle constitue actuellement une norme presque partout au monde. Une version modifiée de la classification, présentée aux fig. 10.1 et 10.2, a été adoptée aux fins du présent ouvrage. La classification de Köppen est très répandue parce qu'elle est objective, quantitative et peut être appliquée de façon universelle à condition que les données appropriées soient disponibles.

Köppen a divisé la planète en cinq groupes climatiques majeurs, attribuant à chacun une lettre majuscule ainsi qu'un nom. Cette division est fondée sur d'importantes caractéristiques de température et de précipitations. *A* indique les climats tropicaux humides (toujours chauds et humides); *B*, les climats tropicaux secs; *C*, les climats mésothermiques humides (humides, avec hivers doux); *D*, les climats microthermiques humides (humides, avec hivers rigoureux); et *E*, les climats polaires (toujours froids). Chaque groupe climatique est subdivisé en types climatiques selon la répartition saisonnière des précipitations ou des températures estivales et hivernales, ou selon l'un et l'autre.

Méthode pour l'étude des groupes et des types climatiques

L'étude des cinq groupes climatiques et de certains de leurs types principaux nécessite l'interprétation de diverses données. Le présent ouvrage fournit de l'information qui met en lumière les caractéristiques majeures de chaque groupe et type climatique. Cette information comprend toutes les cartes, les données, les diagrammes et les descriptions qui apparaissent dans le présent chapitre et ceux qui le précèdent. Bien entendu, on peut consulter de nombreuses autres sources dont certaines sont incluses dans la bibliographie à la fin du présent ouvrage. Le groupe *A* ou groupe tropical humide, décrit et interprété aux pages 90-93, peut servir de modèle pour compléter la description et l'explication des quatre autres groupes.

Liste de contrôle

Cette liste de contrôle est un guide que l'on utilise pour décrire et interpréter le climat d'une localité ou d'une région. Les éléments de la liste ne sont pas tous nécessairement pertinents à un type climatique particulier. (On remarquera que les éléments numérotés apparaissant sous les titres de description ne correspondent pas aux éléments portant le même numéro sous les titres d'explication.)
LOCALISATION
Région examinée sous les aspects suivants:
1. Latitude
2. Position sur le continent
3. Types climatiques adjacents
4. Formes du relief

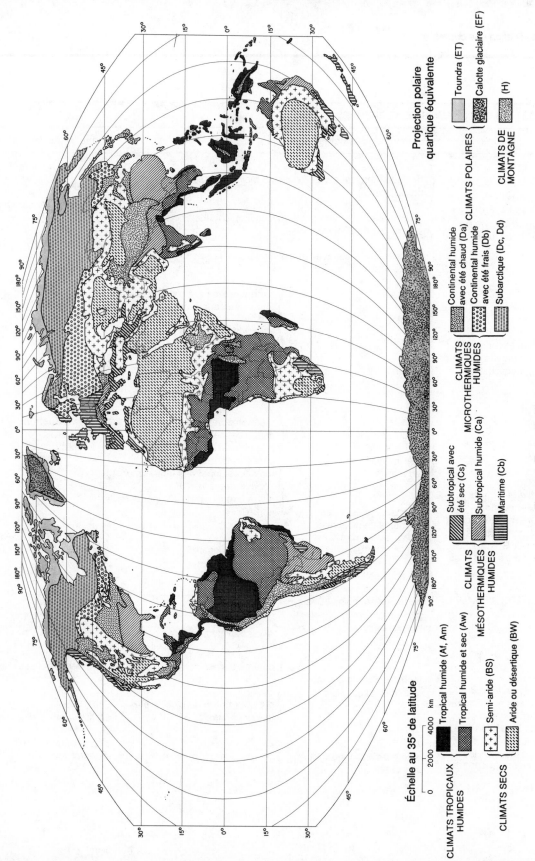

Fig. 10.1 Types de climats.

Échelle au 35° de latitude

0   2000   4000   km

CLIMATS TROPICAUX HUMIDES
∎ Tropical humide (Af, Am)
▨ Tropical humide et sec (Aw)

CLIMATS SECS
✚ Semi-aride (BS)
▨ Aride ou désertique (BW)

CLIMATS MÉSOTHERMIQUES HUMIDES
▨ Subtropical avec été sec (Cs)
▨ Subtropical humide (Ca)
▤ Maritime (Cb)

CLIMATS MICROTHERMIQUES HUMIDES
▨ Continental humide avec été chaud (Da)
▨ Continental humide avec été frais (Db)
▨ Subarctique (Dc, Dd)

Projection polaire quartique équivalente

CLIMATS POLAIRES
▨ Toundra (ET)
▨ Calotte glaciaire (EF)

CLIMATS DE MONTAGNE
▨ (H)

Fig. 10.2

CLASSIFICATION DES CLIMATS DE KÖPPEN

Groupe	Symboles secondaires		Types (symbole et nom)
A *Tropical humide* (toujours chaud et humide) Température moyenne du mois le plus froid: 18°C ou plus	**f** (toujours humide: chaque mois au moins 60 mm de précipitations)		Af *Tropical humide*
	m (extrêmement humide pendant la saison chaude; mois le plus sec, moins de 60 mm)		Am *Tropical de moussons*
	w (au moins un mois avec moins de 60 mm; la saison sèche est plus longue que celle du type m)		Aw *Tropical humide et sec*
B *Sec* L'Évaporation excède les précipitations (voir la remarque ci-dessous)	**S** (semi-aride)	**h** (chaud: température annuelle moyenne supérieure à 18°C) **k** (frais: température annuelle moyenne inférieure à 18°C)	BS *Semi-aride*
	W (aride)	**h** comme ci-dessus **k**	BW *Aride*
C *Mésothermique humide* (hiver doux et humide) Température moyenne du mois le plus froid variant entre 18° et -3°C; au moins un mois au-dessus de 10°C	**f** (toujours humide: au moins 30 mm de précipitations tous les mois)	**a** (la température du mois le plus chaud est supérieure à 22°C) **b** (moins de 22°C le mois le plus chaud, mais au moins 4 mois présentent des températures supérieures à 10°C) **c** (1 à 3 mois: relevés supérieurs à 10°C)	Cfa, Cwa *Subtropical humide*
	s (sécheresse estivale: au moins un mois avec moins de 30 mm)	**a** comme ci-dessus **b**	Csa, Csb *Subtropical avec été sec*
	w (saison sèche hivernale: durant le mois le plus humide, on relève au moins 10 fois plus de précipitations que le mois le plus sec)	**a** comme ci-dessus **b**	Cfb *Océanique*
D *Microthermique humide* (hiver rigoureux et humide) Température moyenne du mois le plus froid inférieure à -3°C; température moyenne du mois le plus chaud supérieure à 10°C	**f** (comme dans le groupe climatique C)	**a** comme ci-dessus **b** **c** **d** (température du mois le plus froid inférieure à -38°C)	Dfs, Dwa *Continental humide avec été chaud* Dfb, Dwb *Continental humide avec été frais*
	w (comme dans le groupe climatique C)	**a** **b** **c** **d**	Dfc, Dfd, Dwc, Dwd *Subarctique*

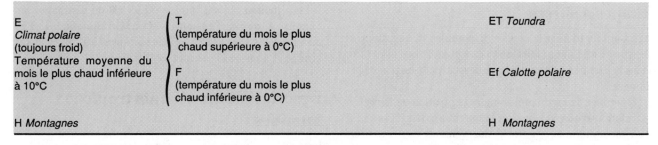

E		ET *Toundra*
Climat polaire (toujours froid) Température moyenne du mois le plus chaud inférieure à 10°C	T (température du mois le plus chaud supérieure à 0°C)	
	F (température du mois le plus chaud inférieure à 0°C)	Ef *Calotte polaire*
H *Montagnes*		H *Montagnes*

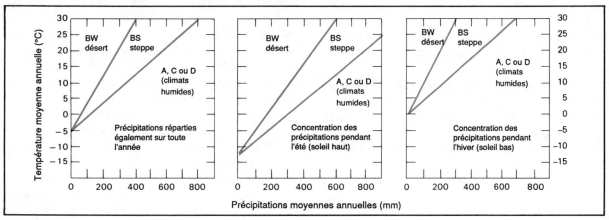

Fig. 10.3 Frontières climatiques de type B.

TEMPÉRATURE

Description

1. Températures hivernales
2. Températures estivales
3. Durée et caractéristiques du printemps et de l'automne
4. Moyenne et amplitude thermique annuelle
5. Amplitude thermique diurne

On peut utiliser les termes relatifs suivants, définis en fonction des températures mensuelles. Les étés dont la température est supérieure à 25°C sont considérés comme très chauds; lorsque la température varie entre 20 et 25°C, ils sont chauds; entre 10 et 20°C, ils sont frais; et lorsqu'elle est inférieure à 10°C, ils sont froids. Les hivers dont la température varie entre 10 et 20°C sont chauds; entre 0 et 10°C, ils sont doux; entre 0 et -10°C, frais; entre -10 et -20°C, froids; et sous -20°C, très froids.

Explication

1. Latitude
2. Altitude
3. Masses d'air qui influencent la région en hiver et en été

PRÉCIPITATIONS

Description

1. Précipitations moyennes annuelles (faible, moyenne, élevée). Établir un rapport entre l'effet marquant des précipitations et la température.
2. Répartition saisonnière des précipitations
a. Répartition égale ou inégale
b. Saison humide et saison sèche et quantités de précipitations à chacune
3. Formes des précipitations
4. Fiabilité des précipitations

Explication

1. Formes du relief
2. Masses d'air qui influencent la région en hiver et en été
3. Stabilité de la basse atmosphère
4. Humidité
5. Tempêtes

Étapes à suivre

1. Examiner toute les données disponibles sur le groupe et le type de climat qui fait l'objet de l'étude. Sous quel titre, dans la liste des informations ci-dessus, peut-on placer ces données?

2. Examiner de façon préliminaire la position de la région en relation avec le schéma des températures (fig. 6.4 et 6.5), des précipitations (fig. 8.7), des vents et des pressions (fig. 7.3 et 7.4), et en relation avec les masses d'air (fig. 9.2).

3. À l'aide de la liste des informations, réunir des observations détaillées sur les aspects significatifs de la température et des précipitations.

4. À l'aide de cette même liste, expliquer les aspects des températures et des précipitations.

5. Afin de ne pas négliger de points importants, utiliser la documentation portant sur chaque groupe et type climatiques à l'étude, et organiser provisoirement l'information en vue du rapport écrit final.

6. Lors de la rédaction du rapport final, s'assurer que les aspects essentiels qui distinguent un groupe ou un type climatique de tous les autres sont parfaitement clairs.

Remarque: Climats B

Les représentations graphiques suivantes peuvent servir à déterminer si le climat d'un endroit donné appartient à la catégorie B et s'il s'agit du type BS ou BW.

Les climats tropicaux humides / A

Les climats tropicaux humides (groupe A) peuvent être subdivisés en trois types majeurs : tropical humide (Af), tropical humide et sec (Aw) et tropical des moussons (Am). Le groupe en entier est caractérisé par des températures uniformément élevées. En conséquence, les trois types se distinguent surtout par des variations tant dans les précipitations annuelles que saisonnières. L'information de base fournie comprend des données sur les températures et les précipitations relevées par une station d'une région tropicale humide (Af) et, à des fins de comparaison, par une station d'une région typique à climat humide et sec (Aw) et par une station typique d'une région des moussons (Am).

Le principal objectif poursuivi ici est de distinguer les climats A des quatre autres groupes climatiques. Les différences particulièrement importantes à l'intérieur du groupe A sont soulignées et expliquées.

Description des climats tropicaux humides

Les climats tropicaux humides forment une ceinture équatoriale quelque peu discontinue, comprise surtout entre le 20° de latitude N. et le 20° S. (voir fig. 10.1). Les plus vastes territoires qui sont identifiés aux climats A se trouvent en Afrique et en Amérique du Sud, et ils constituent les seules masses continentales à s'étendre avec une orientation est-ouest assez considérable à ces latitudes. On observe des zones de climat A moins vastes dans certaines parties du sous-continent indien ainsi que sur le continent australien et ses îles, et sur la majeure partie de l'Amérique centrale et des Caraïbes.

En général, les zones climatiques A sont limitées et se fondent avec les zones de climat B. Cependant, en certains endroits, notamment en Asie, les zones climatiques A sont adjacentes aux zones de climat subtropical humide.

Caractéristiques générales

Les climats A sont de vrais climats tropicaux humides sans hivers. Ils se distinguent de tous les autres climats humides par leur température. Selon la définition de Köppen, aucun mois de l'année ne présente une température moyenne inférieure à 18°C. Ces températures élevées en permanence sont accompagnées de précipitations annuelles généralement abondantes, la plupart des régions recevant plus de 1 500 mm.

Il existe à l'intérieur de ce groupe des variations considérables dans la répartition saisonnière des précipitations. Sur cette base, le groupe a été divisé en trois types, soit Af, Aw et Am.

La température

La plupart des régions dans le groupe A connaissent des écarts thermiques moyens annuels inférieurs à 4°C, et dans presque toutes les régions, cet écart est inférieur à 6°C. Ces températures constamment élevées ne sont pas surprenantes. Comme le soleil n'est jamais loin du zénith, son intensité est plus forte que partout ailleurs sur la planète. La durée de l'ensoleillement varie peu au cours d'une année. L'effet d'adoucissement des masses d'air et des vents marins ont également tendance à maintenir basse l'amplitude thermique annuelle.

Les amplitudes thermiques moyennes journalières pour ce groupe se situent généralement entre 6 et 10°C. Elles sont donc habituellement plus élevées que l'amplitude moyenne annuelle. Après la chaleur oppressante du jour, les nuits légèrement plus fraîches sont les bienvenues. Les amplitudes thermiques diurnes relativement élevées sont à l'origine du dicton selon lequel, sous les tropiques, «la nuit est le véritable hiver». Cependant, avec l'humidité excessive, même les températures plus supportables pendant la nuit, sont élevées comparativement à celles observées dans d'autres parties du monde.

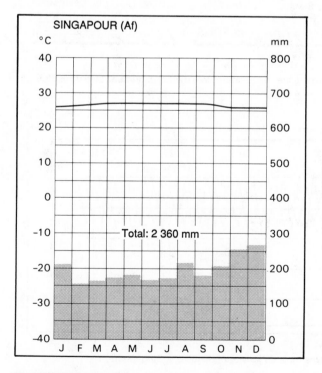

Fig. 10.4 Singapour (Af).

L'un des aspects les plus marquants des climats tropicaux humides est le manque de variations dans le régime thermique d'un jour à l'autre. Ce phénomène souligne la prédominance du soleil comme facteur de régulation thermique.

Les précipitations

La plupart des régions du groupe A reçoivent plus de 1 500 mm de précipitations durant l'année, et les zones qui reçoivent plus 3 800 mm ne sont pas rares. Dans ce groupe climatique, les précipitations décroissent à mesure que l'on progresse vers les pôles. Les climats de type Aw et Am se distinguent du type Af principalement par leur saison sèche notoire. Cependant, dans le type Af, les données statistiques des précipitations mensuelles varient beaucoup plus que celles des températures mensuelles. En dépit de totaux annuels élevés, les précipitations sont rarement réparties également dans le groupe.

On trouve les climats du groupe A dans la zone de convergence intertropicale (dépression équatoriale — voir p. 54). Les alizés du nord-est et du sud-est convergent dans une zone qui se déplace d'abord vers le nord, puis vers le sud, avec le mouvement annuel apparent du soleil. Ces masses d'air convergentes s'associent aux températures élevées et à l'humidité pour produire des conditions d'instabilité. D'énormes quantités de vapeur d'eau se condensent. Des cumulus, produits par convection, sont responsables de la majeure partie des chutes de pluie. Les courants de convection sont induits partiellement par la température, et sont aussi associés à des masses d'air convergentes et des perturbations tropicales faibles. C'est vers la fin de l'après-midi que les pluies sont les plus fréquentes et souvent les plus abondantes, mais les «ondes de vent d'est» (voir p. 79) provoquent aussi des précipitations pendant la nuit.

En raison des mouvements saisonniers de la zone de convergence intertropicale, les régions climatiques de type Aw sont, pendant une partie de l'année, sous des influences communes aux régions de type Af et qui causent des précipitations dans cette région climatique. Pendant le reste de l'année, les régions de type Aw sont soumises à l'influence de masses d'air stables plus sèches des systèmes anticyclonaux subtropicaux. L'air stable descendant des

Georgetown (Guyana) Af												
	J	F	M	A	M	J	J	A	S	O	N	D
t	26	26	26	27	27	27	27	27	28	28	27	26
P	203	114	175	140	290	302	254	175	81	76	155	287

Total des précipitations: 2 252 mm

Beira (Mozambique) Aw												
t	28	28	27	26	23	21	21	21	23	26	26	27
P	277	213	256	107	56	33	30	28	20	132	135	234

Total des précipitations: 1 521 mm

Bombay (Inde) Am												
t	24	24	26	28	29	29	27	27	27	28	27	26
P	2	2	2	<1	18	485	617	340	264	63	13	2

Total des précipitations: 1 809 mm

Températures moyennes (°C)

	Mois le plus frais			Mois le plus chaud			
	Mois	Max. journalier	Min. journalier	Mois	Max. journalier	Min. journalier	Extrêmes absolus
Singapour	26	30	33	27	31	24	36 et 19

Fig. 10.5 Stations climatiques. Dans ce tableau et les suivants du présent chapitre, les températures (t) sont exprimées en degrés Celsius, et les précipitations (P) en millimètres.

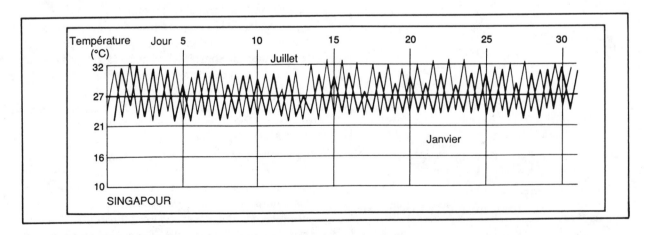

Fig. 10.6 Les températures maximales et minimales journalières pour les mois de janvier et de juillet à Singapour.
(Source: Trewartha, Robinson et Hammond, *Fundamentals of Physical Geography*)

anticyclones subtropicaux est à l'origine d'une saison sèche distincte qui se prolonge pendant plus de deux mois dans les régions climatiques de type Aw. Dans les régions de type Am, bien que la saison sèche soit généralement plus marquée, le total des précipitations est habituellement supérieur à celui de la région climatique Aw. Le phénomène de la mousson responsable de cette situation est expliqué à la p. 56.

Les climats secs / B

Le résultat qu'engendrent les précipitations (la quantité qui ne s'évapore pas et qui est disponible pour la croissance des végétaux) varie avec la température. En conséquence, il est impossible d'utiliser la quantité de précipitations comme critère pour déterminer les limites des régions du groupe climatique B. Aux latitudes élevées par exemple, un total de 500 mm de précipitations peut être suffisant pour maintenir une humidité abondante dans le sol durant toute l'année. Cependant, sous les chauds tropiques, un sol qui reçoit la même quantité d'eau peut avoir un bilan déficitaire en humidité en raison de l'intensité d'évaporation considérablement plus élevée à ces latitudes. Les climats secs sont donc définis comme ceux où la capacité d'évaporation excède les précipitations.

Dans les régions où les pluies sont insuffisantes, il n'y a guère d'eau excédentaire pour produire les eaux de ruissellement. En conséquence, rares sont les cours d'eau, indépendamment de leur taille, qui prennent leur source dans ces régions, bien que des fleuves, comme par exemple le Nil, puissent les traverser.

Selon la formule qui établit un lien entre la capacité d'évaporation et les précipitations (p. 89), les climats secs se divisent en type climatique semi-aride (BS) et aride (BW) qui, à leur tour, peuvent être subdivisés en BWh et BWk, ou BSh et BSk («h» désignant un climat chaud et «k», un climat froid). Bien que les climats secs soient considérés dans la catégorie «groupe», il existe des variations importantes à l'intérieur de ce groupe climatique.

L'une des caractéristiques les plus importantes des climats du groupe B est le manque de fiabilité des précipitations (voir p. 70). Dans certaines localités, des mois, et même des

années, peuvent passer sans qu'aucune précipitation ne survienne. Lorsqu'elle tombe, la pluie est souvent torrentielle, constituant des réserves souterraines d'eau desquelles dépend la population de ces régions. Les moyennes de précipitations ont donc peu d'importance dans ces secteurs. Quelques traits caractéristiques supplémentaires sur le type climatique font l'objet de commentaires dans la brève description suivante.

Après avoir esquissé une aurore quelconque, soudain, le soleil paraît dans le ciel clair. Dans cet air sec du début de matinée, déjà ses rayons dardent et, réfléchis par les rochers et le sable, réchauffent la masse d'air voisine du sol. Il n'y a pas d'évaporation qui agisse pour tempérer l'élévation de la température. Il est neuf heures passées et la chaleur, intense, s'accroît graduellement jusque vers le milieu de l'après-midi, heure désignée pour le mirage, mal assuré, occasionnel. À l'approche du soir, l'air se rafraîchit et le soleil, avant de s'éteindre derrière l'horizon, explose, sans nuage pour adoucir ses éclats. Dans la nuit claire, la chaleur quitte la roche et le sable, presque aussi vite qu'elle est venue, et ce grand calme, ces heures immobiles qui ne sauraient fouetter une flamme, commande aussi l'air frais. Nous grelottons de froid, et les matins d'hiver, à la surface du sol, l'eau est parfois gelée.[1]

Les températures extrêmes absolues relevées dans le Sahara ou les régions avoisinantes sont les suivantes:

Fig. 10.7

	Maximum absolu	Minimum absolu
Biskra	49°C	−1°C
Touggourt	50°C	−3°C
Azizia	58°C	−3°C
Tamanrasset	39°C	−7°C
Bilma	47°C	−2°C
Port-Étienne	46°C	−7°C

Étant donné la faible humidité et une couverture végétale généralement inexistante dans la plupart des régions désertiques, la vitesse du vent est souvent élevée. Par conséquent, le vent et le sable qu'il transporte dominent la vie de ces secteurs.

[1] H. Shirmer, *Le Sahara* (Paris, 1893).

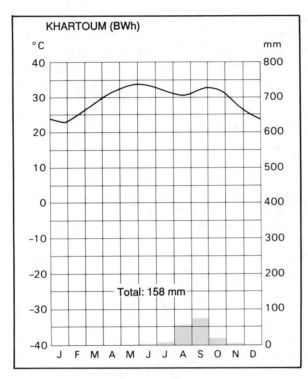

Fig. 10.8 Khartoum (BWh).

Étude 10-1

1. Localiser les climats du groupe B en relation avec les pressions et les vents, ainsi qu'avec les masses continentales où on les trouve. Ces deux composantes de la localisation influencent considérablement les précipitations.

2. Établir un rapport entre les courants océaniques froids qui circulent parallèlement à la côte et les faibles précipitations relevées dans les déserts côtiers des basses latitudes.

3. La moyenne de température mensuelle et les températures journalières les plus élevées au monde sont relevées dans les climats du groupe B. Pourquoi cela est-il surprenant? Expliquer ce phénomène.

4. Comment explique-t-on les amplitudes thermiques annuelles et diurnes généralement élevées dans les climats du groupe B?

5. Donner les raisons expliquant les variations des températures estivales et hivernales dans le groupe B.

6. Quelles sont les différences entre le régime météorologique des régions des basses latitudes soumises aux climats du groupe B, et celui des régions des hautes latitudes soumises aux mêmes climats?

Les climats mésothermiques humides / C

Le terme *mésothermique*, formé des mots grecs *mesos*, qui signifie milieu, et *thermos*, qui signifie chaud, se rapporte aux températures modérées. Contrairement aux climats tropicaux et aux climats secs, le groupe et les types climatiques C se distinguent tant du point de vue de la température que du point de vue des précipitations. Ce groupe climatique se distingue par une saison d'hiver bien définie, bien que sous aucun climat de cette catégorie il ne soit rigoureux. Malgré des précipitations généralement adéquates, on remarque une variation considérable, autant dans les totaux annuels que dans la répartition saisonnière. Comme ils se situent aux latitudes moyennes, et qu'ils sont influencés par le phénomène de convergence de masses d'air dissemblables, les climats du groupe C (et deux du groupe D) sont fortement caractérisés par les variations dans les conditions du temps.

On compte trois types majeurs dans le groupe climatique C: le climat subtropical avec été sec, également appelé climat méditerranéen (Csa, Csb; le climat subtropical humide Cfa, Cwa); et le climat océanique (Cfb).

Étude 10-2

1. Le climat de type Cs ne couvre qu'environ 2 pour cent de la superficie des terres émergées de la planète. Pourquoi alors la connaissance de ses caractéristiques sont-elles si répandues?

2. Localiser le climat de type Cs en relation avec les dépressions subtropicales et les vents d'ouest. Pourquoi le considère-t-on comme un type climatique transitaire entre le groupe B et le type Cfb?

3. Quels sont les deux facteurs responsables de la douceur de l'hiver?

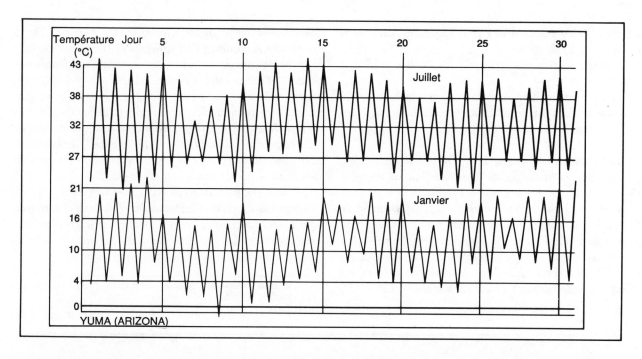

Fig. 10.9 Les températures maximales et minimales journalières relevées en janvier et en juillet à Yuma en Arizona.
(Source: Trewartha, Robinson et Hammond, *Fundamentals of Physical Geography*.)

Fig. 10.10

Stations climatiques												
Le Caire (Égypte) BWh												
	J	F	M	A	M	J	J	A	S	O	N	D
t	13	15	18	21	25	28	28	28	26	24	20	15
P	5	5	5	3	3	0	0	0	0	0	3	3
									Total des précipitations: 29 mm			
Medicine Hat (Alberta) BSk												
t	−10	−9	−2	7	13	17	21	19	13	8	−2	−7
P	18	18	20	25	38	58	35	35	38	18	18	20
									Total des précipitations: 341 mm			
Lahore (Pakistan) BSh												
t	12	14	21	27	32	34	32	31	29	24	17	13
P	23	25	20	13	18	35	128	118	58	8	3	10
									Total des précipitations: 459 mm			

4. Bien que les gelées soient peu fréquentes, elles sont importantes. Expliquer.

5. Comparer les températures estivales à celles du climat Cfb.

6. Examiner et justifier, en relation avec la latitude, la variation des précipitations à l'intérieur de bon nombre des régions soumises au climat de type Cs.

Aucun bulletin météorologique américain ne peut éviter une référence à la «vague de froid», définie de manière officielle et désignant une chute de la température, en deçà de 24 heures, d'une certaine importance, en dessous ou au dessus d'un degré particulier, niveau fixé selon la région et la saison. En Floride, la chute de température doit tomber sous le point de congélation (0°) et varier d'au moins 10° en hiver, mais de 2° en novembre et en mars; les valeurs correspondantes à New York sont -7°, 12° et -2°.

Fig. 10.11

Nous avons déjà abordé le sujet des cyclones sur le continent. À mesure qu'ils se déplacent vers l'est, certains systèmes de pression s'allongent sur un axe nord-sud et des masses d'air polaire s'étalent sur de grandes distances derrière leurs fronts froids. Nombre d'entre eux naissent dans le Nord-Ouest où un anticyclone (ciel dégagé) favorise le froid intense et, en progressant vers le sud, ils transfèrent les températures canadiennes, quoique modifiées dans une certaine mesure par le voyage, même jusqu'au golfe du Mexique. Chaque année, en moyenne, 3 ou 4 vagues de froid atteignent les États de l'Est. Ces vagues constituent un important facteur dans toutes les régions des États-Unis qui sont caractérisées par les conditions météorologiques changeantes. La rapidité des changements résulte du mouvement rapide des systèmes dépressionnaires.[2]

---

[2]W.G. Kendrew, *The climates of the continents*, 5e édition. (Oxford: The Clarendon Press, 1961), p. 411-412.

[3]Ibid., p. 572

Stations climatiques													
Naples (Italie) Csa													
	J	F	M	A	M	J	J	A	S	O	N	D	
t	8	9	11	14	18	21	24	24	22	16	13	10	
P	93	70	73	73	50	38	18	23	73	133	113	118	
										Total des précipitations: 875 mm			
San Francisco (Californie) Csb													
t	10	12	13	13	14	15	15	15	17	16	14	11	
P	115	92	74	37	15	3	0	1	5	22	51	109	
										Total des précipitations: 524 mm			

Températures moyennes (°C)	Janvier		Juillet		Extrêmes absolus	
	Maxima quotidien	Minima quotidien	Maxima quotidien	Minima quotidien	Minima	Maxima
Lisbonne	13	8	27	18	−2	39
Athènes	12	6	32	22	−7	43
Marseilles	11	3	28	16	−13	38
Perth	29	17	17	9	1	44
Adélaïde	30	16	15	7	0	48

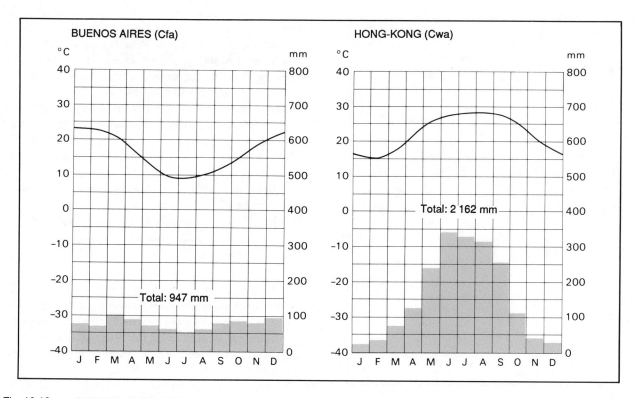

Fig. 10.12   BUENOS AIRES (Cfa)   HONG-KONG (Cwa)

Fig. 10.13

Stations climatiques											
Ch'ung-king (Chine) Cwa											
	J	F	M	A	M	J	J	A	S	O	N	D
t	7	10	14	19	23	26	29	30	24	19	14	10
P	15	20	38	99	142	180	142	122	150	112	48	20
Total des précipitations: 1 088 mm											
Galveston (Texas) Cfa											
t	12	13	17	21	24	28	29	28	27	23	17	14
P	88	70	63	88	88	88	103	95	133	113	83	103
Total des précipitations: 1 095 mm											

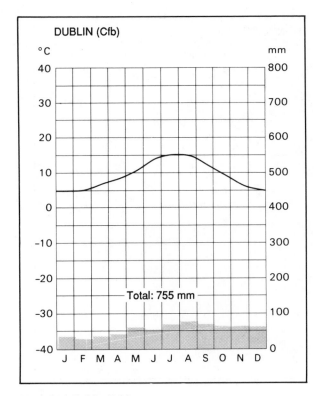

Fig. 10.14 Dublin (Cfb).

Étude 10-3

1. Établir un rapport entre les traits caractéristiques du type climatique subtropical humide et sa position sur le côté occidental des continents.

2. Quelles sont les similitudes de température et les différences de précipitations entre le climat subtropical humide et le climat méditerranéen?

3. Les températures dites «sensibles» sont celles qui sont perçues par le corps humain sous forme de sensations de chaleur ou de froid. Par exemple, à température égale, une journée chaude et humide est moins confortable qu'une journée sèche, parce que l'air humide ralentit la perte de chaleur par le corps. À température égale, une journée froide et venteuse semble plus froide qu'une journée avec peu de vent ou sans vent du tout, parce que l'accélération de la perte de chaleur par le corps est due à une plus grande

évaporation. En conséquence, comme il est plus sensible à d'autres facteurs que la température de l'air, le corps reçoit des impressions de chaud ou de froid qui sont très différentes de celles qu'on peut lire sur les thermomètres. Les degrés d'humidité estivale relative ou absolue peuvent être liés à des températures sensibles et aux amplitudes thermiques diurnes généralement faibles. Expliquer ces relations.

4. En vous reportant aux masses d'air, expliquer les variations dans les températures hivernales qui caractérisent ce type de climat.

5. Quelles sont les effets des courants océaniques chauds sur ce type de climat?

6. Justifier l'orientation de la décroissance des pluies.

Étude 10-4

1. Expliquer en détail pourquoi le type climatique Cfb procure des hivers très doux en dépit du fait qu'il est localisé à des latitudes aussi élevées. Examiner et expliquer sa position sur la côte ouest (comparer Hokkaido et la Colombie-Britannique), et son extension à l'intérieur de différents continents.

2. Comparer les températures moyennes mensuelles estivales et hivernales relevées dans les stations de climat océanique, à celles qui ont été relevées dans des localités à l'intérieur des continents à la même latitude.

3. Expliquer la variation considérable dans les précipitations annuelles entre les différentes régions climatiques de type Cfb.

4. Donner le plus d'information possible sur l'influence des dépressions des latitudes moyennes comme a) déclencheurs des précipitations, et b) facteurs d'adoucissement des conditions du temps. En quelle saison de l'année sont-elles plus fréquemment observées?

5. Expliquer pourquoi l'amplitude thermique diurne est si faible, particulièrement en hiver?

Les climats microthermiques humides / D

Le terme *microthermique*, formé des mots grecs *mikros*, qui signifie petit, et *thermos*, qui signifie chaud, se rapporte aux basses températures. Les climats microthermiques

Fig. 10.15

Stations climatiques											
Dublin (Irlande) Cfb											
J	F	M	A	M	J	J	A	S	O	N	D
t	5	5	6	8	11	13	15	15	13	10	7	5
P	69	56	51	48	58	51	71	76	71	69	69	66

Total des précipitations: 755 mm

Hokitika (Nouvelle-Zélande) Cfb											
t	15	16	14	12	9	7	7	8	9	11	12	14
P	274	190	239	236	244	231	218	239	226	292	267	262

Total des précipitations: 2 918 mm

Répartition saisonnière des précipitations relevées aux stations de climat océanique dans l'ouest de l'Europe

	Pourcentage du total annuel			
	Hiver	Printemps	Été	Automne
Bergen	30	18	20	32
Valence	32	18	22	28
Brest	32	23	18	27
Paris	20	23	29	28

Températures moyennes (°C)

	Janvier			Juillet				
	Maxima journaliers	Minima journaliers	Amplitude	Maxima journaliers	Minima journaliers	Amplitude	Extrêmes absolus	Gel au sol (nombre de jours moyen annuel)
Auckland (N.-Z.)	23	16	7	13	8	5	32 et 0.6	3

sont sous l'influence des terres et, par conséquent, présentent des traits caractéristiques continentaux distinctifs. Couvrant de vastes territoires en Amérique du Nord et en Asie septentrionale, les climats du groupe D sont caractérisés par d'importantes variations de température. Le type de climat situé plus au sud, le climat continental humide à été chaud (Dfa, Dwa), connaît une température moyenne mensuelle estivale supérieure à 22°C, et sa température mensuelle estivale supérieure à 22°C, et sa température moyenne mensuelle hivernale varie entre -7°C et -1°C. Ces températures contrastent avec les climats situés le plus au nord, le climat subarctique (Dfc, Dwc) qui présente une amplitude thermique estivale de 13 à 18°C, et hivernale, oscillant d'un extrême aussi bas que -51°C à un extrême aussi élevé que -18°C. En dépit de ces variations, les climats du groupe D possèdent certaines caractéristiques communes.

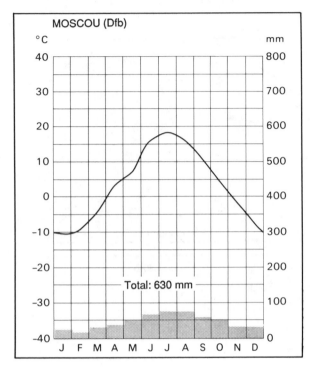

Fig. 10.16 Moscou (Dfb).

Fig. 10.17

1. La saison de gel est plus longue que celle du groupe C. Les hivers sont plus froids et deviennent plus rigoureux à mesure que l'on progresse vers le nord. La neige demeure sur le sol pendant la majeure partie de l'hiver. Des deux extrêmes saisonniers, c'est le froid hivernal plutôt que la chaleur estivale qui caractérise et distingue le groupe climatique D.
2. Les étés sont chauds pour cette latitude. Les étés et, par conséquent, la saison de croissance végétale, racourcissent à mesure que l'on progresse vers le nord.
3. Bien que les précipitations soient adéquates, elles sont tout juste suffisantes dans bon nombre d'endroits. L'été est la saison de précipitations maximales et elles diminuent généralement du sud au nord.

Étude 10-5

La source documentaire ci-haut peut servir à décrire l'ensemble de ce groupe climatique, ou plus particulièrement, les types continental humide et subarctique. Dans l'un ou l'autre cas, les questions ci-dessous constituent un guide utile.
1. La rigueur des climats du groupe D est due en grande partie à la latitude et à leur localisation sur le continent. Commenter l'influence de ces facteurs.

Stations climatiques												
Montréal (Québec) Dfb												
	J	F	M	A	M	J	J	A	S	O	N	D
t	−10	−9	−3	6	13	19	21	20	16	9	2	−7
P	83	81	78	72	72	85	89	77	82	78	85	89
										Total des précipitations: 971 mm		
Omaha (Nebraska) Dfa												
t	−5	−3	−3	11	17	23	26	25	19	13	4	−2
P	20	24	37	64	88	114	86	102	66	43	32	20
										Total des précipitations: 696 mm		
Okhotsk (C.E.I.) Dwc												
t	−24	−22	−12	−7	0	6	11	12	8	−3	−15	−21
P	2	2	5	10	23	41	56	66	61	25	5	2
										Total des précipitations: 298 mm		

Fig. 10.18

Stations climatiques											
Sagstyr (C.E.I.) ET (73°N. 124°E.)											
	J	F	M	A	M	J	J	A	S	O	N	D
t	−37	−38	−34	−22	−9	0	5	3	1	−14	−27	−33
P	3	3	0	0	6	12	9	35	10	3	3	6
										Total des précipitations: 90 mm		
Quito (Équateur) H (alt. 2 800 m)											
t	12,5	12,8	12,5	12,5	12,6	12,8	12,7	12,7	12,8	12,6	12,4	12,6
P	80	98	120	175	115	38	28	55	65	98	100	90
										Total des précipitations: 1 062 mm		
Pikes Peak (Colorado) (alt. 4 233 m)											
t	−17	−16	−13	−11	−5	1	4	4	0	−6	−12	−14
P	40	38	50	88	95	40	105	98	43	35	48	65
										Total des précipitations: 745 mm		

2. Pourquoi ce groupe climatique n'existe-t-il pas dans l'hémisphère Sud?

3. Le couvert de la neige a pour effet d'atténuer encore plus les températures hivernales. En outre, la neige protège le sol contre les températures très basses et empêche le gel en profondeur. Expliquer ces phénomènes.

4. Pour la majeure partie de ce groupe climatique, l'été est la saison qui reçoit les précipitations les plus abondantes. Pourquoi les précipitations sont-elles plus abondantes pendant les mois les plus chauds plutôt que pendant les mois les plus froids? Pourquoi cette répartition est-elle favorable?

Les climats de toundra, de la calotte polaire et de montagne

Les climats de toundra (type ET) sont observés en bordure septentrionale des continents nord-américain et eurasien. Ces climats se distinguent du type subarctique par leurs étés plus frais et très courts.

Les climats de la calotte polaire (type EF) sont observés sur les grands glaciers continentaux permanents du Groenland et de l'Antarctique. On les retrouve aussi dans les grandes zones de glaces flottantes, particulièrement dans l'océan Arctique. Ce type climatique se caractérise par les températures estivales les plus basses sur la planète et, dans l'Antarctique, par les températures hivernales les plus basses également. En effet, aucun mois de l'année n'a une température moyenne supérieure au point de congélation.

Les climats de montagnes (groupe H) ne constituent pas un groupe proprement dit. Ces climats se situent plutôt dans une catégorie à l'intérieur de laquelle il est commode de placer les montagnes et les plateaux des basses et moyennes latitudes, qui dépassent 1 000 mètres d'altitude. Les variations de température et de précipitations sont considérables dans cette catégorie. Elles sont causées autant par les différences d'altitude que par leur degré d'exposition au soleil et au vent. (Les régions de montagnes et de plateaux d'élévation moindre appartiennent aux types de climat généraux, dont les conditions sont communes aux terres avoisinantes plus basses.)

Fig. 10.19

Températures (°C) à McMurdo Sound, Antarctique (4 ans)[3]				
	Moyenne		Extrêmes absolus	
	Maxima journaliers	Minima journaliers	Maxima	Minima
J	−2	−8	4	−16
F	−7	−13	1	−23
M	−13	−19	−3	−29
A	−19	−26	−7	−41
M	−21	−29	−8	−46
J	−21	−30	−6	−44
J	−21	−31	−9	−47
A	−22	−31	−8	−46
S	−21	−31	−9	−51
O	−17	−24	−4	−41
N	−7	−14	1	−22
D	−2	−8	−6	−16

Étude 10-6

La toundra

1. En dépit des températures estivales basses et de la courte saison de croissance des végétaux, qui sont caractéristiques de ce type de climat, quelques activités agricoles sont encore possibles dans des secteurs protégés. Quel facteur important compense partiellement les températures basses et la courte saison végétative?

2. Expliquer pourquoi les hivers dans la toundra sont souvent plus chauds que ceux des régions subarctiques plus au sud?

3. On a estimé que de 75 à 90 pour cent de la superficie de la toundra n'est pas sous le couvert de la neige en hiver. Expliquer.

Les climats de montagne

4. D'autres facteurs à part la température et les précipitations prennent de l'importance dans les régions élevées, particulièrement celles qui sont situées à des altitudes de plus de 300 m. Nommer ces facteurs et décrire leurs effets.

5. À mesure que l'air se raréfie avec l'élévation, l'intensité du rayonnement solaire augmente. Simultanément, la température de l'air s'abaisse à raison d'environ 6,4°C/km. Expliquer succinctement ce qui semble être un paradoxe.

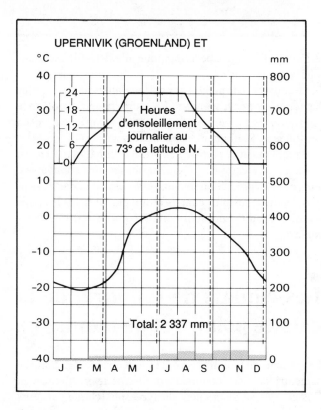

Fig. 10.20 Upernivik (Groenland) ET.

			J	F	M	A	M	J	J	A	S	O	N	D	Total
Station															
1	(170 m)	t	0	2	7	19	24	26	25	22	15	15	8	2	
		p	58	63	88	95	113	113	88	85	80	73	70	63	989
2	(2 m)	t	26	26	27	27	27	27	27	28	28	28	26	26	
		p	200	113	172	137	285	297	250	172	80	75	152	273	2216
3	(160 m)	t	−45	−36	−23	−9	4	14	17	14	6	−8	−28	−41	
		p	8	5	3	8	10	28	40	33	25	13	10	8	191
4	(33 m)	t	10	12	15	22	28	32	34	31	25	18	23		
		p	23	25	18	13	3	<3	<3	<3	<3	<3	20	25	152
5	(196 m)	t	27	28	28	28	27	26	24	24	25	26	27	27	
		p	8	23	75	123	143	160	130	73	168	150	43	10	1106
6	(7 m)	t	−26	−28	−26	−18	−7	1	4	4	−1	−8	−18	−23	
		p	5	3	3	3	3	8	23	20	13	13	8	5	107
7	(512 m)	t	21	20	18	16	11	9	9	10	12	15	17	19	
		p	3	3	5	13	63	83	75	55	30	15	8	5	358
8	(5 m)	t	25	26	28	30	29	27	27	27	27	28	27	25	
		p	3	5	8	50	303	473	572	520	388	178	68	109	2578
9	(848 m)	t	0	1	5	11	16	18	22	23	18	13	8	2	
		p	33	30	33	33	48	25	13	10	18	23	33	48	347
10	(263 m)	t	−19	−17	−9	3	11	17	19	17	12	5	−5	−14	
		p	23	23	30	35	58	78	78	63	58	38	28	23	535

Fig. 10.21 Stations climatiques.

6. Pourquoi le rapide changement de température en altitude, observé dans les régions de montagnes, revêt-il une plus grande importance pour les populations des tropiques que celles qui habitent des secteurs plus rapprochés des pôles?

7. À mesure que l'altitude croît, la température moyenne mensuelle s'abaisse généralement et l'amplitude thermique journalière augmente. Expliquer.

Étude 10-7

1. Pour chacune des stations dont les paramètres apparaissent à la fig. 10.21, déterminer le groupe climatique auquel elle appartient dans la classification de Köppen.

2. À la fig. 10.21, les stations représentent des centres urbains relativement importants cités dans la plupart des atlas. À l'aide des figures 6.4, 6.5, 8.7 et 10.1, tenter de les identifier. (Le nom de chaque localité apparaît ci-dessous.)

3. Préparer une analyse des facteurs qui influent sur les conditions climatiques particulières de chaque localité.

Station 1   Saint Louis (Missouri)
Station 2   Georgetown (Guyana)
Station 3   Yakutsk (C.E.I.)
Station 4   Baghdad (Irak)
Station 5   Ibadan (Nigeria)
Station 6   Barrow Point (Alaska)
Station 7   Santiago (Chili)
Station 8   Rangoon (Birmanie)
Station 9   Ankara (Turquie)
Station 10   Winnipeg (Manitoba)

11 / Changements climatiques

La plupart des régions de la planète sont soumises aux effets de conditions météorologiques qui varient de jour en jour. Cependant, quand on se réfère au climat d'une région nous pensons en terme de relative stabilité. Dans une zone donnée, un hiver peut être plus froid qu'un autre, un été particulièrement humide, mais ces différences ont tendance à s'annuler, la moyenne normale demeurant la même. De telles anomalies font partie de ce qu'on s'attend d'un climat «normal».

L'on sait que la Terre a connu des périodes de glaciation au cours desquelles les climats étaient considérablement différents de ceux d'aujourd'hui. Or récemment, des hommes de sciences ont démontré que des changements climatiques sont survenus sur une échelle plus réduite que les grandes époques glaciaires. Le fait que ces modifications à court terme du climat pourraient perturber la population a suscité un intérêt général. Des scientifiques de diverses disciplines étudient actuellement la nature de ce changement. Ils tentent de déterminer a) la combinaison précise des facteurs responsables des changements, et b) l'orientation à long terme du climat terrestre.

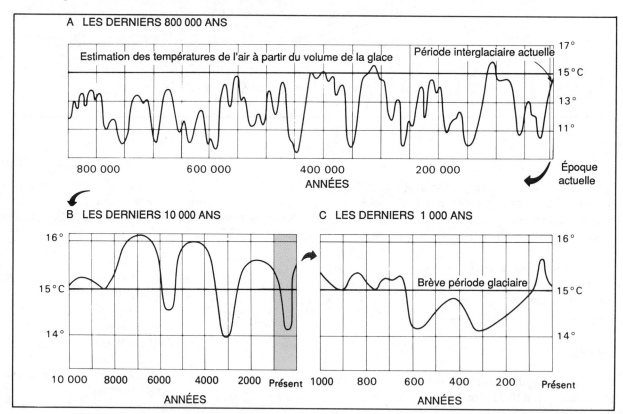

Fig. 11.1 Températures atmosphériques moyennes à la surface de la Terre au cours des derniers 800 000 ans. On remarquera que les trois représentations graphiques sont tracées à des échelles différentes.
(Représentations graphiques adaptées avec la permission de la National Geographic Society)

Changements climatiques historiques

Les changements climatiques du passé, qui font l'objet de recherches constantes sont loin d'offrir un tableau d'ensemble complet. Cependant, on a réussi à réunir suffisamment d'indices pour bâtir un modèle général des conditions de température du passé, comme le montre la fig. 11.1. Bon nombre de méthodes ont servi à établir ces données. Par exemple, les pollens fossiles des anciennes tourbières ont fourni un indice majeur sur les conditions climatiques anciennes en signalant les types de végétaux qui poussaient à un endroit particulier. Les cernes de croissance des ligneux ont aussi été utilisés comme indicateurs de changements assez récents. Les pins à cônes épineux de l'Ouest américain, les plus vieux organismes vivants de la Terre, ont fourni de l'information sur les conditions de température qui prévalaient il y a quelques milliers d'années. Des carottes ont été prélevées de couches profondes des calottes polaires du Groenland et de l'Antarctique. Ces échantillons permettent de connaître la nature des conditions atmosphériques d'un passé remontant à de nombreux millénaires. De même, des carottes prélevées des sédiments des fonds océaniques révèlent les types de créatures marines qui vivaient autrefois dans les océans. Ces données offrent une bonne information sur les températures des océans du passé. Elle a également permis aux scientifiques d'obtenir des estimations de la température de l'air pendant des périodes s'étendant sur des millions d'années.

Après des années de recherches de cette nature, et de confrontation de résultats liés aux approches multiples, des modèles communs de température ont commencé à émerger.

Influence sur l'histoire

L'une des plus intéressantes révélations de cette recherche est l'interaction entre le climat et les événements du passé dans l'histoire de l'humanité. Par exemple, l'invention de l'agriculture et plus tard, l'apparition des grandes civilisations d'Égypte, de Sumérie et de l'Inde, coïncident avec une période climatique chaude qui a débuté il y a environ 8 000 ans et s'est prolongée pendant presque

3 000 ans. Suite à cette période des conditions beaucoup plus sèches ont prévalu pendant de nombreux siècles, contribuant à la disparition de certaines de ces civilisations, dispersant et décimant les populations de certaines autres.

Le climat s'est réchauffé au cours des 9e et 10e siècles. C'est à cette époque que les Vikings ont traversé l'Atlantique Nord et ont établi des colonies en Islande, au Groenland et sur les côtes orientales de l'Amérique du Nord. Au début du 13e siècle cependant, les températures présentaient une tendance à la baisse. Dès le 15e siècle, la colonie du Groenland était disparue et une nouvelle période climatique appelée le «petit âge glaciaire» s'installait. Diverses données historiques provenant de cette époque confirment bien l'existence de conditions de température plus basses: glaciers en expansion, famines, épidémies de peste, et gel de cours d'eau et de plans d'eau où la formation de glace était rare auparavant.

Une tendance au réchauffement a commencé à se manifester au milieu du 19e siècle. Depuis lors a pris place une période généralement considérée comme l'une des plus chaudes au cours des quatre derniers millénaires, avec une croissance sans précédent de la population mondiale qui est passée d'environ 900 millions en 1800 à plus de 5 milliards à la fin des années 1980 (et l'on prévoit qu'elle doublera au cours du prochain siècle). S'adaptant à cette situation, la population s'est établie dans des lieux vierges encore il y a deux ou trois siècles, pour y cultiver la terre.

Étant donné l'énorme croissance démographique prévue et l'immense superficie de sol nécessaire pour produire les aliments nécessaires à la survie de cette population, il est absolument essentiel de savoir où nous nous situons dans les changements climatiques. Peut-être qu'en étant prévenu des changements à court et à long terme qui pourraient survenir, il sera possible à l'homme de prendre les mesures appropriées pour réduire l'influence négative des variations climatiques sur la population.

Étude 11-1

1. Pourquoi les changements climatiques futurs auront-ils une plus grande influence sur la population que les changements passés?

Causes des variations climatiques

Il y a deux catégories de mécanismes responsables du changement climatique. La première comprend les mécanismes qui sont extérieurs au système climatique: les variations dans la propagation de l'énergie solaire, les modifications à l'intérieur de la Terre (par ex., les effets de l'activité volcanique), et les changements causés par l'intervention humaine. La seconde catégorie est celle des mécanismes internes. Il s'agit dans ce cas de changements dus à des interactions dans le système climatique, c'est-à-dire entre l'atmosphère et les éléments de la biosphère avec lesquels elle interagit, comme les océans, le relief, la surface des calottes glacières et la couverture végétale. La modification de l'un de ces éléments provoque un changement dans l'atmosphère qui modifie l'élément par action en retour.

La plupart de ces mécanismes sont encore mal compris. Selon toute vraisemblance, les mécanismes internes sont responsables des changements d'une durée de plusieurs années ou décennies, tandis que les mécanismes externes produisent des modifications qui s'étalent sur des centaines ou même des milliers d'années. Il est probable que la plupart des facteurs, voire tous, interagissent les uns avec les autres.

Les changements dus aux mécanismes externes

La propagation de l'énergie solaire

Les fluctuations dans la propagation de l'énergie solaire totale constituent une source possible de variations climatiques. On connaît très mal l'envergure de ces variations dans le passé, et il est difficile de les mesurer à l'époque actuelle. Néanmoins, il y a longtemps que l'on tente d'établir un rapport entre les variations dans la propagation de l'énergie solaire et l'activité des taches solaires. (Les taches solaires sont des zones sombres sur le soleil causées par une chute de température à la surface de l'astre. Elles se manifestent généralement en groupe et persistent pendant environ deux semaines.) Ce phénomène présente des cycles bien définis de onze, vingt-deux et quarante-quatre ans. On a observé certains changements dans les conditions du temps qui correspondent à ces cycles, comme les températures supérieures ou inférieures à la moyenne, obtenue pendant les périodes d'activité minimale des taches solaires. Cependant, on n'a pas réussi à démontrer un lien de causalité direct.

Il faut tenir compte également des modifications dans la forme de l'orbite terrestre et de l'angle d'inclinaison de l'axe terrestre (voir page 286 pour une description plus complète), qui surviennent selon des cycles réguliers allant de 10 000 à 100 000 ans et influent sur la quantité d'énergie calorifique (intensité et durée) reçue en certains endroits à la surface de la planète.

Sur des périodes considérablement plus longues, on croit que la fluctuation dans l'énergie émise par le soleil est liée aux forces productrices d'énergie à l'intérieur du soleil, et au passage de l'astre à travers des nuages de poussière cosmique ou de matière interstellaire. Selon bon nombre d'hypothèses, la quantité d'énergie émise par le soleil change à des intervalles de centaines de millions d'années.

La matière particulaire

La matière particulaire (ou *aérosols*) dans l'atmosphère comprend des particules de sel provenant d'embruns, ou vagues déferlantes, entraînés par le vent, des particules volcaniques projetées lors d'éruptions, de la poussière soulevée par des tempêtes de vent, des cendres rejetées par les industries, de la fumée produite par les incendies, et divers gaz libérés par des phénomènes naturels ou l'activité humaine (par ex., le gaz sulfureux). Étant donné que ces particules fournissent des noyaux de condensation, la quantité de ces aérosols influe sur la formation des nuages et des précipitations et pourrait aussi modifier le bilan de rayonnement de la Terre. En effet, certains aérosols empêchent, dans une certaine mesure, le rayonnement solaire de parvenir à la surface de la planète. Une augmentation de la quantité de particules dans les couches supérieures de l'atmosphère provoquera un refroidissement de la Terre. Si les particules sont concentrées dans les couches atmosphériques intermédiaires ou inférieures, elles bloqueront le rayonnement à grandes ondes qui s'échappe normalement dans l'espace entraînant un réchauffement de l'atmosphère.

On a observé et enregistré les effets des éruptions volcaniques majeures sur le bilan de rayonnement de la Terre. L'éruption du Krakatoa en 1883 (voir p. 237) a été suivie d'une augmentation généralisée des précipitations, et d'une chute des températures mondiales évaluée à 1°C environ pendant quelques années. Cependant, comme il est difficile de distinguer les effets des éruptions volcaniques d'autres facteurs qui contribuent à la variabilité du climat, on ignore si l'éruption est la seule cause de ces changements.

Le gaz carbonique

La plupart des scientifiques sont d'avis qu'il y a eu une augmentation d'environ 25 pour cent de la quantité de gaz carbonique (CO_2) dans l'atmosphère au cours de la période allant de la moitié du 19e siècle jusqu'à aujourd'hui. Le CO_2 absorbant une quantité supérieure de rayonnement terrestre à grandes ondes par rapport au rayonnement solaire à petites ondes (voir p. 44) devrait provoquer une hausse de la température dans la troposphère. Cependant, ce réchauffement causé par la présence de CO_2 est remis en question, particulièrement depuis que l'on sait que les températures sur la terre sont à la baisse depuis 1940. On considère toutefois comme possible le doublement de la quantité de CO_2 dans l'atmosphère au début du 21e siècle. Selon certaines estimations, cette quantité de gaz carbonique pourrait être à l'origine d'une hausse des températures de surface sur la Terre de l'ordre de 5°C dans certaines régions du monde. Cette hypothèse est cependant reçue avec quelques réserves, car, de l'avis de nombreux scientifiques, la concentration de CO_2 dans l'atmosphère devrait être réduite avec la diminution de l'usage des combustibles fossiles comme source énergétique prédominante au cours des prochaines décennies. D'ici là cependant, la possibilité d'un tel réchauffement mérite qu'on s'y intéresse de près. L'importance du gaz carbonique comme agent responsable des changements climatiques mondiaux fait l'objet du chapitre suivant.

Autres causes

Il existe d'autres modes d'interférence ou de manipulation de l'environnement par l'homme, dont la libération de vastes quantités de chaleur par les villes; la modification des cycles énergétiques et hydrologiques due à la destruction de la végétation; de mauvaises pratiques d'utilisation du sol; et un accroissement des travaux d'irrigation, surtout lorsqu'ils comportent la dérivation de cours d'eau majeurs. Tous ces facteurs ont un effet sur les climats locaux et contribuent aussi très probablement à des changements de climat à une plus grande échelle.

Les changements dus aux mécanismes internes

L'effet de réchauffement ou de refroidissement climatique d'un facteur quelconque peut être amplifié par action en retour.

Effet rétroactif de la vapeur d'eau

La capacité de rétention de la vapeur d'eau de l'atmosphère dépend de la température de l'air. Par exemple, si les températures s'élèvent à la suite d'une augmentation de la quantité de CO_2, la teneur en vapeur d'eau de l'atmosphère s'accroît. Lorsque survient ce phénomène, l'effet de transparence de la basse troposphère au rayonnement terrestre est réduite et les températures augmentent davantage. Ce phénomène peut entraîner une nouvelle hausse de la quantité de vapeur d'eau, qui à son tour amplifie l'effet de réchauffement.

Effet rétroactif des calottes polaires

Une hausse des températures mondiales de surface entraînerait une réduction de la couverture de glace et de neige à la surface de la Terre. La disparition des calottes glaciaires et de la neige, et de leur pouvoir réfléchissant (albédo), amènerait une augmentation de l'absorption d'énergie solaire par le système terre-atmosphère, provoquant une nouvelle hausse des températures.

Variations thermiques à la surface de la mer

En n'importe quel endroit donné, les températures océaniques de surface peuvent parfois dévier appréciablement des moyennes à long terme pendant plusieurs semaines et même plusieurs années. Ces variations figurent parmi les facteurs d'influence sur le comportement de l'atmosphère les plus souvent considérés. Bien qu'elles soient encore mal comprises, il semble que les variations de température dans l'atmosphère et les variations de température à la surface des océans se renforcent mutuellement. Étant donné que bon nombre de masses d'air importantes qui ont une incidence sur les continents naissent au-dessus des océans, la modification des températures à la surface des océans peut entraîner des fluctuations climatiques significatives sur les continents.

Effet rétroactif des surfaces terrestres

L'interaction entre l'atmosphère, la surface terrestre et sa couverture végétale peut aggraver les effets de la sécheresse (voir p. 196). Par exemple, une baisse assez importante et assez longue des précipitations entraîne une détérioration de la couverture végétale. La poussière soulevée par le vent au cours d'une période de sécheresse peut suralimenter les nuages. Ceci crée une multitude de petites gouttelettes qui s'agglomèrent difficilement et dont les gouttes ne grossissent pas suffisamment pour tomber sous forme de pluie. Ce phénomène tend à renforcer la sécheresse. Seule une longue période de précipitations, produite par des forces extérieures à la région où sévit la sécheresse, peut mettre fin à ce type de conditions météorologiques.

Il est important de souligner que l'étude des causes du changement climatique est extrêmement complexe, comme l'indique le résumé qui précède. Dans le passé, seules les causes naturelles étaient responsables des changements climatiques. Cependant, l'étude de ces facteurs a été considérablement compliquée par l'influence de l'évolution des humains sur le comportement de l'atmosphère, particulièrement au cours des dernières décennies.

En outre, les effets du changement climatique sont rarement simples. Dans certaines régions, les hausses et les baisses de température peuvent être plus considérables qu'ailleurs. Les modifications de température ont un effet non seulement sur la quantité de précipitations, mais sur leur point de chute. En conséquence, même s'il est possible de déterminer l'orientation générale du changement climatique, l'impact de ce changement sur les conditions météorologiques et le climat à l'échelle mondiale sera très difficile à prévoir.

Étude 11-2

1. Lorsqu'elles sont reportées à la même échelle que celle des graphes B et C à la figure 11.1, les valeurs thermiques suivantes (°C) donnent une idée générale des changements dans les températures de surface mondiales au cours des derniers 90 ans.

1880	14,7	1890	14,8	1900	15,1
1910	14,9	1920	15,2	1930	15,3
1940	15,4	1950	15,2	1960	15,1
1970	15,0	1980	15,2	1988	15,3

À l'aide de la figure 11.1 et des données ci-dessus, décrire les niveaux généraux de température au cours des quelques dernières décennies par rapport aux siècles passés, aux millénaires passés et aux centaines de milliers d'années passées.

2. On ignore encore si les changements climatiques sont cycliques ou aléatoires (au hasard). À l'aide du matériel fourni dans cette section, indiquer l'explication que vous préférez et justifier l'option choisie. Expliquer pourquoi il est difficile de déterminer les causes du changement climatique.

3. Aux fins de cette question, supposer que les températures à la surface de la Terre sont a) à la baisse ou b) à la hausse. Examiner les conséquences de ces situations en fonction des scénarios ou déclarations ci-dessous.

a) La population mondiale a doublé au cours des dernières décennies, et si la tendance actuelle se poursuit, elle aura doublé encore au début du 22e siècle.

b) «La vraie question n'est pas tant un problème de climat que le manque d'une direction à l'échelle planétaire capable d'élaborer et d'approuver un plan mondial de sécurité alimentaire» (déclaration de S. Schneider du U.S. National Centre for Atmospheric Research).

12 / Le dioxyde de carbone et le climat mondial

L'effet de serre

Le gaz carbonique associé à la vapeur d'eau, l'ozone et quelques autres gaz absorbent la chaleur de l'atmosphère créant ce que l'on appelle *l'effet de serre*. Cette désignation est due au fait que ces gaz affectent la température de la même façon que le verre dans une serre.

Comme on l'a vu au chapitre 6, la majeure partie de l'énergie solaire à petites ondes traverse les gaz de l'atmosphère et réchauffe la Terre. La planète renvoie cette énergie dans l'atmosphère, mais elle rayonne sur ondes infrarouges, soit des ondes plus grandes. Cette énergie est en grande partie absorbée par le dioxyde de carbone et les autres gaz, réchauffant les couches inférieures de l'atmosphère. Une large part de cette chaleur est dirigée vers la surface terrestre et le reste est dispersé dans l'espace. Pendant la journée, ce phénomène favorise un réchauffement des couches inférieures de l'atmosphère, tandis que la nuit, la présence de ces gaz ralentit le refroidissement de l'atmosphère. Les vraies serres retiennent la chaleur parce que les toits et les murs en verre, qui permettent à la lumière solaire de pénétrer, emprisonnent temporairement à l'intérieur l'air réchauffé par le rayonnement terrestre à plus grandes ondes. Les serres se refroidissent très rapidement lorsque le soleil a disparu.

Étant donné que tous les processus vitaux et bon nombre de processus physiques sont modifiés par la chaleur, tout changement appréciable dans le bilan énergétique de la

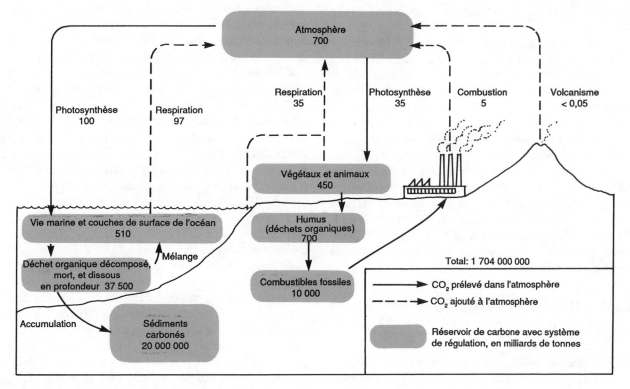

Fig. 12.1 Le cycle du carbone.
(Source: B. Bolin, «The Carbon Cycle», *Scientific American*, sept. 1970)

Terre engendrerait des effets généralisés à la surface de la planète. La réduction de CO_2 dans l'atmosphère entraînerait une perte plus rapide de chaleur terrestre et les températures de surface seraient plus basses. En revanche, une quantité supérieure de CO_2 provoquerait une hausse des températures de surface. Cependant, cette relation n'est ni directe ni simple. Comme on le verra, il existe des effets rétroactifs positifs et négatifs qui influent sur le résultat final.

Le cycle du carbone

En plus d'agir comme mécanisme de réchauffement de l'atmosphère, le carbone est l'une des principales composantes de toute matière vivante. Les plantes, les animaux et l'atmosphère en contiennent une quantité appréciable (voir fig. 12.1). Des quantités encore plus considérables sont stockées et fixées dans les roches sédimentaires pour former, en particulier, le carbonate de calcium (calcaire) ou dissoutes (acides carboniques) dans les océans. Ces zones de stockage sont appelées réservoirs ou sources.

Le carbone se déplace entre l'atmosphère, la lithosphère et l'hydrosphère. Moins de un pour cent de la totalité du carbone terrestre est engagé dans ce mouvement ou processus cyclique. Par exemple, pendant la photosynthèse, le gaz carbonique, présent dans l'atmosphère, est absorbé par des plantes vertes et, ensuite, par le poisson et les autres animaux. Une quantité équivalente retourne à sa source atmosphérique, résultat de la décomposition des organismes animaux et végétaux, et de la respiration des animaux et des plantes. À n'importe quel moment, ces gains et ces pertes sont plus ou moins équilibrés et la quantité de carbone présente dans les divers réservoirs ne varie guère. On croit donc que les concentrations à long-terme de carbone dans l'atmosphère (CO_2) sont demeurées relativement constantes jusqu'à il y a cent ans.

Les combustibles fossiles et les forêts

Pendant une très longue période (depuis l'apparition sur Terre des plantes et des animaux) seule une petite quantité de carbone a été prélevée du cycle. Ce phénomène s'est produit à travers le processus de décomposition de la matière animale et végétale sous l'eau et en l'absence d'air. Le carbone contenu dans ces matières a été préservé dans les strates sédimentaires et a formé le charbon, le pétrole et le gaz naturel, substances qui constituent les combustibles fossiles. Lorsque ces derniers sont brûlés, le carbone stocké pendant des centaines de millions d'années est libéré dans l'atmosphère. (D'après une estimation, la quantité de combustibles fossiles consommée chaque année représente 400 000 années de croissance végétale et animale de l'ère géologique passée.)

En plus d'être libéré par la combustion des combustibles fossiles, le carbone est aussi relâché lors de la déforestation et le défrichement et lors de la décomposition accélérée (oxydation) de la matière organique (humus) dans les sols. Il a été estimé que ces processus ajoutent autant de carbone à l'atmosphère que la combustion des combustibles fossiles.

Selon les estimations, la quantité de carbone libérée par la combustion des combustibles fossiles et la destruction de la végétation atteint environ 5×10^{15} g/a pour chaque source, le total étant de 10×10^{15} g/a. (Cette quantité est même à la hausse.) On estime qu'environ 30 à 50 pour cent de ce total sont absorbés par les océans, une quantité équivalente est retenue dans l'atmosphère, et le reste s'accumule dans d'autres réservoirs encore inconnus ou d'une manière inexpliquée.

La concentration de CO_2 dans l'atmosphère à l'époque pré-industrielle atteignait, d'après les estimations, entre 260 et 280 ppm approximativement. Des mesures récentes effectuées à l'observatoire atmosphérique américain d'Hawaï ont révélé des concentrations de 340 à 350 ppm (voir fig. 12.2). Ces valeurs représentent une hausse globale de 25 pour cent et un taux d'accroissement annuel de 1,50 pour cent dans les années 1980, supérieur de 1,25 pour cent par rapport aux années 1970. (En 1983, 85 pour cent des émanations totales de gaz carbonique étaient la responsabilité des pays industrialisés.) Étant donné l'importance des combustibles fossiles dans le maintien du haut niveau de vie occidental, il sera très difficile de ralentir ou de mettre fin à ce taux de croissance. Des augmentations encore plus importantes sont à prévoir dues aux efforts des pays en voie de développement pour hausser leur niveau de vie. Bien que les estimations varient, la plupart indiquent une augmentation de 3 à 4 pour cent de la consommation

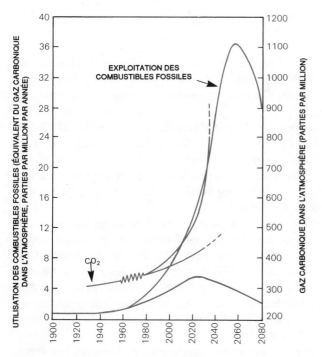

Fig. 12.2 Projections de consommation de combustibles fossiles. (Source: G.M. Woodwell, «The Carbon Dioxide Question», *Scientific American*, 1978, vol. 238, n° 1)

des combustibles fossiles par l'ensemble de la population mondiale au cours des cinquante prochaines années.

Comme la quantité de gaz carbonique ne cesse de s'accroître dans l'atmosphère, il faut de toute urgence répondre aux questions suivantes:

1. Quelle quantité de CO_2 sera ajoutée à l'atmosphère au cours des années futures? À quelle vitesse cette substance s'accumulera-t-elle et quelles en seront les sources?

2. Quels changements climatiques l'accroissement de CO_2 provoquera-t-il? Comme nous l'avons vu, une élévation de température n'est pas le seul effet à prévoir. Un certain nombre de mécanismes de rétroaction, qui sont loin d'être simples, compliquent considérablement la situation. Le système terre-atmosphère est extrêmement complexe et il sera très difficile de prévoir en détail un changement climatique qui pourrait survenir sur la planète.

3. Quels effets auront ces changements climatiques sur les sociétés humaines? Il semble que certaines régions

pourraient bénéficier d'une hausse des températures tandis que, dans d'autres cas, un réchauffement serait nuisible à divers degrés.

Certaines des prévisions portant sur les effets de l'accroissement de CO_2 sont résumées ci-dessous.

Effets réactionnels positifs et négatifs

Les scientifiques ne font que commencer à comprendre le fonctionnement des mécanismes de rétroaction (voir page 107). Cependant, la plupart des spécialistes sont d'avis qu'une augmentation de la quantité de CO_2 dans l'atmosphère pourrait accélérer le taux d'élévation de température de façon imprévue.

Le taux d'accroissement de la température variera presque à coup sûr avec la latitude. Par exemple, les températures dans les régions polaires seraient plus élevées aujourd'hui si la neige et la glace ne réfléchissaient pas une portion très importante du rayonnement total reçu. (Les surfaces de neige et de glace possèdent un albédo élevé.) Si les températures de la Terre grimpent à mesure qu'augmentent les quantités de CO_2, les couvertures de neige et de glace diminueront dans les régions polaires. Les surfaces réfléchissantes étant ainsi réduites, les températures de l'air de surface près des pôles s'élèveraient encore plus. Ce phénomène pourrait même créer un effet «boule de neige». Des températures plus élevées provoqueraient la fonte d'une masse plus importante de neige et de glace, réduisant encore plus la surface de réflexion et, par conséquent, augmentant davantage la quantité de chaleur absorbée et ainsi de suite.

Par contre, la hausse des températures et des précipitations devrait favoriser la croissance végétale. De cette façon, la photosynthèse retirerait davantage de CO_2 de l'atmosphère, réduisant ainsi les effets décrits ci-dessus.

Les températures plus élevées augmenteraient la capacité de rétention d'eau de l'air, pouvant contribuer à accroître la nébulosité. Dans le cas de la formation de nuages à basse ou moyenne altitude, la quantité de rayonnement solaire reçue par la Terre serait réduite. L'accroissement des précipitations produirait une plus importante couverture de neige. Ce phénomène pourrait réduire davantage la quantité d'énergie solaire absorbée et, compenser partiellement la perte des neiges et des glaces éternelles des régions polaires.

Effet sur l'environnement

Bien qu'il soit impossible de prévoir exactement les événements découlant d'une hausse des températures, il n'y a aucun doute que les conditions géophysiques et biologiques associées à la vie seront modifiées.

L'élévation des températures à l'échelle du globe entraînerait probablement des effets d'ordre général sur l'environnement, comme ceux-ci:

• La fonte des calottes polaires contribuerait à élever le niveau de la mer. Les estimations varient d'un minimum de 6 m au cours des cent prochaines années, à un maximum de 73 m dans le cas d'une fonte de la totalité de la glace et de la neige à la surface de la Terre.

• La ceinture de précipitations des latitudes moyennes serait déplacée plus au nord, réduisant les précipitations dans des régions comme les Prairies canadiennes et américaines, tout en les augmentant dans les régions septentrionales et le long de la côte Ouest. La zone subtropicale aride s'étendrait aussi vers le nord. La fréquence et l'intensité des tempêtes tropicales et des latitudes moyennes pourraient aussi s'accroître.

• Une étude effectuée par Environnement Canada en 1987 prévoit une hausse des températures moyennes annuelles dans la région des Grands Lacs de presque 5°C au cours des cinquante prochaines années. Une chute jusqu'à 80 cm du niveau des eaux des Grands Lacs est une conséquence de cette hausse de température. On se demande quelle influence aura l'abaissement du niveau de l'eau sur a) les coûts de transport sur les Grands Lacs, b) la production d'hydro-électricité, c) les écosystèmes des Grands Lacs, et d) l'utilisation des lacs à des fins récréatives.

• Lorsque des changements climatiques de cette envergure sont survenus dans le passé, ils ont modifié le cours de l'évolution des animaux et des végétaux. Bien que l'on prévoie la création de produits agro-alimentaires nouveaux pour s'adapter à ces changements, bon nombre d'espèces naturelles disparaîtraient. En même temps, une multitude de nouveaux problèmes résulteraient de l'apparition d'espèces nuisibles inconnues.

Étude 12-1

1. À l'aide d'un diagramme expliquer a) le mode de fonctionnement d'une serre, b) «l'effet de serre» dans l'atmosphère, et l'effet de la hausse des concentrations de CO_2.

2. Il sera très difficile de réduire la quantité de CO_2 libérée dans l'atmosphère. Justifier cet énoncé à l'aide des arguments apparaissant ci-dessous.

a) L'atmosphère n'appartient à aucun pays et il ne sera guère facile à un pays ou à un groupe de pays d'en assumer la responsabilité.

b) les combustibles fossiles constituent encore les ressources énergétiques les plus abondantes et les moins coûteuses. À l'heure actuelle, ces combustibles sont consommés dans les pays industrialisés. Cependant, les pays en voie de développement, qui représentent environ 75 pour cent de la population mondiale, tentent de hausser leur niveau de vie, et cela suppose une augmentation de leur consommation d'énergie.

c) Les forêts de la Terre, particulièrement les forêts tropicales, font l'objet d'une déforestation accélérée. La disparition de cette forêt (traitée au chapitre 18) pourrait libérer autant de CO_2 dans l'atmosphère que la combustion des combustibles fossiles.

d) La combustion du charbon, le combustible le plus abondant et le moins coûteux, libère 25 pour cent de plus de carbone que la combustion du pétrole et du gaz naturel.

e) Bien que les ordinateurs aient rendu possible l'élaboration de modèles de prévision montrant l'effet sur les climats mondiaux de la hausse des concentrations de CO_2, les résultats obtenus ne constituent idéalement que des approximations grossières sur le futur. Il n'a pas encore été déterminé avec précision l'envergure de la hausse des concentrations de CO_2.

2. Examiner la citation suivante: «La réaction contre l'effet de serre déclenché par le CO_2 pose un défi aux êtres humains et la question est de savoir s'ils peuvent résoudre des problèmes autres que ceux qui sont les plus immédiats et potentiellement catastrophiques, soit si nous sommes vraiment capables de déterminer notre propre avenir.»[1]

[1] R. Allan, «The impact of CO_2 on World Climates,» *Environnement*, déc. 1980, Vol. 22, n° 10.

13 / La pollution atmosphérique

Il semble approprié de terminer la présente section sur l'atmosphère en examinant le problème de la pollution atmosphérique. Comme on l'a vu au chapitre 11, la libération dans l'atmosphère de substances nocives est considérée comme un facteur important de changement du climat. En outre, les polluants atmosphériques ont des effets graves sur le bien-être de l'ensemble de la matière vivante dans la biosphère.

L'air est une ressource essentielle au maintien de la vie sur la Terre. L'air est une substance renouvelable et apparemment inépuisable, également disponible partout à la surface de la planète. Jusqu'à une époque relativement récente, on croyait que n'importe quelle substance rejetée dans l'air serait dispersée. Cependant, la croissance démographique et industrielle survenue au cours des dernières décennies, particulièrement dans les grands centres urbains, a démontré le contraire. Il est maintenant admis que la capacité atmosphérique de traitement des déchets est limitée. Tout excédent contribue à dévier la fonction primordiale de l'air, c'est-à-dire le maintien de la vie.

Production de polluants

Il existe deux types de polluants. Les polluants primaires sont libérés par des sources identifiables au sol, par exemple, les cheminées d'usine, les émanations des automobiles, et les volcans. Les polluants secondaires sont de nouvelles substances créées dans l'air à la suite de l'interaction entre les polluants primaires et les composants normaux de l'atmosphère.

Les polluants primaires, indiqués à la figure 13.1, peuvent se manifester sous forme de gaz ou à l'état particulaire (aérosols). Bien que les particules soient nuisibles de maintes façons, elles servent aussi de noyau autour duquel se condense la vapeur d'eau pour produire des nuages, du brouillard ou de la brume légère. Il a été démontré que la

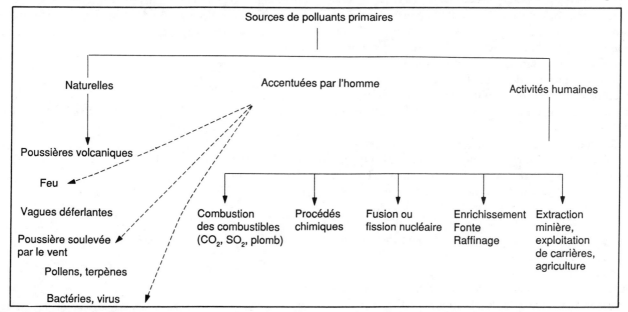

Fig. 13.1 Illustrer à l'aide d'exemples chacune des sources de polluants primaires indiquées dans le présent diagramme.

nébulosité, les précipitations et le brouillard (particulièrement en hiver) sont plus importants au-dessus des villes que dans les régions rurales adjacentes. Évidemment, ce phénomène s'explique par la plus grande libération de polluants au-dessus des centres urbains. Les polluants sous forme de gaz comprennent le monoxyde de carbone (CO), les gaz sulfureux (SO_2), les oxydes d'azote (NO, NO_2, NO_3) et les hydrocarbures. (Bien que le gaz carbonique appartienne à la dernière catégorie, il n'est généralement pas considéré comme un polluant.) Ces substances, qui causent elles-mêmes des dommages, sont aussi à la base de formes de pollution secondaire.

La conversion par l'atmosphère de quantités appréciables de gaz sulfureux en trioxyde de soufre constitue un type de pollution secondaire. Le trioxyde de soufre se combine ensuite à la vapeur d'eau pour former des gouttelettes d'acide sulfurique. Lorsque ces gouttelettes sont recouvertes de suie provenant de la combustion du pétrole ou du charbon, elles produisent un brouillard fumeux dit «purée de pois». Bien que la réduction de la visibilité soit l'effet le plus visible, la souffrance de personnes atteintes de bronchite, de broncho-pneumonie ou de cardiopathie est une conséquence beaucoup plus grave.

Un autre type de pollution secondaire est le résultat de l'interférence des oxydes d'azote et hydrocarbures divers (provenant des tuyaux d'échappement des véhicules automobiles) et de la lumière solaire. Ceci crée de l'ozone et d'autres oxydes. Comme les autres polluants, ces produits contribuent à former des brouillards légers et causent une irritation des yeux et des troubles respiratoires. Ils peuvent aussi endommager les plantes en perturbant le processus de photosynthèse.

Ce type de pollution atmosphérique se rapporte au brouillard (photochimique) fumeux («smog»), phénomène courant dans la plupart des grands centres urbains. La ville de Los Angeles en souffre particulièrement en raison de la forte densité de la circulation automobile, de la fréquence des inversions de température et du degré élevé d'ensoleillement dans la région. En dépit des sévères mesures de lutte contre la pollution, elles ont peu d'effet sur les conditions engendrées par le «smog» de Los Angeles. Étant donné l'accroissement démographique dans ce centre urbain, le volume total de pollution s'est accru bien que la quantité de polluants par personne ait été réduite.

Concentration de polluants

La vitesse à laquelle l'atmosphère disperse les substances gazeuses et particulaires dépend du déplacement de l'air, tant vertical (turbulence) qu'horizontal (vent). Bien que la variation des vents influe sur le degré de pollution atmosphérique à un moment donné, la turbulence est le principal facteur responsable des problèmes graves de pollution.

La *turbulence de convection* dépend de la variation thermique verticale (gradient vertical de température) dans l'atmosphère à un moment donné. Si l'air à la surface de la Terre est plus chaud, et donc moins dense que l'atmosphère environnante, il s'élève. La hauteur et la vitesse d'élévation de l'air, facteurs de dispersion des polluants, sont directement proportionnels au gradient vertical de température. Dans ces conditions, on dit que l'atmosphère est instable (voir p. 64). Par contre, si le gradient vertical est faible, l'air de surface aura tendance à résister au mouvement d'ascension. Cette situation de stabilité inhibe le processus de dispersion des polluants.

Dans certaines circonstances, la température de l'air augmente réellement avec l'altitude, au moins sur une courte distance. Ces conditions de forte stabilité qui sont traitées au chapitre 5 (voir fig. 13.2) sont appelées «inversions de température». Lorsqu'une inversion de température

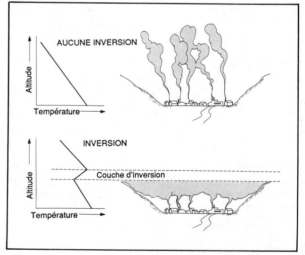

Fig. 13.2 L'effet d'une inversion de température qui retient les polluants.

persiste pendant plusieurs jours, la pollution risque de devenir particulièrement grave.

Des conditions atmosphériques stables peuvent être modifiées très rapidement au-dessus de n'importe quel endroit. Souvent, le changement survient durant le passage du jour à la nuit. Pendant le jour, la chaleur de la surface terrestre favorise des conditions d'instabilité. La nuit cependant, le rafraîchissement de la surface de la Terre par le rayonnement terrestre contribue à refroidir rapidement les couches inférieures de l'atmosphère. Ceci produit des conditions de stabilité. C'est pourquoi l'accumulation des polluants au-dessus d'un endroit donné peut être plus importante au cours de la nuit. Les vapeurs du matin, qui se dissipent progressivement à mesure que le soleil réchauffe la surface, révèle le phénomène.

On a eu tendance à considérer les effets de la pollution atmosphérique comme des phénomènes relativement localisés. En effet, ces effets atteignent une intensité maximale dans les grands centres urbains industriels et les régions avoisinantes. Cependant, des études récentes indiquent que le transport sur de grandes distances des polluants atmosphériques, sous forme de gaz ou à l'état particulaire, a de graves répercussions sur l'environnement. Une multitude de produits chimiques différents sont décelés à des centaines et même à des milliers de kilomètres de leur région d'origine. Ces produits contiennent divers composés qui forment les dépôts acides (voir p. 116); des métaux comme le plomb, le zinc et le cuivre; des substances organiques comme les BPC (biphényles polychlorés); et divers éléments nutritifs comme les nitrates et les phosphates. Il a été démontré que toutes ces substances avaient des effets nuisibles sur les écosystèmes aquatiques et terrestres.

Étude 13-1

Examiner les problèmes qui se rapportent aux quatre aspects de la pollution de l'air et les difficultés rencontrées dans le processus de résolution de ces problèmes.
1. La pollution a tendance à augmenter en quantité et à devenir plus complexe à mesure que les humains accroissent leur production et leur consommation, une société donc où l'industrialisation et les niveaux de vie sont constamment à la hausse.

2. Bien que la pollution atmosphérique soit concentrée dans les régions urbaines, elle est dispersée par l'atmosphère sans égard aux limites municipales de la ville à la campagne, ou aux frontières politiques entre les divers états souverains.
3. L'air est un bien public qui peut être utilisé gratuitement par tous. Son rôle fondamental, c'est-à-dire le maintien de la vie, est incompatible avec le fait de la considérer comme dépotoir pour les déchets produits par l'activité humaine.
4. La lutte contre la pollution atmosphérique relève largement des sciences économiques. Le maintien de la qualité de l'atmosphère à un niveau qui convienne à toutes les formes de vie de la biosphère constitue un fardeau économique croissant pour tous les segments de la société.

Précipitations acides

Les précipitations acides, contre lesquelles on a le moins réagi constituent probablement l'une des questions environnementales les plus débattues parmi celles qui affectent la planète à l'heure actuelle. Produits de la société urbaine industrielle, les dépôts acides sous forme humide ou sèche sont responsables des plus graves dommages infligés aux régions exposées aux fumées provenant des centres industriels majeurs (voir les figures 13.3 et 13.4). Bien que les dommages les plus visibles soient observés dans l'est de l'Amérique du Nord et en Europe, l'effet des précipitations acides se manifeste de façon croissante en Asie et ailleurs dans le monde.

Des dommages environnementaux de types très divers ont été attribués aux précipitations acides (l'expression qui convient est dépôts acides). Son influence est considérable et elle affecte la santé humaine, les lacs et toutes les formes de vie aquatique, les cours d'eau, les eaux souterraines, les forêts et autres formations végétales, l'agriculture, les immeubles et les monuments. La documentation abonde sur le sujet et met en lumière les dommages causés par cette forme de pollution. Cependant, en dépit du fait que les causes et les correctifs sont assez bien connus, bon nombre de gouvernements, de sociétés et de particuliers n'ont pas encore reconnu le problème ou ne sont pas prêts à prendre les mesures qui s'imposent dans les circonstances. Avant d'examiner les motifs qui supportent ces attitudes, voici un résumé des causes et des conséquences des précipitations acides.

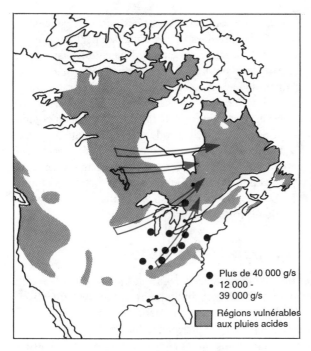

Fig. 13.3 Itinéraires principaux des tempêtes au-dessus d'importantes régions productrices de SO_2 et de NO_x, et de régions particulièrement vulnérables aux dépôts acides.

Les causes des précipitations acides

Les précipitations propres ou normales, qui sont légèrement acides, ont un pH variant entre 5,0 et 5,6. Cette acidité est le résultat de l'absorption du CO_2 contenu dans l'atmosphère par l'eau de pluie, d'où la formation d'un acide carbonique faible. Les précipitations dites acides présentent un degré d'acidité qui est plusieurs fois supérieur à celui des précipitations normales. En Amérique du Nord, les régions exposées aux secteurs principaux d'émission (fig. 13.3) reçoivent des précipitations dont le pH varie généralement entre 4,0 et 4,5. (Un pH de 4 est dix fois plus acide qu'un pH de 5.)

Les précipitations acides surviennent lorsqu'une certaine quantité de de sulfate et d'azote, émanant tant des activités humaines que des sources naturelles comme les éruptions volcaniques, est absorbée par la vapeur d'eau dans l'atmosphère. Lorsque ces acides tombent sur le sol sous

forme de pluie ou de neige, ils sont appelés dépôts humides; lorsqu'ils se manifestent sous forme de cendres ou de matière particulaire, on parle de dépôts secs. Environ deux tiers des polluants sont des sulfates et le tiers restant est en majeure partie constitué d'oxydes d'azote. Ces polluants émanent de trois sources principales.

1. Les usines qui produisent de l'électricité en brûlant du charbon (et du pétrole dans une moindre mesure) contenant du soufre. Lors de la combustion, le soufre se combine avec l'oxygène pour produire des oxydes de soufre.

$$S + O_2 \rightarrow SO_2 \text{ (dioxyde de soufre)}$$
$$2S + 3O_2 \rightarrow 2SO_3 \text{ (trioxyde de soufre)}$$

2. Les oxydes de soufre sont produits lors de la fusion de certains minerais comme le nickel et le cuivre.

$$NiS + O_2 \rightarrow Ni + SO_2$$

3. Les oxydes d'azote constituent le troisième tiers des polluants qui causent les précipitations acides. Ces oxydes se retrouvent dans les gaz d'échappement produits par les moteurs à combustion interne.

$$N_2 + O_2 \rightarrow 2NO \text{ (oxyde nitrique)}$$
$$N_2 + 2O_2 \rightarrow 2NO_2 \text{ (dioxyde d'azote)}$$

Ces oxydes de soufre et d'azote sous forme de gaz et de particules sont transportés par les vents. Certains tombent directement au sol sous forme de dépôts secs tandis que le reste se dissout dans la neige et l'eau de pluie et produit plusieurs acides différents.

$$SO_3 + H_2O \rightarrow H_2SO_4 \text{ (acide sulfurique)}$$
$$NO_2 + H_2O \rightarrow HNO_2 + HNO_3 \text{ (acide nitrique)}$$

Effets des précipitations acides

Les oxydes décrits ci-dessus sont parfois transportés à grandes distances des lieux d'émission par les courants éoliens. En fait, il arrive que des secteurs produisent ces substances sans qu'elles les affectent, soit parce qu'elles sont transportées au loin, soit parce que les lacs et les sols locaux disposent d'un lit rocheux alcalin qui les protège. Cette protection s'explique par la capacité des sols et de la roche de neutraliser l'acidité, grâce surtout à la présence de calcaire.

En conséquence, les régions exposées aux secteurs qui produisent des précipitations acides, et celles qui ne possèdent pas de protection suffisante, sont très vulnérables à ce type de pollution. Dans cette catégorie figurent les

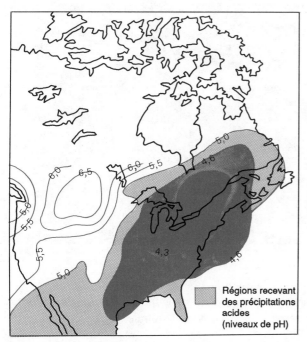

Fig. 13.4 Régions recevant des précipitations acides (niveaux de pH).
(Source: Ministère de l'Environnement de l'Ontario et Environnement Canada)

boucliers granitiques et de quartzite du Canada et de Scandinavie. Dans ces régions, des centaines de lacs sont devenus trop acides pour abriter la vie aquatique.

Acidification des écosystèmes aquatiques

Les précipitations acides sont à l'origine de processus chimiques qui libèrent dans les écosystèmes aquatiques de l'aluminium et d'autres métaux lourds, comme le mercure, le plomb, le cadmium et le manganèse. Ces métaux ont des effets toxiques chez les poissons et, évidemment, pour l'homme lorsqu'il consomme ces organismes contaminés. Par exemple, l'aluminium avec un pH de 5, est une dose létale (mortelle) pour la plupart des poissons, car il forme un précipité dans leurs branchies, un composé d'hydroxide d'aluminium qui cause l'asphyxie.

L'acidité est nocive non seulement pour le poisson, mais pour la plupart des autres formes de vie aquatique, allant du minuscule plancton jusqu'aux plus imposantes espèces animales et végétales. À mesure que les organismes sont tués à divers maillons de la chaîne alimentaire, les animaux à un niveau plus élevé sont affectés par le manque de proies et sont, à leur tour, menacés de disparition. Lorsque bon nombre de maillons de la chaîne alimentaire sont éliminés, l'écosystème en entier est condamné à plus ou moins brève échéance. Les lacs devenus acides, et qui sont dits «morts», sont généralement caractérisés par leurs eaux bleues et leur limpidité qui sont dues à l'absence de microorganismes.

Même les lacs qui possèdent une bonne capacité de régulation, en subissant les effets dévastateurs des eaux de ruissellement acide du printemps, peuvent voir détruire l'ensemble de ses nichées de poissons. Lorsque la neige fond, les dépôts de polluants qui s'y sont accumulés font augmenter le taux d'acidité de l'eau avant que le mécanisme de régulation soit opérant. Les jeunes poissons sont particulièrement vulnérables.

Régression de la forêt

Le rapide déclin des forêts d'Amérique du Nord et d'Europe, qui touche des millions d'hectares de terres forestières, s'étend rapidement. Certains des effets les plus graves ont été observés en Allemagne de l'Ouest où, selon des estimations datant des années 1980, plus de 60 pour cent des forêts du pays seraient endommagées.

Les causes du *waldsterben* (mort de la forêt) sont encore mal comprises. On croit qu'elles seraient le résultat d'une combinaison de polluants atmosphériques (dépôts acides ainsi que d'autres polluants cités ci-dessous) et de contraintes naturelles (sécheresse, dommages hivernaux, infestations d'insectes, maladies, etc.).

Plusieurs hypothèses ont été proposées pour expliquer le rôle de la pollution atmosphérique dans le déclin des forêts dont celle de Bernhard Ulrich (Ph.D.) et de ses collègues de l'Université de Gottingen en Allemagne de l'Ouest*. D'après cette théorie, l'acidification des sols forestiers provoquée par des dépôts secs et humides entraîne le lessivage ou élimination par l'eau des éléments nutritifs du sol comme le calcium, le magnésium et le potassium.

* N. du T.: Partie ouest de l'Allemagne unifiée (depuis 1990).

Fig. 13.5

Simultanément, l'aluminium (présent mais inoffensif dans tous les sols) se combine avec le sulfate pour produire une solution qui a des effets toxiques pour la plupart des végétaux dont les arbres. Un tel processus peut se prolonger pendant des années avant que n'apparaissent des signes évidents de détérioration. Cependant, lorsqu'ils sont endommagés, les arbres ne peuvent plus absorber les éléments nutritifs en quantité suffisante pour survivre, ce qui entraîne une mort rapide.

Bien que l'aluminium semble porter la responsabilité autant dans les écosystèmes aquatiques que dans les écosystèmes terrestres, certains aspects du problème sont encore mal compris. Même s'ils s'entendent sur les causes du déclin des forêts, les spécialistes croient que les dépôts acides ne sont pas les seuls coupables, et que les polluants qui contribuent au problème pourraient varier d'une région à l'autre.

Polluants atmosphériques qui pourraient jouer un rôle majeur dans la régression forestière observée en Amérique du Nord (*classés par ordre d'importance*)
• Ozone.
• Composés azotés totaux biologiquement disponibles. Ces composés comprennent les dépôts secs et humides d'azote provenant des nitrates (vapeur de HNO_3 et NO_3), d'azote ammoniacal (NH_3) et d'azote d'ammonium (NH_{4+}) sous toutes leurs formes biologiquement disponibles: gaz, aérosol, substance dissoute et en suspension.

• Autres gaz phytotoxiques dont les oxydes d'azote (NO_x), le dioxyde de soufre (SO_2), le fluor (Fl) ainsi que le nitrate de péroxacétyle (NPA) et le nitrate de péroxypropionyle (NPP).
• Métaux toxiques, particulièrement le plomb, le cadmium, le zinc et le cuivre.
• Substances nutritives, cations et anions déterminant de l'acidité dans les dépôts humides et secs incluant le potassium, le sodium, le magnésium, le calcium, l'hydrogène, le nitrate, le sulfate, le phosphate et le chlorure.
• Produits chimiques organiques qui altèrent la croissance comme l'éthylène et l'aniline.

Source: World Resource Institute, International Institute for Environment and Development, *World Resources 1986* (New York: Basic Books Inc., 1986).

Effets sur la santé de l'être humain

Bon nombre de problèmes de santé ont été attribués aux précipitations acides. Cependant, il est quelquefois difficile de déterminer avec précision quels sont les polluants responsables de ces troubles.

Une étude récente effectuée dans 79 hôpitaux du sud de l'Ontario entre Windsor et Peterborough a révélé que le nombre de personnes hospitalisées à cause de troubles respiratoires double pendant la période estivale, lorsque la pollution due à l'ozone et aux sulfates est élevée. Bon nombre d'environnementalistes croient qu'une démonstration de l'effet des précipitations acides sur la santé humaine pourrait aider à convaincre les hommes politiques de la nécessité d'adopter des lois plus sévères pour contrôler ces polluants.

Effets sur les structures

On relève maintenant des signes visibles de la dissolution des surfaces des immeubles, des monuments et des véhicules par les précipitations acides. La détérioration rapide des anciens immeubles et monuments, particulièrement ceux qui ont été construits dans un matériau calcaire ou de marbre, est un sujet de préoccupation majeure. (Bien que cette matière minérale neutralise l'acidité, le processus entraîne la désintégration de la roche.) Un exemple notoire est le complexe de l'Acropole à Athènes. Après avoir défié le temps pendant près de 25 siècles, ces immeubles subissent maintenant l'assaut des polluants atmosphériques produits par les industries et les véhicules moteurs d'Athènes. Même s'ils appartiennent à une époque plus récente, les immeubles du Parlement à Ottawa, construits dans un matériau calcaire, se détériorent visiblement et à un rythme accéléré. En d'autres endroits, les précipitations acides effacent les inscriptions sur les pierres tombales, particulièrement celles qui ont été taillées dans le calcaire ou le marbre.

Fig. 13.6

Les douze plus gros producteurs et les sources de SO_2, 1980		Dépôts de soufre (pourcentage)		
	Dégagements annuels de SO_2 (milliers de tonnes)	Étrangers	Domestiques	Non déterminés
Les douze producteurs majeurs				
C.E.I.	25 000	32	53	15
États-Unis	24 100	—	—	—
Chine	12 000	—	—	—
Royaume-Uni	4 680	12	79	9
Canada	4 516	50[a]	50	
Allemagne de l'Est[1]	4 000	32	65	3
Italie	3 800	22	70	8
France	3 270	34	52	14
Allemagne de l'Ouest[2]	3 200	45	48	7
Tchécoslovaquie	3 100	56	37	7
Yougoslavie	3 000	41	51	8
Pologne	2 755	52	42	6

Remarques:
A) Approximation.
Source: E.M.E.P., 1981; et la Commission économique des Nations Unies pour l'Europe (C.E.E.), 1982.

[1] N. du T.: Partie est de l'Allemagne unifiée (depuis 1990).
[2] N. du T.: Partie ouest de l'Allemagne unifiée (depuis 1990).

Fig. 13.7

Le Club Trente pour cent, mai 1985[a]	Date d'adhésion	Exceptions
Autriche	Juin 1983	
Canada	Juin 1983	50% d'ici à 1994
Danemark	Juin 1983	40% d'ici à 1995
Finlande	Juin 1983	
République fédérale d'Allemagne[1]	Juin 1983	50% d'ici à 1993
Norvège	Juin 1983	50% d'ici à 1994
Suède	Juin 1983	
Suisse	Juin 1983	
France	Mars 1984	50% d'ici à 1990
Pays-Bas	Mars 1984	50% d'ici à 1995
Belgique	Juin 1984	
Bulgarie	Juin 1984	
Bélarus (C.E.I.)	Juin 1984	
République démocratique d'Allemagne[2]	Juin 1984	
Liechtenstein	Juin 1984	
Luxembourg	Juin 1984	
Ukraine (C.E.I.)	Juin 1984	
C.E.I.	Juin 1984	
Tchécoslovaquie	Sept. 1984	
Italie	Sept. 1984	
Hongrie	Avril 1985	

Remarque: a) Les pays signataires ont accepté de réduire de 30 pour cent les dégagements de SO_2 (valeurs de 1980).
(Source: Earthscan, Londres, 1985: Réf. 2 de *World Resources* 1986.)
[1] N. du T.: Ancienne Allemagne de l'Ouest (Allemagne unifiée depuis 1990).
[2] N. du T.: Ancienne Allemagne de l'Est (Allemagne unifiée depuis 1990).

Solutions

Sous les auspices des Nations Unies, la Convention sur la pollution atmosphérique transfrontalière à grande distance (PATGD) a été signée en 1979 par trente pays. Conçue pour réduire les effluents de SO_2, la PATGD a été critiquée pour la laxité dont elle a fait preuve dans ses échéanciers. Sa principale contribution a été l'amélioration du réseau d'information sur la pollution en Europe.

Afin d'accélérer la mise en pratique de la convention PATGD, les représentants de dix pays se sont rencontrés à Ottawa en 1984. Ils ont accepté de réduire d'au moins 30 pour cent les effluents de SO_2 d'ici à 1993 (certains pays ont accepté de réduire davantage: voir fig. 13.7). Enfin 19 pays membres de la convention PATGD (constituant le «Club Trente pour cent») ont signé, et le protocole est entré en vigueur en octobre 1985.

D'autres règlements portant sur les émissions produites par les véhicules moteurs (plomb, CO, NO_x et les hydrocarbures) sont déjà mis en pratique dans certains pays (par ex. les États-Unis) et doivent entrer en vigueur dans la plupart des pays de l'Europe occidentale au début des années 1990. Des règlements encore plus sévères sont imposés en Allemagne de l'Ouest[1].

Il est très évident que le problème des dépôts acides ne peut être résolu que lorsque les gouvernements décident que le moment d'agir est venu. Laissés à eux-mêmes, les industries et les services publics ne sont pas préparés à réduire la production acide à cause des coûts élevés qui sont associés à cette démarche. De même, rares sont les propriétaires d'automobiles qui accepteraient de payer des frais supplémentaires pour l'installation de dispositifs anti-pollution à moins que la loi ne les y oblige.

Trois obstacles majeurs guettent les états ou provinces qui *mettraient* en pratique une réglementation en matière de pollution. En premier lieu, les gouvernements individuels hésitent à imposer à leurs populations des normes environnementales sévères lorsque leurs voisins ne sont pas prêts à faire de même. Deuxièmement, il est très difficile de sensibiliser le citoyen moyen à cette forme de pollution. En effet, elle est invisible et son effet sur les lacs et les forêts se manifeste souvent dans des régions qui sont rarement visitées. Troisièmement, certains chefs politiques ont fait des déclarations outrageuses exigeant des études supplémentaires avant que des mesures coûteuses de lutte contre la pollution ne soient intégrées à des textes de lois. En d'autres termes, ces chefs politiques ne croient pas, ou choisissent de ne pas croire, que les précipitations acides causent les dommages qu'on leur attribue. Nombreux sont ceux qui, bien naturellement, considèrent cette approche comme inacceptable.

Étude 13-2

1. Nommer deux pays importants qui figurent parmi les principaux producteurs de SO_2 (voir fig. 13.6) et qui n'étaient pas membres du Club Trente pour cent en janvier 1988. Avancer des raisons qui pourraient expliquer leur refus de participer.

2. Aucun ouvrage ne peut être parfaitement à jour sur la question. De nouveaux événements ont lieu tous les jours. À l'aide de revues et de journaux, examiner l'état actuel du problème en parcourant des articles couvrant les récents mois ou les dernières semaines. Quels progrès ont été réalisés dans l'établissement d'un accord entre le Canada et les États-Unis visant à réduire les effluents toxiques qui contribuent à l'accumulation de dépôts acides?

3. On a déclaré que ce problème ne pouvait être résolu que par le pouvoir politique. On ne peut compter sur ceux qui contribuent au problème pour entreprendre de leur propre chef des démarches visant l'élimination de leurs effluents toxiques. Certains des divers groupes de l'Est de l'Amérique du Nord concernés par cette question sont indiqués ci-dessous. Examiner la position de chaque groupe et indiquer lesquels appuieraient des lois traitant des précipitations acides et lesquels s'y opposeraient.

a) les mineurs des houillères de l'Est des États-Unis (Kentucky, Virginie, etc.) qui exploitent le charbon contenant du soufre libéré lors de la combustion;

b) ceux qui exploitent des centrales thermiques qui produisent de l'électricité et qui utilisent le charbon comme principal combustible;

c) les industries qui dépendent de l'électricité produite à faible coût par les centrales utilisatrices de charbon;

d) les gouvernements des États et l'administration fédérale des États-Unis qui doivent non seulement assurer la mise en pratique des lois, mais aussi fournir la plus grande part de l'aide financière nécessaire pour le nettoyage. Il n'y a aucun doute que ce nettoyage sera très coûteux, avec une facture probable de l'ordre de plusieurs milliards de dollars. Pour ce faire, il faudra augmenter les taxes ou utiliser des fonds destinés à d'autres programmes de dépense. (De nombreuses régions des États-Unis reçoivent très peu de précipitations acides.) Quels États américains seraient peu

[1] N. du T.: Partie ouest de l'Allemagne unifiée (depuis 1990).

disposés à appuyer un vaste programme de nettoyage?
e) non seulement les provinces de l'Est du Canada reçoivent une large part des précipitations acides produites par les États-Unis, mais l'une d'entre elles, l'Ontario, est elle-même responsable de nombreux effluents. Depuis fort longtemps, les gouvernements fédéral et provinciaux du Canada insistent auprès des États-Unis pour que ce pays adopte des lois plus sévères, mais en retour le Canada pourrait être accusé d'agir trop lentement en matière de dépollution.

Forêt tropicale humide (Guadeloupe)

14 / Circulation d'énergie et cycles d'éléments nutritifs

Jusqu'à présent dans ce document, la vie sur Terre n'a fait l'objet que de rares mentions en dépit du fait que cette planète est caractérisée par l'infinie diversité des formes de vie qu'elle abrite. Comme il a été noté au chapitre 1, le but principal de la géographie physique est l'étude des facteurs qui rendent la vie possible et en particulier, les relations entre les êtres humains et l'environnement naturel. Ceci implique la reconnaissance de l'influence de l'homme sur les éléments de la nature qui sont essentiels à sa survie.

La biosphère, c'est-à-dire la zone qui abrite la vie, comprend la lithosphère, l'hydrosphère et l'atmosphère. La biosphère est constituée d'une vaste collection de phénomènes tant vivants que non vivants (ou *biotiques* et *abiotiques*). Tous ces phénomènes dépendent d'autres phénomènes. Par exemple, dans la plupart des régions, les types de sol sont partiellement associés à la végétation existante et, à son tour, la végétation est surtout déterminée par le climat. Mais les interactions entre les phénomènes biotiques et abiotiques sont beaucoup plus complexes que ne le laisse croire cet exemple simpliste, et dans la plupart des cas, elles sont encore mal comprises. La science qui examine la nature de ces interactions s'appelle l'*écologie*. L'*écologie humaine* est l'étude de l'effet de ces mêmes interférences sur l'homme, et vice-versa.

La biosphère est particulière, car elle constitue le seul milieu où l'on sait que la vie existe. Pourquoi la vie y est-elle possible? En premier lieu, la biosphère reçoit suffisamment d'énergie du soleil. Deuxièmement, elle renferme un énorme volume d'eau à l'état liquide. Enfin, il existe des contacts entre les trois états de la matière, soit les solides, les liquides et les gaz. La biosphère terrestre est le seul endroit dans tout le système solaire où existent ces conditions.

Les écologistes classent ces interférences entre les êtres vivants et le monde physique en reconnaissant divers niveaux d'organisation de la vie. Les trois niveaux les plus importants aux fins de la présente étude sont définis ci-dessous:

1. La *population* désigne un groupe d'organismes qui appartiennent à la même espèce à l'intérieur d'une région donnée. Ainsi, on peut avoir une population de cerfs ou une population d'épinettes.

2. La *communauté* regroupe toutes les populations qui existent et interagissent à l'intérieur d'une région donnée. Par exemple, une communauté de marais comprend les plantes et les animaux qui vivent dans un marais.

3. L'*écosystème* englobe la communauté ainsi que l'environnement non vivant ou abiotique qui l'abrite. Constitué de deux parties, l'écosystème comporte donc un composant biotique qui réunit les animaux et les végétaux, c'est-à-dire les populations formant la communauté, et un composant abiotique qui regroupe toutes les entités non vivantes qui agissent sur les reliefs, le climat et les sols dans une région donnée.

Il est important de rappeler que les parties d'un écosystème sont interdépendantes. Si l'un des composants du système est modifié de quelque façon, tous les autres seront perturbés. Cette caractéristique est contenue dans ce que certains appellent la première «loi» écologique: «Il est impossible de ne réaliser qu'une seule action.» Cela signifie que tout changement qui survient, qu'il soit naturel ou causé par l'homme, majeur ou mineur, rapide ou lent, aura un effet sur d'autres composants de l'écosystème. Fréquemment, l'homme n'a pas su reconnaître les effets d'un grand nombre de modifications écologiques causées par ses activités. Cette lacune est la source de bon nombre de problèmes environnementaux auxquels l'humanité doit s'attaquer à l'heure actuelle.

Les écosystèmes peuvent exister à des échelles nombreuses et variées dans la biosphère. La goutte d'un étang qui contient des formes de vie aussi minuscules que les protozoaires constitue un écosystème. L'étang lui-même est aussi un écosystème avec sa fourchette complexe de formes de vie. Enfin, l'étang fait partie d'écosystèmes beaucoup plus vastes. Par exemple, il peut être situé dans un boisé mixte de feuillus et de conifères du sud de l'Ontario, qui, à son tour, s'intègre à une région climacique caractéristique des moyennes latitudes beaucoup plus étendue, observée dans d'autres régions du monde. Ces régions majeures de végétation, que l'on appelle *biomes*, constituent les plus grandes unités d'écosystèmes terrestres (voir fig. 16.1). (Les prairies des latitudes moyennes, les savanes, la toundra et les forêts tropicales sont d'autres unités de ces vastes écosystèmes.) Enfin, tous les biomes planétaires, et la multitude des autres écosystèmes, petits et grands, qui existent à l'intérieur de ces biomes, forment la biosphère.

L'une des principales difficultés associées à l'utilisation pratique du concept d'écosystème est liée au fait que les limites entre les écosystèmes sont souvent vagues et quelquefois changeantes. Le déplacement, d'un écosystème à l'autre, d'animaux appartenant à diverses espèces est l'un des facteurs à l'origine de cette difficulté. Un autre problème de nature politique provient du fait que même les écosystèmes les plus simples sont extrêmement complexes. Il est très difficile, et peut-être même impossible, de déterminer et de mesurer avec un degré convenable de précision la multitude d'interactions qui surviennent dans un écosystème quelconque.

Cependant, le seul fait de reconnaître l'existence de ces phénomènes est important. Pendant la presque totalité de l'histoire de l'humanité, le fonctionnement de ces systèmes est resté à peu près inconnu et, on peut affirmer sans crainte de se tromper que rares étaient ceux qui s'en souciaient. Cependant, avec le développement de la science de l'écologie au 20e siècle, l'homme a commencé à comprendre les processus complexes qui rendent la vie possible. Enfin, au cours des dernières décennies, on a vu l'émergence d'un nombre modeste, quoique croissant, de gens qui commencent à s'en préoccuper.

Comme pour les géophysiciens, le principal objectif du concept de l'écosystème est de permettre une meilleure compréhension du monde naturel et des processus qui rendent la vie possible. L'humanité possède un très grand pouvoir de modification ou de destruction de l'environnement, qui, d'ailleurs, croît rapidement. Les influences, tant positives que négatives, des êtres humains sur les écosystèmes de la biosphère seulement au cours des dernières décennies ont été dramatiques. Il n'y a aucune raison de croire que cette influence ne grandira pas au cours des décennies à venir.

Photosynthèse

On peut examiner en termes de circulation d'énergie et de cycles d'éléments nutritifs les interactions qui surviennent dans les écosystèmes. Les deux processus sont amorcés par l'énergie solaire qui a trois fonctions principales:

• fournir la chaleur requise pour toutes les formes de vie;

• permettre l'existence de l'eau tant sous la forme liquide que sous la forme gazeuse; et

• se combiner avec la chlorophylle, un pigment contenu dans les feuilles des plantes vertes, afin de produire des molécules organiques (hydrates de carbone). Ce processus, appelé *photosynthèse*, est le mode de transformation de l'énergie solaire en une forme d'énergie utilisable par les plantes et les animaux.

Le processus de photosynthèse, schématisé ci-dessous, permet aux plantes de convertir l'énergie lumineuse solaire en énergie chimique potentielle (matière nutritive). Ce processus est réalisé lorsque l'énergie solaire, l'eau et le dioxyde de carbone sont «fixés» par la chlorophylle des plantes afin de produire des hydrates de carbone (sucre ou amidon). L'oxygène libéré lors de ce processus est la principale source d'oxygène libre dans l'atmosphère.

$$H_2O + CO_2 + \text{énergie solaire} \rightarrow CH_2O + O_2$$

C'est ainsi que l'énergie solaire est stockée par les plantes sous forme d'hydrates de carbone, une énergie de type chimique. D'autres processus chimiques dans les végétaux utilisent les hydrates de carbone, avec divers éléments nutritifs provenant du sol, pour produire des molécules protéiniques complexes dont les plantes ont besoin pour leur croissance. Ce tissu végétal constitue par la suite un aliment que les animaux consomment.

Le phénomène de la respiration, schématisé ci-dessous, est le processus contraire de la photosynthèse. Au cours de ce processus, les végétaux utilisent leurs hydrates de carbone pour fournir de l'énergie à leurs cellules.

$$CH_2O + O_2 \rightarrow CO_2 + H_2O + \text{énergie calorifique}$$

Selon certaines expériences, les plantes utilisent à cette fin de 20 à 30 pour cent en moyenne de l'énergie stockée. Les cellules humaines et les autres cellules animales consomment et utilisent les molécules riches en énergie produites lors de la photosynthèse. Du gaz carbonique est libéré (par les poumons) ainsi que des H_2O (par les poumons et la peau). Par ce processus, l'homme, comme tous les autres animaux et tous les systèmes vivants, est totalement dépendant de l'énergie solaire.

Production primaire nette

La quantité totale d'hydrates de carbone produite au cours de la photosynthèse est la *production primaire brute* (PPB), tandis que la *production primaire nette* (PPN) est la quantité d'hydrates de carbone qui reste après la respiration. En d'autres termes, la totalité de la substance des plantes vertes ajoutée à un écosystème pendant une saison ou une

Fig. 14.1

Productivité primaire nette des écosystèmes majeurs				
Type d'écosystème	Superficie (millions de km²)	Productivité nette par unité de superficie (grammes en poids sec par mètre par année)		Productivité nette mondiale (milliards de tonnes sèches par année)
		variation normale	moyenne	
Forêt tropicale	24,5	1 000–3 500	2 000	44,8
Forêt tempérée	12,0	600–2 500	1 250	13,4
Forêt boréale	12,0	400–2 000	800	8,7
Boisé et brousse	8,5	200–2 000	700	5,4
Savane	15,0	200–1 500	900	12,3
Prairie tempérée	9,0	10–400	600	5,0
Toundra et montagne	8,0	0–250	140	1,0
Désert et semi-désert	42,0	100–3 500	40	1,5
Terre cultivée	14,0	800–3 500	650	8,3
Marécage et marais	2,0	100–1 500	2 000	3,6
Lac et cours d'eau	2,0		250	0,5
Total continental	149,0		773	104,3
Océan (haute mer)	332,0	2–400	125	37,6
Plateau continental, zone de remontée des eaux	27,0	200–1 000	360	8,9
Lits d'algues, récifs, estuaires	2,0	500–4 000	1 800	3,4
Total marin	361,0		152	49,9
Total mondial	510,0		333	154,2

Source: Whittaker, Robert H., *Communities and Ecosystems,* 2ᵉ édition. New York: Macmillan, 1975.

année de croissance représente la quantité de PPN de l'écosystème pour l'année.

La *biomasse* de l'écosystème est l'accumulation totale nette de matière organique (la quantité d'énergie emmagasinée dans les plantes). On relève les quantités maximales de biomasse dans les écosystèmes forestiers, laissant loin derrière en importance les biomasses des savanes et d'autres écosystèmes (voir fig. 14.1). Mais il est moins important de connaître la valeur totale de la biomasse que de déterminer la vitesse de production de la matière organique, c'est-à-dire la vitesse de PPN. Cette information est cruciale parce que la PPN est renouvelable (la même quantité est ajoutée chaque année). Par exemple, la vitesse de la production primaire nette indique la fraction de la biomasse totale qui peut être récoltée pour satisfaire les besoins humains. Ce principe est clairement illustré dans la réglementation qui régit l'industrie forestière dans certaines parties de monde. S'efforçant de conserver ces ressources à perpétuité, bon nombre de pays ont adopté des règlements conçus de façon à ce que la récolte annuelle ne dépasse pas la PPN pour l'année.

La vitesse ou le volume de production primaire nette de n'importe quel écosystème dépend d'un certain nombre de facteurs associés dont l'intensité lumineuse, la température, la durée de l'ensoleillement quotidien et la quantité d'humidité disponible. Selon les estimations, la PPN totale se situe entre 150 et 200 milliards de tonnes par année pour l'ensemble de la planète. Cette valeur comprend (et d'ailleurs excède considérablement) toute la nourriture requise pour satisfaire les besoins énergétiques de l'humanité entière et de toutes les autres formes de vie animale dans la biosphère.

Étude 14-1

Se reporter à la fig. 14.1 pour répondre aux questions suivantes:
1. Expliquer pourquoi la production nette de la forêt tropicale humide serait supérieure à celle de la forêt boréale. (Voir chapitre 16.)
2. Expliquer pourquoi la production nette par unité de surface des estuaires (les embouchures de marée des cours d'eau) serait supérieure à celle des plateaux continentaux.

3. Dans un écosystème stable, la biomasse totale demeure relativement constante indépendamment de l'importance de la PPN. Cependant, une réduction de la biomasse totale entraîne une baisse de la PPN. Comment est-ce possible?
4. Les forêts tropicales et les estuaires constituent-ils les principales zones de production alimentaire pour l'homme? Indiquer certains des facteurs qui doivent être pris en considération dans l'interprétation des valeurs de PPN pour la production d'aliments destinés à l'homme.
5. Pourquoi la PPN de terres agricoles (dans la catégorie «terre cultivée» à la fig. 14.1) est-elle généralement moindre que celle de la plupart des écosystèmes forestiers? La PPN agricole augmente habituellement à mesure que l'on se rapproche de l'équateur. Expliquer.

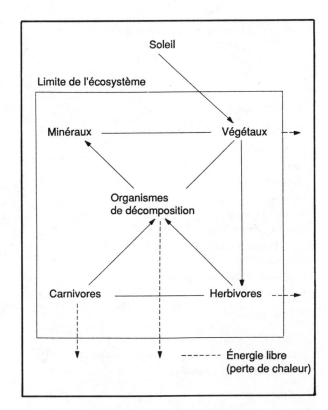

Fig. 14.2 À l'intérieur d'un écosystème, l'énergie est utilisée pour produire de la matière par photosynthèse. L'existence de presque toutes les autres formes de vie, dont les consommateurs et les organismes de décomposition, dépend des végétaux et du processus de photosynthèse.

L'énergie et les écosystèmes

Le fonctionnement de base d'un écosystème est présenté à la fig. 14.2. Les végétaux sont les *producteurs* de l'écosystème parce qu'ils possèdent seuls la capacité de capter l'énergie rayonnante du soleil et de la transformer par photosynthèse en énergie chimique ou en aliments emmagasinés sous forme de tissus végétaux. Les autres organismes de l'écosystème sont les *consommateurs*. L'existence de tous ces organismes dépend ultimement des végétaux. Les organismes qui se nourrissent directement des plantes sont les consommateurs primaires ou *herbivores*. Les consommateurs secondaires ou *carnivores* ont comme principale source alimentaire les consommateurs primaires ou d'autres carnivores.

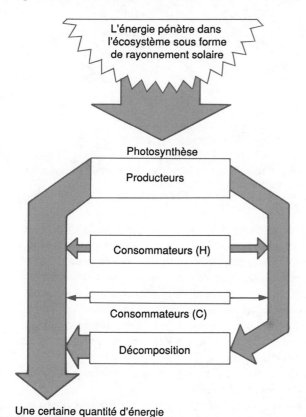

Fig. 14.3 La circulation d'énergie dans un écosystème.

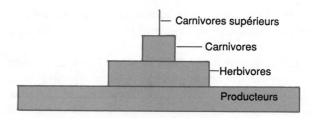

Fig. 14.4 Une pyramide typique de biomasse représentant quatre niveaux trophiques excluant la décomposition.

Ensemble, les producteurs et les consommateurs forment une série de *niveaux trophiques* qui constituent un système de circulation d'énergie (fig. 14.3). À chaque niveau, il y a une certaine perte de l'énergie initialement extraite du soleil par la photosynthèse. (Bien entendu, l'énergie n'est jamais perdue ou détruite, mais simplement transformée d'une forme en une autre.) Étant donné que l'énergie est une source alimentaire, les niveaux trophiques forment collectivement la *chaîne alimentaire*. La perte d'énergie tout au long de la chaîne est une conséquence de l'activité métabolique normale des organismes (respiration), ou de la décomposition des organismes après leur mort. Comme la majeure partie de l'énergie reçue à un niveau donné est perdue par les processus métaboliques susmentionnés, la quantité d'énergie transférée au niveau suivant est relativement réduite.

Il est difficile de quantifier précisément l'énergie perdue entre deux niveaux trophiques pour un écosystème quelconque. Cependant, d'un point de vue empirique, il est généralement admis qu'environ dix pour cent de l'énergie nette reçue à un niveau est disponible pour les consommateurs du niveau suivant. C'est pourquoi l'écosystème, qu'il soit évalué en termes de PPN, de biomasse totale ou de nombre d'espèces par niveau trophique, a généralement l'apparence d'une pyramide lorsqu'il est représenté sous forme graphique (fig. 14.4). Cela signifie que les valeurs, maximales au niveau producteur, décroissent à chaque niveau de consommateur successif. Cette caractéristique a des conséquences importantes pour la production d'aliments destinés à l'homme. Par exemple, lorsque des animaux sont élevés pour la boucherie, la production alimentaire pour consommation humaine provenant d'une région donnée est très inférieure à ce qu'elle serait si ces mêmes terres produisaient des végétaux servant directement de nourriture pour l'homme.

Les *organismes de décomposition* forment un autre groupe de consommateurs qui joue un rôle dans l'écosystème. Ces divers organismes microscopiques, comme les bactéries et les champignons que l'on trouve dans le sol ou l'eau, provoquent la décomposition des substances organiques. Les organismes de décomposition fournissent un service essentiel. Les éléments fondamentaux (que l'on appelle aussi éléments nutritifs — voir la liste à la page 130), liés dans les tissus des êtres vivants, sont retournés, par le processus de décomposition, à l'environnement où ils peuvent être réutilisés par les producteurs au moyen de la photosynthèse. Sans le retour ou le recyclage de ces éléments nutritifs, comme le carbone, l'azote ou le phosphore (dont une description plus complète est présentée à la page 131), il serait impossible aux écosystèmes de fonctionner.

Il est important de souligner que toutes les substances naturelles sont biodégradables, c'est-à-dire qu'elles se décomposent complètement. Les produits de la décomposition servent d'aliments aux êtres vivants sans qu'il n'y ait aucune perte.

Il est malheureux que certaines substances produites par l'homme ne soient pas biodégradables. De façon croissante, l'humanité produit des substances, comme les déchets chimiques ou radioactifs, qui ne se décomposent pas et ne peuvent être réutilisées. Ces matériaux, qui sont libres de retourner dans les écosystèmes, ont un effet toxique sur les organismes vivant dans ces systèmes.

C'est pourquoi il y a toujours deux processus en cours dans les écosystèmes, c'est-à-dire la circulation de l'énergie et le cycle nutritif. Le premier est dit unidirectionnel et non cyclique. En d'autres termes, l'énergie suit une seule direction le long de la chaîne alimentaire et est complètement perdue pour la chaîne en bout de ligne. Le deuxième est également unidirectionnel, mais il n'y a pas de perte d'éléments nutritifs. Dans les circonstances normales, ces éléments ne sont pas perdus à mesure qu'ils progressent à travers le système et la plupart peuvent être réutilisés après décomposition.

Le concept d'écosystème comme chaîne alimentaire aide à comprendre les notions de cheminement et

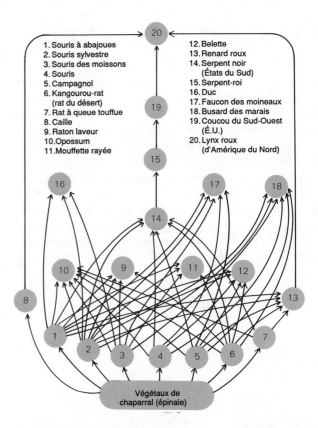

1. Souris à abajoues
2. Souris sylvestre
3. Souris des moissons
4. Souris
5. Campagnol
6. Kangourou-rat (rat du désert)
7. Rat à queue touffue
8. Caille
9. Raton laveur
10. Opossum
11. Mouffette rayée
12. Belette
13. Renard roux
14. Serpent noir (États du Sud)
15. Serpent-roi
16. Duc
17. Faucon des moineaux
18. Busard des marais
19. Coucou du Sud-Ouest (É.U.)
20. Lynx roux (d'Amérique du Nord)

Végétaux de chaparral (épinaie)

Fig. 14.5 Le réseau alimentaire d'un chaparral (écosystème méditerranéen) (voir fig. 16.8).
(Source: A.S. Boughey, *Fundamental Ecology (Intext Educational Publishers, San Francisco)*, 1971.)

d'interdépendance. Étant donné que le monde naturel est réellement beaucoup plus complexe qu'une simple chaîne, les écologistes utilisent plutôt le concept de *réseau alimentaire*. Bien que les principes de base demeurent les mêmes, on arrive presque à saisir les relations complexes qui existent dans tout écosystème en identifiant ce dernier à la structure d'un réseau. L'un de ces réseaux, qui est représenté à la fig. 14.5, a été très simplifié et omet certaines composantes.

En résumé, les écosystèmes présentent trois caractéristiques principales.

1. Chaque écosystème contient deux composantes de base, soit la composante biotique (producteurs, consommateurs et organismes de décomposition) et la composante abiotique (environnement physique).

2. L'énergie, qui est perdue dans l'environnement le long de la chaîne alimentaire, ne chemine que dans une seule direction. Les éléments nutritifs sont recyclés.

3. Les composantes sont fortement inerdépendantes, ce qui signifie que la modification de l'un d'entre eux a des répercussions sur tous les autres. Bon nombre de ces modifications ont des effets visibles et immédiats. D'autres changements peuvent avoir des conséquences de faible envergure qui ne sont à peu près pas décelables.

Étude 14-2

1. Les divers écosystèmes abritent des espèces différentes, mais chacun renferme les mêmes trois composantes de base, soit les producteurs, les consommateurs et les organismes de décomposition. Un écosystème peut-il exister en l'absence de l'une de ces composantes?

2. De l'énergie, qui est unidirectionnelle, est perdue le long de la chaîne alimentaire. Comment cette énergie est-elle perdue et pourquoi ne peut-elle être acheminée dans la direction contraire?

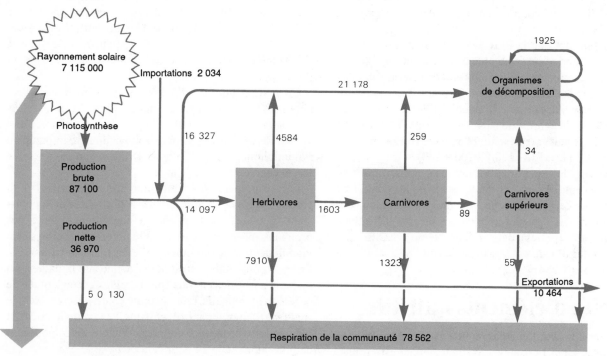

Fig. 14.6 Écosystème de marais salant en Floride montrant les flux d'énergie au cours d'une période d'une année.
Source: E.T. Odum, *Fundamentals of Ecology*, 3ᵉ édition. W.B. Saunders, 1971.

3. La modification d'une composante d'un écosystème amène certains changements chez tous les autres. Prouver cette affirmation à l'aide de plusieurs exemples à petite et grande échelle.

4. La nature a mis plusieurs millions d'années pour produire, par des essais hésitants et renouvelés (et à travers les processus d'évolution), des écosystèmes fonctionnels. Considérer l'idée «la nature est le meilleur juge» en rapport avec les modifications humaines des systèmes naturels.

5. La figure 14.6 est un diagramme représentant le cheminement de l'énergie dans un écosystème d'eau salée en Floride.

a) Quel pourcentage de l'énergie solaire pénétrant dans cet écosystème est transformé, par photosynthèse, en énergie alimentaire (production primaire brute)? Où se retrouve l'énergie restante?

b) En supposant que la PPB égale 100 unités d'énergie, tracer un diagramme semblable à celui de la fig. 14.2, et montrer le cheminement de ces 100 unités à mesure qu'elles progressent à travers les divers niveaux trophiques de l'écosystème. Par exemple, la quantité d'énergie perdue au profit de la décomposition est équivalente à 21 178 kJ (m^2•a). Cette valeur représente 24 pour cent ou 24 unités de la production brute (21 178/87 100 x 100).

c) Quels sont les «importations» et les «exportations» de cet écosystème? Énumérer quelques exemples possibles.

d) L'énergie capturée lors de la photosynthèse ajoutée à l'énergie importée devrait compenser toutes les utilisations énergétiques (pertes) dans l'écosystème. Établir une équation qui illustre cet équilibre. (Début: 87 100 PPB + importations 2 034 = ...)

Cycles d'éléments nutritifs

Comme on l'a vu, l'énergie requise par les écosystèmes provient du soleil. Lorsque le travail énergétique est terminé, l'énergie retourne dans l'espace. En conséquence, l'approvisionnement énergétique de la Terre est un *système ouvert*. Cependant, l'énergie seule est insuffisante pour faire fonctionner les écosystèmes. En effet d'autres composants (ou éléments nutritifs), comme le carbone, l'oxygène et l'azote, sont également nécessaires. Étant donné que ces éléments nutritifs proviennent de la planète elle-même, leur quantité est limitée. En conséquence, la

réserve terrestre d'éléments nutritifs est qualifiée de *système fermé*. Ces éléments doivent être continuellement réutilisés ou recyclés par la décomposition. Les processus engagés dans ce recyclage sont des facteurs essentiels au maintien de l'habitabilité planétaire.

Environ trente éléments ou éléments nutritifs sont nécessaires à tous les processus vitaux. Les éléments requis en grandes quantités, que l'on appelle les *macroéléments*, sont généralement divisés en deux groupes.

1. Les trois principaux macroéléments sont le carbone (24,90 pour cent de toute la matière vivante), l'oxygène (24,83 pour cent) et l'hydrogène (49,74 pour cent). Il s'agit des principaux composants des hydrates de carbone. Leur rôle dans la photosynthèse a déjà été examiné.

2. Les macroéléments secondaires comprennent l'azote (0,27 pour cent), le calcium (0,07 pour cent), le potassium (0,05 pour cent), le magnésium (0,03 pour cent), le silicium (0,03 pour cent), le soufre (0,02 pour cent) et le phosphore (0,013 pour cent).

Un certain nombre d'éléments supplémentaires sont nécessaires en quantités encore plus minimes. Ces *microéléments* sont également essentiels aux processus vitaux. Certains des éléments les plus courants comprennent l'aluminium, le chlore, le bore, le fluor, le manganèse, le fer, le cobalt, le cuivre, l'iode et le zinc.

Les principaux éléments nutritifs nécessaires à la croissance végétale sont l'azote, le phosphore et le potassium (potasse). L'azote est un composant majeur des protéines végétales. Le phosphore favorise une croissance vigoureuse (particulièrement celle des feuilles et des tiges). Enfin le potassium accroît la résistance aux maladies. La majeure partie des engrais commerciaux est constituée de ces éléments nutritifs. Leur quantité relative est représentée sur le sac d'engrais par trois chiffres. Par exemple, 6-24-24 indique la présence de 6 pour cent d'azote, de 24 pour cent de phosphore et de 24 pour cent de potasse.

Caractéristiques des cycles d'éléments nutritifs

Les matériaux de la vie cheminent en formant de grands cycles chimiques, dont il est important de bien comprendre le fonctionnement. Étant donné que ces cycles comportent trois composantes, soit les éléments chimiques, les êtres vivants et l'environnement géologique ou abiotique, ils constituent, collectivement, des cycles *biogéochimiques*. Tous les cycles présentent les caractéristiques suivantes:

• Les éléments nutritifs passent de l'environnement à la plante (producteur) et, dans la plupart des cas, retournent à l'environnement par la décomposition. Le résultat est semblable lorsque des consommateurs participent à la chaîne alimentaire.

• Tous les cycles comprennent des organismes (végétaux et animaux) et des microorganismes. Sans les êtres vivants, ces cycles cesseraient de fonctionner, et en l'absence de ces cycles, la vie n'existerait pas. On peut alors se demander ce qui est venu en premier, les cycles ou la vie.

• Tous les éléments nutritifs ont un réservoir ou plus qui existe dans l'une des grandes zones de la biosphère ou plus, c'est-à-dire l'atmosphère, la lithosphère et l'hydrosphère. Les réservoirs d'éléments nutritifs facilement accessibles aux processus vitaux sont appelés *réservoirs actifs*. Par contre, les réservoirs situés à des endroits relativement inaccessibles comme le fond des océans ou sous la surface de la lithosphère sont dits *réservoirs de stockage*.

• Tous les cycles comportent une transformation chimique ou plus. L'équation de la photosynthèse déjà présentée dans ce chapitre illustre le plus important de ces changements.

On reconnaît trois cycles typiques d'éléments nutritifs. Le cycle gazeux utilise l'atmosphère comme réservoir. Les éléments nutritifs sont recyclés rapidement, c'est-à-dire qu'ils sont retournés à l'atmosphère après un certain temps avec très peu de pertes pour les réservoirs de stockage, voire aucune. Le carbone, l'azote et l'oxygène constituent les principaux exemples d'éléments nutritifs engagés dans ce type de cycle.

Dans le cycle de la sédimentation, les réservoirs sont situés à l'intérieur de la lithosphère. Les éléments ou éléments nutritifs sont libérés afin de jouer leur rôle dans la croissance végétale, soit par l'érosion climatique de la structure de l'écorce terrestre ou par les processus de formation des sols (voir chapitre 17). Certains de ces éléments sont recyclés par la décomposition, et d'autres peuvent être prélevés des écosystèmes terrestres et emportés par des cours d'eau pour être déposés au fond des lacs et des mers. Ces éléments ne redeviennent actifs que lorsque des phénomènes géologiques de grande envergure les soulèvent au-dessus du niveau de la mer où ils sont de nouveau exposés aux agents climatiques. Étant donné que ces processus s'étendent sur des dizaines de millions d'années, on estime que les réservoirs de ce type sont inacessibles en permanence.

Un troisième cycle, c'est-à-dire le cycle hydrologique, peut être considéré comme une composante du cycle du gaz. Cependant, comme la majeure partie du stockage s'effectue dans les océans, on peut traiter le cycle hydrologique séparément. Comme on l'a déjà vu au chapitre 3, ce cycle comporte un échange d'eau, sous forme gazeuse ou liquide, entre l'hydrosphère, l'atmosphère et la lithosphère. Il est évident que la majeure partie du stockage d'eau se produit dans des réservoirs très actifs, bien que l'on trouve des réservoirs de stockage aux endroits où l'eau est retenue très profondément sous la surface, ou encore, emprisonnée dans des glaciers.

Cycles importants d'éléments nutritifs

Plusieurs cycles ont déjà été examinés, dont le cycle hydrologique, le cycle du carbone et une partie des cycles de l'oxygène et du carbone dans le processus de la photosynthèse. Les cycles de deux autres éléments majeurs sont décrits ci-dessous.

L'azote

L'azote, composant vital des protéines, est requis par tous les êtres vivants. Gaz inerte (N_2), cet élément constitue presque 80 pour cent de l'atmosphère. Contrairement à l'oxygène et au gaz carbonique, l'azote sous forme de gaz ne peut être utilisé directement par les plantes, et doit d'abord être converti en composés azotés (voir fig. 14.7). Cette conversion, que l'on appelle la *fixation de l'azote*, est effectuée par certaines bactéries, par exemple, celles qui forment des nodules sur les racines de légumineuses comme la luzerne et les haricots, et par les algues bleu-vert océaniques. Ces bactéries utilisent directement l'azote atmosphérique pour fabriquer leur propre protéine qui devient alors accessible aux plantes et pénètre ainsi dans la chaîne alimentaire.

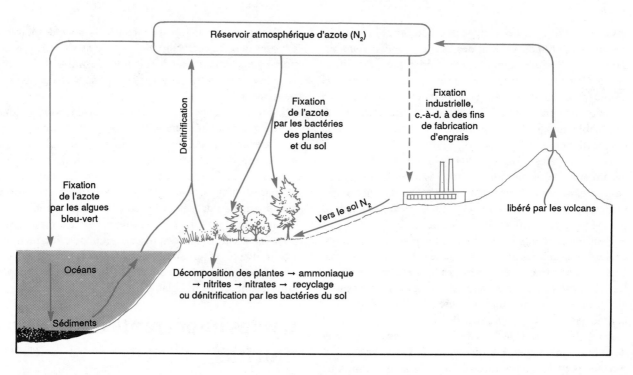

Fig. 14.7 Le cycle de l'azote.

Lorsque les végétaux et les animaux meurent, leur décomposition produit d'abord de l'ammoniaque, puis des nitrites et, enfin, des nitrates. Ces derniers peuvent être soit réabsorbés par les racines des plantes, soit emportés vers les océans où ils pénètrent dans les chaînes alimentaires océaniques, soit déposés dans les sédiments des fonds sous-marins où ils deviennent partie intégrante d'un réservoir. Cependant, la plupart des nitrates sont reconvertis en azote gazeux par des bactéries de dénitrification. Le retour de ce gaz à l'atmosphère complète le cycle.

À l'heure actuelle, les activités humaines provoquent l'accumulation d'azote utilisable dans les sols. L'homme contribue à la fixation de l'azote par la fabrication d'engrais commerciaux (dans lesquels l'azote est l'un des principaux composants), par la combustion des combustibles fossiles (qui libère les oxydes d'azote), et par la culture à grande échelle des légumineuses. On croit que la quantité d'azote fixée par l'homme est équivalente ou même supérieure à celle des nitrates produits naturellement, quantité qui, d'ailleurs, est en croissance rapide.

Pourquoi l'humanité produit-elle des quantités toujours croissantes de nitrates? Quels problèmes peuvent surgir dans les écosystèmes où les nitrates sont à la hausse? Cette question sera traitée après l'examen d'un dernier cycle.

Le phosphore

Cet élément est nécessaire à toutes les cellules vivantes. Sur la Terre, le phosphore et l'azote sont relevés selon un rapport de 1 à 23. Cependant, tous les tissus vivants requièrent plus de phosphore que d'azote. En conséquence, le phosphore est l'élément qui est le plus susceptible de limiter la production de biomasse dans n'importe quel écosystème. Les principaux réservoirs de phosphore se trouvent dans les roches sédimentaires (appelées roches phosphatées). Étant donné que le cycle du phosphore ne comporte pas une phase gazeuse, le phosphore chemine très lentement. Les principales étapes de ce cycle sont illustrées à la fig. 14.8.

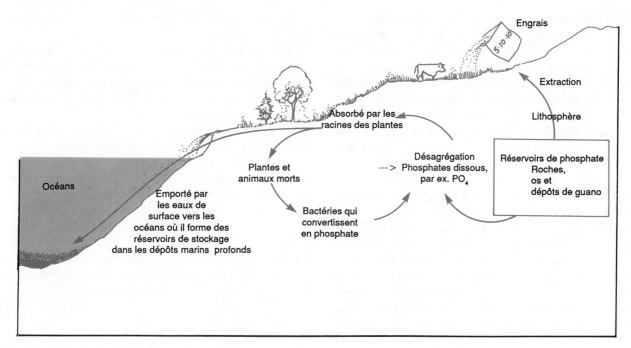

Fig. 14.8 Le cycle du phosphore.

Les sociétés humaines perturbent le cycle du phosphore depuis les débuts de l'agriculture. Les cultures contenant du phosphore sont retirées des terres agricoles, empêchant le phosphore d'être recyclé. Comme le cycle de cet élément ne comporte pas une phase gazeuse, les déficits de phosphore sont beaucoup plus difficiles à combler.

Afin de satisfaire des besoins toujours croissants de production alimentaire, l'extraction minière de la roche phosphatée, utilisée comme engrais, est à la hausse. Cette pratique a suscité des doutes concernant l'existence à long terme de réservoirs de phosphore.

L'eutrophisation

Étant donné que l'agriculture perturbe le fonctionnement normal des cycles d'éléments nutritifs, il est nécessaire de remplacer les éléments retirés de l'environnement lors de la récolte en ajoutant des engrais. Les deux engrais les plus importants sont l'azote et le phosphore parce qu'ils déterminent la quantité de substance végétale qui peut être produite. S'ils sont ajoutés aux sols qui présentent une carence de ces éléments, mais qui reçoivent suffisamment d'ensoleillement et d'eau, le rendement est généralement accru.

Cependant, on a un problème lorsqu'un excès d'engrais dans les champs est emporté par le ruissellement ou les eaux souterraines vers les rivières, les lacs et les eaux littorales des océans, et pénètre dans les écosystèmes aquatiques. Les eaux usées et les effluents des véhicules ajoutent encore plus de phosphore (provenant surtout des détergents) et de nitrates par le biais du cycle hydrologique. L'arrivée de ces éléments nutritifs dans les écosystèmes aquatiques provoque une augmentation de la croissance végétale et de la biomasse. Ce processus d'enrichissement excessif, appelé *eutrophisation*, peut mener à la mort de l'écosystème.

L'eutrophisation est amorcée lorsque l'azote et le phosphore favorisent une production accrue des mauvaises herbes et des algues. La PPN s'élève et la transparence de l'eau est réduite, empêchant la lumière solaire de rejoindre les plantes qui croissent sous la surface. La réduction du nombre de ces végétaux a évidemment des répercussions sur les consommateurs qui se nourrissent de ces producteurs.

Les plantes supplémentaires près de la surface, résultat d'une croissance végétale excessive, doivent également mourir. La quantité supérieure de végétaux en décomposition entraîne bon nombre de changements dans les écosystèmes. D'abord, on relève généralement à la surface de l'eau une écume constituée d'organismes morts ou de matières organiques en décomposition, et le goût de l'eau ainsi que l'odeur qui s'en dégage se détériorent. Deuxièmement, comme la décomposition requiert de l'oxygène, la quantité accrue de matériaux de végétaux morts au fond enlève au lac sa réserve d'oxygène dissous. Le processus entraîne une baisse de la disponibilité de cet élément pour les poissons et d'autres espèces, réduisant encore plus l'écosystème. Troisièmement, le processus total provoque une hausse du nombre d'organismes pathogènes qui réduisent davantage le nombre d'espèces présentes. À la fin, la quantité d'oxygène dans l'eau est tellement faible que l'écosystème aquatique entier meurt.

3. Comme on l'a déjà vu, la première «loi» écologique peut être énoncée de la façon suivante: «Il est impossible de ne réaliser qu'une seule action.» Quels sont les autres «résultats» que l'on peut obtenir? Expliquer la pertinence de cette loi relativement aux énoncés suivants:
a) une vaste superficie de terres forestières est exploitée pour son bois d'oeuvre;
b) des produits chimiques conçus pour empêcher la croissance des mauvaises herbes (herbicides) ou pour détruire les organismes nuisibles qui pourraient consommer ou endommager les cultures (insecticides) sont pulvérisés sur un champ de culture;
c) les terres humides sont asséchées afin qu'elles puissent servir à produire de la nourriture.
4. Il a été démontré que le problème de l'eutrophisation était plus facile à résoudre que bon nombre d'autres problèmes de pollution. Pourquoi est-ce le cas? (Indice: les nitrates et les phosphates ne sont pas toxiques.)

Étude 14-3

1. Le fonctionnement de base des principaux processus de recyclage n'est pas difficile à comprendre. Il suffit de songer à tous les processus qui exercent un effet sur une plante unique, par exemple, un arbre dans le jardin de la maison familiale. En commençant avec la lumière, noter le rôle des cycles gazeux, sédimentaires et hydrologiques d'éléments nutritifs dans la croissance et le développement de cet arbre. Illustrer les différents processus sous forme graphique.
2. Un écosystème de forêt naturelle est relativement stable en termes de processus de recyclage, c'est-à-dire que peu d'éléments nutritifs sont ajoutés au système ou le quittent. Lorsqu'on retire les producteurs originaux d'un écosystème et qu'on les remplace par des cultures à des fins de consommation humaine, le système est déstabilisé. Expliquer. Quelles mesures doit-on prendre pour maintenir la productivité de l'écosystème agricole?

15 / L'être humain et les écosystèmes

Étant donné que l'homme se préoccupe des effets de ses activités sur les écosystèmes, il est important de connaître l'état de ces derniers avant que l'humanité ne soit suffisamment nombreuse pour exercer un impact. Au cours des innombrables millions d'années qui ont précédé l'apparition de l'homme, la modification des écosystèmes s'accomplissait à la même vitesse, ou à peu près, que l'évolution des espèces dans ces systèmes, c'est-à-dire, très lentement.

Il y a eu, bien entendu, des événements naturels qui ont provoqué des changements beaucoup plus rapides. Bien que ces derniers n'aient eu généralement d'effets que sur des portions d'écosystèmes, les régions perturbées étaient quelquefois très vastes. Les éruptions volcaniques, les épidémies, les inondations, les incendies et les tempêtes de vent constituent quelques exemples de ces événements. À une échelle beaucoup plus étendue, les écosystèmes ont été perturbés par les changements climatiques, particulièrement ceux qui sont apparus au cours d'une des nombreuses périodes glaciaires. Les glaciers qui se sont formés au cours de ces âges ont complètement détruit toute la vie à la surface des territoires qu'ils occupaient. Tous les autres écosystèmes ont été modifiés à divers degrés par les changements climatiques d'envergure planétaire, qui ont accompagné les âges glaciaires.

Après qu'il a été détruit ou gravement endommagé, l'écosystème se rétablit par un processus dit de *succession*. (Voir fig. 15.1.) La succession comporte le remplacement d'une communauté végétale par une autre selon une séquence relativement prévisible. Ce phénomène est le résultat de la compétition entre les plantes, certains végétaux devenant progressivement dominants au cours de très longues périodes. À ce moment, le processus de succession est à peu près terminé, l'écosystème ayant atteint un état

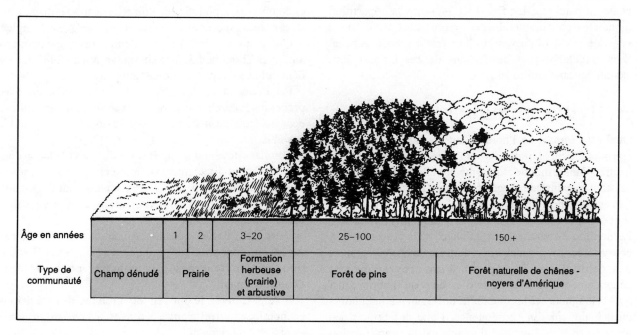

Âge en années		1	2	3–20	25–100	150+
Type de communauté	Champ dénudé	Prairie		Formation herbeuse (prairie) et arbustive	Forêt de pins	Forêt naturelle de chênes - noyers d'Amérique

Fig. 15.1 Succession.

relativement stable appelé *climax*. Un tel écosystème est dit en équilibre avec son environnement. Cela signifie que l'énergie libérée par la respiration et la décomposition est plus ou moins équivalente à l'énergie stockée pour la nouvelle croissance (PPN). L'énergie totale stockée ou la biomasse totale demeurent assez constantes.

Certains des écosystèmes planétaires d'un grand âge ont atteint le stade du climax. Par exemple, on croit que l'origine de certaines portions de forêts tropicales humides pourrait remonter à plus de 50 millions d'années, l'influence négligeable des époques glaciaires ayant favorisé cette longue existence. En outre, la destruction par le feu est une quasi-impossibilité dans le milieu humide des forêts des basses terres.

D'autres écosystèmes, comme les forêts de conifères de l'hémisphère Nord, sont beaucoup plus jeunes, le début de la succession ne remontant qu'à quelques milliers d'années, soit après le retrait des glaciers. Même au cours de cette période relativement brève, et en dépit d'une saison de croissance courte et fraîche, ces biomes ont atteint le climax. Depuis la fin du dernier âge glaciaire, la plupart des autres écosystèmes majeurs, ou biomes, ont rejoint la phase climacique. La fig. 16.1 présente la répartition mondiale de ces biomes. La carte représente l'état de la vie végétale avant l'intervention humaine à grande échelle. (Les caractéristiques de certains de ces biomes sont examinées au chapitre 16.)

Activités humaines

Quel est l'impact de l'homme sur les écosystèmes? Il a considérablement réduit la superficie des écosystèmes naturels dans le monde et a augmenté celle des écosystèmes qui sont en phase de succession ou qu'il gère totalement. Les écosystèmes qui font l'objet d'une gestion complète sont des exploitations agricoles et quelquefois forestières. Le nombre de plantes et d'animaux dans ces nouveaux écosystèmes est grandement réduit. De l'avis de la plupart des écologistes, la vigueur d'un écosystème est généralement liée au nombre d'espèces qu'il abrite ainsi qu'à la longueur et à la complexité des chaînes alimentaires qu'il maintient. En conséquence, l'une des principales répercussions de l'activité humaine est la simplification des écosystèmes, qui les rend plus fragiles et plus instables que les systèmes naturels qu'ils ont remplacés.

Dans quelle mesure l'homme peut-il modifier les écosystèmes naturels originaux avant que les effets de ces perturbations ne commencent à réduire le niveau d'habitabilité de la planète? Le taux actuel de croissance démographique permettra à la population mondiale d'atteindre un sommet inégalé de 10 milliards d'habitants vers la fin du 21e siècle. Cette croissance ainsi que les aspirations des hommes relativement à un niveau de vie plus élevé rendra nécessaire la production accrue de nourriture ainsi que de ressources diverses. Cette situation s'aggrave lorsque l'on se rend compte qu'à peu près les trois quarts de la population mondiale et, en conséquence, la majeure partie de la population future, sont situés dans les pays en voie de développement. Dans ces régions, des centaines de millions d'habitants ont un niveau de vie déjà trop bas. En conséquence, on prévoit une intensification de la destruction et de l'endommagement d'un plus grand nombre d'écosystèmes. Bien que l'on ignore encore où se situent les limites, des signes indiquent qu'elles ont déjà été atteintes dans certaines régions: l'érosion grave, les sols endommagés, la pollution de l'air et de l'eau, et la disparition de certaines espèces ne constituent que quelques exemples.

Que peut-on faire? Les problèmes environnementaux auxquels l'homme fait face s'aggraveront à moins que les démarches suivantes ne soient adoptées.

• Par l'éducation, l'homme doit mieux comprendre les processus naturels qui permettent le fonctionnement des écosystèmes, car il s'agit des processus qui rendent la vie possible.

• Tous les citoyens doivent être sensibilisés à la façon dont ils contribuent directement ou indirectement à la destruction de l'environnement. La préoccupation de la population à l'égard de l'environnement doit s'accroître radicalement.

• Il est vital que des pressions collectives soient exercées sur les hommes politiques qui peuvent améliorer la situation en adoptant des lois conçues pour protéger l'environnement.

• Il faut trouver le moyen de prendre des décisions économiques qui reflètent la nécessité de vivre en harmonie avec l'environnement.

Aucune de ces mesures ne verra le jour à moins d'une modification profonde dans l'attitude populaire à l'égard de l'environnement. Afin de réaliser cet objectif, il faudra restructurer l'éducation dans presque toutes les sociétés. Il faudra reconnaître que les préoccupations environnementales doivent avoir la priorité pour que la biosphère survive. Il n'y a rien à gagner par l'attitude adoptée par nombre de personnes qui sont prêtes à attendre pour voir jusqu'à quel point les processus naturels peuvent être modifiés avant qu'ils ne commencent à mal fonctionner. Les conséquences à long terme de ce point de vue seront désastreuses pour toutes les formes de vie sur la Terre.

Étude 15-1

1. Est-ce qu'une population autochtone qui aurait occupé, à un moment donné, la région où l'on se trouve actuellement, aurait modifié considérablement l'ordre naturel? Pourquoi l'impact de cette population a-t-il été si négligeable?
2. Quels changements l'homme a-t-il amenés depuis que les populations autochtones ont été éloignées de l'écosystème qui existait autrefois dans la communauté où l'on se trouve? Ces changements sont-ils négatifs ou positifs? Au cours de cette époque, y a-t-il eu des tentatives particulières pour protéger ou préserver un aspect ou l'autre de l'écosystème naturel? Expliquer.
3. Y a-t-il actuellement des indices de problèmes environnementaux dans la communauté où l'on habite? Des mesures communautaires ont-elles été adoptées pour résoudre ces problèmes? Dans l'affirmative, décrire les stratégies.
4. Quelle serait la pertinence des énoncés suivants relativement à l'admission et à la solution de problèmes environnementaux locaux? Ces énoncés ne sont pas nécessairement justes ou erronés, mais visent à amorcer la discussion.
a) Il est rare que les problèmes environnementaux soient suffisamment graves pour avoir un impact direct et visible sur le bien-être des personnes individuelles. (Les gens discutent-ils des questions environnementales? Dans l'affirmative, indiquer lesquelles.)

b) Peu de gens comprennent bien le fonctionnement des écosystèmes naturels ou s'intéressent à la question.
c) En forçant les industries à rendre non polluants leurs procédés de fabrication, on peut réduire leur compétitivité et, à la fin, causer une perte d'emplois.
d) La plupart des mesures contre la pollution sont coûteuses et conduisent à la hausse des prix des produits de consommation et (ou) à l'augmentation des taxes.
e) La plupart des gens considèrent l'environnement comme une série de produits destinés à la consommation humaine plutôt que comme une communauté dont l'homme fait partie.

La niche humaine

Comme les animaux, l'homme a certaines exigences biologiques qui déterminent son rôle ou sa position dans un écosystème. Il a besoin de consommer des plantes et d'autres animaux pour retirer l'énergie et les éléments

Fig. 15.2 L'existence de cette grenouille est liée à la niche qu'elle occupe dans l'écosystème de l'étang. Identifier quelques composantes biotiques et abiotiques de cette niche. De quelle façon les activités humaines pourraient-elles menacer cette espèce?

nutritifs nécessaires au maintien de son existence. En outre, l'environnement abiotique fournit à l'homme une gamme très diversifiée de ressources, dont les minéraux et les matériaux de construction.

Les écologistes utilisent le terme *niche* pour décrire la position d'un organisme quelconque (incluant la population) dans un écosystème. Cette position est déterminée par les ressources dont un organisme a besoin pour survivre. C'est pourquoi le terme de niche désigne le *rôle* complet d'un organisme, et il ne doit pas être confondu avec le terme d'*habitat* qui désigne l'endroit ou le secteur qu'une espèce quelconque occupe.

Dans tous les écosystèmes, chaque espèce occupe une niche différente. Une espèce ne peut étendre sa niche qu'aux dépens des autres espèces, bien que les niches puissent se chevaucher. Lorsqu'une espèce étend sa niche,

les espèces perturbées disparaissent à moins qu'elles ne trouvent de nouvelles ressources, c'est-à-dire une nouvelle niche.

Les niches de la plupart des plantes et des animaux sont déterminées par la structure, l'instinct et le comportement des êtres vivants. Ces caractéristiques sont, à leur tour, une manifestation des déterminants génétiques des organismes. Les niches des diverses espèces non humaines qui constituent un écosystème naturel quelconque se sont développées au cours d'une période très longue.

Par contre, l'évolution de la niche humaine est très différente. Cette niche est en expansion continue. Le développement du cerveau humain a permis à l'homme de surmonter les limites physiques de son corps et d'exercer une gestion croissante sur l'environnement naturel. L'utilisation de dispositifs et de techniques comme le feu,

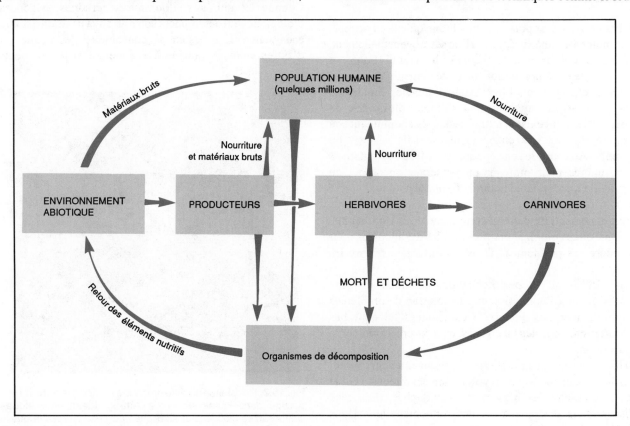

Fig. 15.3 Écosystème basé sur la chasse et la cueillette.

la roue, l'agriculture, la vapeur et les ordinateurs, pour ne mentionner que quelques exemples, montre comment la technologie a permis à l'homme d'exploiter des ressources et d'effectuer des tâches qui seraient autrement inaccessibles ou impossibles à réaliser. Cependant, ces progrès ont leur prix. Certaines des conséquences les plus importantes de l'expansion de la niche humaine sont examinées ci-dessous.

Sociétés humaines et écosystèmes

On peut illustrer la niche humaine en considérant les interférences de la société humaine et de l'environnement tant biotique qu'abiotique. Dans le cas des sociétés primitives, ces interactions peuvent être représentées sous la forme d'un organigramme relativement simple (fig. 15.3). Cependant, le même type de diagramme devient extrêmement complexe lorsqu'il sert à illustrer les sociétés modernes urbaines et industrielles. Peu importe la complexité de ces diagrammes, leur structure aide à comprendre la dépendance de l'homme vis-à-vis des systèmes naturels et l'effet des manipulations technologiques de ces mêmes systèmes.

Sociétés de cueilleurs-chasseurs

Depuis les débuts de l'humanité jusqu'à il y a 10 000 ou 8 000 ans, l'homme survivait en chassant les herbivores ou les carnivores, en cueillant des plantes, en fabriquant des outils simples et en construisant des abris à partir des ressources de l'environnement abiotique. L'homme dépendait totalement de la nourriture produite par les écosystèmes naturels. Sa technologie très primitive ne lui permettait guère d'exploiter l'environnement abiotique. Le climat imposait des limites sévères car la plupart des sociétés étaient confinées aux parties du monde sans saison hivernale. Dans ces conditions, l'homme occupait une niche très restreinte qui ne permettait qu'à un petit nombre de gens de survivre. Selon les estimations, la population mondiale n'atteignait que 8 millions d'habitants il y a 10 000 ans. Il est improbable qu'une population aussi faible ait eu un impact considérable sur les écosystèmes

dont elle dépendait. Certaines des relations entre la population et les écosystèmes à l'époque sont illustrées à la fig. 15.3.

Sociétés agricoles primitives

On peut définir l'agriculture comme la culture des plantes et l'élevage des animaux à des fins déterminées. Les premiers agriculteurs de l'histoire sont apparus il y a plus de 8 000 ans. Ils ont amorcé un processus qui a modifié lentement, quoique de façon radicale, la relation entre l'homme et les écosystèmes auxquels il appartenait. Au cours des millénaires, l'invention et le développement de l'agriculture ont été à l'origine de progrès majeurs:
• la Terre pouvait maintenant entretenir une population plus importante;
• une production alimentaire accrue a fini par favoriser l'émergence et le développement des civilisations urbaines, qui sont devenues des lieux propices aux innovations technologiques;
• pourvue de nouvelles technologies et forte de vastes populations, l'humanité a commencé à avoir une plus grande influence sur les écosystèmes.

Étude 15-2

1. Tracer un diagramme de flux semblable à celui de la fig. 15.3 illustrant l'écosystème d'une société agricole primitive. Il faut garder en mémoire que l'agriculture comprend l'exploitation des végétaux et des animaux domestiques. Comment l'agriculture a-t-elle contribué à l'expansion de la niche humaine?
2. Utiliser des exemples précis pour souligner la circulation accrue de matériaux des composantes tant biotiques qu'abiotiques de l'écosystème vers la population humaine. Quelles sont les répercussions de cette circulation sur a) les espèces végétales et animales; b) la croissance de la population humaine; et c) la circulation des matériaux de toutes les sources vers la décomposition et le retour des éléments à l'environnement abiotique?
3. Même au 19e siècle, la plupart des sociétés humaines étaient rurales. Bien que l'homme ait modifié de grands

secteurs de la biosphère, l'impact humain était encore relativement modeste. La plupart des grandes régions forestières de la Terre étaient toujours vierges, aucune pollution ne souillait l'atmosphère, et les cours d'eau, les lacs et les mers présentaient une pureté primitive. Démontrer comment chacun des facteurs suivants aide à expliquer la situation susmentionnée:

• en 1800, la population mondiale atteignait environ un milliard d'habitants;

• la révolution industrielle venait d'être amorcée;

• l'agriculture était la principale occupation de plus de 90 pour cent de la population mondiale.

Sociétés urbaines modernes

Les nombreuses innovations associées à la révolution industrielle ont permis à l'homme d'étendre considérablement sa capacité de maîtriser l'environnement naturel. La découverte de la vapeur comme force motrice, celle de nouvelles semences et d'outils pour accroître la production alimentaire, et l'avancement dans le domaine médical permettant de guérir les maladies, ont constitué trois progrès majeurs qui, à leur tour, ont été à l'origine d'une croissance démographique phénoménale.

Bien que ces événements remontent à la deuxième moitié du 19e siècle, les changements les plus spectaculaires ont eu lieu au cours des dernières décennies. Ces progrès comprennent des innovations dans le domaine alimentaire ainsi qu'une augmentation de la production agro-alimentaire; une expansion considérable de la production de biens manufacturés; et, enfin, des progrès incroyables dans presque toutes les disciplines scientifiques. En outre, les centres urbains ont connu une croissance extraordinaire, et les institutions politiques et sociales ont été profondément modifiées.

Malheureusement, les améliorations considérables des conditions de vie, que ces progrès ont permis, ont été réparties très inégalement dans la population mondiale. La majorité des hommes, qui vit pour la plupart dans les pays en voie de développement, n'a pas bénéficié de cette évolution et pourrait même s'être enfoncée plus profondément dans la pauvreté.

L'agriculture

À l'heure actuelle, seulement 13 pour cent environ de la surface des terres émergées sont cultivés. Selon certaines estimations, cette superficie pourrait être doublée. Cependant, que cet objectif soit réalisé ou non, ou même qu'il soit souhaitable, est une question où intervient un certain nombre de facteurs. Par exemple, une grande partie de ces terres agricoles potentielles sont de qualité marginale. Les engrais et l'irrigation nécessaires à leur mise en valeur seraient coûteux et comporteraient certains risques environnementaux.

En outre, il ne faut pas oublier que les cas d'insuffisance de nourriture et même de famine dans le monde sont plutôt dus à la pauvreté qu'à la rareté des denrées. Actuellement, la quantité de nourriture produite sur la planète est plus que suffisante pour subvenir aux besoins de tous les habitants. Cependant une multitude de personnes n'ont pas accès aux emplois, ou aux terres où elles pourraient produire leurs propres aliments. En conséquence, des dizaines de mil-

Fig. 15.4 Rizières expérimentales dans l'État d'Orissa en Inde. Comme l'indique l'affiche dans la photographie, la semence du riz hybride CR1009 est cultivée en utilisant différentes quantités d'engrais (F1 à F4), et divers espacements (S1 à S4), afin de déterminer la combinaison qui donne le plus haut rendement.

lions d'habitants de la Terre sont trop pauvres pour acheter ou produire suffisamment de nourriture pour entretenir des conditions de vie normales. Cette question est examinée aux chapitres 18 et 19, relativement aux populations résidant dans les biomes de forêt tropicale humide et de région semi-désertique.

Les écosystèmes qui fournissent la majeure partie de la nourriture requise à des fins de consommation humaine comprennent les prairies (environ 38 pour cent), les forêts de type feuillu (environ 24 pour cent), et les forêts tropicales et subtropicales (environ 22 pour cent). Ce sont principalement ces biomes qui fourniraient toute nouvelle terre agricole.

Au cours des dernières années, la plus importante tendance en matière de production alimentaire a été l'accroissement considérable du rendement des terres agricoles existantes, phénomène qui a été qualifié de «révolution verte». Entre 1950 et 1982, les rendements de céréales par hectare ont augmenté dans la proportion de plus de 100 pour cent en Amérique du Nord, en Europe occidentale et en Asie orientale; de 75 à 100 pour cent dans l'est de l'Europe et dans le sud de l'Asie; et de 52 ainsi que de 38 pour cent respectivement en Amérique du Sud et en Afrique.

La raison de cette hausse appréciable de la production est le résultat d'une combinaison de facteurs, dont l'élaboration de semences à plus haut rendement, l'usage généralisé des engrais, des pesticides et des herbicides, et l'apport accru d'eau par l'irrigation. Cependant, afin de bénéficier de ces progrès, les agriculteurs doivent posséder des capitaux et une terre de qualité suffisante pour que l'investissement soit profitable. En conséquence, la révolution verte n'a guère amélioré la situation des gens les plus démunis et l'état des terres agricoles les plus pauvres. Sans argent et de bonnes terres, des dizaines de millions d'agriculteurs dans les pays du Tiers-Monde n'ont pas profité des progrès amenés par la révolution verte. En outre, il y a d'autres aspects négatifs associés à la révolution verte, comme les questions suivantes l'indiquent.

Étude 15-3

1. Certaines des répercussions environnementales et sociales de la révolution verte dans les pays en voie de développement apparaissent ci-dessous. Examiner chacune d'entre elles attentivement et commenter leurs aspects positifs et négatifs.
a) Une agriculture à fort investissement nécessite de grandes quantités d'engrais et d'herbicides et suffisamment d'eau. La plupart de ces conditions optimales de production («entrées») doivent être fabriquées dans une certaine mesure et sont coûteuses.
b) Les propriétaires terriens en mesure d'utiliser les nouvelles semences sont généralement déjà assez à l'aise.
c) Les coûts augmentent avec la production. L'exploitation agricole devient plus rentable si sa superficie est accrue et sa mécanisation, intensifiée dans la mesure du possible.
d) L'utilisation des pesticides et des herbicides n'a pas que des répercussions sur les plantes et les animaux visés. Bon nombre de ces poisons ne sont pas biodégradables. Ils sont recyclés tant dans l'écosystème agricole que dans les systèmes adjacents non agricoles.
e) L'utilisation de quantités accrues d'engrais amène une augmentation de la charge d'azote et de phosphore sur les champs qui est transportée par les eaux de ruissellement (voir page 132).
f) Une augmentation de l'irrigation peut entraîner une hausse de la salinité du sol ou le transformer en marais (voir page 175).
g) Les pressions visant à augmenter la production sont une charge de plus exercée sur les sols. À mesure qu'ils s'assèchent, les dommages causés par le vent et l'érosion sont presque partout élevés.
2. À l'aide d'un diagramme basé sur celui de l'étude 15-2, montrer comment les nouveaux moyens de production susmentionnés influeront sur la circulation d'énergie et d'éléments nutritifs dans les écosystèmes agricoles.

Écosystèmes urbains

Les processus écologiques urbains diffèrent de ceux que l'on observe ailleurs de trois façons différentes. D'abord, l'énergie est fournie massivement par les combustibles fossiles, les cours d'eau rapides (énergie hydro-électrique), ou les sources nucléaires. Deuxièmement, les villes et les villages ne produisent pas leur propre nourriture, mais dépendent d'importations d'autres régions. Troisièmement, la plupart des déchets urbains doivent être déposés à l'extérieur de la ville, qu'ils puissent ou non être traités par les agents naturels de décomposition.

En conséquence le nombre de niveaux trophiques naturels de producteurs et de consommateurs a été considérablement réduit à l'intérieur du centre urbain, une espèce majeure conservant la prédominance. Des courants d'énergie et d'autres matériaux doivent entrer dans la ville et des courants de déchets doivent la quitter. C'est pourquoi le concept d'écosystème utilisé dans ce contexte doit être employé dans un sens différent. En effet, les villes ne sont pas des communautés autonomes, car en dépit de la technologie avancée qui a rendu son existence possible, la vie dans les villes dépend encore totalement des mêmes processus naturels qui ont entretenu toute la vie sur la planète depuis le début des temps.

L'un des problèmes les plus graves auxquels font face les villes de la Terre est leur incapacité de traiter les déchets qu'elles produisent. Tant le type que la quantité de déchets constituent des facteurs insurmontables pour la fonction de décomposition des écosystèmes urbains. Selon des estima-

Fig. 15.5   Déversement de déchets.

tions datant de quelques années, le résidant nord-américain moyen peut produire quotidiennement 455 L d'eaux usées, 1,8 kg de déchets solides et 0,86 kg de polluants atmosphériques. (Il est à peu près certain que ces chiffres sont plus élevés aujourd'hui.) La majeure partie de ces déchets peuvent être traités efficacement et retournés aux cycles d'éléments nutritifs ou recyclés. Cependant, il y a certaines substances qui ne peuvent être traitées adéquatement. Bon nombre d'entre elles se retrouvent dans les écosystèmes où leur toxicité peut être très dommageable pour les producteurs et les consommateurs (y compris l'homme). Les précipitations acides examinées au chapitre 13 constituent un bon exemple.

On a déjà identifié la plupart des déchets (voir fig. 15.6), et mis au point diverses stratégies d'élimination, dont certaines sont décrites ci-dessous.

• Les usines de traitement des eaux usées, les incinérateurs et les décharges sont utilisés pour traiter la majeure partie des déchets. Le degré d'efficacité de ces traitements varie considérablement selon le type de procédé employé. Étant donné que la plupart des processus d'élimination des déchets sont gérés par des villes et des villages disposant de ressources financières limitées, ces processus sont souvent appliqués de manière inadéquate.

• Étant donné que certaines ressources comme le métal et le papier (bois) deviennent plus rares et, en conséquence, plus coûteuses, il est maintenant plus rentable de les recycler.

• Les substances particulièrement toxiques sont entreposées de diverses façons. Les États-Unis utilisent les fonds sous-marins pour y déposer certaines composantes de leurs armes chimiques et biologiques. Personne ne semble entrevoir les conséquences d'une libération possible de ces substances dans l'environnement océanique. Certains pays entreposent les déchets radioactifs des usines d'énergie nucléaire dans des dispositifs temporaires jusqu'à ce qu'un site permanent de stockage soit trouvé. Cette recherche n'est évidemment pas facile, car peu de gens acceptent la présence de ces installations d'entreposage dans leur milieu. Pendant ce temps, la quantité de déchets radioactifs s'accroît sans cesse.

Les décharges desservant diverses sociétés américaines de produits chimiques près de la rivière Niagara constituent un autre exemple d'entreposage inefficace. Des produits chimiques dangereux comme les BPC et la dioxine, qui sont libérés de ces dépotoirs, pénètrent dans les écosystèmes de la rivière Niagara et du lac Ontario.

Bien que des méthodes améliorées de traitement des déchets soient progressivement mises au point, personne ne désire la présence de ces substances à proximité de son domicile. Les décharges et les centres de traitement des déchets sont généralement situés dans des localités rurales près des centres urbains qui produisent les déchets. Les résidants de ces localités sont rarement heureux à l'idée d'accepter ces substances dangereuses produites ailleurs.

• Le principe de la dispersion, qui a été largement utilisé pour éliminer les substances non désirées, consiste à répandre les polluants sur la plus grande superficie possible. Les océans sont utilisés à cette fin depuis fort longtemps. La construction de cheminées d'usines toujours plus hautes au-dessus de centrales électriques utilisatrices de charbon ou de fonderies de métal constitue un autre exemple. La dispersion de tels polluants à partir des centrales utilisatrices de charbon en Ohio et dans les États voisins est la principale cause de la pluie acide dans les États et les provinces exposés (voir page 116).

• Le déversement illégal de déchets est aussi une pratique courante. Certaines industries utilisent le réseau d'égouts pour éliminer illégalement (et donc, à peu de frais) des déchets toxiques. Dans certains cas, l'industrie ignore que ses déchets nuisent à l'environnement et, lorsque le fait est découvert, le milieu est gravement endommagé. Bon nombre de formes de pollution atmosphérique appartiennent à cette catégorie. L'utilisation à long terme du plomb à titre d'additif aux essences ou de matière première dans les piles constitue un autre exemple. Des concentrations dangereuses de plomb ont été relevées dans l'air, l'eau et le sol à différents endroits, surtout dans les villes et les régions environnantes.

• De façon croissante, on adopte des lois qui réduisent ou interdisent l'utilisation de certaines substances qui ne peuvent être traitées, entreposées ou recyclées de façon adéquate. Bon nombre de substances, comme les BPC, le plomb, le mercure, les HFC et les oxydes d'azote, sont réglementées de cette façon dans certaines régions.

Étant donné que le niveau d'industrialisation et d'urbanisation des pays industrialisés est considérablement supérieur à celui des pays en voie de développement, on

Fig.15.6

Quelques types majeurs de déchets et l'environnement récepteur				
		Environnement récepteur		
Déchets	Air	Eau douce	Océans	Terres
Gaz et matière particulaire (par ex. SO$_2$, CO$_2$)	X —Transférés ultérieurement par les précipitations			
Composés pétrochimiques des gaz d'échappement (par ex. NO, NO$_2$)	X — Identique à ci-dessus			
Déchets solides (par ex. matériaux d'enfouissement, métal de rebut)				X
Résidus inorganiques (par ex. le mercure, le plomb)	X	X	X	X
Composés organiques				
pétrole		X	X	X
résidus organochlorés, par ex. DDT	X	X	X	X
Eaux usées			X	X
Résidus d'engrais		X	X	X
Radioactivité	X	X	X	X
Bruit	X			

croit parfois que les problèmes d'accumulation des déchets sont beaucoup moins graves dans le Tiers-Monde. En fait, c'est souvent l'inverse qui est vrai. Dans les villes du Tiers-Monde, le manque d'argent explique généralement l'absence de dispositifs antipolluants et l'élimination inadéquate des déchets. La pollution de l'air et de l'eau sont des causes de décès reconnues dans la population humaine.

À long terme, il est certain que le problème de la pollution s'aggravera dans les pays du Tiers-Monde. Il est improbable que des lois plus sévères de lutte contre la pollution accompagneront un niveau accru d'industrialisation et d'urbanisation. Au contraire, bon nombre de grandes sociétés internationales tirent profit des normes inférieures en matière de qualité environnementale et de sécurité en vigueur dans les pays en voie de développement. La tragédie de Bhopal en Inde en 1984 constitue un exemple bien connu de ce genre d'exploitation.

Étude 15-4

1. Une classification simple des écosystèmes comprend les catégories suivantes:
a) écosystèmes naturels à peu près vierges;
b) écosystèmes modérément perturbés par les activités de l'homme;
c) écosystèmes largement restructurés par le retrait des producteurs naturels et leur remplacement par un petit nombre de plantes ou d'animaux choisis par l'homme;
d) écosystèmes presque totalement détruits par la construction d'immeubles et d'autres composantes des villes.
Noter quelques exemples dans chaque catégorie. Expliquer pourquoi certains écosystèmes ont été modifiés considérablement tandis que d'autres demeurent à peu près inchangés.
2. Les plus grandes modifications subies par les écosystèmes remontent à peine aux dernières décennies, et il est à peu près certain que les processus de modification et de destruction se poursuivront dans le futur. Au cours du prochain siècle, la population mondiale ne fera que croître et la technologie imposera davantage de contraintes à la biosphère.
a) L'adaptation des écosystèmes aux utilisations de l'homme et l'expansion de la niche humaine doivent être considérées

comme des phénomènes normaux. Pourquoi alors ces phénomènes sont-ils à l'origine d'un nombre aussi considérable de problèmes graves?
b) Comment expliquer le désintéressement affiché par tant de gens à l'égard des problèmes environnementaux dont l'homme est responsable? Pourquoi a-t-on adopté si peu de lois environnementales sévères?

La conservation

Tout au cours de l'histoire de l'humanité, des hommes ont fait maintes erreurs dans leur relation avec l'environnement et entre eux. Cependant, nos ancêtres avaient généralement la possibilité de retarder le jour du règlement. Ils pouvaient retirer des profits immédiatement sans se soucier indûment des répercussions futures. Bon nombre d'entre eux étaient d'avis de laisser la postérité se préoccuper des problèmes de l'avenir. Aujourd'hui, vous êtes cette postérité et il vous est impossible de repousser à votre tour le jour du règlement. Ou bien les problèmes majeurs auxquels la Terre fait face seront résolus ou au moins atténués au cours de la vie de ceux qui sont déjà là, ou bien il n'y aura pas de postérité. Si vous ne réussissez pas à changer le mode de fonctionnement des sociétés humaines vous disparaîtrez tous jusqu'au dernier.[1]

La sensibilisation aux dommages que les hommes infligent à la biosphère a donné naissance à un mouvement de conservation généralisé et diversifié. Depuis ses débuts extrêmement modestes à la fin du siècle dernier, le mouvement a connu un essor, surtout au cours des dernières décennies. Aujourd'hui, il y a bon nombre de particuliers, d'organisations, de ministères gouvernementaux et d'organismes des Nations Unies qui participent à ce mouvement. L'objectif de tels groupes, énoncé de façon simple, est de prévenir les dommages inutiles aux éléments qui composent les systèmes naturels, ou leur destruction. Dans la «Stratégie mondiale de la conservation» examinée ci-dessous, la conservation est définie comme «la gestion des usages de la biosphère par les humains de façon à ce qu'elle puisse bénéficier d'une manière soutenue aux

---

[1] R. F. Dasmann, *Environmental Conservation*, 5e édition (New York: John Wiley and Sons Inc., 1984), p. 6.

générations actuelles tout en maintenant sa capacité de répondre aux besoins et aux aspirations des générations futures».

La principale difficulté que les partisans de la conservation rencontrent est que leurs objectifs sont souvent en conflit direct avec ceux qui aspirent à s'enrichir individuellement, avec les sociétés corporatives ou nationales qui misent sur divers projets de développement économique. La destruction des forêts tropicales (sujet du chapitre 18) est un exemple notoire. Étant donné que l'homme ne peut vivre sans développer, le conflit entre la conservation et la mise en valeur des ressources constitue un grave problème.

Dans ce cas également, il faut reconnaître que la question globale est compliquée davantage par le fait qu'il existe des écarts sociaux et économiques considérables entre les divers pays de la Terre. Il faut découvrir des moyens de hausser le niveau de vie des pays en voie de développement, et de maintenir celui des pays industrialisés, tout en limitant dans la plus grande mesure possible les dommages à l'environnement. Cette question ardue peut être énoncée de la façon suivante: comment prendre des décisions économiques qui a) satisferont les besoins humains essentiels et, par la même occasion, b) maintiendront la qualité et les ressources de la biosphère? Découvrir un moyen de réconcilier les principes de base de la conservation avec le besoin de mise en valeur est l'une des plus importantes questions sur laquelle l'humanité doit se pencher.

Les nombreuses organisations mondiales créées pour promouvoir la conservation emploient des stratégies très diverses. Le présent chapitre offre un examen du rapport des Nations Unies intitulé *Stratégie mondiale de la conservation: la conservation des ressources vivantes au service du développement durable*[2]. (Bien qu'un second rapport des Nations Unies intitulé *Notre avenir à tous*[3] traite des mêmes questions, il approfondit ces dernières et a l'avantage d'être plus récent. Les deux rapports sont recommandés à l'attention de ceux qui désirent en connaître davantage sur le sujet.)

Le principal objectif de la «Stratégie» est de persuader les pays du monde d'adopter des pratiques écologiquement valables de mises en valeur des ressources. Pour ce faire, il faut convaincre tant les hommes d'affaires que les hommes politiques que la prospérité économique, et même le maintien de la vie, dépend de l'utilisation judicieuse et de la conservation de toutes les composantes de la biosphère.

La Stratégie mondiale de la conservation énonce trois objectifs majeurs de conservation des ressources.

• Afin de soutenir la croissance de la population humaine et les autres formes de vie avec lesquelles l'homme partage la planète, il faut s'assurer que les processus écologiques et les systèmes de maintien essentiels à la vie sont protégés. Ces derniers englobent des écosystèmes majeurs comme les systèmes agricoles, forestiers, aquatiques (eau douce) et littoraux (eau salée). Les dommages causés aujourd'hui à ces systèmes menacent le bien-être des populations actuelles et à venir. Le présent document contient bon nombre d'exemples (pluies acides, réduction de la couche d'ozone, destruction des forêts tropicales) qui justifient cet objectif.

• À mesure que la population humaine s'accroît, et que sa niche s'étend, les populations animales et végétales subissent des pertes lorsque leurs habitats sont détruits. Bon nombre d'espèces disparaissent. (Les conséquences tragiques de ces disparitions dépassent le cadre de la présente étude.) Bon nombre de gens croient qu'il est de leur devoir, à titre d'espèce dominante (ou destructrice) de ne pas laisser la planète moins vivante et moins merveilleuse qu'elle ne le serait si l'homme n'était pas intervenu. C'est pourquoi le deuxième objectif fait appel à la participation de tous les hommes à des programmes qui sont conçus pour préserver les ressources génétiques de la planète.

• L'homme dépend des ressources vivantes de la Terre, c'est-à-dire les forêts, les sols, l'eau, les plantes et les animaux. Il obtient d'eux les matériaux nécessaires à sa survie. Bon nombre de nos activités actuelles détruisent ces ressources: les stocks de poissons sont surexploités; les terres sèches productives sont transformées en déserts (voir chapitre 19); et les sols sont appauvris par une

[2]*Stratégie mondiale de la conservation: la conservation des ressources vivantes au service du développement durable*, préparé par l'Union internationale pour la conservation de la nature et de ces ressources, avec l'aide consultative et financière ainsi que la coopération du Programme des Nations Unies pour l'environnement (PNUE) et le Fonds mondial pour la nature (FMN), 1980.

[3]*Notre avenir à tous*, Commission mondiale sur l'environnement et le développement (Montréal: Édition du Fleuve, 1988).

utilisation ou emportés par l'érosion lorsque la couverture végétale est détruite. En fait, il ne s'agit que de quelques exemples des moyens que l'homme utilise pour réduire la capacité de la Terre à entretenir la vie. Le troisième objectif de la Stratégie mondiale de la conservation vise à assurer un usage continu des espèces et des écosystèmes, dont la faune et la flore, les forêts et les sols, de façon à ce que ces derniers continuent non seulement de jouer leur rôle au profit de l'homme d'aujourd'hui, mais aussi qu'ils soient disponibles pour les générations futures.

Il n'est pas difficile d'identifier les problèmes environnementaux et d'écrire sur ce thème. Il existe de nombreuses études qui traitent de ces problèmes et la plupart se recoupent et se répètent. La difficulté associée aux questions environnementales n'est pas tant d'identifier les décisions économiques qui sont à l'origine des problèmes environnementaux, mais de découvrir une solution qui peut être opérante. La plupart des décisions économiques sont basées principalement sur les facteurs qui permettront d'obtenir les profits maximaux à court terme. Il est rare que l'on se préoccupe d'une façon volontaire des effets de ces prises de décisions sur le bien-être à long terme du milieu. Cette insouciance constitue une part majeure du problème. Comment peut-on modifier l'attitude des gens de façon à ce qu'ils puissent reconnaître que les seules décisions économiques valables sont celles qui prennent en considération l'utilisation et la conservation adéquates des composantes de la biosphère?

Étude 15-5

1. Présenter de façon détaillée le conflit latent entre le principe de la conservation et la mise en valeur des ressources. On entend souvent les hommes politiques, les économistes et les hommes d'affaires admettre l'existence des problèmes environnementaux tout en soulignant qu'il y a des limites à ce qu'ils peuvent faire. Les coûts accrus de production, les pertes d'emplois, les hausses de taxes et la réduction des profits sont les motifs invoqués pour ne pas intervenir. Préparer un débat ou un rapport sur les divers aspects du conflit entre le principe de conservation et la mise en valeur.

2. Pourquoi la situation économique actuelle dans les pays en voie de développement complique-t-elle davantage cette controverse?

3. Examiner chaque objectif susmentionné de la Stratégie mondiale de la conservation et indiquer quelques exemples locaux et actuels de questions qui sont pertinentes à chacun des trois objectifs. Vous semble-t-il que des solutions, appropriées aux problèmes environnementaux, apparaîtront dans un avenir immédiat? Quelles seront les conséquences dans le cas contraire?

4. *Si nous voulons éviter une catastrophe collective, il est de plus en plus évident que certains changements majeurs et fondamentaux s'imposent: nos relations avec nous-mêmes, notre corps et notre entourage; nos exigences face aux autres et à la planète; et, enfin, notre connaissance et notre rapport avec la Terre. Comme bien des gens l'ont souligné, nous devons développer une nouvelle vision du monde intégrée, qui sera fondée sur la coopération et des perspectives à long terme, dénué d'esprit d'exploitation écologique, globale, pacifique et humaine. Nous devons réellement effectuer une percée dans un monde qui accorde une pleine reconnaissance à la personne, à la société et à la planète...*[4]

Après une lecture attentive de la citation ci-dessus, commenter les points suivants:

a) Qu'est-ce qui pourrait nous entraîner vers une catastrophe collective?

b) Quelles transformations devons-nous entreprendre en tant qu'individu? Ces changements seront-ils difficiles à réaliser?

c) En quoi la nouvelle vision du monde de Russell diffère-t-elle de celle de la plupart des gens?

---

[4]Peter Russell, *The Awakening Earth: The Global Brain* (London: Ark Paperbacks, 1984), p. 113-115.

16 / Végétation naturelle

L'expression «végétation naturelle» peut porter à confusion. Toute la végétation était autrefois «naturelle», c'est-à-dire avant que l'homme ne l'aménage de diverses façons. Des régions entières sont maintenant recouvertes de végétaux cultivés et les écosystèmes naturels primitifs ont été réduits à l'état de vestiges. Il est plus approprié d'étudier la culture de la végétation dans le contexte de l'agriculture. Dans d'autres régions, la végétation naturelle a été modifiée à des degrés divers par les activités humaines. Cependant, des échantillons représentatifs des formations végétales initiales ont survécu en assez grand nombre dans certains endroits pour que l'expression «végétation naturelle» puisse être utilisée. Dans ces biomes qui n'ont pas été trop perturbés par les activités humaines, la végétation est demeurée plutôt inchangée pendant de très longues périodes. Après avoir traversé plusieurs phases de succession, les plantes de ces biomes ont atteint une phase finale ou climax dans lequel elles sont plus ou moins en équilibre avec le milieu naturel.

L'étude de la répartition des végétaux et des animaux, que l'on désigne par le terme *biogéographie*, est une partie importante de la géographie physique. Comme on l'a vu, la surface de la Terre peut être divisée en un certain nombre d'écosystèmes majeurs ou biomes d'après la similitude des espèces végétales (fig. 16.1). La principale source des différences observées est le climat.

Étude 16.1

L'étude des plantes, particulièrement celle des grandes formations végétales ou biomes, est souvent négligée. Il est possible que l'homme considère qu'elles lui sont acquises et qu'il ne comprenne pas le rôle important qu'elles jouent dans le fonctionnement de la biosphère. Commenter chaque énoncé ci-dessous, en utilisant des exemples précis pour illustrer l'importance des plantes tant à titre d'entités individuelles que comme grandes formations.

a) Les plantes constituent une importante ressource qui entre dans la fabrication d'une gamme diversifiée de produits.

b) Les plantes sont les producteurs des écosystèmes.

c) Les plantes jouent un rôle important dans le cycle hydrologique, en partie en ralentissant le rythme de recyclage de l'eau.

d) Rares sont les gens qui ne sont pas émus par la beauté des plantes de tous les milieux qu'ils soient naturels ou aménagés par l'homme.

e) Les plantes fournissent la plus grande partie de l'oxygène atmosphérique.

f) Les plantes modifient les climats locaux de diverses façons.

Classification de la végétation

Le géographe se soucie principalement des caractéristiques d'ensemble de la végétation. (Par contre, le botaniste identifie chaque espèce individuelle à l'aide d'une classification détaillée.) On distingue quatre classes majeures de végétation naturelle observée sur les continents, soit la forêt, la prairie, le désert et la toundra. Ces quatre classes ou *communautés végétales* peuvent, à leur tour, être divisées en plusieurs sous-communautés différentes. C'est à ce stade que les choses se compliquent, car la végétation est constituée d'un nombre considérable d'individus qui peuvent former une infinité de combinaisons.

Les principaux aspects de la végétation qui facilitent la distinction des diverses communautés et sous-communautés sont présentés ci-dessous:

• espèces végétales principales;

• caractéristiques des feuilles, des tiges et des racines des principales espèces;

• apparence générale de la végétation comprenant la disposition, la densité, la hauteur, la stratification verticale et la coloration.

Les principaux biomes cités à la page suivante fournissent un schéma général planétaire de la végétation naturelle.

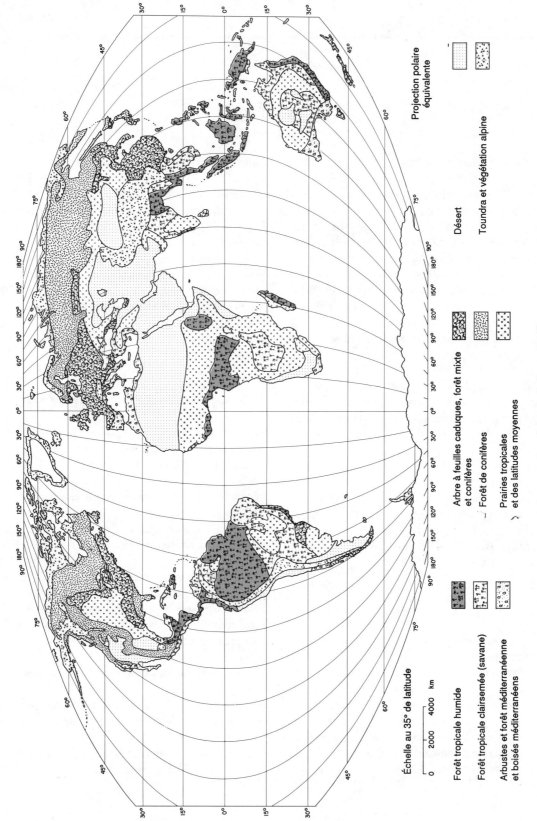

Échelle au 35° de latitude

0   2000   4000   km

Forêt tropicale humide

Forêt tropicale clairsemée (savane)

Arbustes et forêt méditerranéenne
et boisés méditerranéens

Arbre à feuilles caduques, forêt mixte
et conifères

Forêt de conifères

Prairies tropicales
et des latitudes moyennes

Désert

Toundra et végétation alpine

Projection polaire
équivalente

Fig. 16.1 Types de végétation naturelle.

COMMUNAUTÉ FORESTIÈRE
Forêt tropicale humide
Forêt tropicale clairsemée (savane)
Forêt de feuillus et forêt mixte de feuillus et de conifères
Forêt de conifères ou d'arbres à aiguilles

COMMUNAUTÉ DE PRAIRIE
Savane tropicale
Prairies des latitudes moyennes (prairie et steppe)

COMMUNAUTÉ DE DÉSERT
Végétation d'arbres nains et sans arbres
Toundra

COMMUNAUTÉ DES ARBUSTES
Arbustes tropicaux
Arbustes et forêt méditerranéenne

Facteurs déterminants de la végétation

Les principales espèces naturelles sont réparties selon un modèle déterminé par le milieu physique. Cet environnement est composé de composantes interférant entre elles comme l'énergie solaire, le climat, la roche-mère, les sols, le drainage, les formes de terrain et la faune sauvage, qui font tous partie de l'écosystème. Étant donné que, contrairement aux animaux, les plantes sont immobiles, elles doivent s'adapter aux conditions qu'une région leur impose. Certaines parmi les plus importantes de ces conditions sont décrites ci-dessous.

La chaleur

Pour chaque plante, il existe une température maximale et une température minimale au-delà de laquelle la survie végétale est impossible, et un écart optimal qui favorise la croissance la plus rapide. La température maximale est celle qui a le moins d'importance, car il n'existe pas à la surface de la Terre de région où la température est torride au point d'empêcher la survie d'une grande diversité de plantes avec une quantité suffisante d'humidité. Cependant,

le seuil minimal est beaucoup plus restrictif. À mesure que les températures et la période de croissance diminuent en progressant vers les pôles, ou avec l'élévation, le nombre d'espèces végétales décroît considérablement.

L'isotherme de 10°C de juillet (voir fig. 6.5) est l'emplacement approximatif de la *limite des arbres*. Au-delà de cette limite, la saison de croissance est trop courte et trop froide pour permettre le développement des arbres. C'est à cet endroit que commence la végétation de toundra ou de type alpin. Les plantes s'adaptent aux régions à saisons froides d'une des façons suivantes:
• Les plantes à feuilles caduques arrêtent leur croissance et perdent leurs feuilles.
• Les plantes à feuilles persistantes arrêtent leur croissance, mais ne subissent aucune transformation apparente pendant la saison froide.
• Les autres plantes (connues sous le nom d'*annuelles*) meurent, et l'espèce se perpétue par des semences qui survivent au froid. Parmi les exemples d'annuelles, on compte certaines graminées et bon nombre de plantes dites mauvaises herbes.

L'eau

Toutes les plantes ont besoin d'eau. Il s'agit de l'ingrédient principal de la *sève*, solution aqueuse d'éléments nutritifs qui nourrissent toutes les parties de la plante. Au cours du processus d'autosuffisance, de grandes quantités d'eau pénètrent dans l'organisme végétal et en ressortent surtout par les feuilles. Ce processus s'appelle la *transpiration*.

L'espèce autant que les traits particuliers d'une plante varient en fonction de la quantité d'eau disponible. Les plantes qui vivent dans l'eau ou dans des zones très humides ou humides sont connues sous le nom d'*hydrophytes* (d'après le mot grec *hygro* qui signifie humide). Ces végétaux ont généralement des racines très peu profondes, des feuilles larges et peu épaisses et de longues tiges minces. Le nénuphar est un hydrophyte. Les plantes qui vivent dans des secteurs très secs sont des *xérophytes* (d'après le mot grec *xero* qui signifie sec). Ces végétaux présentent des caractéristiques communes qui résultent d'une adaptation à des conditions de sécheresse extrêmes. Ces caractéristiques comprennent des systèmes radiculaires profonds et étendus, des tiges courtes et épaisses, de petites feuilles charnues, et une écorce ou une couche de cire épaisse sur les feuilles et les tiges, qui empêchent la perte d'eau. Le cactus est un xérophyte. Les plantes qui vivent dans des environnements intermédiaires sont des *mésophytes*.

Dans les climats qui se divisent en période humide et en période sèche, ou qui se distinguent par une saison froide marquée, on observe bon nombre de plantes hydrophytes à un moment donné et xérophytes à un autre. Il s'agit dans ce cas de *tropophytes* (d'après le mot grec *tropos* qui signifie changement). Par exemple, dans les zones tropicales caractérisées par une saison sèche distincte, la plupart des arbres perdent leurs feuilles pendant la période de sécheresse. Leurs branches et leur tronc ligneux conservent l'eau. Lorsque les pluies arrivent, les bourgeons s'ouvrent et les nouvelles feuilles se forment. Aux latitudes moyennes, la plupart des feuillus, comme le chêne et l'érable, sont des tropophytes.

Les sols

Le sol a un effet important sur la végétation. Cette influence est compliquée par le fait que le sol est lui-même le résultat de l'interaction de la température, des précipitations et de la végétation. Les variations locales observées dans les sols sont également causées par les différences de profondeur, de drainage, de pente et de type de lit rocheux soumis à l'érosion climatique sur lequel le sol repose (ce processus est expliqué au chapitre suivant).

Bien que le climat soit largement responsable de l'élaboration des principaux types de végétation, les innombrables variations locales à l'intérieur d'un même type sont en grande partie déterminées par le sol. Par exemple, les sols sablonneux ou rocheux, qui sont très poreux, peuvent engendrer une végétation xérophytique, même dans les régions qui reçoivent des pluies modérées.

La compétition (succession)

Bien que la chaleur, l'humidité et les conditions pédologiques dans la plupart des régions permettent la présence d'une grande diversité d'espèces végétales, cette diversité est très inférieure à ce que l'on pourrait s'attendre.

La raison de ce phénomène est la compétition entre les plantes. Le processus d'évolution et de sélection naturelle (ou succession, décrite au chapitre précédent), amènent certaines plantes à dominer et à établir en bout de ligne un climax.

La compétition survient lorsqu'une ressource ne peut satisfaire les besoins de deux sujets ou de deux espèces dans une même communauté. Le concept de la niche, expliqué au chapitre précédent, aide à comprendre l'importance de la compétition dans la répartition des espèces et des communautés végétales.

Ce concept est étroitement lié au principe de spécialisation, qui s'applique également à plusieurs domaines de la géographie humaine. En se spécialisant dans leur travail, les hommes font le meilleur usage possible de leurs capacités inhérentes et acquises, et évitent la compétition dans une certaine mesure. Dans les communautés végétales la spécialisation est réalisée pour des raisons semblables. Dans une même communauté, les individus se complètent de diverses façons. Elles extraient différentes ressources, utilisent différents segments spatiaux dans l'environnement et se servent des mêmes ressources à des époques différentes de l'année.

La compétition pour la lumière dans les communautés forestières illustre ce principe (voir fig. 18.1). Les grands arbres avec leur large frondaison réduisent l'intensité de l'ensoleillement pour les plantes qui poussent à des niveaux inférieurs. En conséquence, la croissance des jeunes arbres qui prennent racine sous cette ombre est limitée et bon nombre d'entre eux meurent. Cependant, des espèces plus petites, comme des arbrisseaux et des plantes à fleurs occupent avec succès ces endroits ombrés. Dans une forêt de feuillus par exemple, les espèces de taille réduite s'adaptent aux conditions de vie dans une faible intensité lumineuse ou vivent leur période de croissance au printemps avant que les arbres développent leur feuillage.

La compétition et les différences dans les niches sont également très apparentes pendant les phases de succession d'une communauté végétale. Par exemple, lorsqu'un secteur de forêt de feuillus, qui a été déboisé, a la possibilité de se régénérer, il traverse une série de phases avant d'atteindre la maturité. Au cours de chacune des phases, des espèces différentes dominent. Au début, le sol déboisé est recouvert de graminées et d'autres plantes de faible hauteur. Ensuite, plusieurs espèces d'arbrisseaux peuvent apparaître, atteignant jusqu'à six mètres, et couvrant d'ombre les graminées. Ces arbrisseaux constituent la pépinière des arbres dominants de la forêt dont les jets poussent dans leur ombre. Cependant, ces jeunes arbres se frayent bientôt un chemin à travers la frondaison de niveau inférieur. Lorsque les arbres émergent des basses frondaisons et commencent à ombrer les niveaux inférieurs, les arbrisseaux doivent compétitionner avec eux pour la lumière, l'humidité et les éléments nutritifs. Dans cette compétition, les arbrisseaux poussent en hauteur, perdent de leur robustesse et deviennent plus vulnérables aux accidents. Enfin, certains d'entre eux périssent. Il est possible que la forêt qui apparaît constitue une végétation naturelle permanente. Des phases similaires sont identifiées dans toutes les formations végétales.

Lorsque deux espèces végétales occupent la même niche dans une communauté, l'une est destinée à disparaître. Il s'ensuit que, dans une communauté climacique, deux espèces ne peuvent jamais être en compétition directe. En effet, comme on l'a vu, les espèces ont plutôt tendance à se compléter en utilisant différentes composantes des ressources communautaires. L'observation des caractéristiques des différentes plantes dans une communauté climacique pourrait aider l'homme à comprendre les fonctions de chaque espèce.

Étude 16-2

L'influence que l'homme a eu autrefois sur les principales régions de végétation naturelle était multiple. Certains biomes ont évolué de manière significative, ont été complètement détruits tandis que d'autres sont demeurés à peu près inchangés.
1. Indiquer les biomes de la Terre qui sont encore dans un état «naturel» relatif. Dans quelles régions la végétation naturelle a-t-elle été plus ou moins détruite? Expliquer.
2. À mesure qu'un nombre croissant des biomes de la planète sont modifiés ou détruits, de plus en plus d'animaux et de plantes disparaissent. Étudier le thème de la disparition des espèces et préciser a) les causes, b) les espèces concernées, c) les responsabilités.

Types de végétation naturelle

La figure 16.1 illustre la végétation naturelle sur l'ensemble des continents. Elle n'indique pas les régions où cette végétation a été en grande partie détruite ou modifiée par l'homme. La carte est considérablement simplifiée, car elle n'indique aucune des variations importantes qui se sont produites dans les principales formations végétales naturelles. En utilisant cette carte, il ne faut pas oublier que chaque type de végétation comprend un amalgame de communautés végétales différentes. Les frontières entre les divers types d'espèces sont des zones de transition (appelées *écotons*) où les espèces d'un type peuvent se mêler à celles d'autres types.

La plus importante division dans le monde végétal est celle qui sépare la forêt du reste de la végétation. Cependant, cette limite est parfois indistincte. En conséquence, le terme «forêt» ne doit s'appliquer qu'à des secteurs où les arbres forment un couvert de feuillage plus ou moins continu.

Les forêts

Environ un tiers de la superficie des continents est constitué d'écosystèmes à base de forêts. Les arbres représentent l'un des plus grands et des plus vieux organismes vivants de la planète. Certains pins à cônes pointus, découverts en Californie, sont âgés de plus de 4 000 ans, et les séquoias de Californie atteignent plus de 100 mètres de hauteur.

Les forêts peuvent être subdivisées selon plusieurs traits caractéristiques. La subdivision la plus intégrée est probablement celle qui se fonde sur les caractéristiques du feuillage, étant donné que les arbres qui ont un feuillage similaire ont généralement bon nombre d'autres traits communs. Les feuilles des arbres ont habituellement la forme d'aiguilles (par ex. le pin) ou s'étalent dans le sens de la largeur (par ex. l'érable). La plupart des arbres qui croissent aux moyennes et hautes latitudes ont des feuilles en aiguilles. Étant donné qu'ils portent aussi des cônes, ils sont appelés conifères. Les arbres qui poussent de façon naturelle aux moyennes et basses latitudes sont en majorité des arbres à larges feuilles.

En outre, les arbres peuvent être subdivisés selon que leur feuillage persiste ou non. Les arbres à feuilles persistantes gardent leur feuillage l'année durant, tandis que les arbres à feuilles caduques perdent toutes leurs feuilles au moins une fois par année. Aux moyennes latitudes, la plupart des feuillus sont des arbres à feuilles caduques. Aux latitudes basses, des feuillus, comme le laurier et le caroubier, sont des plantes à feuilles persistantes. D'ailleurs, presque tous les conifères et les arbres à aiguilles ont un feuillage persistant, à l'exception du mélèze eurasien (appelé mélèze d'Amérique du Nord), dont les feuilles en forme d'aiguille sont caduques.

Forêts tropicales humides

Étant donné les événements majeurs qui perturbent actuellement ce biome, le thème des forêts tropicales est davantage approfondi au chapitre 18.

Les forêts de conifères

En Amérique du Nord, dans plusieurs régions différentes les forêts de conifères prédominent. La forêt *boréale* s'étend au nord du continent et couvre une grande partie de l'espace canadien. (Ce type de forêt s'étale encore davantage à des latitudes semblables en C.E.I., où cette végétation se nomme la *taïga*, un terme d'origine russe signifiant forêt.) Dans l'ouest de l'Amérique du Nord, la forêt de conifères descend le littoral depuis l'Alaska et s'arrête au nord de la Californie. Elle peut être subdivisée en plusieurs types différents qui comprennent la forêt du Pacifique, la forêt subartique et la végétation de montagne. Les forêts de pins du sud-est des États-Unis constituent un autre foyer majeur de peuplement de conifères.

La forêt boréale d'Amérique du Nord

Certaines zones de la forêt boréale vierge peuvent donner une impression d'extrême monotonie lorsqu'on les parcourt. Sur de vastes étendues, la couverture serrée des conifères à feuilles persistantes projette un ombre intense au sol. En conséquence, la végétation du sous-bois est

Fig. 16.2 L'espèce dominante dans cette zone marécageuse du bouclier canadien près de Sudbury est l'épinette noire. Un certain nombre de mélèzes apparaissent à l'avant-plan, et quelques sapins baumiers à l'arrière.

rare, voire inexistante, le sol étant recouvert d'une litière de feuilles en forme d'aiguille, et de bois mort en décomposition... Le conifère à feuilles persistantes est particulièrement bien adapté aux régions d'Eurasie et d'Amérique du Nord caractérisées par des hivers froids et des saisons de croissance courtes. La surface mince des feuilles en forme d'aiguilles permet à ces arbres de réduire la perte en eau par la transpiration à un niveau très bas pendant l'hiver lorsque l'eau ne peut être puisée du sol gelé. Par contre, dès que les températures de l'air et du sol sont suffisamment élevées pour permettre la photosynthèse et d'autres processus physiologiques qui ont lieu au printemps, les arbres peuvent profiter de la reprise de ces activités.[1]

[1] R.S. Eyre, *Vegetation and Soils* (London: Edward Arnold, 1963), p.47, 49 et 50.

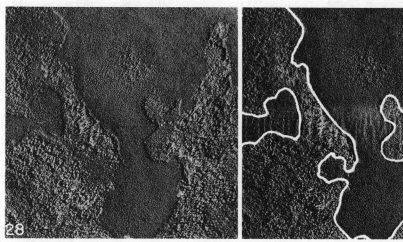

Fig. 16.3 Le peuplement d'épinettes noires, dont le pourtour est dessiné dans cette paire de photos en stéréoscopie, est entouré de trembles. Les épinettes, âgées de 82 ans, ont environ 15 m de hauteur.

Les arbres dominants de l'Est comprennent, dans l'ordre, l'épinette noire, le pin gris, le sapin baumier, l'épinette blanche et le mélèze (voir fig.16.2). En progressant vers l'Ouest, ces espèces cèdent progressivement la place au pin (lodgepole), au sapin de l'Ouest et d'autres. Les arbres communs à feuillage caduc que l'on observe partout dans la forêt boréale comprennent le mélèze (arbre à aiguilles caduques) ainsi que le bouleau blanc et le tremble (arbres à larges feuilles caduques).

La fig. 16.3 présente une vue stéréoscopique verticale d'un petit secteur de la forêt boréale près de Cochrane dans le nord de l'Ontario. Elle illustre la tendance de l'espèce à former des peuplements purs sans aucun mélange avec d'autres espèces. Dans la photographie, une ligne blanche sépare deux espèces boréales communes, soit l'épinette noire et le tremble. L'épinette noire est généralement observée dans des peuplements purs à des altitudes inférieures, souvent dans des régions mal drainées. Lorsque le peuplement est pur, les frondaisons présentent une configuration régulière et leur hauteur est uniforme. Ce peuplement peut être identifié (à l'aide d'un stéréoscope) grâce à ses fines cimes à sommet pointu. Par contre, la population de trembles présente des cimes à sommet arrondi, et les arbres sont souvent espacés.

La ségrégation par peuplements purs survient lors de la succession. En effet, la plupart des espèces dominantes d'arbres ont des besoins ou des tolérances légèrement différentes et ils sont liés à des facteurs comme le sol, le drainage et la pente. Dans une région où les caractéristiques physiques (par exemple, un mauvais drainage ou des pentes très inclinées) sont relativement uniformes, une ou deux espèces ont tendance à dominer le jeu de la compétition.

Étude 16-3

1. À l'aide d'un stéréoscope, identifier les peuplements d'épinettes noires et de trembles à la fig. 16.3. Décrire de manière aussi détaillée que possible les différentes caractéristiques de chaque peuplement tel qu'il apparaît sur la photographie. Suggérer des hypothèses sur la séparation marquée des deux types de peuplements. Expliquer pourquoi l'identification des deux espèces dans la photographie serait plus facile l'hiver que l'été.

2. Décrire les caractéristiques de la forêt à la fig. 16.4. Noter la diversité des espèces et chercher à justifier les zones clairsemées assez étendues. Les peuplements de sapins baumiers et d'épinettes noires apparaissent de façon nette.

3. Pourquoi les arbres à aiguilles persistantes dominent-ils aux latitudes plus élevées? Dites ce qui les empêche de dominer en tant qu'espèce dans les forêts feuillues du Sud.

4. Quel est l'avantage commercial de la ségrégation naturelle des espèces dans les formations dominées par une ou deux espèces?

5. À l'aide de l'information fournie dans ce chapitre, décrire les caractéristiques de la forêt boréale.

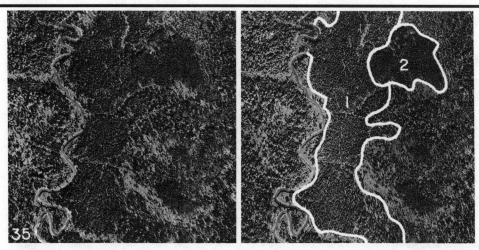

Fig. 16.4 Paire de photos en stéréoscopie prises près du lac Kirkland (dans le nord de l'Ontario). Les espèces d'arbres identifiées sont: 1) le sapin baumier, 2) l'épinette noire. Les sapins sont âgés de 60 ans et ont 15 mètres de hauteur, tandis que les épinettes sont âgées de 98 ans et ont 17 mètres de hauteur.

6. La région du sud des États-Unis recouverte par une forêt de pins (fig. 16.5) jouit d'une saison de croissance prolongée et d'abondantes précipitations. Comment peut-on expliquer le développement, dans ces conditions, d'une forêt d'arbres à aiguilles persistantes plutôt que d'une forêt d'arbres à larges feuilles caduques? Cette forêt méridionale de pins constitue une importante source de divers matériaux utiles. Quels avantages possède cette forêt comparativement aux régions forestières septentrionales? Comment diffère-t-elle de la forêt boréale quant à l'apparence générale?

7. La forêt d'arbres à aiguilles persistantes dans la partie occidentale de l'Amérique du Nord (fig. 16.7) renferme une diversité d'espèces. Le sapin de Douglas, l'épinette de Sitka, le cèdre de l'Ouest et la pruche de l'Ouest dominent dans la partie septentrionale de la forêt, et le séquoia, le pin ponderosa, le pin blanc et le mélèze de l'Ouest, dans la partie méridionale. Cette forêt est une source majeure de bois d'oeuvre pour l'industrie de la construction. Comparer la forêt de l'Ouest avec la forêt boréale et citer certaines des raisons pour lesquelles la première a une plus grande importance commerciale, particulièrement dans les régions côtières.

La forêt feuillue et la forêt mixte de feuillus et de conifères

Les forêts vertes en été, dominées par les feuillus dont la perte des feuilles est due à l'hiver défavorable, constituent la principale formation climacique sur la plus grande partie des zones tempérées d'Europe, d'Asie orientale et d'Amérique du Nord. Elles réapparaissent dans certaines régions comparables de l'hémisphère Sud. Du point de vue physiologique, l'hiver froid fait figure de saison sèche parce que les températures basses entravent souvent l'absorption d'eau au moyen des racines. Ce phénomène est contrebalancé par l'absence de feuillage en hiver, car la perte d'eau qui s'effectue par les feuilles principalement doit être compensée par une alimentation à partir du sol. L'arbre pourrait être gravement endommagé, ou même détruit, si le processus de transpiration était maintenu, par exemple en période de temps doux lorsque le sol demeure gelé, en l'absence de compensation par le processus d'absorption. Donc, dans les conditions actuelles, les forêts feuillues sont typiques de certaines des régions les plus peuplées de la Terre, bien que dans ces zones, il existe maintenant à peine plus que des îlots de végétation rappelant une phase climacique. Cette situation est due en grande partie à l'intervention de l'homme, c'est-à-dire à la déforestation et au défrichement à des fins agricoles ou autres, ou à la surexploitation des espèces végétales par les animaux domestiques.[2]

[2]Nicholas Polunin, *Introduction to Plant Geography in Some Related Sciences*, p. 337. Copyright 1960 Nicholas Polunin (London: Longman Group Ltd).

Fig. 16.5 Pin à longues feuilles âgé de 80 ans dans la forêt nationale d'Osceola en Floride.

La forêt mixte nord-américaine (fig. 16.6) abrite des espèces à feuilles persistantes comme le pin rouge et le pin blanc, l'épinette et la pruche. Les feuillus dominants comprennent le merisier, l'érable à sucre, le chêne, le tilleul d'Amérique et le noyer d'Amérique. Suite à l'intervention destructive de l'homme, il reste aujourd'hui moins de dix pour cent de la forêt initiale.

Étude 16-4

1. L'une des principales caractéristiques de la forêt de type feuillu et de la forêt mixte de feuillus et de conifères est le changement d'apparence de l'été à l'hiver. Justifier la perte complète du feuillage pendant la saison froide.

Fig. 16.6 Boisé mixte de feuillus et de conifères dans le sud de l'Ontario.

Fig. 16.7 Peuplement de sapins de Douglas âgé de 75 ans dans le district de Quilcene de l'État de Washington.

2. La limite de la zone forestière, comme celle de toutes les zones de végétation, est un secteur de transition. À l'aide de la fig. 16.1, décrire la nature des transitions observées le long des limites nord, ouest et sud de cette zone forestière en Amérique du Nord.

3. Pourquoi a-t-on rasé la majeure partie de la forêt de type feuillu aux moyennes latitudes? Avancer des arguments justifiant la localisation des forêts résiduelles de type feuillu. Décrire certaines conséquences de la destruction de la forêt.

Buissons et boisés méditerranéens

Ce type de végétation est caractérisé par des boisés clairsemés qui abritent principalement des arbres à larges feuilles persistantes comme le chêne et l'eucalyptus. Bon nombre d'arbres, de faible hauteur et rabougris, sont entremêlés d'arbrisseaux et d'arbustes. Dans les régions où la forêt a été éliminée par l'homme ou le feu, cette végétation de buisson devient dominante. Elle forme un type de végétation appelé *maquis* en Europe et *chaparral* en Californie (voir les figures 14.5 et 16.8).

La végétation de maquis regroupe une grande diversité d'espèces dont l'olivier, le myrte, la lavande et le romarin. Bien que ces plantes aient rarement plus de trois mètres de hauteur, elles forment souvent d'épais fourrés très enchevêtrés. Étant donné que le maquis a servi de cachette aux membres de la Résistance française pendant la Seconde Guerre mondiale, le terme de «maquis» a été attribué à l'organisation clandestine française.

Dans les régions méditerranéennes les plus sèches, particulièrement celles qui recouvrent la roche calcaire, le boisé initial a été remplacé par des plantes de plus faible hauteur, dont des arbustes nains épineux et le chêne nain. Ce type de végétation est appelée *garrigue*, terme provençal qui désigne des arbrisseaux rabougris à feuilles persistantes et poussant à une faible hauteur.

Afin de survivre dans des conditions climatiques difficiles, les plantes des régions méditerranéennes se sont dotées de caractéristiques inhabituelles, soit de petites feuilles épaisses qui ressemblent au cuir, un tronc noueux et tordu généralement recouvert d'une écorce épaisse, et un système radiculaire très étendu. Ce type de système radiculaire permet à la plante de se reproduire grâce aux surgeons. En conséquence, même lorsque la cime des arbres est détruite par le feu, ce qui survient couramment au cours des étés méditerranéens secs, les racines survivent et un épais fourré de broussailles se forme sans délai.

Étude 16-5

1. Examiner la répartition de la végétation de broussailles et de boisés méditerranéens à la fig. 16.1. Décrire les conditions climatiques dans lesquelles cette végétation s'est formée.
2. Pourquoi la végétation des régions méditerranéennes présente-t-elle une aussi grande diversité?
3. À l'aide de la classification de la végétation présentée à la page 147, décrire les types illustrés à la figure 16.8.

Fig. 16.8 Végétation de chaparral caractéristique dans la forêt nationale de Los Padres en Californie.

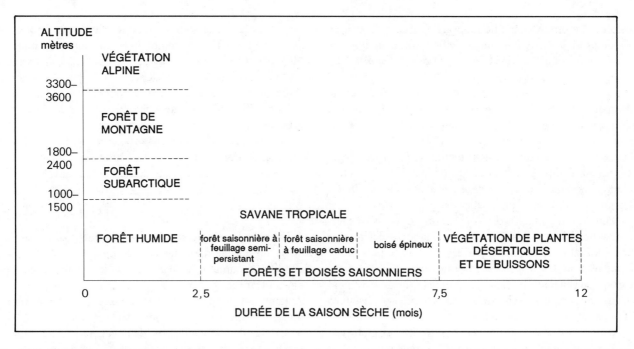

Fig. 16.9 Modèle de représentation des types de végétation tropicale en fonction de l'altitude et de la durée de la saison sèche.

Les prairies
La savane tropicale

Lorsque la durée de la saison sèche dépasse deux mois et demi, la forêt tropicale humide est remplacée par deux autres types de végétation. Dans certaines régions, on observe des forêts et des boisés saisonniers (appelés forêts tropicales clairsemées à la fig. 16.1), et dans d'autres, des savanes tropicales (voir fig. 16.9). Les forêts et les boisés saisonniers sont moins denses et moins stratifiés que la forêt humide. Étant donné que la formation forestière saisonnière est moins épaisse, la lumière pénètre jusqu'au sol permettant la croissance des graminées et des arbrisseaux. En raison de la saison sèche plus longue et d'une moins grande abondance de précipitations, les arbres sont plus courts et ont des feuilles caduques.

Les savanes tropicales apparaissent dans les mêmes zones à saison sèche que les forêts saisonnières. Les savanes se distinguent des forêts par le fait que les graminées forment le type de végétation dominant, bien que l'on y trouve aussi des arbres et des arbrisseaux formant des paysages ouverts à l'apparence de parcs.

Les types de savanes vont de la savane boisée où les arbres dominent jusqu'à la vraie savane herbeuse où les arbres sont limités à quelques endroits dispersés, surtout le long des cours d'eau. Un type intermédiaire de savane, qui recouvre de vastes régions africaines est la savane d'acacias à hautes herbes. Dans cette savane, la plante dominante est le tussack qui forme une couverture végétale presque ininterrompue. Les arbres dispersés ont des feuilles caduques, comme l'acacia ou le combretum en Afrique, ou des feuilles persistantes, comme l'eucalyptus en Australie.

Étant donné que les forêts saisonnières et les savanes apparaissent dans des conditions climatiques semblables (climat Aw), la plupart des scientifiques ont tendance à croire qu'il ne peut exister de «climat de savane» distinct. Ils divergent cependant quand ils justifient l'existence des types de végétation de savane. Certains sont d'avis qu'une combinaison de conditions climatiques, hydrologiques et de sols peut produire les graminées des savanes. Cependant, la majorité des chercheurs croient que de fréquents incendies pendant des périodes prolongées seraient responsables de la destruction des arbres et des arbustes et de la colonisation subséquente par les graminées. Par exemple, en Afrique, les rapports de témoins oculaires sur des incendies dévastateurs dans ces zones de végétation remontent jusqu'au cinquième siècle avant J.-C.

À l'heure actuelle, bon nombre des savanes herbeuses sont brûlées régulièrement à chacune des saisons sèches afin d'éliminer les végétaux morts et de favoriser une meilleure croissance des graminées au cours de la saison des pluies suivante. Lors de ces incendies, la forêt et le sous-bois brûle rapidement, et on peut raisonnablement supposer que peu d'espèces survivent. Cependant, les graminées et quelques plantes ligneuses qui possèdent une écorce épaisse et à l'épreuve du feu, comme l'acacia, *ont la capacité* de survivre. L'influence de l'homme sur les lisières plus sèches de la savane est examinée au chapitre 19.

Étude 16-6

1. Examiner la répartition des forêts saisonnières (forêts tropicales claires) et des savanes tropicales indiquées à la figure 16.1. Décrire les conditions climatiques qui ont favorisé leur apparition.
2. Décrire certaines variations dans la végétation observées dans les régions de savanes. Indiquer quelques causes de ces variations.

Fig. 16.10 Herbe de pâturage bleue légèrement broutée à la fin d'une saison de pluies exceptionnellement abondantes (Colorado).

Fig. 16.11 Armoise d'Amérique, haute et dense, au Nevada. On remarquera l'espacement des plantes et l'absence de toute autre forme de végétation.

3. Expliquer la controverse entourant l'origine de la végétation de savane.

4. À l'aide de la figure 16.9, examiner les relations entre l'altitude, la durée de la saison sèche et la végétation des tropiques.

Les prairies des moyennes latitudes

Aux moyennes latitudes, on trouve deux types de prairies, soit les formations à plantes herbacées courtes (steppes) et les formations à plantes herbacées hautes (prairies). La différence entre les deux types est due largement à la quantité et à l'efficacité des précipitations. Dans la plupart des cas, les prairies des moyennes latitudes se distinguent de leurs équivalents tropicaux par le fait que les arbres ne se retrouvent que dans les vallées à régime fluvial et dans les marges humides de ces prairies des moyennes latitudes.

Les prairies apparaissent dans les zones sans arbres, absence qui peut s'expliquer par l'insuffisance de l'humidité. Parmi d'autres facteurs, on note le mauvais drainage, le froid intense, les vents violents et les incendies répétés. Les graminées sont généralement très robustes et peuvent résister à ces conditions. Une grande partie de la végétation initiale des prairies, comme l'herbe à bison et l'herbe de pâturage bleue est disparue depuis longtemps. Elle a été remplacée par des graminées cultivées comme le blé et l'orge, et les régions de prairies portent maintenant le titre de «greniers du monde».

Les déserts

Les lisières arides des régions recouvertes de plantes herbacées courtes sont progressivement remplacées par des déserts. La limite entre les deux zones est soumise à des changements constants. La végétation désertique varie considérablement d'un endroit à l'autre, et d'une saison à l'autre au cours d'une année, selon la quantité de

précipitations reçue. Parmi les types de végétation qui existent dans ces endroits inhospitaliers, on compte:
• des graminées courtes qui forment des touffes semblables à celles des régions à plantes herbacées courtes;
• des plantes annuelles qui germent, croissent et produisent des semences seulement au cours des quelques semaines qui suivent les orages;
• des arbrisseaux vivaces comme l'armoise d'Amérique et l'*hédiondilla* (immortelle du désert);
• des plantes (grasses) connues sous le nom de plantes succulentes qui regorgent d'eau et dont la famille des cactus est un exemple familier.

Étude 16-7

1. Indiquer les changements majeurs qui s'offrent dans la végétation qui s'étend de la frontière entre la prairie et la forêt, jusqu'au désert lui-même. Expliquer ces changements. Nommer certaines des caractéristiques des plantes de la prairie et du désert, qui leur permettent de croître dans ces régions.
2. À quel endroit dans les régions de prairies et de déserts la végétation naturelle est-elle en grande partie disparue? Expliquer cette disparition.
3. Expliquer pourquoi les limites entre les plantes herbacées courtes, les herbes hautes et la végétation désertique se déplacent selon les années. Indiquer les effets de ce déplacement sur la mise en valeur de ces régions.
4. Examiner l'influence du climat et du feu sur les origines des prairies des latitudes moyennes.

La toundra

La *toundra arctique* apparaît aux latitudes élevées. Les diverses plantes qui forment la végétation de toundra arctique croissent pendant les très courts étés dont les jours sont caractérisés par une période prolongée d'ensoleillement. Étant donné que seulement quelques centimètres supérieurs du pergélisol dégèlent au cours de l'été, les régions basses et planes sont très marécageuses. La *toundra alpine* apparaît au-delà de la limite de croissance des arbres et peut être observée sur les hautes montagnes de l'équateur

jusqu'au pôle. Cette toundra présente des caractéristiques essentielles très semblables à celles de la toundra arctique.

Il s'agit du pays des petites plantes, quelques espèces seulement atteignant une hauteur qui dépasse la cheville. Bien entendu, on n'y trouve pas d'arbres debout. En effet, les rares espèces relevées au nord de la limite des arbres, surtout des saules, des sureaux et des bouleaux, sont rabougris. Ce n'est qu'au voisinage de la limite des arbres, près d'un cours d'eau dans les vallées abritées, que la plupart des arbres atteignent la hauteur d'un homme. Cependant, ces végétaux nains vivent souvent jusqu'à un âge avancé. Un saule arctique peut présenter jusqu'à 400 cernes de croissance annuels entassés dans un tronc de 25 mm de circonférence.

À part leur faible taille qui est leur trait commun, les plantes de la toundra présentent des tolérances très différentes à l'humidité, aux substances minérales nutritives, aux froids et aux vents d'hiver, à l'acidité du sol et aux forces d'érosion. Par exemple, dans les marécages, la végétation dominante est souvent constituée par un lit de sphaigne gorgée d'eau, au milieu duquel s'élève ici et là des monticules recouverts d'herbe dure qui se propage à travers la boue acide par des stolons souterrains. Des eaux stagnantes du marécage émergent de nouvelles générations d'insectes qui harcèlent les animaux de la toundra. Dans d'autres prairies, on observe des populations d'une plante d'apparence herbeuse appelée coton arctique qui porte des graines dans des boules blanches duveteuses. À l'extrémité sèche de l'échelle d'humidité, on trouve de vastes zones bien drainées couvertes de masses de gravier grossier et de gros galets. Seuls les lichens survivent à la surface des roches nues, mais dans les crevasses, de petits nids composés de particules transportées par le vent et de restes de lichens se forment et retiennent un peu d'eau. Les mousses envahissent ces nids rocheux et, avec le temps, constituent une base sur laquelle quelques petites plantes à fleurs peuvent croître.

Entre les extrêmes, marécages et champs de gravier, existent des zones intermédiaires, qui ne sont ni saturées, ni sèches. Près de la limite des arbres, ces zones sont souvent recouvertes d'un lichen jaunâtre extraordinaire qui est surnommé à tort «mousse de caribous».

C'est l'herbe des prairies de l'Arctique, qui fournit le fourrage d'hiver au caribou. En outre, les variétés de

Fig. 16.12 Buissons et épinettes rabougries entremêlés de quelques trembles et bouleaux le long du fleuve Yukon en Alaska. Cette région représente la transition entre la forêt boréale et la toundra.

plantes arctiques qui croissent communément aux latitudes plus basses, comme la canneberge, le bleuet et la bruyère, recouvrent bon nombre de petites dépressions dans la toundra. Généralement, ces végétaux ne peuvent s'implanter qu'aux endroits où la neige s'accumule l'hiver, offrant une protection contre le froid meurtrier.[3]

Étude 16-8

1. Les caractéristiques de la végétation de toundra, en particulier l'absence de plantes de grande taille, sont surtout le résultat des facteurs suivants. Commenter l'influence de ces facteurs déterminants sur les caractéristiques de la végétation de toundra telle qu'elle est décrite ci-dessus.

[3]W.Ley et les directeurs de publication de Time-Life Books, *The Poles*, Life Nature Library (New York: Time-Life Books, 1962), p. 108.

a) température estivale
b) durée de la saison de croissance
c) drainage
d) pergélisol
e) sols
f) durée de l'ensoleillement quotidien

2. À l'intérieur d'une petite région de la toundra, des variations infimes de pente et de drainage sont à l'origine de contrastes marqués dans les types de plantes. Expliquer pourquoi la pente et le drainage sont des facteurs prédominants et déterminants dans la végétation de toundra par rapport à d'autres régions.

3. La suite des communautés végétales qui poussent de la base d'une montagne jusqu'à son sommet correspond à la série qui poussent de l'équateur jusqu'au pôle. Dans un atlas, localiser le mont Ruwenzori (5 000 m) en Ouganda et déterminer les types de végétation qui croissent probablement sur ses versants.

17 / Le système des sols

Bien que les sols ne constituent pas généralement un sujet de préoccupation pour la majorité des gens, ils constituent cependant une composante essentielle des écosystèmes des continents. Les sols contiennent la majeure partie des éléments nutritifs et l'eau dont les plantes se nourrissent. Ils fournissent aussi un milieu dans lequel les racines peuvent se fixer pour croître. Qu'elles soient sauvages ou cultivées, les plantes entretiennent les chaînes alimentaires qui rendent la vie possible dans la biosphère. En conséquence, bien que les sols soient considérés comme allant de soi, l'homme n'existerait pas sans eux. Il est donc évident qu'une certaine connaissance de leur fonction dans les processus vitaux est importante.

Le sol représente davantage que les matériaux libres que nous retrouvons en surface. Un vrai sol doit contenir de la matière minérale inorganique (roches désagrégées) et de la matière organique (vivante et morte). Ces composants ont tendance à être organisés en couches relativement distinctes ou *horizons* qui constituent le profil pédologique. Le sous-sol, au-dessous, est composé à peu près entièrement de substances minérales.

Composition

Le matériau appelé sol est surtout constitué de minéraux qui proviennent de la désagrégation des roches. Le manteau de débris, appelé *régolite*, résulte de la fragmentation par l'érosion climatique de la roche solide de l'écorce terrestre (chapitre 24). Ce régolite n'est pas un sol, mais il contient des particules minérales qui peuvent être transformées en sol. À ce titre, ces particules constituent la *roche-mère* du sol. Près de 90 pour cent des minéraux dans l'écorce et le régolite sont formés de combinaisons d'oxygène, de silice, d'aluminium et de fer élémentaires. Bien que d'autres éléments, comme le carbone, l'azote, le phosphore, le calcium et le potassium, soient présents en plus petites quantités, ils sont d'une grande importance pour la croissance des plantes.

Les matériaux organiques des sols proviennent d'un certain nombre de sources dont les feuilles, les tiges et les racines végétales en décomposition, les substances animales en décomposition, les organismes vivants et morts et les micro-organismes. Après la mort de tout être vivant, qu'il s'agisse d'une plante ou d'un animal, les composés organiques sont transformés à plus ou moins brève échéance par les organismes de décomposition (voir fig. 14.2). Les éléments de base contenus dans le protoplasme végétal sont libérés et deviennent disponibles à des fins de réutilisation, surtout par les producteurs dans le processus de photosynthèse.

L'*humus* est constitué de matière organique noirâtre en décomposition. Il s'agit d'une importante source d'azote et de phosphore. L'humus accroît également la capacité du sol d'absorber et de retenir l'humidité et les substances alimentaires solubles végétales.

L'eau et l'air forment environ la moitié du volume d'un sol de bonne qualité. Ces deux composants sont nécessaires à bon nombre de réactions chimiques qui ont lieu dans le sol. Sans eau, il est impossible aux plantes d'absorber de la nourriture et au sol d'entretenir la vie. En effet, tous les éléments utilisés par les plantes sont dissous par l'eau dans le sol et absorbés par les racines. Cependant, rares sont les plantes qui peuvent exister aux endroits où l'eau chasse l'air des espaces compris entre les particules de sol. Bien que l'air dans le sol ne fournisse aucune nourriture, il empêche la saturation.

Divers organismes vivants habitent dans le sol et participent à sa formation. Ils varient en taille, allant des bactéries les plus minuscules (micro-organismes) engagées dans les processus de décomposition, jusqu'aux organismes plus gros comme les vers de terre et les insectes. Ces organismes favorisent l'aération du sol et la circulation intérieure de l'eau.

Texture et structure

La texture d'un sol est déterminée par les proportions des particules individuelles de tailles différentes qui s'y trouvent. Ces particules appartiennent à l'une de trois classes, soit le sable (plus de 0,05 mm de diamètre); la

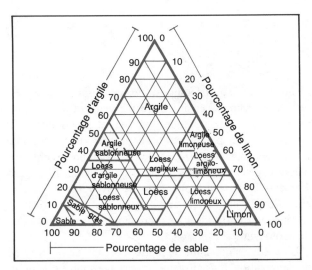

Fig. 17.1 La texture du sol. Afin de trouver la classe de texture d'un sol, on inscrit les pourcentages d'argile, de sable et de limon sur les échelles appropriées et l'on détermine l'intersection des lignes de chaque pourcentage.

classe intermédiaire appelée limon; et les grains très fins d'argile (moins de 0,002 mm de diamètre). Il existe de nombreuses variations de texture qui résultent des combinaisons de ces particules de tailles différentes (fig. 17.1). Par exemple, on appelle *loess*, un sol contenant des quantités moyennes d'argile, de limon et de sable.

La taille des particules influence la circulation et la rétention de l'eau et, dans une moindre mesure, celles de l'air. Les particules plus grosses, comme le sable, permettent à l'eau de circuler très librement dans le sol. Donc, un sol sablonneux sèche rapidement après la pluie. Un sol constitué principalement d'argile, terre contenant les particules les plus fines, est généralement imperméable à l'eau et à l'air. En conséquence, dans les régions humides, les espaces entre les particules d'argile près de la surface du sol peuvent stocker l'eau pendant une période prolongée. Le manque d'air observé dans ce type de sol empêche la croissance végétale. Les sols qui contiennent une proportion élevée d'argile sont généralement difficiles à cultiver.

La structure elle-même du sol, soit la réunion de particules individuelles en morceaux plus gros et relativement réguliers, constitue un autre facteur important qui détermine l'espace entre les particules d'un sol. Parfois, le sol n'a pas de structure, c'est-à-dire que les particules sont, soit accrochées les unes aux autres pour former de grosses masses irrégulières, soit distinctes, comme c'est souvent le cas du sable non compact.

Pour les plantes, le sol qui a une structure idéale est granulaire et son volume est constitué dans la mesure de 35 à 50 pour cent d'espaces entre les particules, soit des pores qui rendent un sol poreux. Le maintien d'une telle structure est l'un des principaux objectifs d'une gestion adéquate du sol. Contrairement à sa texture, la structure d'un sol peut être modifiée naturellement, à mesure que varie la quantité d'eau dans le sol, ou par les pratiques agricoles. La culture peut écraser les grains, particulièrement lorsque le sol est très mouillé ou très sec. Ce phénomène est à l'origine de la destruction du sol en provoquant l'agglutinement des particules. Cette condition rend la culture des végétaux presque impossible. Il faut plusieurs années de traitement minutieux pour rendre productif un sol caractérisé par l'absence de structure, même s'il est fertile.

Coloration

La coloration des sols varie considérablement. Elle peut souvent être utilisée comme indicateur général des conditions physiques et chimiques d'un sol. Les sols rouges, bruns ou jaunes, communs aux régions tropicales et subtropicales, indiquent généralement une concentration d'oxydes de fer et d'aluminium. Ces couleurs peuvent aussi signaler l'absence d'autres minéraux nécessaires à la croissance des plantes. Les sols blancs ou clairs, généralement observés dans les régions sèches, peuvent indiquer l'absence des oxydes de fer et d'aluminium ou la présence d'une concentration de sels solubles. Les sols brun foncé ou noirs des prairies sont généralement indicateurs de grandes quantités de matériaux organiques.

La couleur est déterminée non seulement par la teneur en minéraux, mais aussi par la quantité d'eau dans le sol. De grandes variations de couleur dans une région restreinte peuvent être la conséquence de l'utilisation de méthodes de drainage différentes. L'hypothèse selon laquelle les sols foncés sont fertiles et les sols clairs sont moins fertiles est souvent exacte, bien qu'il y ait bon nombre d'exceptions.

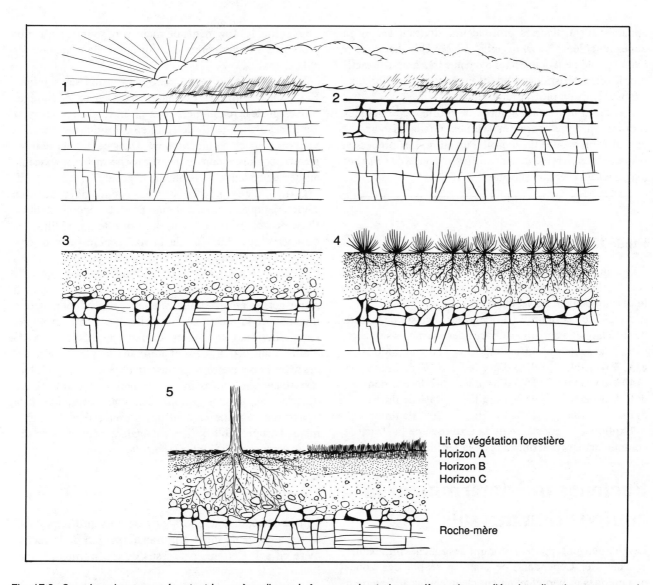

Fig. 17.2 Ces cinq phases représentent la genèse d'un sol. Au cours des trois premières phases, l'érosion climatique provoque la fragmentation du substrat rocheux et le dépôt d'un régolite qui constitue la roche-mère. À la quatrième phase, des plantes pionnières s'établissent et la longue évolution vers la formation d'une végétation naturelle est amorcée. Les restes de ces plantes, qui s'accumulent pendant des périodes prolongées, ajoutent au sol des matériaux organiques et de nouveaux minéraux. Avec l'établissement d'une végétation naturelle (5), on note que le sol est à la phase de maturité caractérisé par des horizons bien marqués.

Horizons

Pour observer le caractère et la composition d'un sol, il faut couper une section non perturbée de la couche supérieure de la surface terrestre jusqu'à plusieurs décimètres. Cette opération expose un *profil* pédologique à partir de la surface jusqu'à la roche mère sous-jacente. Les différences de composition, de texture, de structure et de coloration apparaissent à diverses profondeurs, divisant le sol en zones appelées *horizons* (fig. 17.2). Un observateur expérimenté peut déterminer avec une très grande exactitude les caractéristiques d'un sol en examinant les horizons exposés dans un profil pédologique.

L'étude d'un certain nombre de profils pédologiques montre que les caractéristiques des sols varient considérablement d'un endroit à un autre. Les processus responsables de la création des différents types de sols sont examinés à la section suivante.

Étude 17-1

1. Quelles sont les différentes substances qui composent un sol? Expliquer l'importance de chacune d'entre elles dans le développement de végétaux.
2. À l'aide de la figure 17.1, identifier la classe de texture de sol à laquelle appartient chacun des exemples suivants.

a) 65% de sable   15% d'argile   20% de limon
b) 33% de sable   33% d'argile   34% de limon
c) 40% de sable   18% d'argile   42% de limon
d) 10% de sable   45% d'argile   45% de limon
e) 17% de sable   13% d'argile   70% de limon

3. Expliquer l'importance de la texture et de la structure comme facteurs déterminants de la fertilité d'un sol.

Facteurs qui déterminent la composition des sols

Les sols peuvent apparaître comme des couches immuables et sans vie. Cependant, ce sont en réalité des zones dynamiques et perpétuellement changeantes à l'intérieur desquelles ont lieu de façon ininterrompue des activités biologiques, physiques et chimiques complexes.

La roche-mère

Divers agents climatiques altèrent ou fragmentent la couche supérieure de l'écorce terrestre (voir fig. 17.2). Les fragments de roche produits forment la *roche-mère*. (Au sommet du régolite, les fragments de roche sont soumis à d'autres processus. Ces derniers sont à l'origine de la formation des sols.)

Bien entendu, la roche-mère varie selon ses origines. Elle peut être formée de matériaux rocheux désagrégés provenant de la roche-mère sous-jacente, ou elle peut avoir été transportée à partir de son lieu d'origine par l'eau, le vent ou la glace en mouvement. Dans ce dernier cas, les matériaux n'ont aucun lien avec la roche-mère sous-jacente au-dessus de laquelle ils ont été déposés.

L'influence exercée par la roche-mère sur les caractéristiques d'un sol donné dépend généralement de l'âge du sol. En effet, à mesure que le sol vieillit, les caractéristiques héritées de la roche-mère peuvent être modifiées par d'autres processus jusqu'à un point où le sol présente peu de ressemblances, voire aucune, avec la roche-mère. Lorsque certaines ressemblances persistent, il s'agit généralement d'une relation entre la composition minérale de la roche-mère et celle du sol. Par exemple, lorsque de grandes quantités de quartz, de fer, d'hydroxyde d'aluminium et d'argile sont présentes dans la roche-mère, ces matériaux se retrouvent aussi dans le sol à cause de leur résistance aux processus de formation des sols. Dans d'autres cas, lorsque certains éléments nécessaires à la croissance végétale ne sont pas présents dans la roche-mère, il est probable qu'ils sont également absents du sol. Cette carence peut limiter la fertilité du sol.

Le climat

Tant les précipitations que la température sont d'importants facteurs qui participent à la transformation de la roche-mère en sol. Certains processus de transformation sont illustrés à la figure 17.3.

L'eau qui *percole*, ou descend à travers les matériaux organiques en décomposition et les particules altérées, transporte jusque dans la zone d'eaux souterraines des minéraux solubles capturés dans le sol. Ce processus, appelé *lessivage*, varie selon la quantité et l'efficacité des précipitations et la porosité de la roche-mère.

Un lessivage modéré est un phénomène normal et nécessaire dans la formation du sol. Si le lessivage est excessif, comme c'est souvent le cas dans les régions

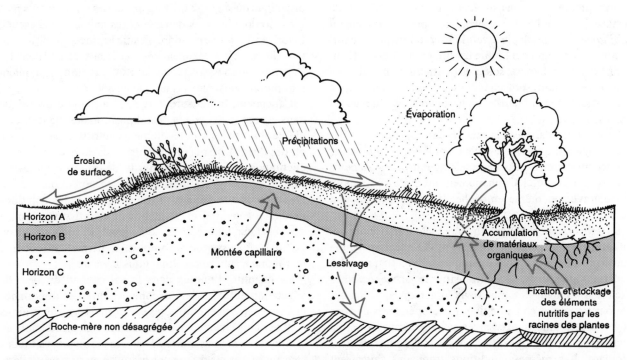

Fig. 17.3 L'horizon A est la zone où se produit la plus grande activité biologique et où l'accumulation organique est maximale. La surface est souvent formée de débris organiques non décomposés ou partiellement décomposés. L'horizon B constitue généralement la zone d'accumulation des particules extraites et déplacées par lessivage (par ex. l'argile). L'horizon C, ou roche-mère, est très peu modifié par les processus de formation du sol.

humides, le sol perd bon nombre des éléments nutritifs essentiels à la croissance végétale. Le dépôt des matériaux extraits par lessivage peut survenir à l'intérieur même du sol, ou considérablement plus en profondeur, c'est-à-dire sous la couche de sol, dans une zone inaccessible à la plupart des racines des plantes. En plus de permettre le transport des minéraux en solution, la percolation de l'eau est aussi à l'origine de la descente, ou *déplacement*, de fines particules solides (généralement d'argile) vers la partie inférieure du sol. Les particules plus grossières sont laissées près de la surface, ce qui contribue à la stratification du sol.

Le sol subit également l'effet de la circulation horizontale de l'eau à sa surface. Ce mouvement cause l'érosion et la perte partielle de la couche arable. Dans les conditions normales, une petite perte de cette couche n'est pas cruciale, car elle peut être remplacée par la roche-mère et l'humus.

Cependant, une érosion trop considérable peut être dommageable. Elle provoque l'élimination d'une portion supérieure de couche arable qui s'est constituée par des processus naturels. (Il s'agit d'un problème courant lorsque la couverture végétale a été détruite.) L'absence ou l'insuffisance d'un écoulement horizontal d'eau de surface peuvent être à l'origine soit d'un lessivage excessif, soit, dans les régions basses et planes, d'un mauvais drainage naturel et d'un manque d'air dans le sol.

Dans les régions semi-humides et arides, la capacité d'évaporation est supérieure aux précipitations. En conséquence, il arrive souvent que la surface du sol soit beaucoup plus sèche que la couche de sol elle-même et que la roche-mère sous-jacente. L'eau est retenue tant dans les pores (sous la forme d'une pellicule lâche autour des grains de limon) que dans la roche-mère. Après un certain temps, l'eau remonte, au moins sur une courte distance, vers la surface plus sèche. Ce processus, appelé *mouvement capillaire*, est semblable à celui observé lorsque le combustible d'une lampe à l'huile est tiré par la mèche. Étant donné que les minéraux solubles (particulièrement le carbonate de calcium) sont amenés plus près de la surface, un sol particulièrement fertile peut souvent résulter de ce processus.

Ce n'est que dans les régions très arides, surtout où il y a de l'irrigation, que le mouvement capillaire peut provoquer une accumulation excessive de sels solubles à la surface du sol ou près de celle-ci. Ce phénomène produit un sol alcalin qui entrave, ou même empêche, la croissance de bon nombre de plantes.

La température constitue un autre facteur important qui influe sur la formation du sol. Elle modifie tant le rythme que la nature des réactions chimiques qui ont lieu dans les matériaux inorganiques du sol, ainsi que le taux des activités bactériennes dans les matériaux organiques. Dans les régions tropicales en particulier, les températures élevées et les précipitations excessives peuvent transformer la roche-mère en sol qui diffère de la roche-mère d'où il provient. Les mêmes conditions tropicales favorisent également une décomposition très rapide des matériaux organiques et la percolation subséquente des éléments constituants jusqu'à une profondeur assez considérable sous la surface. Par contre, les basses températures dans les régions froides retardent ces processus, et les transformations chimiques ainsi que les activités bactériennes sont très lentes.

Les plantes et les animaux

Bien que ne constituant qu'une partie minuscule des matériaux organiques du sol (1 à 2 pour cent), les micro-organismes végétaux et animaux sont importants. Le groupe végétal comprend les bactéries et les champignons. Les bactéries sont importantes pour la croissance végétale parce qu'elles absorbent l'azote de l'air et l'ajoute aux matériaux chimiques du sol (voir p. 131). Les protozoaires (organismes unicellulaires) et les nématodes (vers microscopiques) sont les membres dominants de la population animale. Tous ces organismes minuscules, qui sont présents en très grand nombre, enrichissent la teneur organique du sol lorsqu'ils meurent. Les êtres vivants plus gros, comme les vers de terre et les animaux fouisseurs, favorisent dans une moindre mesure le processus de formation du sol. Ils mélangent les matériaux et amènent les minéraux du sous-sol à la surface. À leur mort, ils ajoutent leur propre substance organique au sol.

Cependant, la majeure partie de la matière organique dans le sol provient de la décomposition des plantes. Une plante absorbe l'eau et les éléments nutritifs à partir du sol et de l'air. Lorsqu'elle meurt, ces substances sont décomposées par des milliards de micro-organismes (organismes de décomposition) et incorporées dans le sol. Des plantes aux racines profondes puisent les solutions minérales sous le sol et les intègrent à leurs tissus. À la mort des végétaux, les minéraux sont ajoutés au sol. Comme on l'a vu, le processus de décomposition permet la formation de l'humus, substance d'une grande valeur.

La quantité d'humus dans le sol dépend du type de végétation, de la vitesse de décomposition et de l'importance du lessivage. Par exemple, les sols formés dans les prairies sont enrichis chaque année par un apport considérable en feuilles et en racines mortes. Dans les prairies des latitudes moyennes, ces matériaux pourrissent à un rythme modéré. Étant donné les précipitations annuelles relativement faibles, les sols ne sont pas soumis à un lessivage excessif. Par contre, les sols forestiers ne sont pas enrichis par l'humus. Dans les forêts d'arbres à aiguilles persistantes, la décomposition est lente. Une couche spongieuse de matériaux organiques partiellement décomposés et extrêmement acides recouvre la surface. Cette couche provoque l'extraction par lessivage des matériaux organiques et inorganiques du sol. Dans les forêts tropicales, une décomposition extrêmement rapide est accompagnée d'un lessivage excessif qui empêche dans une mesure considérable l'accumulation de matériaux organiques dans le sol.

La configuration de surface

Comme il a été souligné, l'importance de l'érosion modifie la profondeur du sol, tandis que l'inclinaison du terrain a un effet sur la quantité d'humidité qui est retenue. Les sols des terrains inclinés ou ondulés bien drainés sont généralement les mieux développés parce que les pertes qui résultent de l'érosion naturelle sont compensées par la progression vers le bas des processus de formation des sols. Ces processus sont retardés dans les régions fortement inclinées par une érosion accrue et un lessivage insuffisant. Dans les terres basses et planes, la formation du sol peut également être entravée si le lessivage est limité et si l'air, qui est essentiel aux processus chimiques, est absent du sol.

L'influence de l'être humain

Le sol est créé par l'interaction, au cours d'une période très longue, de la roche-mère, du climat, des plantes, des animaux et de la configuration de la surface. Dans des régions peu perturbées par le peuplement humain, comme les forêts, les déserts et la toundra, le sol, dans son entier, est un produit des processus naturels en interaction. Cependant, la mise en valeur du sol à des fins agro-alimentaires ou autres modifie ses caractéristiques naturelles, la transformation étant d'ailleurs considérable dans certains cas. Une bonne gestion du sol est essentielle si l'on désire qu'il produise des récoltes année après année sans abaisser son taux de fertilité. Par exemple, on pratique l'agriculture de façon continue sur certains sols des régions de l'est et du sud de l'Asie depuis des millénaires. L'homme réussit non seulement à maintenir le taux de fertilité du sol, mais aussi à rendre productifs des sols infertiles.

Il est donc évident qu'une mauvaise gestion, observée en maints endroits, peut détruire les sols. Comment réussit-on à rétablir ces sols endommagés? La régénération naturelle exige la mise en jachère des terres pendant plusieurs années. Comme solution de rechange, on peut investir massivement dans l'utilisation d'engrais et d'autres mesures spéciales.

L'activité humaine peut modifier le sol de diverses façons. Lorsque la végétation est coupée, récoltée ou broutée par les animaux, les cyles d'éléments nutritifs sont perturbés. En effet, lorsque les plantes sont retirées du sol, elles ne sont plus disponibles pour la décomposition. Les éléments nutritifs qu'elles contiennent sont perdus pour l'écosystème. La structure du sol est modifiée, ce qui accroît généralement l'érosion de surface.

L'utilisation ininterrompue du sol nécessite l'emploi de bonnes pratiques de gestion du sol, dont:

- l'élimination de l'excès d'humidité en creusant des fossés de drainage;
- l'augmentation du degré d'humidité par l'irrigation;
- le maintien ou l'amélioration du taux de fertilité du sol par l'ajout d'engrais minéraux et organiques;
- l'utilisation de diverses pratiques agricoles (comme la rotation des cultures) qui visent à maintenir ou à améliorer le taux de fertilité du sol.

Étude 17-2

1. La figure 17.2 illustre une séquence possible dans le développement d'un type de sol appelé *podzol* (décrit à la page 172). La figure montre la formation du terrain à partir de la surface exposée jusqu'au profil final.

a) Expliquer les processus qui sont en jeu de la phase 1 jusqu'à la phase 3. De quelles façons la pente et les variations climatiques influenceront-elles ce développement?

b) Les premiers végétaux, ou plantes pionnières, utilisent les éléments nutritifs fournis par la météorisation de la roche, dont l'azote, les minéraux solubles et l'eau. Le carbone et l'oxygène nécessaires aux plantes proviennent de l'air. Lorsque ces plantes meurent, de quelle façon contribuent-elles à la formation du sol? À mesure que ce cycle de croissance et de décomposition se répète, la fertilité du sol s'accroît. Expliquer.

c) Indiquer ce qui détermine la stratification des divers matériaux dans les horizons. Pourquoi la phase finale est-elle considérée comme un profil pédologique à maturité?

2. La fertilité du sol est définie comme la capacité d'un sol d'entretenir les plantes utilisées à des fins de consommation ou d'utilisation par l'homme.

a) L'unique facteur majeur qui modifie la fertilité du sol est la capacité du sol de fournir des éléments nutritifs minéraux. Indiquer les causes de variations dans la teneur en minéraux des différents sols.

b) Quels autres facteurs naturels ont un effet sur la fertilité du sol?

c) La fertilité des sols a été réduite par des pratiques agricoles irréfléchies comme une mauvaise sélection des cultures, la surexploitation agricole, le labourage inadéquat, l'utilisation excessive ou incorrecte des produits chimiques comme engrais, herbicides ou pesticides, et l'irrigation incorrecte. Une érosion excessive du sol est souvent le résultat direct de la destruction de la végétation sur les terrains en pente ou dans des régions sèches. Expliquer comment toutes ces pratiques peuvent mener à une réduction de la productivité du sol.

d) Il est inévitable que des changements majeurs résulteront de notre mode d'utilisation du sol. Cependant, il n'est pas nécessaire que ces changements causent une réduction de la productivité du sol. Des mesures, comme celles indiquées ci-dessous, permettent de maintenir et même d'accroître la productivité du sol, lorsqu'elles sont utilisées correctement. Expliquer comment ces mesures favorisent le maintien du sol et noter les conditions dans lesquelles chacune de ces mesures peut être employée:

i) l'utilisation des engrais minéraux
ii) mise en jachère et rotation
iii) fumage
iv) culture sèche
v) maîtrise des conditions d'humidité (irrigation ou drainage, ou lutte contre l'érosion)

e) La fertilité du sol est un phénomène tant biologique qu'économique. Expliquer cet énoncé.

f) Examiner la validité des deux énoncés suivants:

i) En ce qui concerne la vie humaine, le sol est aussi important que l'air et l'eau.

ii) Une entité difficile à remplacer doit être en voie de disparition ou mal utilisée avant que des mesures de conservation ne deviennent nécessaires.

Fig. 17.4

Système de classification des sols		
Ordre	Sous-ordre	Groupes majeurs de sols
Zonal	Sols de la zone froide	Toundra
	Sols de teinte claire des régions arides	Désert Désert rouge Siérozem
	Sols foncés des prairies semi-arides, semi-humides et humides	Brun Châtain (brun foncé) Chernozem
	Sols de la zone de transition entre la forêt et la prairie	Chernozem dégradé Prairie
	Sols podzolisés clairs des régions forestières	Podzol Podzolique brun Podzolique gris-brun Podzolique rouge et jaune
	Sols des régions chaudes subtropicales et tropicales	Latosols
Intrazonal	Sols salins des régions arides mal drainées	Salins
	Sols mals drainés des régions humides	Prairie Tourbière Argile compact
	Sols à teneur élevée en chaux	Rendzina
Azonal		Lithosols (sols pierreux) Alluvions Sables secs

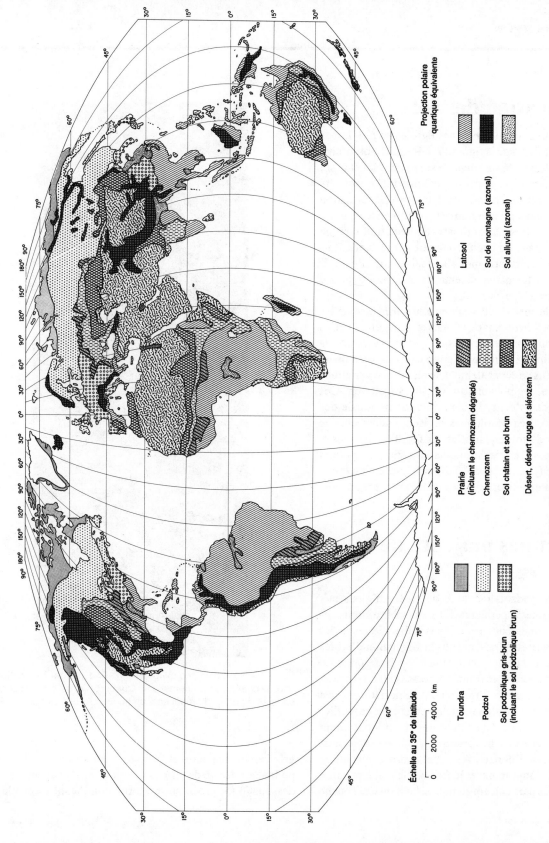

Échelle au 35° de latitude

0   2000   4000   km

Toundra

Podzol

Sol podzolique gris-brun
(incluant le sol podzolique brun)

Prairie
(incluant le chernozem dégradé)

Chernozem

Sol châtain et sol brun

Désert, désert rouge et siérozem

Latosol

Sol de montagne (azonal)

Sol alluvial (azonal)

Projection polaire
quartique équivalente

Fig. 17.5 Principaux groupes de sols zonaux.

Classification des sols

Les *ordres de sols* constituent les catégories les plus larges de sols, comme l'illustre la figure 17.4. Il existe trois ordres distincts de sols, soit le sol *zonal*, le sol *intrazonal* et le sol *azonal*. Les sols zonaux sont des sols à maturité qui ont été formés sur des terres bien drainées. Par contre, la formation des sols intrazonaux a généralement été influencée par des facteurs locaux autres que le climat et la végétation, comme le mauvais drainage ou une roche-mère inhabituelle. Les sols azonaux sont surtout composés de sable ou d'alluvions. En raison de leur formation récente, ces sols montrent peu ou pas de profil à horizons nets.

Les ordres de sols sont divisés en *sous-ordres* selon les principaux types différents de climats et de végétation. Ces sous-ordres sont ensuite répartis en *groupes majeurs de sols*. Les principales différences entre les groupes majeurs de sols sont, dans ce cas également, le résultat de variations de température, de précipitations et de végétation. Ces groupes servent à décrire la configuration mondiale des sols (fig. 17.5). Les pédologues divisent encore chaque groupe majeur de sols en familles, les familles en séries et les séries en types. Il en résulte une classification comportant des milliers de types de sols. Aux fins du présent ouvrage, il est suffisant d'examiner quelques-uns des groupes majeurs de sols.

Les groupes majeurs de sols
Les podzols

Le groupe des podzols recouvre de vastes régions aux latitudes moyennes supérieures de l'hémisphère Nord. Ces sols se sont formés sous les climats subarctiques et les microclimats aux étés frais, et sous la végétation d'arbres à aiguilles. Le profil de podzol illustré à la figure 17.6 montre un certain nombre d'horizons assez bien marqués. Au sommet se trouve l'horizon A. L'horizon A_1 est normalement composé d'une couche spongieuse de feuilles moisies ou de déchets organiques inadéquatement décomposés. Cette couche fortement acide est séparée de façon marquée de l'horizon A_2. À cet endroit, la solution acide a lessivé l'aluminium et le fer avec la majeure partie de l'argile et des particules organiques, laissant une couche

Fig. 17.6 Profil d'un podzol formé à partir d'une moraine de fond dans le comté de Kamouraska au Québec. (On peut distinguer au sommet du profil la présence d'un horizon A_1 et d'un horizon A_2.)

gris cendre blanchie et presque sans structure. (Le mot podzol est dérivé de termes russes signifiant «cendres en-dessous».) Ce processus de formation du sol s'appelle la *podzolisation*. L'horizon B présente généralement une coloration beaucoup plus foncée, ayant été enrichi par certains matériaux descendus par lessivage. Dans bon nombre de régions, l'horizon C est composé de matériaux d'origine glaciaire.

Étude 17-3

1. Tracer une esquisse du profil de podzol illustré à la figure 17.6, en indiquant et en identifiant les différents horizons.
2. Les podzols sont généralement peu fertiles. Ils présentent notamment des carences en calcium, en magnésium, en potassium et en phosphore. (Les conifères n'ont besoin que de petites quantités de ces éléments nutritifs.) Indiquer d'autres causes de l'infertilité des podzols.

Les sols gris-brun et les sols bruns podzoliques

Les sols gris-brun et bruns des régions forestières des latitudes moyennes ont été désignés sols podzoliques parce qu'ils ont été formés grâce à des processus qui ressemblent à ceux qui ont produit le groupe des podzols. Contrairement aux podzols cependant, il s'agit de sols qui sont considérés parmi les plus productifs au monde du point de vue agricole.

Ce phénomène peut s'expliquer de diverses façons. Le lessivage, principal processus de formation des sols, n'est pas aussi important dans ces sols qu'il l'est dans des podzols plus au nord. L'horizon supérieur du sol est composé d'une couche de matériel organique partiellement décomposé d'une épaisseur de 2 à 7 cm. Étant donné la végétation différente et les températures plus élevées, cette couche est bien décomposée et non acide et ne constitue pas un tapis de matériaux entremêlés comme l'horizon A dans le podzol. En outre, les matériaux organiques provenant des forêts de feuillus contiennent plus de chaux et de potasse que ceux des forêts d'arbres à aiguilles. Ces éléments nutritifs sont facilement mêlés avec les minéraux du sol par des vers de terre et d'autres organismes du sol. Dans la plupart des cas, la structure du sol rend ce dernier propre à la culture, et réagit favorablement à l'épandage d'engrais.

Fig. 17.7 Profil d'un podzol gris-brun formé à partir d'une moraine de fond dans le sud-ouest de l'Ontario. L'horizon A_1 est gris-brun et présente une teneur élevée en matière organique. Comme le podzol, l'horizon A_2 a été soumis au lessivage, mais dans une moindre mesure. Cet horizon est généralement brun pâle ou jaune brunâtre. L'horizon B se caractérise par une coloration beaucoup plus foncée et une teneur en argile plus élevée que les horizons A, et présente une structure irrégulière en forme de blocs. L'horizon C, ou roche-mère, est généralement gris et souvent pierreux, et contient des matériaux calcaires amenés des horizons supérieurs par lessivage.

Étude 17-4

1. À l'aide de la fig. 17.5, décrire la distribution des groupes de podzols et de sols gris-brun et bruns podzoliques, en indiquant leur étendue en latitude ainsi que leur localisation générale.
2. Tracer une esquisse du profil illustré à la fig. 17.7, en indiquant et en identifiant les différents horizons cités dans la légende.
3. Décrire l'influence du climat et de la végétation sur la formation des sols gris-brun et bruns podzoliques, et comparer ces sols avec un podzol.

Les latosols

Le terme latosol ne désigne pas un seul type de sol, mais un groupe de sols relevés sur des terrains bien drainés dans les tropiques humides. L'information suivante décrit certaines des plus importantes caractéristiques communes des sols tropicaux.

Les sols tropicaux sont plus pauvres et plus fragiles que les sols des régions tempérées. Leur utilisation doit être entourée de maintes précautions pour éviter qu'ils ne s'appauvrissent davantage ou qu'ils ne soient détruits. Ces conditions donnent à l'agriculture tropicale un caractère précaire qui est absent de la ceinture tempérée, à l'exception des régions semi-arides.

Pourquoi les sols tropicaux sont-ils si infertiles à part de rares exceptions? Ils sont souvent profonds, car la roche-mère peut s'être décomposée jusqu'à une profondeur de plusieurs mètres. Cependant, les matériaux solubles, les bases et les nitrates, sont rapidement évacués par l'eau qui percole, phénomène favorisé par les températures élevées, la présence d'acide carbonique et d'acide nitrique et les innombrables bactéries...Les sols tropicaux contiennent peu d'humus. Même dans la forêt, l'humus noircit le sol jusqu'à une profondeur de seulement quelques centimètres. Dans les forêts denses, le dépôt de matériaux organiques est considérable; à Yangambi au Congo, il atteindrait, selon les estimations, une quantité variant entre 45 et 60 tonnes de feuilles, de brindilles, de lianes et de branches par hectare par année. Dans ces forêts cependant, les dépôts n'enrichissent pas le sol, car ils sont annulés par des pertes équivalentes. En conséquence, le sol contient au maximum 1,8 pour cent d'humus, tandis que les sols fertiles des régions tempérées en renferment souvent plus de 10 pour cent.[1]

Les sols tropicaux sont granulaires et très perméables. En conséquence, ils peuvent être labourés immédiatement après des pluies abondantes. Cependant, ces mêmes caractéristiques favorables les rendent vulnérables à la sécheresse. Étant donné qu'ils sont soumis à un lessivage excessif, bon nombre de sols tropicaux, particulièrement

Fig. 17.8 Profil d'un latosol formé de matériaux désagrégés à partir de gneiss au nord de Rio de Janeiro au Brésil. On remarque la présence, jusqu'à une profondeur d'environ 30 cm, de l'horizon A rougeâtre foncé caractéristique, l'absence d'horizons visibles inférieurs et l'enracinement très profond.

[1]P. Gourou et E.D. Laborde, *The Tropical World*, 3e éd. (London: John Wiley & Sons, Inc., 1961), p. 13, 16 et 17.

les latosols, présentent des teneurs faibles tant en minéraux qu'en aliments organiques pour les plantes. En conséquence, ils nécessitent un amendement afin de produire la même quantité de récoltes année après année.

Le lessivage et l'activité bactérienne retirent du sol la majeure partie de la silice, des matériaux organiques et des minéraux solubles. Ces processus laissent sur place des oxydes d'aluminium et de fer (substances peu solubles dans l'eau légèrement acide du sol) qui donnent au sol sa couleur de brique typique. Dans certaines localités, ces minéraux de fer et d'aluminium forment des matériaux d'apparence rocheuse appelés *latérite* (il ne s'agit pas d'un sol). Lorsqu'elle est sèche, la latérite est souvent utilisée comme matériau de construction. De riches dépôts de minéraux surgissent également en composants latéritiques: la bauxite (alumine hydratée), la limonite (oxyde de fer hydraté) et la manganite (oxyde de manganèse).

Les sols formés sous les forêts tropicales humides sont difficiles à cultiver de façon continue. Une pratique agricole traditionnelle, appelée *culture itinérante*, qui permet de cultiver ces sols avec succès, réalimente le sol en éléments nutritifs et en matériaux organiques en utilisant l'écosystème naturel. Il existe de nombreuses variantes dans la culture itinérante, la plupart consistant à déboiser un lot, à le cultiver pendant plusieurs saisons et enfin, à permettre à la forêt de reprendre la terre. L'agriculteur déboise ensuite un nouveau secteur de forêt. Après de nombreuses années de régénération naturelle, la zone forestière initialement cultivée est réalimentée et peut de nouveau être utilisée à des fins agricole.

Malheureusement, à mesure que la densité de population s'est accrue dans de nombreux pays tropicaux, il est devenu nécessaire de réduire la durée de la période de jachère. L'effet de la destruction de la végétation dans les tropiques est le sujet du chapitre 18.

Étude 17-5

1. Décrire l'effet du climat et de la végétation sur la formation du type de sol appelé latosol. Ce groupe présente de multiples variations. Indiquer les causes de ces variations et expliquer pourquoi ce groupe n'est pas subdivisé davantage.

2. Comme le montre la figure 17.8, les profils de latosol sont généralement très profonds et présentent rarement des horizons bien marqués. Indiquer les causes de ces caractéristiques.

3. Quels sont les processus responsables du manque d'éléments nutritifs pour les végétaux dans le groupe de sols auquel appartient le latosol?

4. Comment les sols tropicaux, considérés comme infertiles, peuvent-ils entretenir une végétation naturelle si abondante?

5. a) Indiquer les facteurs environnementaux favorables à la croissance végétale que possèdent les régions tropicales.

b) Il existe d'excellentes possibilités d'augmenter la superficie des terres agricoles dans ces régions. Quels sont les facteurs, à part les facteurs naturels, qui ont inhibé le développement agricole dans les pays tropicaux?

c) Comment la situation actuelle peut-elle être améliorée, et quels seraient les effets de telles améliorations sur le mode de vie des populations?

Les sols des régions semi-humides

Dans les régions où l'évapotranspiration est normalement plus élevée que les précipitations, la plupart des sols présentent des caractéristiques semblables. Étant donné qu'il y a moins d'humidité pour véhiculer les matériaux dissous à travers le sol, le lessivage se termine généralement dans l'horizon B ou la partie supérieure de l'horizon C. À cet endroit, l'humidité s'évapore. La substance minérale la plus visible dans ce processus est le carbonate de calcium, qui apparaît généralement sous la forme de mouchetures blanches dans ces horizons (fig. 17.9). Le processus de calcification rend ces sols très fertiles.

La quantité de matériaux organiques dans ces sols est également liée à la végétation. Dans les régions autrefois recouvertes par des prairies à hautes herbes, les sols appelés *chernozems* (mot russe signifiant «terre noire») présentent une teneur très élevée en matériaux organiques dans l'horizon A. Même à l'heure actuelle, après de nombreuses décennies d'exploitation agricole, ces sols noirs (localisés dans les grandes plaines de l'Amérique du Nord, ainsi qu'en Ukraine [C.E.I.]) sont presque tous cultivés. Les régions qui recouvrent des chernozems et d'autres sols des prairies produisent la majeure partie de l'excédent mondial de céréales (qui peuvent donc être exportées).

Fig. 17.9 Profil d'un sol chernozem formé à partir d'une moraine de fond dans le centre est du Dakota du Sud.

Le volume de végétation comme la teneur en matériaux organiques des sols diminuent à mesure que l'on progresse vers la prairie à herbes courtes et les zones semi-désertiques. Les sols de couleur châtain et brun sont plus clairs et encore très fertiles quoique leur productivité soit souvent désavantagée par des précipitations plus faibles et moins régulières. Étant donné les problèmes associés à l'insuffisance des précipitations et à l'érosion éolienne, probablement moins de 50 pour cent des sols châtains et bruns sont cultivés à moins qu'il y ait un système d'irrigation.

Les étendues désertiques et incultes lamées durant les années sèches (1930...) étaient surtout associées à ces sols.

Les sols dans les régions sèches sont également perturbés par un processus appelé *salinisation*. Dans ces régions, on relève bon nombre de dépressions ou de zones mal drainées. (La nature de ces réseaux de drainage est décrite à la page 282.) Les taux d'évaporation sont élevés. Au-dessus de la nappe phréatique, qui est souvent proche de la surface du sol, se trouve une *frange capillaire*, zone d'ascension de l'eau (voir page 168). Lorsque ce phénomène se produit, l'eau qui se trouve à la surface ou près de celle-ci s'évapore, laissant des dépôts de divers sels (chlorures, sulfates, carbonates et autres). S'ils sont suffisamment concentrés, ces sels ont des effets toxiques sur les plantes.

La salinisation crée également de graves problèmes dans bon nombre de régions où les pratiques d'irrigation sont incorrectes. Si l'on amène trop d'eau dans les champs, la nappe phréatique et la frange capillaire s'élèvent. Une quantité supérieure d'eau monte par capillarité, laissant plus de sels à la surface où près de celle-ci lorsque l'eau s'évapore. À mesure que ces sels s'accumulent, en formant une croûte blanche sur la surface, les terres deviennent impropres à l'agriculture.

On estime que des centaines de milliers d'hectares sont perdus chaque année à cause de la salinisation et d'autres processus. Une large part de ces pertes surviennent dans les pays en voie de développement comme l'Inde, le Pakistan et l'Égypte. Selon les estimations, la superficie des terres perdues dans ces pays est équivalente à celle des terres nouvellement irriguées.

Les alluvions

Les sols alluviaux fournissent probablement de la nourriture à une proportion plus grande de la population mondiale que tout autre type de sol. La composition de ces sols qu'on trouve dans les vallées fluviales et les régions côtières, varient selon la nature des matériaux déposés par les cours d'eau. La plupart des sols alluviaux contiennent une bonne réserve d'éléments nutritifs pour les végétaux et les roches y sont généralement absentes. Ils sont faciles à cultiver, bien qu'ils soient mal drainés dans bon nombre d'endroits. Les inondations périodiques que l'on observe dans certaines plaines ajoutent des minéraux et de l'humus au sol. Ce n'est

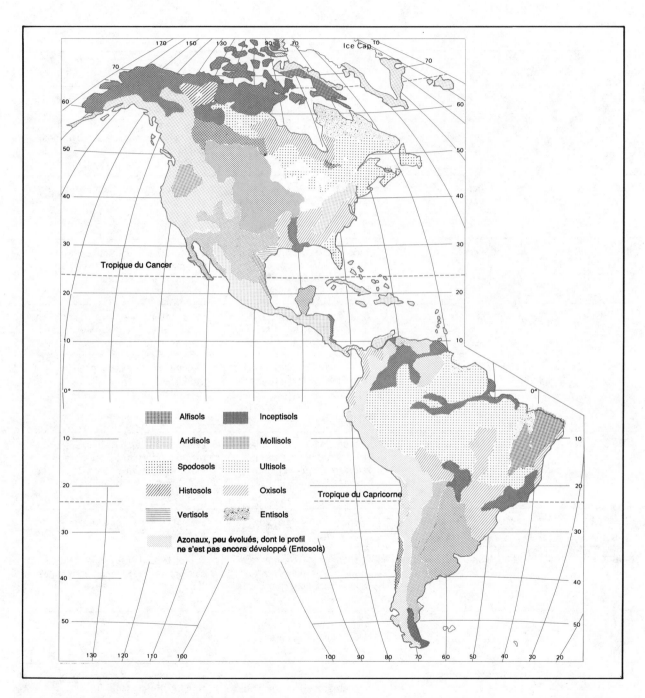

Fig. 17.10 Répartition à grande échelle des ordres de sols de la taxonomie des sols. Elle est basée sur une carte préparée par le Service de la conservation des sols du ministère américain de l'Agriculture.

Fig. 17.11

Nom	Dérivation	Horizons	Caractéristiques importantes (éléments nutritifs et degré de fertilité)
HISTOSOLS	mot grec *histos*, tissu	Teneur élevée en matériaux organiques dans les 80 cm supérieurs.	Dans les climats frais, réactions acides et faible teneur en éléments nutritifs pour les plantes. Aux latitudes basses et moyennes, productivité élevée en présence de traitement.
SPODOSOLS	mot grec *spodos*, cendres de bois	Coloration rougeâtre de l'horizon B provenant surtout des composés d'aluminium et de fer.	Fortement acides. Faible teneur en éléments nutritifs.
OXISOLS	«oxi», abréviation d'oxyde	Absence d'horizons distincts aux latitudes basses. Coloration généralement rouge, jaune et jaune-brun.	Désagrégation extrême de la plupart des minéraux. Réserves de minéraux généralement basses.
VERTISOLS	mot latin *verto*, tourner	Présence d'horizons généralement indistincts.	Quantités intermédiaires de matériaux organiques. Réaction généralement neutre.
ARIDISOLS	mot latin *aridus*, sec	Présence d'un horizon ou plus. Les horizons de surface ne sont pas normalement noircis par l'humus.	Accumulation de carbonates en profondeur. Souvent très productifs lorsque irrigués.
ULTISOLS	mot latin *ultimus*, ultime	Accumulation d'argile dans l'horizon B. Ce dernier est souvent rouge ou jaune.	La disponibilité du calcium, du magnésium et du potassium est maximale dans les 10 cm supérieurs, mais diminue rapidement avec la profondeur.
MOLLISOLS	mot latin *mollis*, doux	Horizon de surface brun foncé à noir.	Sols parmi les plus naturellement fertiles au monde.
ALFISOLS	Al et Fe, symboles chimiques de l'aluminium et du fer	Horizon supérieur gris, brunâtre ou rougeâtre, qui n'a pas été noirci par l'humus.	Disponibilité de moyenne à élevée du calcium, du magnésium et du potassium.
INCEPTISOLS		Présence d'un horizon ou plus, mais déplacement limité de matériaux.	Variations considérables.
ENTISOLS	«ent», association avec «récent»	Absence d'horizons facilement reconnaissables.	Fertilité variable. Les plaines alluviales sont très productives.

que lorsque ces dépôts n'ont plus lieu que les processus de formation des sols commencent à transformer les substances alluviales en sol zonal.

Étude 17-6

1. Le profil d'un chernozem (tchernoziom) typique est constitué de trois horizons qui se distinguent facilement. L'horizon A, couche noire riche en humus, présente une structure granulaire. L'horizon B, caractérisé par une couleur brun plus clair, est généralement très facile à distinguer de l'horizon C beaucoup plus pâle.
a) Tracer une esquisse du profil de chernozem illustré à la figure 17.9, montrant les trois horizons. À l'aide de l'esquisse, résumer les principaux processus de formation des sols responsables de la genèse des chernozems.
b) Les taches blanches à la partie inférieure du profil sont des accumulations de carbonate de calcium. Indiquer l'origine de leur formation.
2. Pourquoi les sols bruns présentent-ils une coloration plus pâle et un profil moins profond que les chernozems? Quelle est l'origine de l'horizon constitué par une accumulation de chaux? À quelle profondeur cet horizon se trouve-t-il? Pourquoi est-il observé plus près de la surface des sols bruns et d'autres sols des prairies?
3. Si les sols bruns se caractérisent par une fertilité assez élevée, pourquoi 25 pour cent seulement de la superficie des sols bruns dans les prairies canadiennes ont-ils été classés parmi les terres arables?
4. Les sols des déserts sont caractérisés par des profils de faible profondeur, l'absence de matériaux organiques, des accumulations de carbonate de calcium à la surface ou près de celle-ci, et une coloration pâle allant du rouge (déserts tropicaux) au gris (déserts des latitudes moyennes). Expliquer ces caractéristiques et établir une comparaison avec les sols bruns qui possèdent des caractéristiques semblables.
5. Décrire l'importance de ce groupe de sols en examinant la répartition des sols alluviaux (fig. 17.5) et en la comparant à celle des populations. (Il existe de nombreuses zones de sols alluviaux qui ont une importance à l'échelle locale, mais qui sont trop petites pour apparaître sur une carte du monde.)

6. Bien que les sols alluviaux soient normalement fertiles, leur utilisation est souvent associée à de multiples problèmes. Indiquer quelques-uns de ces problèmes.

La «Septième approximation» ou la taxonomie des sols

La classification des sols examinée dans le présent chapitre s'est avérée très durable. Elle est utilisée en Amérique du Nord depuis de nombreuses années et demeure un outil adéquat de description et d'interprétation de la configuration générale des sols du monde. Cependant, son utilité est moindre en ce qui concerne la classification objective et quantitative des sols de régions plus restreintes comme un comté ou même une ferme. Afin de surmonter les lacunes du système, les pédologues américains ont mis au point un nouveau plan de classification au cours des années 1950 et 1960. On a attribué à cette nouvelle classification, appelée taxonomie des sols, la désignation populaire de «Septième approximation» après sept tentatives successives d'élaboration d'un système acceptable.

La taxonomie des sols présente plusieurs caractéristiques qui sont fortement souhaitables dans n'importe quelle classification. Les classes sont définies en termes des caractéristiques réelles (ou inhérentes) du sol, qui intègrent les aspects quantitatifs. Les méthodes de classification peuvent donc être reprises par différents pédologues et fournir des résultats comparables. Aucune tentative pour classer les sols tels qu'ils auraient pu être avant l'intervention de l'homme n'a été effectuée. Les sols sont plutôt classés en fonction de leurs propriétés actuelles.

La taxonomie des sols reconnaît six catégories de sols. Les noms de certaines catégories sont dérivés de l'ancienne classification. Aux États-Unis, les différentes catégories et le nombre de classes dans chacune se présentent de la façon suivante:

ordres de sols	— 10
sous-ordres de sols	— 47
groupes majeurs de sols	— 180
sous-groupes de sols	— 960
familles de sols	— 4 700
séries de sols	— 11 000

Les ordres de sols

À première vue, les noms attribués aux sols peuvent sembler difficiles à assimiler (voir fig. 17.11). Il s'agit de nouveaux mots, dérivés principalement du latin et du grec. Chaque mot indique une caractéristique majeure du sol. Par exemple, les alfisols (terme formé de *Al* [aluminium] et de *Fe* [fer]) présentent des concentrations de ces deux éléments; et les histosols (du mot grec *histos* signifiant tissu) renferment des accumulations élevées de matériaux organiques. Lorsque les appellations deviennent familières, elles constituent des aide-mémoire utiles qui rappellent les caractéristiques de base de chaque sol. Les principales caractéristiques des dix ordres de sols sont présentées à la figure 17.11 et examinées dans l'Étude 17-7.

Étude 17-7

La figure 17.10 qui illustre la distribution des ordres dans la taxonomie des sols en Amérique du Nord et en Amérique du Sud, et la figure 17.11, offrent l'information nécessaire à la présente étude.

1. Indiquer les équivalents approximatifs dans la taxonomie, des sols suivants dans l'ancienne classification: podzols, sols alluviaux et chernozems.

2. Les histosols, qui présentent une teneur élevée en matériaux organiques, se retrouvent tant aux latitudes élevées qu'aux latitudes basses. Expliquer pourquoi de vastes accumulations de matériaux organiques sont observées sous chacun de ces climats différents.

3. Sélectionner quatre ordres de sols dans la taxonomie des sols. Établir brièvement un rapport entre leurs caractéristiques et le climat et la végétation des régions où ils se trouvent. Commenter leur taux de productivité agricole.

4. Pourquoi les groupes zonal, intrazonal et azonal n'existent-ils pas dans la taxonomie des sols?

18 / Disparition de la forêt tropicale

Les forêts tropicales humides se retrouvent en une diversité d'endroits dans le monde, approximativement à moins de dix degrés au nord et au sud de l'équateur (voir fig. 16.1). Bien qu'elles n'occupent que huit pour cent de la surface des terres émergées, elles constituent environ 30 pour cent des régions forestières de la Terre et renferment étonnamment 80 pour cent de la végétation terrestre (biomasse totale). Plus important encore, ce biome complexe et diversifié contient de 40 à 50 pour cent des espèces animales et végétales de la planète.

Cependant, ces statistiques sont déjà quelque peu périmées. Elles s'appliquent à la forêt tropicale humide (FTH) d'il y a dix à vingt ans, avant que l'homme ne commence à la soumettre à une destruction massive. À l'heure actuelle, la rapidité de cette destruction est telle que la forêt sera largement disparue au cours du 21e siècle.

Dans de nombreuses régions du monde, dont le Canada et les États-Unis, les arbres sont considérés comme une importante ressource. De vastes industries traitent les produits du bois d'oeuvre ainsi que la pâte et le papier. Les citoyens se préoccupent du remplacement des arbres abattus, c'est-à-dire qu'ils souhaitent que la forêt soit traitée comme une ressource renouvelable. Cependant, on n'a pas encore assisté à une clameur générale réclamant l'arrêt du déboisement. La population accepte le fait que bon nombre de forêts ont dû être abattues pour faire place à l'agriculture, et qu'aujourd'hui, on récolte le bois dans d'autres forêts. Comment explique-t-on alors que la destruction de la forêt tropicale humide soit condamnée mondialement? Étant donné que la plupart des gens n'auront jamais l'occasion au cours de leur vie de visiter une telle forêt, pourquoi s'en préoccuperaient-ils? Après tout, les habitants de ces forêts

Fig. 18.1 Les frondaisons et l'intensité lumineuse dans une forêt tropicale.

les traitent de la même façon que les résidants des régions tempérées traitent leurs forêts depuis très longtemps. L'enjeu est sûrement ailleurs.

Les caractéristiques de la forêt

La figure 16.1 présente la répartition des forêts tropicales humides. Les régions où se trouvent ces forêts jouissent d'un climat tropical humide (de type Af) caractérisé par des précipitations abondantes (plus de 2 000 mm/année) réparties assez uniformément. Les températures moyennes ne sont pas tellement inférieures à 30°C et les variations mensuelles sont négligeables. La région est chaude et humide l'année durant, constituant un environnement idéal pour la croissance des végétaux. (Voir les chapitres sur le climat, particulièrement les caractéristiques du climat Af présentées à la page 90, pour expliquer les caractéristiques du climat tropical humide.)

La forêt elle-même comprend une grande diversité d'espèces, une centaine ou plus à l'intérieur d'un kilomètre carré ne constituant pas une densité inhabituelle. Ces espèces sont généralement stratifiées, ce qui signifie qu'elles sont organisées en couches comme le montre la figure 18.1. Les arbres les plus grands, appelés *émergents*, dominent à une hauteur variant entre 45 et 50 m la voûte ininterrompue de feuillage, qui, elle-même, s'élève à une hauteur allant de 30 à 40 m au-dessus du sol. La quantité de lumière qui arrive à pénétrer cette voûte dense étant très faible, la végétation qui croît au niveau de la troisième couche, soit entre 10 et 15 m, est moins dense. Quant à la végétation au sol, elle est généralement très clairsemée, sauf aux endroits où la voûte présente des trouées, ou près des berges des cours d'eau où la lumière solaire peut pénétrer jusqu'au sol.

Les arbres eux-mêmes sont normalement du type à larges feuilles persistantes dont l'apparence rappelle le cuir. Différentes espèces fleurissent et perdent leurs feuilles

Fig. 18.2 Vue aérienne oblique d'une forêt tropicale près de Singapour. On remarque l'apparence irrégulière de la forêt, et la présence de quelques arbres géants (émergents) qui dominent les frondaisons principales. Les variations de ton donnent une indication de la diversité des espèces.

à diverses époques de l'année. Ces végétaux, qui sont rarement avantagés par la pollinisation éolienne étant donné la grande diversité des espèces, dépendent plutôt des oiseaux, des insectes et d'autres êtres pour remplir cette fonction du cycle de la reproduction. Comme leur système radiculaire est généralement très peu profond, les arbres présentent à la base une structure à contre-boutants qui sert de soutien (voir figure 18.3).

Bon nombre d'autres végétaux existent en interdépendance avec les arbres, dont des épiphytes comme les orchidées, les fougères, les mousses et les broméliacées qui utilisent les arbres comme appui; les lianes ou les vignes dont les racines sont dans le sol, mais les fleurs et les feuilles dans la voûte; et les plantes parasites appartenant à diverses espèces qui vivent de leur hôte et finissent souvent par le tuer.

La faune de la forêt tropicale humide présente également une grande diversité. De même que les plantes, les communautés animales sont stratifiées. La couche émergente abrite surtout des oiseaux et des insectes. La couche inférieure, qui correspond à la voûte, présente la plus grande diversité d'espèces, dont les singes, les paresseux et les fourmiliers. Les espèces des étages supérieurs descendent rarement jusqu'au sol de la forêt. Les animaux qui occupent le sol, moins nombreux, comprennent des cervidés, des jaguars, des rongeurs et des sangliers. Les insectes et les reptiles fourmillent à ce niveau. Bon nombre de plantes et d'animaux vivent leur existence entière sans être vus. Dans de nombreux cas, les espèces n'ont pas encore été identifiées.

À mesure que la forêt est détruite, la vie qu'elle entretient disparaît. Certaines espèces sont déjà disparues, avant même d'être reconnues et classées. Bien que les estimations varient considérablement, un certain nombre de spécialistes prévoient qu'un million d'espèces végétales et animales, sur un total allant de 3 à 5 millions dans le biome de la forêt tropicale humide, seront disparues avant le début du 21e siècle.

Il est impossible de décrire les forêts tropicales humides en quelques mots. On ne peut que souligner quelques points fondamentaux:

• Ces écosystèmes sont très anciens (certains pourraient avoir survécu pendant plus de 50 millions d'années).

• Ils comprennent certains des écosystèmes les plus

Fig. 18.3 Sapucaia au bord du fleuve Amazone près de Macapa, montrant un tronc à contre-boutants.

diversifiés et les plus complexes à la surface de la Terre, constituant une unique concentration de vie.

• Le biome de la forêt humide contribue de façon cruciale à des processus qui rendent la Terre habitable.

• Ces écosystèmes forment des mondes étranges et inhospitaliers d'une immense beauté.

La destruction de la forêt

La destruction de la forêt tropicale humide dans le monde à l'heure actuelle est si massive, dévastatrice et irrévocable, que l'humanité pourrait perdre bientôt sa ressource biotique la plus riche et la plus diverse et celle qui présente la plus grande valeur. En conséquence, la vie perdra pour toujours une grande partie de son habileté à évoluer de façon continue. Bien que bon nombre de groupes de vertébrés supérieurs (mammifères, oiseaux, reptiles) soient particulièrement touchés, une multitude d'autres organismes moins visibles, comme les insectes, les mollusques et les espèces végétales, sera perdue également. Les pertes économiques, esthétiques et culturelles pour les générations futures sont incalculables.[1]

[1]H.H. Itis, «Tropical Forests» *Environnement*, déc. 1983, vol. 25, N° 10.

À quel rythme détruit-on la forêt tropicale humide? Il est difficile de répondre à cette question, en partie parce que les forêts tropicales ne sont pas identiques. Les forêts situées dans les basses terres, riches en espèces et généralement les plus accessibles, sont généralement les premières à être éliminées et présentent donc le taux le plus élevé de disparition. Les estimations du rythme de destruction des forêts humides du monde varient entre 50 000 et 200 000 km²/année. Déjà, l'Afrique occidentale a perdu plus de 70 pour cent de sa forêt humide et le sud de l'Asie, environ 60 pour cent. Et la destruction semble s'accélérer. À moins d'un revirement radical de la situation, il est peu probable que la forêt survive plus de cent ans encore, à l'exception de quelques endroits protégés ou isolés.

Dans les pages suivantes, on examine les principaux agents de destruction de la forêt tropicale humide, ainsi que les conséquences auxquelles devra faire face l'humanité si ce biome est en majeure partie détruit.

L'exploitation forestière

La forêt tropicale humide abrite surtout des arbres de bois dur qui sont fortement en demande à titre de bois de haute qualité comme l'acajou, le teck et l'ébène. Le principal importateur de ce bois est le Japon, des quantités moindres étant importées par les États-Unis et les pays d'Europe occidentale. Les pays exportateurs ou producteurs sont presque tous des pays en voie de développement qui ont désespérément besoin des devises étrangères que leur fournit cette ressource.

Jusqu'à récemment, la majeure partie de l'exploitation des forêts tropicales humides s'effectuait sélectivement, c'est-à-dire que seulement certains arbres étaient choisis à des fins d'abattage. En moyenne, le bois de 20 arbres sur 400 par hectare présentait une valeur commerciale. Cependant, la récolte de ces 20 arbres endommageait jusqu'à 50 pour cent du reste de la forêt par suite de l'abattage lui-même et de l'emploi de la machinerie lourde. Le rétablissement de ces forêts endommagées donne lieu à l'émergence d'écosystèmes très différents.

Au cours des dernières années, on a commencé à utiliser des coupeuses à bois. Ces machines peuvent couper toutes les parties de tous les arbres, ce qui signifie la fin de l'abattage sélectif. Ce processus s'appelle «récolte forestière totale», le bois de papeterie étant maintenant considéré comme un produit de valeur au même titre que le bois de construction. Bien que ce système élimine le gaspillage et ralentit le déboisement de nouvelles régions forestières, les terres sont dévastées. En effet, à peu près tous les matériaux végétaux sont retirés de ces forêts. Étant donné que la majeure partie des éléments nutritifs de ces écosystèmes se trouvent dans les structures végétales et non le sol (voir page 174), toute nouvelle croissance appréciable sera très difficile.

La plupart des forêts sont exploitées sans aucune préoccupation quant à leur renouvellement. L'imprévoyance de cette pratique n'est attribuable qu'à la pauvreté des pays concernés, ou à la cupidité et à l'insouciance des sociétés forestières. La plupart des pays en voie de développement ont besoin de revenus dans l'immédiat et peu d'entre eux ont adopté des lois qui favorisent le rétablissement des forêts.

Le recours à des techniques de récolte moins dommageables et à des mesures améliorées de conservation ferait monter le prix du bois et de ses produits finals. En conséquence, lorsque l'on achète un produit de bois tropical, on peut supposer que son prix est inférieur à ce qu'il devrait être. Il est donc évident que l'environnement de la forêt tropicale, ainsi que la population locale, sont exploités par les pratiques de l'industrie forestière.

L'élevage du bétail

En Amérique latine, l'élevage du bétail est autant responsable de la destruction de la forêt que l'exploitation forestière. La croissance de cette industrie résulte largement de la demande de plus en plus grande de bœuf à faible coût en Amérique du Nord. Financés dans une large mesure par des organismes comme la Banque mondiale, les propriétaires terriens rasent de vastes superficies de forêt tropicale humide pour produire du boeuf à des fins d'exportation. Dans ce cas également, il est important de souligner que, du point de vue des pays producteurs, ces exportations sont une source importante de revenus et de devises étrangères dont ils ont grand besoin.

Les effets de cette pratique sur la forêt sont évidents. Ce qui l'est moins est l'effet sur la population locale. L'extrait suivant est un indice de la situation qui prévaut au Costa Rica.

En 1960, les troupeaux de bétail totalisaient approximativement 900 000 têtes. En 1980 cependant, ce total atteignait 2,2 millions de têtes. Entre 1960 et 1980, bien que la production de boeuf ait presque quadruplé, la consommation locale de cette denrée a diminué dans la mesure de plus de 40 pour cent... La presque totalité de la production était exportée...[2]

En outre, les fermes d'élevage ne génèrent pas de très nombreux emplois. En conséquence, les profits de cette activité sont en majeure partie limités à un groupe assez restreint de personnes qui sont déjà à l'aise. De plus, bon nombre de ces fermes ne sont que des exploitations temporaires. Au début, le peuplement sur une terre nouvellement déboisée s'effectue à raison d'une tête de bétail par hectare. Après une décennie ou moins, l'effet combiné du broutage et de l'exposition des sols tropicaux à la chaleur et aux pluies diluviennes a réduit la densité des animaux à une tête par 6 ou 7 hectares. Lorsque ce point est atteint, l'exploitation n'est plus rentable et l'éleveur doit déplacer son entreprise sur des terres nouvellement déboisées pour recommencer le processus. Les terres abandonnées, comme la forêt rasée, ne possèdent plus d'éléments nutritifs et sont donc incapables d'entretenir la croissance d'une végétation significative. Sans l'apport d'éléments nutritifs par les engrais, toute régénération est à peu près impossible dans ces régions.

L'agriculteur en milieu forestier

Jusqu'à très récemment, la majeure partie des pratiques agricoles dans la forêt tropicale humide étaient effectuées par des sociétés assez primitives. Ces agriculteurs déboisaient un petit lopin de terre forestière en brûlant la végétation. De cette façon, la plupart des éléments nutritifs contenus dans les matériaux végétaux demeuraient accessibles au sol. Ce type d'agriculture s'appelle *débroussaillement et brûlis*. Les zones déboisées servaient à produire des cultures comme le maïs ou le manioc. Quelques années plus tard, après épuisement des éléments

nutritifs du sol, le lopin de terre était abandonné et un autre déboisé. Ce système constitue la *culture itinérante*. Les champs épuisés, qui avaient la possibilité de se régénérer, n'étaient plus utilisés pendant des périodes allant de 10 à 25 ans.

Ce système donne de bons résultats parce que non seulement la majeure partie de la végétation forestière tropicale demeure debout, mais aussi parce que certaines cultures arboricoles (bananes et papayes) sont plantées. En outre, une grande diversité de végétaux utilisés à des fins alimentaires sont cultivés, non en rangées dans des champs ouverts, mais sur des parcelles dans de petites clairières, entremêlés d'autres types de végétation. En d'autres termes, le système agricole imite certaines caractéristiques de l'écosystème naturel tout en préservant de vastes régions dans leur état naturel. Tel qu'il était pratiqué pendant des siècles par de très petites populations employant une technologie primitive, ce système agricole a eu très peu d'effets sur l'écosystème de la forêt humide.

Au cours des dernières années, les populations des pays en voie de développement se sont accrues rapidement. En outre, de plus en plus de petits agriculteurs (comme ceux qui pratiquaient le débroussaillement et le brûlis) ont été déplacés par les exploitants forestiers et les éleveurs. Ces deux facteurs sont largement responsables de la montée massive et croissante du nombre de citoyens sans terres. Bon nombre d'entre eux (qui, selon les estimations, totaliseraient à l'échelle mondiale entre 400 et 800 millions de personnes) ont été forcés de se rabattre dans des bidonvilles autour des grands centres urbains des pays en voie de développement. D'autres sont arrivés sur de nouvelles terres et les ont réclamées, la forêt tropicale humide étant une cible évidente.

En conséquence, de vastes superficies de terres forestières ont été déboisées ces dernières années à l'aide du processus de débroussaillement et de brûlis. Après quelques années de culture, les sols sont épuisés et l'agriculteur en milieu forestier doit s'installer ailleurs. Cependant, étant donné l'ampleur de la destruction forestière, il y a peu d'espoir que ces terres puissent entretenir la régénération de la forêt humide ou même de n'importe quelle autre nouvelle végétation en quantité significative. En effet, bon nombre de ces agriculteurs suivent les exploitants forestiers, occupant les terres nouvellement déboisées. La productivité de

[2]Norman Myers, *The Primary Source: Tropical Forests and Our Future* (New York and London: W.W. Norton & Co., 1984), p. 132-133.

ces zones est généralement inférieure dès le début des activités agricoles parce qu'il y a beaucoup moins de matériaux végétaux à brûler.

Les conséquences locales de la destruction des forêts humides

Si la forêt tropicale humide n'existait plus, quelles différences seraient apparentes? Quels seraient les effets de cette perte sur les populations des pays où sont situées ces forêts?[3]

• Les matériaux bruts de la forêt disparaîtraient comme d'ailleurs bon nombre des industries (et des emplois) que la ressource forestière soutient. À part le bois, les forêts tropicales fournissent entre autres produits des fibres et de la canne, des huiles aromatiques et comestibles, des gommes et des résines, des teintures, des latex et une vaste gamme de produits chimiques dont des stérols, des pectines, des esters et des polyphénols. La valeur de ces produits sur une base annuelle est estimée à plusieurs milliards de dollars. Il s'agit en grande partie de revenus gagnés par les pays en voie de développement.

• Bon nombre de pays commencent à prendre conscience de la gravité des conséquences environnementales de la déforestation. En effet, les forêts humides jouent un rôle important dans la régulation du cycle hydrologique. Elles absorbent la majeure partie des précipitations abondantes que reçoit la région où elles se trouvent et les libèrent de façon régulière. Non seulement ce phénomène prévient les inondations, mais rend l'eau disponible pour l'irrigation, la production d'énergie et d'autres utilisations pendant des périodes plus sèches. De même, l'existence de la végétation empêche l'érosion du sol sur les pentes inclinées et réduit également le taux d'envasement (dépôt de matériaux érodés). Cet envasement peut causer des problèmes en aval, par exemple, par l'accumulation de matériaux derrière les barrages.

Lorsqu'une vaste étendue de forêt humide est complètement détruite, la régénération forestière est un

[3]Ibid. (La majeure partie de l'information présentée dans cette section provient de l'étude de la forêt tropicale humide par Norman Myers. Il s'agit d'une excellente source documentaire détaillée qu'il est malheureusement impossible d'inclure dans le présent document.)

processus très lent. Les spécialistes estiment qu'il faut entre 200 et 400 ans pour qu'un écosystème de forêt humide à maturité réapparaisse. La durée de cette période peut sembler excessive étant donné les conditions optimales de croissance dont jouit cette région. Par comparaison, les durées de rétablissement dans les forêts boréales et des latitudes moyennes varient entre 50 et 150 ans.

Étude 18-1

La figure 18.4 montre certaines des conséquences du déboisement des forêts humides ainsi que les facteurs expliquant la lenteur du rétablissement. À l'aide d'une copie du diagramme, indiquer l'emplacement correct des points numérotés dans le processus qui contribuent à ralentir le rétablissement de la forêt, et fournir des explications le cas échéant. Par exemple, lorsque des éléments nutritifs sont retirés du cycle par la récolte de billes et de la pâte, les sols deviennent infertiles (3), phénomène contribuant à la lenteur du rétablissement forestier.

Conséquences mondiales de la destruction des forêts humides

La destruction des forêts humides a des conséquences qui dépassent les frontières des pays où sont situées ces forêts. En effet, la forêt tropicale humide est un composant vital de la biosphère ou écosystème planétaire total. Dans l'hypothèse d'une destruction massive, le fonctionnement de la biosphère subirait des modifications à l'échelle mondiale. Il est impossible de prévoir avec exactitude la nature et l'importance de bon nombre de ces modifications. Cependant, il est certain que plusieurs d'entre elles auraient un impact négatif sur l'habitabilité de la Terre.

• Bon nombre d'espèces animales et végétales dans la forêt tropicale humide sont limitées à des zones restreintes et dépendent fortement d'autres espèces pour se nourrir et se protéger. En conséquence, elles sont très vulnérables à la destruction forestière. Comme on l'a vu plus tôt, des estimations récentes indiquent qu'entre 15 et 20 pour cent de toutes les espèces de la forêt tropicale humide (environ un million au total) pourraient disparaître d'ici l'an 2000. Étant donné que la plupart de ces disparitions seraient

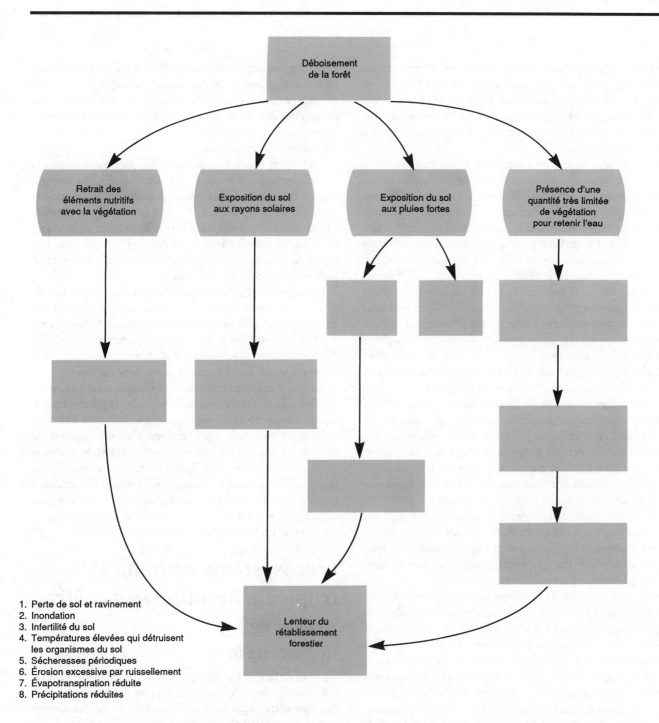

1. Perte de sol et ravinement
2. Inondation
3. Infertilité du sol
4. Températures élevées qui détruisent
   les organismes du sol
5. Sécheresses périodiques
6. Érosion excessive par ruissellement
7. Évapotranspiration réduite
8. Précipitations réduites

Fig. 18.4 Organigramme du déboisement de la forêt tropicale.
Source: Michael Morrish, *Development in the Third World* (Oxford University Press, 1983) p. 50.

celles de plantes d'importance secondaire, d'insectes, de crapauds, d'oiseaux et même d'espèces encore plus petites, la majorité des gens, lorsque confrontés à la destruction de ces espèces, répondent: «Pourquoi s'en soucier?» Il y a cependant de très importantes raisons pour lesquelles il faut s'en soucier.

• Les trois millions, ou à peu près, d'espèces présentes dans la forêt tropicale humide constituent un réservoir génétique qui doit être considéré comme l'une des ressources les plus précieuses de l'humanité. Des progrès récents en technologie génétique (par ex. le transfert de gènes d'une espèce à une autre) ont permis de produire de nouvelles plantes caractérisées par des rendements plus élevés et une meilleure résistance aux maladies. Cependant, qu'il s'agisse de nouvelles ou d'anciennes plantes, ces caractéristiques sont rarement permanentes. Étant donné que les organismes pathologiques produisent de nouvelles souches, il devient nécessaire, tous les dix à vingt ans, de réutiliser les gènes des variétés sauvages afin de produire de nouvelles semences. Il est évident que cette démarche sera impossible si les plantes recherchées sont disparues.

Les mêmes réservoirs génétiques contiennent des plantes et des animaux qui fourniront de nouvelles sources de nourriture. Par exemple, on croit que de nouveaux aliments, des édulcorants naturels, ainsi que des pesticides et des herbicides (biodégradables puisqu'ils sont naturels) attendent d'être découverts par l'homme dans le monde des plantes et celui des animaux de la forêt humide.

L'emploi du mot «fourniront» souligne le fait qu'il n'y a aucun doute que l'homme découvrira ces produits à partir des nombreuses espèces inconnues et non encore étudiées, que cache la forêt humide, en supposant, bien sûr, qu'elles ne disparaissent pas avant d'être trouvées.

• Les forêts tropicales contiennent une multitude de substances utilisées en médecine moderne. Une liste très sommaire comprend les antibiotiques, les médicaments servant à traiter les maladies du coeur, les alcaloïdes (l'un d'entre eux, soit l'alcaloïde extrait de la pervenche, a permis d'accomplir des progrès majeurs dans le traitement du cancer), ainsi que divers composés antibactériens. Bien qu'il s'agisse d'un sujet très complexe, il est suffisant aux fins du présent ouvrage de reconnaître que, de l'avis de la majorité des spécialistes, l'homme ne fait que commencer à exploiter les vastes richesses en matériaux animaux et

végétaux contenues dans la forêt humide, qui pourraient être avantageuses pour l'humanité. Lorsque la forêt sera détruite et les espèces disparues, rien ne pourra faire revenir ces dernières. Bien entendu, les avantages qu'elles auraient pu apporter à l'homme seront aussi irrémédiablement perdus.

• L'effet sur les climats planétaires sera probablement la conséquence la plus grave du déboisement de la forêt tropicale humide. Étant donné la quantité d'eau que cet écosystème peut retenir, la destruction de ce dernier favorisera une accélération du ruissellement de surface, réduisant la quantité de transpiration et d'évaporation. Les précipitations seront considérablement réduites dans cette région et les secteurs avoisinants.

La perte de végétation modifiera aussi la quantité de rayonnement solaire absorbée par la Terre dans ces régions. En effet, la quantité de réflexion de surface (albédo) sera accrue, perturbant le développement de l'aire dépressionnaire équatoriale qui, à son tour, modifiera l'ensemble de la circulation d'air atmosphérique. Les modèles climatiques mondiaux, particulièrement ceux des précipitations, seront très différents des régimes actuels, même si des prévisions précises sont impossibles à établir.

• La forêt tropicale représente un réservoir majeur de carbone. Lorsque les plantes sont brûlées, le carbone qu'elles contiennent est libéré dans l'atmosphère. Ce phénomène permet à l'atmosphère de retenir une quantité supérieure de chaleur, entraînant une hausse des températures à l'échelle planétaire. La pollution par le dioxyde de carbone est examinée au chapitre 12.

L'écosystème de la forêt tropicale humide peut-il être préservé?
Les îlots de forêt

Au nord de la ville brésilienne de Manaus dans le bassin de l'Amazone, on procède actuellement à une expérience. Lorsque cette dernière sera terminée, à la fin des années 1990, les résultats permettront peut-être de sauver une certaine portion de la forêt humide. L'expérience consiste à laisser intactes des parcelles de végétation lorsque la forêt avoisinante est déboisée. La taille de ces parcelles varie de 1 à 1 000 hectares. L'objet de l'étude est de déterminer la taille d'une réserve qui permettrait de préserver la majorité des espèces animales et végétales de la forêt.

L'étude a débuté par un inventaire des ressources de la forêt avant le déboisement. Ce relevé a été repris dans les divers îlots de forêt qui étaient encore intacts après le départ des exploitants forestiers. On prévoit un suivi de cet inventaire pendant un certain nombre d'années afin d'obtenir un tableau détaillé de l'évolution des nouveaux écosystèmes forestiers.

Les résultats préliminaires indiquent que le nombre des espèces a été considérablement réduit dans tous les îlots de végétation. Même la parcelle de 1 000 hectares n'a réussi à préserver qu'une fraction de la diversité initiale des espèces de la forêt humide. Bien que d'importantes études encore en cours sur les écosystèmes de la forêt humide donneront certainement à l'homme un nouvel aperçu de la question, les conclusions semblent inévitables. Afin de préserver l'énorme diversité de la vie présente dans la forêt tropicale humide, il faudra créer de très grandes réserves et les protéger.

L'agroforesterie

Bien que le déboisement sélectif endommage la forêt, il semble que ce soit le seul mode d'exploitation forestière possible sur une base continue et rationnelle. Dans certaines régions, on a adopté des méthodes qui minimisent les dommages au cours des activités de déboisement et des mesures supplémentaires sont d'ailleurs envisagées.

On peut aussi aider la forêt en plantant des espèces individuelles aux endroits rasés par le déboisement sélectif. Étant donné que les arbres tropicaux ayant la plus grande valeur sont les bois durs à croissance lente, il faut davantage de recherche pour élaborer des espèces qui croissent plus rapidement. Le repeuplement à grande échelle de zones coupées à blanc est également très important. Bien que l'on s'attende à ce que ces secteurs produisent des écosystèmes très différents de la forêt humide initiale, l'existence de nouvelles forêts est préférable à la présence de terres dénudés et de terrains en buissons.

Là où la forêt a été plus ou moins complètement déboisée et sert à produire de la nourriture, les agriculteurs devraient être encouragés d'une façon ou d'une autre à planter des arbres. Diverses espèces qui ne sont pas en compétition, particulièrement les légumineuses qui retournent l'azote au sol, peuvent jouer divers rôles. Elles protégeront le sol, fourniront des matériaux bruts et, lorsque l'agriculteur quittera la terre pour une autre, elles amorceront la première phase du long processus de régénération de la forêt.

L'agriculture

Des études expérimentales ont été entreprises à l'échelle mondiale dans différentes parties de la forêt humide afin de mettre au point une forme d'agriculture qui imite les caractéristiques de stratification et de multiplicité des espèces de la forêt initiale.

Au niveau du sol croissent plusieurs catégories de cultures: des céréales à tige courte comme le riz, le taro et d'autres aliments de base; des légumes comme la courge, l'épinard, la carotte et la laitue; des racines et des tubercules comme l'igname et la patate; des plantes herbeuses utilisées comme engrais vert; ainsi que des herbes médicinales, généralement la seule source de médicaments. Au deuxième étage, c'est-à-dire de 2 à 5 mètres de hauteur, on trouve des cultures plus hautes comme le maïs, le manioc, l'ail et le curcuma; des arbres fruitiers comme le papayer, le bananier des sages, le bananier du paradis....; des légumineuses arborescentes servant de source d'engrais azoté; ainsi qu'une gamme diversifiée de cultures commerciales comme le café, le cacao et la muscade....Ces deux étages sont souvent interreliés partout dans leur structure par des plantes grimpantes comme le poivrier et le vanillier. À un troisième étage, on observe des arbres émergents comme le cocotier, l'aréquier et le durio. Des bosquets de bambous servant de combustible et de matériaux de construction sont mêlés aux plantes du jardin. Le lopin de terre total fournit du fourrage aux volailles, et peut-être aussi aux chèvres et aux moutons, tandis que dans un coin se trouve un étang à poissons.

Le secret de la structure à plusieurs étages réside dans le fait que ce mode d'agriculture permet d'exploiter efficacement l'énergie solaire par des plantes très diverses qui absorbent la lumière et la chaleur de différentes façons. Immédiatement sous la surface du sol, un réseau dense de racines favorise le recyclage des éléments nutritifs dans l'ensemble de l'écosystème de jardin. Plus profondément, les racines pivotantes des arbres font monter les éléments nutritifs qui autrement demeureraient enfouis hors d'atteinte des cultures traditionnelles.[4]

Ce modèle agricole serait idéal s'il était combiné avec un programme de réforme des terres donnant aux paysans agriculteurs un titre de propriétaire terrien clair et incontesté. La réforme offrirait aux paysans les moyens de survivre sans avoir à se déplacer périodiquement après quelques années, et hausserait le niveau de vie des populations rurales pauvres. Cependant, ce plan ne protégerait pas la forêt humide à moins d'être combiné à un autre qui réserverait de vastes zones de forêt humide à des fins de conservation permanente.

Une autre tactique qui a été mise à l'épreuve sur une petite échelle en Bolivie et au Costa Rica consiste en l'achat de terres forestières humides par des organismes internationaux de conservation. En Bolivie, cette démarche a été réalisée lorsque le groupe Conservation Internationale a acheté 650 000 $ d'obligations boliviennes à raison de 100 000 $ pour une banque américaine. L'obligation a ensuite été amortie en échange de 4 millions d'acres de forêt humide. Ce genre de solution semble approprié étant donné les conséquences internationales de la destruction de la forêt humide.

Enfin, il faut considérer les attitudes du citoyen moyen face à la vie et au monde de la nature. Ces questions ne sont pas uniquement la responsabilité des scientifiques ou des hommes politiques. En effet, chacun doit se préoccuper des problèmes environnementaux.

La plupart des gens ne se soucient guère d'avoir la possibilité d'admirer un jour la forme convolutée du figuier géant étrangleur, le désordre doré des singes-araignées bondissant à travers le dôme vivant de verdure, ou le vol plané de l'harpie dans un ciel tropical. Cette attitude n'a rien de répréhensible. La visite d'une forêt humide n'est pas pour tous, mais la conservation de ce milieu l'est. Afin de maintenir la qualité de vie dont jouit l'homme aujourd'hui, il faut mettre un frein à la croissance démographique. Cependant, pour améliorer cette qualité de vie, pour aller plus loin, il faut reconnaître les vertus non encore exploitées des habitats naturels et de toutes les espèces diversifiées du monde entier. Il faut résister à l'instauration d'un âge obscur de simplicité biologique, que la perte de la forêt humide amènera. L'intervention de l'homme dans le monde naturel est inévitable. Cependant,

comme l'a déjà dit le conservationniste Aldo Leopold: «La première règle d'une intervention intelligente consiste à sauver toutes les parties.»[5]

Étude 18-2

1. À l'aide de l'information offerte dans ce chapitre et d'autres sections du présent ouvrage (ou d'autres sources), décrire au moyen d'un texte illustré de diagrammes un écosystème typique de forêt humide. (La figure 18.1 constitue un excellent point de départ.)

a) En commençant par l'énergie solaire qui pénètre la structure stratifiée de l'écosystème, noter la circulation d'énergie et de matériaux entre les producteurs et l'environnement abiotique (particulièrement le sol).

b) Commenter le nombre de producteurs et de consommateurs.

c) Noter le cheminement de l'eau et les raisons pour lesquelles cet écosystème est considéré comme une éponge géante.

2. Pourquoi la destruction de cet écosystème comporte-t-elle des conséquences beaucoup plus dévastatrices que celle des écosystèmes forestiers des latitudes moyennes?

3. Expliquer pourquoi les sociétés primitives étaient capables de survivre dans cet écosystème sans le détruire. Est-il possible d'attribuer leur succès à une gestion volontaire appropriée? Que sont devenues ces sociétés ces dernières années? Comment pourrait-on les protéger à titre de partie intégrante de l'écosystème de forêt tropicale humide?

4. Étant donné que la plupart des écosystèmes de forêt tropicale humide sont situés dans des pays en voie de développement, il sera très difficile de trouver un moyen de conserver une portion majeure de forêt humide. Commenter certaines des raisons qui expliquent cette situation.

5. Commenter les trois phrases ci-dessous, tirées de la dernière citation (en regard dans le texte). Ces hypothèses s'appliquent-elles seulement à la forêt humide ou peuvent-elles être associées à tous les écosystèmes?

a) Pourquoi l'intervention humaine dans le monde naturel est-elle inévitable?

b) Que signifie l'allusion à un âge obscur de simplicité biologique?

c) Commenter la signification de la dernière ligne de la citation.

[4] *Ibid.* p. 162-164

[5] Adrian Forsyth, «Rain Forest Requiem» *Harrowsmith*, Camdem House Publishers Ltd.

19 / La désertification

Le terme *désertification* signifie la détérioration ou la destruction des écosystèmes des terres sèches (les zones soumises à des climats de type B décrits aux pages 93-94). À l'extrême, ce processus provoque une telle détérioration de ces écosystèmes, que la terre n'est plus productive et devient semblable à un désert. Bon nombre de facteurs, tant naturels qu'artificiels, contribuent à ce processus. Certains de ces facteurs, parmi les plus importants, sont décrits dans le présent chapitre.

Les régions soumises à une désertification de légère à extrême forment presque 35 pour cent des continents. On estime que plus de 850 millions de personnes vivent dans ces zones, dont 230 millions d'habitants sur des terres gravement désertifiées. C'est l'impact de la désertification sur les populations vivant dans la région sub-saharienne ou sahélienne en Afrique, qui a fait l'objet du plus important débat public. Le fait que la plupart des régions soumises à des climats de type B dans le monde ont également été perturbées est moins bien connu.

La figure 19.1 montre la superficie totale des terres

Fig. 19.1

Désertification des terres sèches productives		
Régions de l'échantillonnage	Total des terres sèches productives	
	Superficie (millions d'hectares)	Pourcentage des terres désertifiées
Région soudano-sahélienne d'Afrique	473	88
Chine et Mongolie	315	69
Amérique du Nord	405	40
Partie méridionale de l'Asie	359	70
Planète	3257	61

Source: *World Resources 1986* (New York: Basic Books Inc.), p. 278.

sèches autrefois productives qui ont subi une désertification de modérée (moins de 25 pour cent) à très grave (plus de 50 pour cent). Selon les estimations, six millions d'hectares ont été ajoutés à ce total de la fin des années 1970 au début des années 1980. Il n'y a aucun indice de ralentissement de ces pertes dans un avenir prévisible.

Historique

La désertification est le résultat d'une combinaison de facteurs humains et naturels qui sont interreliés de façon complexe. Étant donné que le climat est la principale cause naturelle de désertification, il serait utile d'examiner d'abord les principales caractéristiques climatiques à long terme des climats B décrits au chapitre 10. Cependant, il est important de souligner dès le début que les plus importantes causes de désertification sont incontestablement d'origine humaine.

La région du Sahel (voir figure 19.2) est utilisée comme exemple partout dans le présent chapitre. Le terme «Sahel» est tiré d'un mot arabe signifiant terre limitrophe. Cette région limite le désert du Sahara au nord et se fusionne progressivement aux brousses tropicales plus humides au sud. Le «Sahel» est surtout un terme à connotation climatique applicable à presque quatre millions de kilomètres carrés de terres semi-arides qui s'étendent à travers l'Afrique, à partir de la Mauritanie et du Sénégal à l'ouest, jusqu'au Soudan et à l'Éthiopie à l'est. Bien que le Sahel soit soumis à trois types de climats (BW, BS et Aw), il se trouve surtout dans une zone caractérisée par le type BS ou type semi-aride.

Étude 19-1

Le présent exercice s'effectue à l'aide des cartes suivantes dans les chapitres traitant du climat: figures 7.3 et 7.4 (p. 52-53) et figure 8.7 (p. 63).

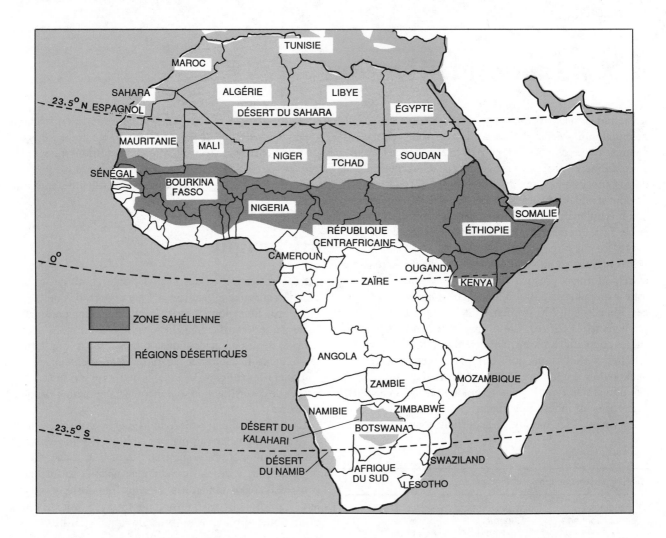

Fig. 19.2 Régions de sécheresse en Afrique.

Fig. 19.3

Données climatiques sahéliennes														
Localité		J	F	M	A	M	J	J	A	S	O	N	D	Total des précip.
Malakal T°C	27	28	31	31	29	27	26	26	27	28	28	27	864 mm
9°N P mm	0	3	5	31	79	130	175	201	145	79	13	3	
El Obeid T°C	21	22	26	29	31	30	28	27	28	28	26	22	380 mm
13°N P mm	0	3	3	3	18	38	99	122	76	15	3	0	
Khartoum T°C	23	25	28	32	33	33	32	31	32	32	28	25	173 mm
16°N P mm	3	3	3	3	3	8	53	71	18	5	3	0	

1. Utiliser la figure 19.2 pour dessiner ou photocopier deux cartes muettes de l'Afrique, qui seront placées l'une à côté de l'autre. Indiquer les vents et les systèmes de pression au-dessus de l'Afrique en janvier et en juillet. Noter les différences entre les deux saisons, particulièrement dans la région sahélienne.

2. Sur une autre carte muette, ombrer les régions africaines qui reçoivent moins de 250 mm de précipitations et celles qui reçoivent plus de 1 000 mm. Utiliser les cartes de vents et de pressions pour expliquer la distribution des précipitations sur le continent. Pourquoi certaines régions recoivent-elles autant de pluies et d'autres si peu?

3. Tracer des graphes climatiques pour les trois localités présentées à la figure 19.3. Localiser ces endroits sur l'une des cartes d'Afrique (les trois sont situés au Soudan). Utiliser ces graphes pour décrire et expliquer les points suivants dans le cas de chaque localité. En particulier, noter selon les latitudes les changements de température et de précipitations qui sont relevés de Malakal à Khartoum.

a) les températures en hiver et en été et l'amplitude thermique;

b) le groupe climatique de Köppen (voir graphe à la page 89);

c) répartitions saisonnières et les précipitations totales.

4. Expliquer chacun des énoncés suivants qui portent sur les caractéristiques des climats secs.

a) L'efficacité des précipitations varie selon la température.

b) Non seulement la quantité moyenne des précipitations est-elle basse, mais il existe une variabilité considérable entre les années (voir page 70).

c) Les températures maximales journalières sont considérablement supérieures aux valeurs moyennes indiquées, par exemple à la figure 19.3.

Écosystèmes naturels dans le Sahel

Le Sahel occupe les parties plus sèches du biome de savane. Les plantes indigènes, décrites de façon plus détaillée à la page 158, comprennent des arbres et des graminées. Les premiers, qui ont généralement entre 5 et 12 m de hauteur, présentent une cime aplatie. Ils se sont adaptés aux longues saisons sèches et aux sécheresses périodiques en élaborant un trait, ou plus, qui caractérise leur mode de résistance à la sécheresse, soit la caducité, des racines profondes, une capacité de stockage de l'eau, de petites feuilles, et une écorce résistante au feu.

Les sols sont généralement des latosols (voir page 174), mais comme les précipitations sont moins abondantes dans la région, ils possèdent plus d'humus que les latosols de la forêt humide. Ils sont vulnérables à l'érosion tant par le vent que par l'eau lorsque la végétation est retirée.

Ce biome de savane entretient une faune diverse comportant un nombre particulièrement élevé de vertébrés ruminants ainsi que leurs prédateurs et leurs charognards. Cette diversité est possible à cause des petites différences entre les niches des diverses espèces. Par exemple, une espèce végétale peut fournir de la nourriture à différentes espèces animales à diverses époques de l'année, ou différents animaux utilisent divers étages de végétation. La girafe est un exemple bien connu d'animal adapté à une niche que d'autres ne peuvent atteindre. La surconsommation de la végétation est évitée par la migration saisonnière de bon nombre d'herbivores.

Le rôle du feu dans cet écosystème est encore mal compris. La plupart des spécialistes croient qu'il s'agit d'un phénomène naturel responsable du maintien des graminées en tant qu'espèce végétale dominante. Bien entendu, toutes ces caractéristiques naturelles ont été modifiées par les activités humaines, généralement au détriment de ces écosystèmes.

Dans l'ensemble, tant la flore que la faune ont développé des modes d'adaptation différents aux conditions qui prévalent dans un Sahel chaud et sujet aux sécheresses. Bien que cet écosystème climacique ait évolué de façon naturelle pendant des milliers d'années, il n'a fallu que quelques décennies à l'homme pour le détruire.

Nomadisme pastoral

Des populations humaines ont également survécu dans des régions comme le Sahel pendant des milliers d'années. Elles ont réussi à survivre en errant ou en se déplaçant sur de très vastes territoires, de façon à n'utiliser activement qu'une petite partie des terres à un moment donné. En conséquence, ces écosystèmes secs n'entretenaient qu'un petit nombre d'habitants. Bien que cette forme d'existence nomade existe encore dans certaines régions isolées, la plupart des nomades ont été récemment forcés de se sédentariser.

Cependant, avant cet établissement forcé, le mode de vie des nomades variait d'un endroit à l'autre, dépendant largement du type d'animal brouteur que les nomades élevaient et qui subvenait à leurs besoins. En effet, les nomades suivaient leurs animaux lorsque ces derniers se mettaient en quête de fourrage. Les types d'animaux qu'ils possédaient dépendait de la végétation naturelle qui, à son tour, était déterminée par la périodicité des précipitations. Les moutons, les chèvres, les bovins, les chameaux et les chevaux variaient en importance d'une région à l'autre, en partie selon les conditions physiques de l'endroit, et en partie selon les traditions culturelles. Indépendamment du type d'animal élevé, le mode de vie nomade était principalement basé sur le cheptel vivant.

Les nomades respectaient généralement un régime cyclique qui les amenaient à l'extrême nord de leur territoire en été, et ensuite vers le sud en hiver. Étant donné que les limites territoriales étaient plutôt indistinctes, un groupe se retrouvait souvent en contact avec un autre, ce qui déclenchait de nombreux conflits. Cependant, il y avait aussi beaucoup de coopération et un certain consensus concernant l'utilisation rationnelle de la végétation et de l'eau. Bien que les nomades aient appris à survivre dans cet environnement inhospitalier, des famines et des épidémies se manifestaient régulièrement et contribuaient à maintenir les populations à un faible niveau.

Sur les bords plus humides du Sahel (qui reçoivent entre 250 et 400 mm de précipitations) une forme plus sédentaire de culture itinérante était pratiquée traditionnellement. La séquence suivante était suivie pour un secteur particulier de terres.
1. Les champs cultivés produisaient des récoltes de céréales, les agriculteurs utilisant l'eau de pluie comme moyen d'irrigation.
2. Après une période de cinq à dix ans, le sol s'épuisait et était laissé en jachère.
3. Pendant la période de jachère, des acacias, qui fixent l'azote, et des graminées croissaient.
4. Après dix ans, les acacias étaient incisés afin d'en extraire la gomme arabique, produit commercial utilisé, par exemple, pour fabriquer des encres et des adhésifs. Cette récolte se poursuivait aussi pendant à peu près dix ans.
5. À ce moment, les arbres qui commençaient à mourir étaient remplacés par des herbes hautes et denses qui étaient libres de croître pendant plusieurs années.
6. Les graminées étaient brûlées et le cycle agricole recommençait.

À mesure que la population entrenue par ces terres s'est accrue, il a fallu produire plus de nourriture et les périodes de jachère ont été raccourcies ou complètement éliminées. Les acacias ont été retirés parce qu'ils entravaient les activités humaines. Il en est résulté une réduction de la fertilité du sol, les agriculteurs devenant de plus en plus dépendants d'engrais artificiels coûteux.

Dans le Sahel et d'autres parties du monde, un nombre croissant de personnes ont dû abandonner leurs terres et s'établir dans les villes ou, dans certains cas, à l'intérieur de camps de réfugiés. À la recherche d'emplois qui n'existent généralement pas, la qualité de vie de ces gens dans le nouvel environnement se détériore rapidement. Le sol des terres qu'ils ont laissées derrière eux est épuisé et vulnérable à l'érosion par le vent et par l'eau en l'absence d'une couverture végétale protectrice. Lorsque ces événements coïncident avec des années caractérisées par des précipitations inférieures à la moyenne, les terres deviennent rapidement des déserts, le processus de désertification étant arrivé à la phase finale.

Étude 19-2

1. Autrefois, tant les plantes et les animaux que l'homme réussissaient à survivre dans des régions comme le Sahel. Ils obéissaient tous à certaines règles de base déterminant la survie dans un environnement sec. Indiquer certaines de ces règles.
2. Il a été avancé qu'autrefois, des nomades et des agriculteurs itinérants survivaient dans des milieux comme le Sahel non parce qu'ils s'efforçaient de comprendre ces écosystèmes, mais parce qu'ils ne possédaient pas la technologie nécessaire pour les exploiter. Commenter cette interprétation.

Sécheresse dans le Sahel

À peu près personne n'ignore les conséquences de la désertification dans le Sahel. Des représentations visuelles de camps de réfugiés et de gens souffrant de la faim étaient très communes au cours des années 1980, particulièrement pendant les terribles années de 1984 et 1985 au cours desquelles des centaines de milliers de personnes sont mortes. Les causes de ces événements ainsi que la possibilité et le moment de leur retour, le cas échéant, sont des questions qui préoccupent les gens à l'heure actuelle.

La présence de sécheresse est à la base de tout ce qui a contribué à l'émergence de problèmes dans les régions comme le Sahel. La sécheresse est la situation qui se manifeste lorsque les précipitations chutent appréciablement sous la moyenne pendant plusieurs années. Au 20e siècle, on relève deux périodes de sécheresse grave avant 1968, soit de 1910 à 1914, et de 1944 à 1948. Depuis 1968, le Sahel a été le lieu d'une série de sécheresses.

La sécheresse doit être considérée comme un phénomène climatique normal dans ces régions. En effet, les valeurs moyennes des précipitations qui arrosent ces endroits peuvent être trompeuses. Ces secteurs reçoivent d'abondantes précipitations pendant quelques années, puis les précipitations descendent considérablement sous la moyenne pendant un nombre supérieur d'années. En d'autres termes, on ne relève pas beaucoup d'années caractérisées par des relevés moyens de précipitations, ces dernières étant donc considérées comme peu fiables. En outre, comme les valeurs moyennes des précipitations sont faibles à des fins de croissance végétale, des valeurs sous la moyenne pendant plusieurs années provoquent une sécheresse.

Si la sécheresse est un phénomène normal, pourquoi la désertification est-elle récente? Pour répondre à cette question il faut en poser deux autres.

1. Les sécheresses actuelles dans des régions comme le Sahel s'aggravent-elles à cause des phénomènes naturels du changement climatique mondial? Certaines indications de cette tendance ont été examinées au chapitre 11.

2. Les activités humaines dans cette région, ou dans le monde globalement, provoquent-elles une aggravation des sécheresses? Par exemple, on a déjà considéré la possibilité que des concentrations accrues de CO_2, parmi d'autres facteurs, pourraient être à l'origine d'une modification des régimes de précipitations à l'échelle planétaire.

Il y a déjà bon nombre d'années que les scientifiques tentent de déterminer les causes climatiques réelles de la désertification et, jusqu'à présent, ils n'ont pas réussi à tirer de conclusions finales. Cependant, comme il est précisé au début du présent chapitre, c'est l'intervention humaine dans le Sahel qui a contribué de façon appréciable à créer le problème de désertification. L'information qui suit porte sur cet aspect du problème.

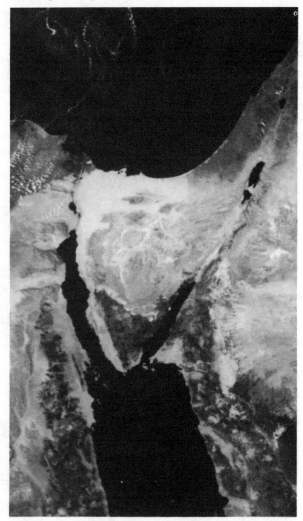

Fig. 19.4 Photographie prise par un satellite d'une clôture entre Israël et l'Égypte dans le désert de Negev-Sinaï.

L'être humain crée les déserts

Des photographies prises par satellite montrent clairement la présence d'une clôture, construite en 1969, le long de la frontière entre Israël et l'Égypte dans le désert de Negev-Sinaï. Dans la photographie, le côté égyptien présente une coloration claire, indication d'une végétation clairsemée, tandis que le côté israélien est foncé, signe d'une couverture végétale plus complète. Les Égyptiens utilisent leurs terres à des fins d'agriculture et d'élevage, tandis que les Israéliens ont laissé la végétation naturelle se rétablir dans la région après bon nombre d'années d'un usage abusif du sol. Du côté égyptien, la désertification est bien amorcée. Les pressions exercées sur le gouvernement égyptien pour qu'il utilise ces terres afin de répondre aux besoins de sa population toujours croissante, signifient que cette région a dû entretenir un nombre de plus en plus grand de ruminants. Après les sécheresses des années 1970 et 1980, les terres soumises à un surbroutage, ont été moins capables de se rétablir que les régions relativement inutilisées du côté israélien.

C'est ainsi que pendant la même période, dans les mêmes conditions de sécheresse, deux régions adjacentes ont été soumises à des changements environnementaux différents dont l'origine ne peut être que les différentes pratiques d'utilisation des terres. Cet exemple démontre bien que, laissés à l'état naturel, les écosystèmes désertiques et semi-désertiques, comme la zone israélienne, peuvent survivre des périodes de sécheresse. Ce n'est que lorsque les hommes sont forcés d'endommager ou de détruire les producteurs naturels afin de produire de la nourriture que les écosystèmes frappés de sécheresse sont incapables de se rétablir. Le processus de détérioration qui commence ainsi mène ultimement à la désertification complète.

En plus de l'effet des pratiques d'utilisation des terres, il semble exister une autre cause de désertification. La destruction de la végétation dans ces régions semi-humides déclenche un processus de rétroaction qui provoque l'apparition d'un climat plus sec. Les causes de ce phénomène comportent une combinaison des facteurs suivants.

Fig. 19.5 Un oasis en bordure du désert. Dans cette région, les sols sont très fertiles s'ils reçoivent suffisamment d'eau et sont l'objet d'une gestion adéquate.

Fig. 19.6 La végétation clairsemée en bordure du désert du Sahara au Soudan a été endommagée par une surexploitation par le broutage et les cultures. Des parcelles de sable nu rejoignent des dunes mobiles qui, déplacées par le vent, empiètent sur les terres agricoles ou d'élevage et les oasis. Le désert n'avance pas sur un large front, mais il apparaît en divers endroits, surtout lorsque les terres ont été surexploitées.

• La perte de végétation augmente l'albédo (voir page 44), de sorte que la surface de la Terre absorbe moins de chaleur. La surface terrestre plus fraîche refroidit la couche d'air adjacente au sol, la température de cette dernière devenant donc inférieure à celle de la couche située au-dessus. L'inversion ainsi créée tend à réduire la probabilité d'une ascension de l'air et d'une chute de précipitations.

• On croit également que des modifications de la surface des terres pourraient contribuer à réduire le nombre de noyaux de condensation dans l'air (voir page 61). Il semble que ces noyaux, formés par la décomposition végétale, seraient plus efficaces que les noyaux inorganiques (par exemple les particules de poussière) dans la formation des précipitations.

• La destruction de la végétation augmenterait la quantité de poussière dans la basse atmosphère. Étant donné que la poussière absorbe et disperse le rayonnement solaire qui pénètre dans l'atmosphère, le réchauffement de la surface terrestre serait davantage réduit et la quantité de précipitations, diminuée également.

L'expansion démographique

Quelles sont les interventions particulières de l'homme qui détruisent l'écosystème dont ce dernier dépend pour survivre?

Il est bon de rappeler que les nomades et les agriculteurs itinérants ont réussi à survivre à long terme parce que leurs populations étaient relativement restreintes et qu'ils se déplaçaient régulièrement. Cependant, les récentes décennies ont été marquées d'événements majeurs dont,

Fig. 19.7

Croissance démographique de quatre pays du Sahel et du Canada — 1970 à 1987				
Pays	Millions en 1970	P.N.B.* par habitant	Millions en 1987	P.N.B. par habitant
Mali	5,1	80 $	8,4	140 $
Éthiopie	25,0	60 $	46,0	110 $
Soudan	15,8	90 $	23,5	330 $
Niger	3,8	70 $	7,0	200 $
Canada	21,4	2380 $	25,9	13 670 $

*Le P.N.B. (produit national brut) est une mesure de la valeur totale des biens et services produits dans un pays. Il s'agit d'une méthode de mesure de la richesse ou du niveau de vie d'un pays.

notamment, la croissance démographique. Ce phénomène est en grande partie le résultat de progrès réalisés dans le domaine médical qui ont contribué à réduire le taux de mortalité. Étant donné que le taux de natalité est demeuré élevé, la différence entre les naissances et les décès (appelée *accroissement naturel*) a augmenté considérablement, donnant lieu à une croissance démographique appréciable. Par exemple, en 1987, le taux d'accroissement naturel annuel au Soudan était de 2,8 pour cent. Ce taux est très élevé comparativement à celui du Canada qui n'est que de 0,8 pour cent. Si ce taux se maintient, la population du Soudan doublera en vingt-quatre ans.

Bien qu'il soit improbable que ce taux élevé se maintienne, il faudra des décennies avant que l'accroissement naturel de pays comme le Soudan ne descende jusqu'à un faible niveau comme celui du Canada. Où vivront tous ces gens qui se sont ajoutés à la population? Comment les écosystèmes sahéliens arriveront-ils à les nourrir?

Les populations toujours croissantes qui vivent dans ces milieux secs ont contribué au processus de désertification de diverses façons. L'une des premières indications, et des plus évidentes, de la désertification dans ces régions est le rythme accéléré de l'abattage des arbres et d'autres matières ligneuses. Comme on l'a vu, les arbres ont d'importantes fonctions dans leurs écosystèmes, dont la rétention de l'eau et la protection du sol. Cependant, il est difficile de lancer la pierre aux populations locales dans ce processus de destruction. Le bois et les déchets agricoles comblent la totalité des besoins énergétiques domestiques au Sahel. Étant donné leur pauvreté, les populations locales ne peuvent envisager d'autres solutions. Pour cuire leurs repas et produire un peu de chaleur la nuit, ces gens n'ont d'autre choix que d'enlever sur les terres avoisinantes, toute la végétation ligneuse.

La croissance démographique contribue également à réduire ou à éliminer les périodes de jachère des terres cultivées et d'élevage, réduisant la fertilité du sol et laissant les terres vulnérables à l'érosion. Les populations ont migré dans les terres plus marginales qui s'étaient maintenues en pâturages pendant des siècles. Exposées pour la première fois à la charrue, ces terres sont très vulnérables à l'érosion tant par le vent que par l'eau.

Les pâturages étant de plus en plus réduits, les troupeaux ont été poussés presque dans le désert lui-même. Cependant, les besoins en viande, en lait et en d'autres produits bruts, d'une population croissante, exige la hausse du nombre de têtes de bétail. Plus le nombre d'animaux s'accroît, plus les dommages environnementaux s'accumulent. Ces dommages sont particulièrement évidents autour des puits profonds dont la construction, au cours des dernières décennies, a permis l'augmentation des troupeaux.

Les projets d'irrigation ont également contribué à la désertification. Les dommages surviennent lorsque l'irrigation est réalisée de façon inappropriée et que les besoins de drainage sont négligés. Lorsque la nappe phréatique s'élève, le sol s'engorge d'eau ou devient salin (voir page 176). Selon certaines estimations, la superficie de terres perdues chaque année à cause d'une irrigation incorrecte pourrait être équivalente à celle des terres nouvellement irriguées.

Inégalités économiques et politiques

Il est important de bien comprendre que la croissance démographique n'est qu'un facteur parmi plusieurs qui contribuent à la désertification et à ses conséquences. Les autres facteurs appartiennent à la catégorie générale des inégalités économiques et politiques.

Dans bon nombre de pays sahéliens, une superficie croissante de terres agricoles de qualité supérieure ont été prises par des fermiers déjà à l'aise, qui les utilisent surtout pour produire des cultures non alimentaires (par exemple, arachides et coton) à des fins d'exportation. Cette orientation a deux conséquences immédiates, soit a) les agriculteurs déplacés doivent chercher de nouvelles terres, ce qui a pour effet de les repousser presque toujours dans les zones plus sèches et moins productives, et b) la production alimentaire à des fins de consommation locale est réduite. Pendant les sécheresses, plusieurs pays sahéliens ont continué d'exporter des cultures commerciales tandis que les populations locales faisaient face à de graves pénuries.

En outre, les revenus de l'exportation de cultures commerciales avantagent rarement la majorité pauvre de ces pays. Une large part de ces revenus sert à payer l'intérêt des dettes nationales; à financer le combustible, les engrais et l'équipement nécessaires aux agriculteurs spécialisés dans les cultures d'exportation; à entretenir un niveau de vie élevé pour une petite élite; et, enfin, à acheter des armes (en 1984, le coût des importations d'armes dépassait celui des importations de céréales).

Pourquoi ces gouvernements n'agissent-ils pas? Dans la plupart des cas ils n'en voient pas la nécessité, car la majorité pauvre est considérée comme politiquement sacrifiable. Dans bon nombre de situations, des décisions politiques sont biaisées en faveur des petites élites économiquement puissantes qui sont présentes dans la plupart de ces sociétés.

Étude 19-3

1. «Les populations et leurs gouvernements sont les principaux responsables des famines, et non pas la nature ou le climat.» Examiner cet énoncé.

2. Bien que le processus de désertification soit observé presque partout où il y a des déserts, la famine est limitée principalement à l'Afrique. Expliquer.

3. Commenter la valeur de l'aide alimentaire offerte aux populations affamées du Sahel. Décrire en quoi elle peut être utile et pourquoi elle serait inutile.

4. Bien qu'il semble s'agir de problèmes très différents, la destruction des forêts et la désertification ont beaucoup en commun. Commenter leurs similitudes sous les aspects suivants:

   i) la fragilité des écosystèmes concernés;
   ii) la survie des populations humaines, des animaux et des plantes dans le passé;
   iii) l'origine des problèmes actuels;
   iv) les chances de trouver une solution à long terme.

Relief au Brésil

La lithosphère

20 / Composition de la croûte terrestre

La lithosphère, troisième et dernière composante de la biosphère, est la partie de la Terre que l'homme connaît le mieux et dont il dépend largement pour survivre. Cette composante rigide et rocheuse forme les continents et constitue le lit des océans. La partie visible, ou surface de la lithosphère offre une gamme de formes très diverses telles que les montagnes, les collines et les vallées, qui se résume par l'expression relief.

La plupart des gens considèrent les formes du relief comme des caractéristiques permanentes. Peu importe les changements qui surviennent, les montagnes, les collines, les vallées ou les plaines qui constituent le paysage local donnent à l'homme une impression de sécurité. Bien qu'il soit parfois possible de détecter un changement dans le cours d'une rivière ou un ravinement sur le versant d'une colline, ou d'observer des modifications d'une grande ampleur dans le paysage de régions où s'élèvent d'importantes installations érigées par l'homme, la plupart des formes du relief demeurent inchangées pendant toute la durée d'une vie humaine. Des photographies et des cartes réalisées il y a plusieurs décennies montrent des reliefs qui sont essentiellement identiques à ceux qui existent aujourd'hui.

Bien que l'on observe rarement des modifications dans les reliefs de la Terre, des changements sont continuellement en cours. Depuis la formation de la Terre (il y a plus de 4,6 milliards d'années, selon les estimations), toutes les parties de sa surface ont subi maintes transformations. Par exemple, des montagnes s'élèvent aujourd'hui là où s'étendaient des plaines autrefois. En outre, il est concevable que les plaines aient pu être formées à partir des dépôts de sédiments qui dissimulaient les racines d'une chaîne de montagnes encore plus ancienne, aplanies il y a des centaines de millions d'années. Avant de pouvoir même commencer à apprécier le rythme de l'évolution géologique, il faut dévier de nos concepts normaux de temps.

On connaît mal le rythme exact des transformations géologiques parce qu'à l'échelle de l'humain, ces transformations sont incroyablement lentes, et que les premières mesures précises ne remontent qu'à quelques décennies. Cependant, il est possible d'avoir une idée de l'évolution géologique en se basant sur les changements actuels. Par exemple, il a été déterminé que la côte des Pays-Bas s'affaissait à raison de 20 cm par siècle et la ville de Venise, à raison d'environ 30 cm par siècle. Deux relevés effectués dans le sud de la Californie par le Département de géodésie et de surveillance côtière américain (U.S. Coast and Geodetic Survey) montrent que dans une région, l'écorce terrestre s'est élevée de 18 cm en trois ans, et dans une autre, de 20 cm en 38 ans. D'autres signes peuvent être observés dans le sud de la Californie, où l'écorce est notamment instable. Dans cette zone, le déplacement horizontal le long de la faille de San Andreas (voir fig. 23.2) est d'environ 5 à 8 cm annuellement, ce qui est suffisant pour provoquer des secousses dans les routes, les cours d'eau et les clôtures.

On est bien documenté sur les événements du passé et sur leur influence sur l'écorce terrestre. En rassemblant des fragments d'information épars provenant de diverses sources, les géologues ont réussi à remonter bon nombre de processus de changements géologiques qui se sont produits il y a plusieurs centaines de millions d'années. Afin de situer cette évolution dans une perspective chronologique, les géologues ont mis au point une échelle de temps de même nature que celle qu'utilisent les historiens. La principale différence réside dans le fait que les périodes de l'histoire de l'humanité s'étendent sur des dizaines ou des centaines d'années, tandis que les périodes géologiques ou d'histoire de la Terre se mesurent en dizaines ou en centaines de *millions* d'années. La figure 20.1 représente un tableau des temps géologiques qui doit être utilisé comme référence lorsque des événements géologiques ou

Fig. 20.1

Tableau des temps géologiques				
Divisions géologiques			ÉVÉNEMENTS GÉOLOGIQUES MAJEURS (LA PLUPART DES EXEMPLES SONT DES ÉVÉNEMENTS RELEVÉS EN AMÉRIQUE DU NORD)	ÉVÉNEMENTS BIOLOGIQUES MAJEURS
ÈRES	PÉRIODES	ÉPOQUES		
CÉNOZOÏQUE	Quaternaire	Récente 10 000[1]	Activités de transformation progressive qui forment les paysages actuels.	Naissance de la civilisation. L'homme commence à modifier les écosystèmes naturels.
		Pléistocène 1 000 000	Glaciations à l'échelle mondiale. Les activités tectoniques forment les chaînes de montagnes côtières de l'ouest de l'Amérique du Nord.	Développement de l'humanité. Disparition de gros mammifères.
	Tertiaire	Pliocène Miocène Oligocène Éocène Paléocène 63 000 000	Les continents prennent leur forme actuelle. Collision de l'Inde avec l'Asie. Formation continue des montagnes dans les Rocheuses, les Andes et les Himalayas.	Émergence des premiers hommes. Évolution du cheval, de la baleine, du singe, de l'éléphant et des gros carnivores. Apparition des plantes herbacées, des céréales et des fruits.
MÉSOSOÏQUE	Crétacé	135 000 000	Vers la fin de la période, des processus de formation des montagnes résultent les principaux systèmes actuels; Rocheuses, Alpes, Andes, etc. (orogenèse laramidienne). Dépôts marins.	Premières plantes à fleurs. Disparition des dinosaures.
	Jurassique	180 000 000	Les intrusions volcaniques sont à l'origine de la formation des montagnes Selkirks, Cascades, etc., dans l'ouest de l'Amérique du Nord (orogenèse névadienne). Des mers peu profondes recouvrent une grande partie de l'Amérique du Nord et de l'Europe.	Premiers oiseaux. Grande abondance de dinosaures.
	Trias	230 000 000	Invasion et dépôts marins. Les activités volcaniques sont très répandues.	Premiers mammifères. Premiers dinosaures.
PALÉOZOÏQUE	Permien	280 000 000	Formation de montagnes dans l'est de l'Amérique du Nord (orogenèse appalachienne) et en Europe (orogenèse hercynienne). Âge glaciaire dans l'hémisphère Sud.	Abondance de conifères. Présence d'un grand nombre d'insectes, d'amphibiens et de reptiles.
	Carbonifère Pennsylvanien Mississippien	345 000 000	Dépôt de couches carbonifères dans l'est et le centre de l'Amérique du Nord. Dépôt de sédiments calcaires dans le centre de l'Amérique du Nord.	Premiers reptiles. Forêt géante de plantes à spores (formatrices de charbon).

[1]Les chiffres indiquent le nombre d'années qui se sont écoulées depuis la période présente au début de l'ère, de la période ou de l'époque.

Dévonien		Formation de montagnes dans l'est de l'Amérique du Nord (orogenèse acadienne).	Premiers amphibiens. Abondance de poissons.
	405 000 000	Poursuite des dépôts.	
Silurien	452 000 000	Invasion et dépôts marins généralisés.	Première apparition des plantes et animaux terrestres.
Ordovicien		Formation de quelques montagnes en Nouvelle-Angleterre (orogenèse taconique); période caractérisée principalement par l'accumulation	Premiers vertébrés.
	500 000 000	continue de dépôts.	
Cambrien	570 000 000	Invasion des terres par les mers peu profondes, et dépôt de sédiments marins dans les géosynclinaux.	Abondance d'invertébrés marins (par. ex. les trilobites).
PRÉCAMBRIEN		Formation de l'écorce terrestre, et apparition des continents et des mers (sous une forme différente de leur apparence actuelle).	Premier animal connu (méduse), 1,2 milliard d'années.
Période qui remonte jusqu'à la naissance de la Terre, il y a plus de 4,6 milliards d'années.			Première plante connue (algue), 3,2 milliards d'années. La plus ancienne roche connue, 3,3 milliards d'années. Premières entités vivantes (bactéries), 4,0 milliards d'années.

biologiques anciens sont cités.

Il a été dit que les formes du relief ne sont pas permanentes. À un moment donné, elles représentent une phase dans une série continue de transformations. Les forces responsables de ces changements sont généralement divisées en deux groupes majeurs, soit les *forces tectoniques* et les *forces de transformation progressive*. Ces deux types de forces sont étroitement liés. Les forces tectoniques, qui dérivent de mouvements sous la croûte terrestre, ont tendance à déformer l'écorce terrestre en produisant des dislocations. Par contre, les forces de transformation progressive, dont l'origine est à l'extérieur de la masse terrestre, tirent leur énergie principalement du soleil. Elles travaillent sans relâche l'écorce terrestre et s'efforcent d'aplanir les déformations produites par les forces tectoniques. Au cours de ce processus, elles sculptent la plupart des traits caractéristiques de la surface terrestre, comme les collines et les vallées. La redistribution des matériaux terrestres par les forces de transformation progressive au cours de millions d'années favorise la reprise des mouvements tectoniques.

Étude 20-1

1. Afin d'apprécier la durée des différentes ères et périodes géologiques, réduire l'échelle chronologique de l'histoire de la Terre à celle d'une période beaucoup plus courte, par exemple une journée. Cette période de 24 heures représente donc les 4,6 milliards d'années d'existence de la Terre (selon les estimations). En utilisant minuit comme point de départ de l'histoire de la Terre, déterminer, à l'aide de l'échelle des temps géologiques ci-dessus, l'heure à laquelle se sont produits les événements suivants:
a) apparition de la première plante;
b) fin de l'ère précambrienne;
c) formation de la chaîne de montagnes des Appalaches (il y a environ 200 millions d'années);
d) début de l'âge glaciaire du pléistocène (environ 1 million d'années);
e) début de la Révolution industrielle (vers 1800).

Structure interne de la Terre

Afin de comprendre comment les forces tectoniques créent les reliefs, il faut posséder une certaine connaissance de l'écorce terrestre et de la structure interne de la Terre. En effet, comme on l'a déjà mentionné, les forces tectoniques agissent à l'intérieur de la planète.

Certains scientifiques croient que la Terre était initialement une sphère de gaz incandescent qui s'est refroidie graduellement pour former une masse en fusion de métaux et de roches entourée d'une enveloppe gazeuse. À mesure que la Terre s'est refroidie davantage, certains des éléments gazeux se sont combinés avec d'autres éléments à la surface pour former une couche extérieure solide d'environ 100 km d'épaisseur, appelée lithosphère. Cette lithosphère comprend la *croûte* (ou l'écorce) et la partie supérieure du *manteau* (fig. 20.2). La partie inférieure du manteau et le *noyau* (nifé) ont été constitués sous la lithosphère, et dans certaines parties du noyau, les matériaux demeurent en fusion.

L'intérieur de la Terre a toujours été une source de mystère pour l'homme, car ce dernier n'a réussi à pénétrer la masse terrestre que sur une distance maximale de quelques milliers de mètres. L'information sur l'intérieur ne peut être obtenue qu'indirectement, en raison des températures considérables et des énormes pressions qui existent sous la surface. La majeure partie des connaissances provient de données recueillies lors de mesures et d'études des ondes sismiques, et des explosions produites par l'homme.

La *sismologie*, qui est la science des séismes ou tremblements de terre, mesure les vibrations ou les ondes de choc à mesure qu'elles voyagent autour et à l'intérieur de la Terre. L'interprétation des changements de vitesse et de trajectoire des ondes de choc à travers la Terre fournit des données sur les conditions et les structures planétaires internes. La séismologie a permis d'accroître considérablement les connaissances de l'homme sur la structure interne de la Terre, mais il reste encore beaucoup de faits obscurs et d'hypothèses à démontrer. Cette question est examinée de façon plus approfondie au chapitre 23.

La croûte

Formant les continents et le plancher des océans, la croûte est une mince bande d'épaisseur variable (environ de 6 à 70 km) qui constitue moins de un pour cent de la masse totale de la Terre. Elle est fragmentée en une douzaine de masses environ, de tailles et de formes variables, appelées *plaques* (voir fig. 21.2). Comme on le verra au chapitre suivant, non seulement la croûte est constituée de plaques, mais ces plaques se déplacent toutes très lentement. Ces mouvements créent les forces tectoniques et sont responsables de la formation de la plupart des grands ensembles structuraux à la surface de la Terre.

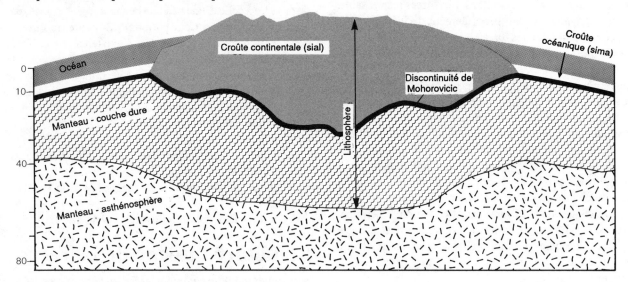

Fig. 20.2 Coupe transversale montrant la division de la croûte terrestre.

La croûte située sous les continents diffère de la croûte océanique. La première (parfois appelée *sial*) est plus épaisse (jusqu'à 70 km de profondeur) et se compose principalement de roches granitiques plus légères dont la silice et l'aluminium sont les composants majeurs. Au-dessous des océans, la croûte (appelée *sima*) est constituée de roches basaltiques légèrement plus denses (à teneur inférieure en silice et en aluminium, et à teneur supérieure en magnésium et en fer), et présente une épaisseur moyenne de 6 km. Comme on le verra au chapitre suivant, il existe une autre différence majeure, c'est-à-dire que les roches qui forment la croûte océanique sont toutes âgées de moins de 200 millions d'années tandis que l'origine des roches les plus anciennes, qui constituent les continents, remonte à plus de trois milliards d'années.

La couche qui sépare la croûte du manteau est la zone de *discontinuité de Mohorovicic* ou Moho, du nom du sismologue yougoslave qui a découvert, en 1909, que les ondes sismiques étaient accélérées lorsqu'elles traversaient cette zone.

Le manteau

Le manteau s'étend jusqu'à une profondeur d'environ 2 900 km sous la surface de la Terre. Bien qu'il s'agisse d'une distance inférieure à la moitié du rayon de la planète, cette zone forme 68 pour cent de la masse de la Terre. La composition du manteau ne diffère de la croûte qu'en degré: la silice est toujours dominante, mais on y relève des quantités supérieures de magnésium et de fer. La principale roche est la péridotite formée surtout à partir du minéral olivine $(Mg,Fe)2SiO_4$.

La partie supérieure du manteau est formée d'une couche rigide, située immédiatement sous la croûte, et d'une couche tendre partiellement en fusion dont la limite supérieure est située à une distance variant entre 60 à 80 km sous la croûte, et qui s'enfonce jusqu'à environ 300 km de profondeur. La partie rigide du manteau et la croûte au-dessus forment la lithosphère (voir fig. 20.2). La couche tendre constitue l'*asthénosphère*.

Les plaques solides et friables de la lithosphère reposent sur les masses rocheuses de l'asthénosphère qui se meuvent lentement. Les roches de la lithosphère pourraient être comparées à la glace des icebergs, qui se fragmentent lorsqu'ils sont soumis à un choc. Cependant, sous les conditions de températures et de pressions élevées qui caractérisent cette zone, les roches se meuvent très lentement. (Le rythme du mouvement a été comparé à celui de la croissance des ongles des doigts.) Les effets de ce mouvement sur la croûte constituent le sujet du chapitre suivant.

Le noyau (nifé)

On croit que le centre ou noyau de la Terre est constitué d'une partie externe liquide et d'une partie centrale solide. Le noyau, qui est principalement composé de fer, comporte aussi une quantité moindre de nickel. Sa température varie entre 4 000°C et 5 000°C, et sa pression est équivalente à plusieurs millions de fois celle de l'atmosphère au niveau de la mer. En moyenne, les matériaux qui constituent le noyau sont deux fois plus denses que ceux du manteau. En conséquence, bien que le noyau ne forme que 16 pour cent du volume de la Terre, il représente un peu plus de 31 pour cent de sa masse.

L'isostasie

Comme on l'a vu, les plaques de la lithosphère flottent, en quelque sorte, sur l'asthénosphère comme la glace sur l'eau. Des matériaux sont constamment retirés de la surface d'une plaque et ajoutés à une autre, forçant les plaques à se mouvoir verticalement de façon très lente, mais ininterrompue, à mesure qu'elles s'adaptent au transfert de matériel. L'état d'équilibre entre les segments s'appelle l'*isostasie*. Par exemple, l'on sait que, pendant les périodes glaciaires, la masse de glace a contraint la croûte à s'enfoncer. Après la disparition de la glace, la croûte est revenue approximativement à sa position initiale. Ce phénomène peut être démontré clairement par les lignes de rivages successifs, particulièrement ceux observés près de vastes plans d'eau aux latitudes élevées comme la baie d'Hudson ou la mer Baltique.

Le même type de mouvement observé dans la croûte se produit constamment dans des régions soumises aux processus d'érosion. L'aplanissement des masses rocheuses a allégé la croûte dans ces régions, lui permettant de

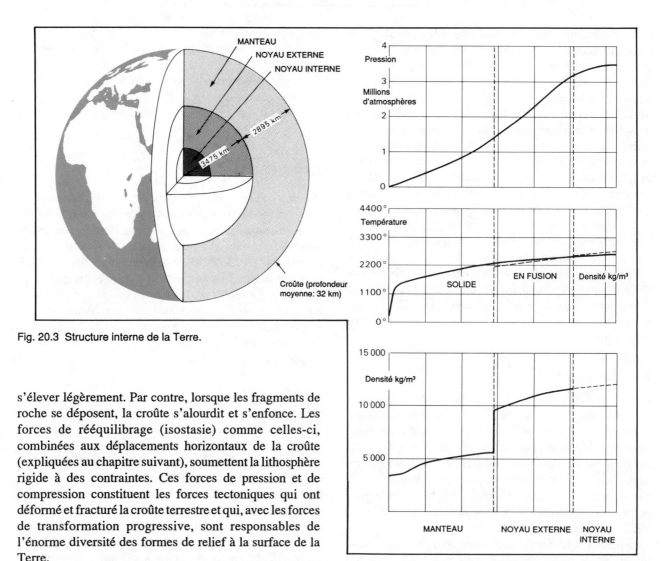

Fig. 20.3 Structure interne de la Terre.

s'élever légèrement. Par contre, lorsque les fragments de roche se déposent, la croûte s'alourdit et s'enfonce. Les forces de rééquilibrage (isostasie) comme celles-ci, combinées aux déplacements horizontaux de la croûte (expliquées au chapitre suivant), soumettent la lithosphère rigide à des contraintes. Ces forces de pression et de compression constituent les forces tectoniques qui ont déformé et fracturé la croûte terrestre et qui, avec les forces de transformation progressive, sont responsables de l'énorme diversité des formes de relief à la surface de la Terre.

Les roches et les minéraux

La lithosphère est composée de matériaux rocheux soit fragmentés, soit solides, de types très divers. Après un examen attentif, on constate que ces roches sont constituées de particules beaucoup plus petites appelées minéraux. Ces derniers s'emboîtent ou sont cimentés. En conséquence, les roches sont définies comme un groupement quelconque de minéraux à l'état solide.

Les minéraux sont également définis comme des solides inorganiques qui se trouvent normalement dans la nature. Ils sont constitués de deux éléments ou plus et possèdent une composition chimique et une structure atomique invariables. Leurs atomes sont disposés de manière caractéristique en trois dimensions, créant une forme cristalline et un plan de fracture particuliers, une couleur, un éclat (la quantité de lumière réfléchie par la surface), une dureté caractéristiques ainsi qu'une densité propre.

Bien qu'environ 2 500 minéraux aient été découverts, seulement dix d'entre eux constituent plus de 90 pour cent des roches de la croûte.

Toute matière dans l'univers, incluant les êtres vivants, est composée de quatre-vingt-douze éléments présents dans la nature. (D'autres éléments peuvent être produits en laboratoire.) Chaque élément est une combinaison de protons, de neutrons et d'électrons, identifiée par le nombre de protons dans le noyau. (Il s'agit du nombre atomique.) En conséquence, l'élément numéro un, l'hydrogène, est une combinaison d'un proton et d'un électron. L'uranium, l'élément naturel le plus lourd, possède 92 protons et 92 électrons.

Tous les éléments sont des substances pures qui présentent des propriétés physiques et chimiques particulières. Parmi les 92 éléments naturels, seulement dix constituent 99 pour cent de la masse totale des minéraux à la surface de la croûte (voir fig. 20.4). La plupart des éléments se combinent chimiquement pour former des minéraux bien que certains, dont l'or, le cuivre et le soufre, peuvent exister sous une forme pure ou vierge.

Fig. 20.4

Principaux éléments de la croûte terrestre	
Élément	Pourcentage de la partie supérieure de l'écorce (par masse)
Oxygène (O)	46.6
Silicium (Si)	27.2
Aluminium (Al)	8.1
Fer (Fe)	5.0
Calcium (Ca)	3.6
Sodium (Na)	2.8
Potassium (K)	2.6
Magnésium (Mg)	2.1
Titanium (Ti)	0.4
Hydrogène (H)	0.1

Des minéraux communs

Les minéraux sont désignés par des symboles formés d'une ou deux lettres. L'indice, comme dans SiO_2 (bioxyde de silicium ou quartz) indique que ce minéral est constitué de deux parties d'oxygène et d'une partie de silicium, par poids atomique.

Il existe cinq familles chimiques distinctives de minéraux. La plus commune est la famille des *silicates* qui forment environ 90 pour cent des roches de la croûte terrestre. Les silicates sont composés des éléments de silicium et d'oxygène, auxquels s'ajoutent des quantités variables d'un élément ou plus parmi d'autres dont le calcium, le potassium, l'aluminium, le magnésium et le sodium. Par exemple, le quartz est un minéral de silicate. Le plus abondant de tous les minéraux de silicate est un groupe appelé *feldspath* qui, à lui seul, constitue presque 50 pour cent de la roche dans la croûte terrestre. Des exemples de ce type rocheux comprennent les minéraux plagioclases ($CaAl_2Si_2O_8$) et orthoclases ($KAlSi_3O_8$). Parmi d'autres silicates on compte les micas, les hornblendes, les argiles, les olivines et les chlorites.

Les autres familles minérales comprennent les carbonates (par ex. le calcite $CaCO_3$), les oxydes (par ex. la magnétite Fe_3O_4), les sulfates (par ex. l'anhydrite $CaSO_4$) et les sulfures (par ex. la pyrite FeS_2).

Les roches

Une compréhension fondamentale des roches qui constituent l'écorce est nécessaire à l'étude des formes de relief. Simplement réparties, les roches se classent en trois grandes catégories (*ignées*, *sédimentaires* et *métamorphiques*) selon leur origine ou leur genèse. En conséquence, on dit qu'il s'agit d'une classification génétique.

Les roches ignées

Les roches ignées sont formées directement à partir de la roche en fusion ou *magma*, qui refroidit et se solidifie. Le magma se trouve partout à une profondeur supérieure à 70 km. Dans certaines situations, il se fraye un chemin jusqu'à la surface ou près de celle-ci, où il se solidifie pour former la roche ignée. (Le terme *igné* est dérivé du mot latin signifiant brûlant.)

On connaît deux types principaux de roches ignées. Le premier comporte des roches formées lors de la solidification des matériaux en fusion qui ont percé l'écorce jusqu'à la surface. Il s'agit des *roches d'extrusion ou roches volcaniques*. La *lave*, qui est un exemple bien connu de ces matériaux, s'écoule des cratères et des cheminées volcaniques, ou des dorsales qui s'étendent sur des milliers de kilomètres sous la surface des océans (voir fig. 21.2).

Un certain nombre de roches différentes sont formées à partir de la lave, les plus communes comprenant le basalte, l'andésite, la rhyolite, l'obsidienne et la ponce. La différence dans la composition minérale et la texture de ces roches est

Fig. 20.5 Formation de roches ignées dans les profondeurs sous-marines à mesure que la lave s'épanche à partir de la dorsale médio-atlantique.

reflétée par leur apparence. Par exemple, la pierre ponce est généralement poreuse, tendre et facilement érodée, tandis que le basalte est beaucoup plus dur et résiste mieux à l'érosion climatique.

De vastes régions de la Terre reposent sur des roches volcaniques. Des dépôts de lave s'étendent sur des milliers de kilomètres carrés à l'intérieur du bassin du fleuve Columbia dans le nord-ouest des États-Unis, dans la partie occidentale du Dekkan de la péninsule indienne, et dans certaines régions méridionales du Brésil et du Paraguay. Les roches volcaniques peuvent aussi être formées à partir de cendres consolidées produites lors d'éruptions.

Le second groupe des roches ignées comprend les roches qui se sont refroidies lentement dans les environnements aux températures plus élevées, souvent à de très grandes profondeurs sous la surface de l'écorce. Il s'agit des *roches d'intrusion ou roches plutoniques*. Elles se distinguent du groupe de roches volcaniques par leur grain plus gros et leurs cristaux de plus grande taille. Ces caractéristiques sont le résultat direct d'un refroidissement plus lent. Les granites, formés à partir de minéraux dont le quartz, l'orthoclase, le plagioclase, la biotite et d'autres, constituent les roches les plus communes dans ce groupe. Les diorites (feldspath, hornblende, etc., généralement sans quartz) et le gabbro (feldspath, olivine, etc.) sont d'autres exemples. Toutes les roches d'intrusion ont une roche d'extrusion équivalente. En conséquence, le granite devient de la rhyolite; la diorite, de l'andésite; et le gabbro, du basalte.

Les roches intrusives sont très répandues. Elles sont présentes dans les systèmes de montagnes où l'érosion les a exposées, ou dans des régions comme le Bouclier canadien, où elles s'étendent en surface à titre de reliefs résiduels datant du précambrien, il y a des centaines de millions d'années.

Bien que les roches ignées forment environ 80 pour cent de la lithosphère, elles sont recouvertes par une couche relativement mince de roches sédimentaires.

Les roches sédimentaires

On connaît deux types principaux de roches sédimentaires. Les roches du premier type, appelées *roches clastiques* sont formées de matériaux inorganiques provenant de la

Fig. 20.6 Strates sédimentaires massives exposées le long de la rivière Siletz dans l'Oregon.

fragmentation de roches ignées. Les *roches non clastiques*, qui constituent le second type, sont formées par le même processus de désagrégation, mais tirent leur origine de matériaux tant organiques qu'inorganiques. La formation des roches du premier ou du second type peut s'effectuer de plusieurs façons, mais le processus est généralement amorcé avec le dépôt des matériaux appropriés au fond des lacs et des mers. (Le terme sédimentaire est dérivé du mot latin *sedimentum* signifiant un enfoncement ou un dépôt.) Les accumulations de fragments rocheux, de sable, de limon, d'argile, de chaux ou de vase se transforment en roche solide par la pression des sédiments qui sont au-dessus. Une cimentation s'ensuit généralement. Des ciments solubles comme le carbonate de calcium, la silice ou l'oxyde de fer remplissent les pores entre les particules individuelles de sédiment et les lient. Ce processus s'appelle la *pétrification*.

Les roches sédimentaires se forment très lentement en raison de la très longue période d'accumulation des matériaux déposés. Elles constituent des *couches géologiques* (voir fig. 20.6) dont l'épaisseur varie d'une feuille mince (*plaque mince*) à des dépôts de dizaines de mètres. Cette variation est généralement le résultat d'un dépôt discontinu, c'est-à-dire lorsque les couches ont été formées à des époques différentes. En outre, les particules déposées au cours d'une période peuvent avoir une composition différente de celles déposées au cours d'une autre. Les variations de taille et de coloration des grains, constituent les principales caractéristiques qui permettent de distinguer les couches.

Les roches clastiques

La fragmentation ou désagrégation des roches produit des matériaux rocheux fragmentés appelés *débris clastiques*. Ces fragments, qui apparaissent sous la forme de gravier, de sable, de limon ou d'argile, sont déposés surtout par l'eau (bien que le vent et la glace sont parfois des agents majeurs). Au cours du processus de dépôt, les particules sont grossièrement triées par l'eau selon leur taille et leur masse. En conséquence, les roches sédimentaires finales ont tendance à être constituées de particules de tailles semblables.

Les plus gros fragments, c'est-à-dire de sable ou de gravier, qui ont plus de 2 mm de diamètre, forment la roche appelée *conglomérat*. Les grains de sable (0,6 à 2 mm), généralement du quartz ou du feldspath, forment le grès. Les particules de limon (inférieures à 0,02 mm) et d'argile (inférieures à 0,002 mm) forment le siltstone (pélite). Ces roches constituées d'une substance semblable à la vase sont appelées *schistes argileux* lorsque leur structure laminée leur permet de se briser en flocons. Formé principalement de minéraux de silicates, le schiste argileux est la roche sédimentaire la plus commune.

Les roches non clastiques

On connaît deux groupes principaux de sédiments non clastiques. Les sédiments qui appartiennent au premier groupe, appelés précipités chimiques, sont formés à partir du dépôt de matériaux solubles au fond de la mer. Constitués surtout des restes d'organismes marins ayant vécu il y a des millions d'années, ils sont largement composés de carbonates comme le calcite ($CaCO_3$) ou la dolomite ($CaMg(CO_3)_2$). Le calcite est le principal minéral dans la roche calcaire (l'une des roches sédimentaires les plus communes), et la dolomite, dans la roche dolomite, le seul cas où une roche et un minéral partagent la même désignation.

La formation de ces roches fait partie du cycle du carbone. Comme l'indique la figure 12.1, elles constituent l'un des plus vastes réservoirs de carbone sur la Terre. Des minéraux appartenant à un autre groupe de cette catégorie sont formés lorsque l'eau salée s'évapore dans les mers peu profondes et les lacs. Il s'agit de l'halite [sel gemme] (NaCl), du gypse et de l'hématite (Fe_2O_3), cette dernière constituant un important minerai de fer.

Les roches non clastiques du second groupe, quelquefois appelées roches organiques, sont créées presque totalement à partir des restes de plantes et d'animaux qui vivaient à l'ère géologique. Le charbon, exemple typique de ce type de roche, est composé de restes de végétaux qui se sont décomposés dans les marécages. À mesure que ces matériaux en décomposition on perdu leur hydrogène, ils se sont transformés au cours d'une série de phases, allant de la tourbe à la lignite et, enfin, au charbon bitumineux. Des modifications supplémentaires, apparues dans les cas de métamorphisme, ont permis aux matériaux de passer de la phase de l'anthracite à celle du graphite, du carbone pur ou même du diamant.

Bien que les roches sédimentaires soient observées sur environ 75 pour cent de la surface de la Terre, elles ne forment que 5 pour cent du volume total de la croûte. Le schiste argileux, le grès et le calcaire constituent environ 99 pour cent de toutes les roches sédimentaires. Les plus grands bassins de roches sédimentaires reposent sous les plaines comme les Plaines Centrales de l'Amérique du Nord et celles de l'ouest de l'Europe qui s'étendent vers l'est jusqu'à la Communauté des États indépendants.

Les roches métamorphiques

Les roches métamorphiques étaient à l'origine des roches ignées ou des roches sédimentaires dont la composition, la texture et la structure ont été modifiées par des températures ou des pressions élevées, ou encore des réactions chimiques à l'intérieur de la Terre. L'une des causes de cette transformation (appelée *métamorphisme*) est la chaleur intense produite par la roche en fusion qui s'est introduite dans les roches sédimentaires ou ignées. Les roches métamorphiques peuvent aussi être produites par les énormes pressions exercées par les forces tectoniques sur les roches de l'écorce.

Le métamorphisme force les minéraux dans les roches sédimentaires ou ignées à se recristalliser et à réarranger leur structure, formant ainsi une roche d'un type nouveau. Fréquemment, les roches métamorphiques peuvent être distinguées par leur *foliation* ou structure feuilletée, qui apparaît sous forme de couches dans la roche. Parfois, lorsque la foliation est très marquée (comme dans l'ardoise), des plans de cassure sont formés le long desquels la roche se fragmente facilement. D'autres roches métamorphiques, comme le marbre et le quartzite, sont homogènes, *sans feuillets*.

Le groupe de roches métamorphiques comprend un plus grand nombre de types de roches que les deux autres groupes. Presque chaque roche ignée et sédimentaire a un

Fig. 20.7 Cette photographie illustre un contact entre le calcaire ordovicien (au premier plan) et des granites précambriens (du Bouclier canadien).

équivalent métamorphique. Par exemple, les granites et les diorites peuvent se transformer en *gneiss*; le grès en quartzite; et le calcaire et la dolomite en marbre. Cependant, ces transformations sont rarement directes. Il existe différents niveaux de métamorphisme, selon le degré de température et de pression. Par exemple, en présence de températures et de pressions basses, le schiste argileux se transforme en ardoise, mais en présence de températures et de pressions élevées, il devient du schiste métamorphique et, plus tard, du gneiss.

Les roches métamorphiques sont observées en de nombreux endroits, mais elles sont particulièrement présentes dans les régions de montagnes et les vastes zones de bouclier comme le Bouclier canadien et le Bouclier baltique. Dans ces régions, les roches métamorphiques auraient été produites par une activité tectonique étendue et complexe qui s'est manifestée au cours de l'ère précambrienne.

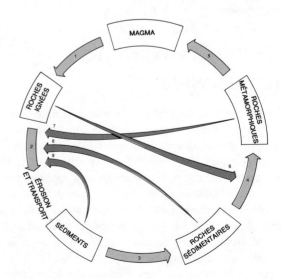

Fig. 20.8   Le cycle de la roche.

Étude 20-2

1. La figure 20.8 montre tous les changements qui peuvent se produire lorsqu'un type de roche est transformé en un autre. Chaque flèche numérotée indique un changement. Par exemple, la flèche 1 représente la roche en fusion qui se refroidit pour former la roche ignée. Quels changements représentent les autres flèches? Expliquer comment ces transformations se produisent. Présenter des exemples de roches qui peuvent être formées au cours de chacune de ces transformations. D'où provient l'énergie qui est l'origine de ces transformations?

2. Pourquoi les roches sédimentaires constituent-elles une proportion aussi importante de la surface de l'écorce (75 pour cent) et une proportion aussi faible de son volume (5 pour cent)?

3. Essayer de déterminer, de façon assez détaillée, la nature des matériaux de la croûte sur laquelle est bâti votre localité. Pour ce faire, il faut établir la profondeur du sol et du *régolite* (roches non consolidées), ainsi que l'âge et le type de substrat rocheux (sédimentaire, ignée ou métamorphique). Les sources d'information incluent les textes et les cartes géologiques, l'encaissement que les cours d'eau et parfois les routes ont creusé dans les matériaux de surface, et l'enregistrement des excavations. Présenter cette information sous la forme d'un diagramme en coupe transversale.

Les minéraux à valeur commerciale

On a défini antérieurement les minéraux comme des solides inorganiques présents dans la nature, qui possèdent une composition chimique déterminée et une structure cristalline caractéristique. Bien qu'il s'agisse d'une définition géologique acceptable, cette dernière ne s'applique pas de façon satisfaisante aux substances désignées *minéraux à valeur commerciale*. Cette expression sert à décrire les éléments, les minéraux ou les roches qui sont concentrés dans la croûte ou les océans et à partir desquels il est possible de fabriquer un bien utile.

Il serait difficile d'exagérer l'importance des ressources minérales dans la montée de la civilisation. Lorsque l'on considère l'importance de l'énergie et d'autres minéraux bruts dans la technologie actuelle de production, il est normal de présenter les minéraux comme le fondement de l'industrialisation moderne. Le niveau de vie élevé qui en est l'aboutissement dans les pays industrialisés, particulièrement ceux d'Europe occidentale et d'Amérique du Nord, est basé, dans une large part, sur l'exploitation des minéraux.

Les pays en voie de développement traînent loin derrière les pays industrialisés et ceux qui obéissent à une économie dirigée relativement à la consommation et aux réserves de minéraux majeurs qui n'entrent pas dans la catégorie des combustibles. En conséquence, le sous-développement est associé aux faibles niveaux de consommation des minéraux. Cela ne signifie pas que les pays en voie de développement n'exploitent pas de minerais, mais plutôt que la majeure partie des minerais extraits dans ces pays sont exportés afin d'alimenter les usines de transformation des pays développés et des pays à économie dirigée.

Caractéristiques des minéraux

On peut diviser les minéraux à valeur commerciale en trois groupes: métallique, non métallique et les combustibles. Les diverses subdivisions apparaissent à la figure 20.9.

Fig. 20.9

Métallique
I. Métaux précieux — or, argent, platine
II. Métaux non ferreux — cuivre, plomb, zinc, étain et aluminium
III. Fer et ferro-alliages métalliques — fer, manganèse, nickel, chrome et molybdène
IV. Métaux secondaires — antimoine, arsenic, baryum, calcium, manganèse, lithium, mercure, radium, titanium, zirconium et d'autres

Non métallique
I. Eau
II. Matériaux de construction — pierrre d'échantillon, pierraille, agrégats, gypse, chaux et matériaux à ciment
III. Matériaux de céramique — argile, feldspath, talc et pyrophyllite

IV. Métal de métallurgie, substances chimiques, métaux réfractaires — sable de fonderie, chaux, dolomite, magnésite, phosphorite, fluorine, soufre, sels et saumure, argile réfractaire, quartz et quartzite

V. Minerais industriels et de fabrication — amiante, mica, talc, barite, diatomite, graphite, zéolites, bentonite, silice, sable, substances abrasives

VI. Engrais — soufre, potasse, phosphate, nitrate, calcaire agricole

VII. Pierres précieuses

Combustibles

I. Charbon (y compris l'anthracite, le bitume, la lignite et la tourbe), pétrole, gaz naturel et uranium

Le terme *minerai* désigne les roches d'où peut être extrait au moins un minéral à valeur commerciale. Ce terme est surtout associé aux minéraux métalliques, bien qu'il puisse servir à désigner certains minerais non métalliques comme le soufre et la fluorite. Dans chaque masse de minerai, la quantité d'éléments à valeur commerciale est plusieurs fois supérieure à la quantité moyenne de ces éléments dans l'écorce terrestre (comparer les quantités d'aluminium aux figures 20.4 et 20.10).

Le taux de concentration moyen d'un élément dans les roches de la croûte est le *clarke* de l'élément. Chaque élément possède un clarke différent. Pour qu'une roche soit reconnue comme dépôt de minerai, il faut que la teneur d'un élément soit plus élevée que son clarke. Cette seconde mesure s'appelle le *clarke de concentration*. Étant donné que la quantité d'un élément particulier nécessaire dans une roche pour que celle-ci constitue un corps de minerai varie selon les éléments, chaque élément possède son clarke de concentration. Par exemple, le fer a un clarke de 5 pour cent, c'est-à-dire que, par unité de masse, la roche moyenne de la croûte contient 5 pour cent de fer. Dans un corps de minerai, la quantité de fer doit atteindre au moins 30 pour cent. En conséquence, le clarke de concentration de ce minéral est 6 (6 x 5 = 30). La figure 20.10 présente les clarkes et les clarkes de concentration pour un certain nombre de métaux importants.

Certains éléments comme le cuivre, l'or ou l'argent peuvent être observés à l'état pur ou vierge. Cependant, la plupart des *corps de minerai* contiennent des minéraux dans lesquels l'élément de valeur est combiné à d'autres éléments. Par exemple, le cuivre est généralement présent dans la chalcopyrite ($CuFeS_2$), minéral métallique qui contient les éléments de cuivre, de fer et de soufre. Une grande proportion du cuivre exploité à l'heure actuelle est présente dans le minéral métallique appelé hématite ($Fe2O_3$) ou la magnétite ($FeO.Fe2O_3$).

Les minéraux métalliques sont regroupés avec d'autres minéraux à valeur non commerciale dans les gisements métallifères. La séparation des minéraux métalliques du corps de minerai produit un résidu sans valeur appelé *gangue*. L'extraction d'éléments possédant une valeur commerciale (métallique et non métallique) des minéraux métalliques est effectuée au moyen de divers procédés métallurgiques (illustrés à la figure 20.11). À l'intérieur d'un concentrateur, le minerai est écrasé ou séparé de la gangue en employant l'un de divers procédés mécaniques ou chimiques. Certains des concentrés, comme les matériaux de construction ou bon nombre des minéraux non métalliques (amiante et pierres précieuses), sont prêts à être utilisés. Cependant, la plupart des concentrés de minéraux métalliques sont encore sous une forme minérale inutilisable et doivent être soumis à d'autres procédés.

Lors de cette deuxième étape, appelée *fonte*, le concentré est soumis à des températures élevées qui permettent d'extraire du métal en fusion, des impuretés comme le soufre, l'oxygène et le carbonate. Bien que la fonte permette d'éliminer la plupart des impuretés, il faut avoir recours à un procédé supplémentaire, appelé *raffinage*, dans le cas

Fig. 20.10

Élément	Clarke	Clarke de concentration
Aluminium	8,13	4 x
Fer	5,00	6 x
Manganèse	0,10	350 x
Chrome	0,02	1 500 x
Nickel	0,008	175 x
Cuivre	0,007	140 x
Zinc	0,013	300 x
Or	0,000 000 2	20 000 x

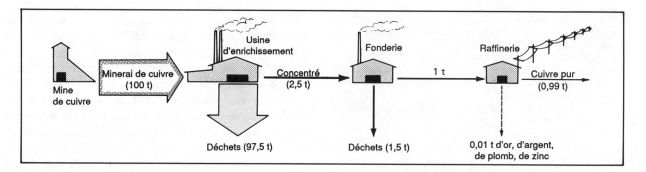

Fig. 20.11 Diagramme d'acheminement montrant la réduction de 100 t de minerai de cuivre au cours des procédés d'enrichissement, de fonte et de raffinage.

de certains métaux. Cependant, la fonte et le raffinage sont remplacés de façon croissante par un seul procédé hydrométallurgique au cours duquel le minéral contenu dans le concentré est récupéré par lessivage et électrolyse. Le produit final est commercialisable. Par exemple, le cuivre et le plomb sont purs dans la mesure d'au moins 99,9 pour cent.

La plupart des pays déclarent une valeur de *réserve* pour les minéraux à valeur commerciale présents à l'intérieur de leurs limites territoriales. Une réserve est la quantité d'une ressource qui peut être exploitée commercialement en tenant compte des prix actuels et de la technologie disponible. Les réserves sont en outre classées de la façon suivante: réserves *prouvées*, *probables* ou *possibles* selon l'étendue qui a été évaluée. Les gisements minéraux a) qui sont connus mais ne peuvent être exploités commercialement, ou b) qui existeraient, selon les estimations, mais n'ont pas encore été découverts, sont des *ressources*. Ces dernières peuvent aussi être classées selon le degré de certitude de leur existence, et de faisabilité de leur exploitation. Les principales catégories comprennent les ressources *marginales connues*, *submarginales connues*, *marginales non découvertes* et *submarginales non découvertes*.

Répartition, formation et épuisabilité

Les minéraux à valeur commerciale de la croûte terrestre sont répartis inégalement en raison de la nature fortuite des processus géologiques et biologiques responsables de leur formation. La plupart des gisements minéraux sont essentiellement des «coups de dés» de la nature produits par des processus géologiques complexes survenus dans des circonstances exceptionnelles. Il est important de connaître les processus qui sont à l'origine des principaux minéraux à valeur commerciale parce que ces processus déterminent la répartition au hasard des minéraux dans le sous-sol de la planète. Quatre de ces processus sont décrits brièvement ci-dessous. (Remarque: Certains minéraux peuvent être formés par plus d'un processus.)

• Les principaux minéraux de la catégorie des combustibles sont formés à partir des restes de plantes et d'animaux. Par exemple, les gisements houillers représentent la distribution de communautés marécageuses particulières au cours de la période du carbonifère (voir page 202). Le pétrole et le gaz naturel ont été formés à partir de l'accumulation des restes de planctons dans les sédiments au fond de vastes mers peu profondes. La majeure partie des gisements à valeur commerciale actuels de pétrole et de gaz a été constituée sous les mers qui existaient au cours de la période dévonienne.

• Bon nombre des plus importants minéraux métalliques (notamment le nickel, le cuivre, l'or, le plomb, le zinc et l'uranium) sont associés avec des roches d'intrusion ignées. Ces minéraux qui ont une valeur économique sont présents près de la surface de la croûte, où le magma s'est cristallisé dans les fissures et les plans de cassure (crevasses). La présence de certains minéraux métalliques en quantités supérieures à la normale résulte de ce phénomène. Les corps de minerai produits de cette façon sont généralement observés dans les boucliers de la Terre ou dans des régions qui ont été soumises à des activités tectoniques récentes.

• La concentration d'autres types de minéraux à valeur commerciale (corps de minerai) peut être le résultat d'altération chimique des roches ou du régolite. Par exemple, dans les régions tropicales, certains minéraux argileux laissent des quantités d'hydroxyde d'aluminium (bauxite) lorsqu'ils sont altérés par un processus chimique. Des processus semblables sont responsables de la présence d'autres gisements importants de minéraux métalliques dans les régions tropicales et subtropicales. Les gisements de nickel de Nouvelle-Calédonie en sont un exemple.

• La météorisation mécanique et l'érosion sont également responsables de la présence de quantités suffisamment importantes de certains éléments pour permettre l'existence de corps de minerai. Par exemple, des métaux rares comme l'or ou le platine se présentent sous la forme de gisements alluviaux. Ces gisements sont le résultat de la désagrégation de veines minéralisées dans certaines roches d'intrusion ignées. Les particules désagrégées sont transportées par les cours d'eau et déposées dans les lits de rivières à une certaine distance de leur source. La plupart des premières «ruées vers l'or» dans l'ouest de l'Amérique du Nord visaient la découverte de ces dépôts. À une plus vaste échelle, la météorisation mécanique et l'érosion ont produit des dépôts de minéraux à valeur commerciale dans les roches sédimentaires. Les argiles (pour les briques et la céramique), la roche phosphatée, le sel et le fer en sont des exemples. Une large part de la production mondiale de minerai de fer provient de ces gisements sédimentaires (par ex. les gisements du Labrador dans l'est du Canada).

Les événements géologiques qui sont responsables de l'existence de dépôts de minéraux à valeur commerciale se développent très lentement. À l'exception de certains

Fig. 20.12 Formant autrefois une colline, la mine de cuivre à ciel ouvert de Bingham Canyon constitue, à l'heure actuelle, la plus grande excavation à la surface de la Terre.

gisements comme ceux des nodules de manganèse sur les fonds océaniques (voir chapitre 4), la quantité de minéraux dont l'homme dispose est fixe.

Une large part du niveau de vie élevé dont jouissent les pays industrialisés est basée sur une consommation toujours croissante de minéraux, particulièrement ceux qui servent à produire de l'énergie. En outre, une proportion élevée de la population mondiale ne possède pas un niveau de vie comparable à celui de la plupart des pays industrialisés. Étant donné que les pays en voie de développement aspirent vivement à améliorer leurs perspectives économiques par l'industrialisation, la demande de minéraux à valeur commerciale sera encore plus considérable dans l'avenir.

Comme il n'y a aucun signe de plafonnement du rythme de consommation des minéraux, il semble que tôt ou tard, les réserves de chaque minéral à valeur commerciale dans la croûte terrestre seront épuisées. En fait, l'expérience montre qu'elles ne s'épuiseront jamais réellement. À mesure que des dépôts toujours plus petits de minéraux exploitables économiquement seront découverts, le coût d'exploitation s'élèvera jusqu'à un point où il faudra trouver des substituts aux minéraux, recycler ces derniers ou s'en passer.

Un autre problème doit être considéré. Les industries minières et celles associées à cette activité ont influencé toutes les parties de la biosphère de diverses façons. Sur les continents, des montagnes ont été littéralement déplacées (fig. 20.12), des mines à ciel ouvert ont laissé des cicatrices permanentes, et des piles de gangues abandonnées forment des monuments disgracieux érigés par les exploitations minières anciennes ou présentes. Dans l'atmosphère, des gaz contenant du soufre, du plomb, des cendres et d'autres substances polluent l'air et pénètrent dans les réseaux hydrographiques de la planète par les précipitations. Bon nombre d'autres substances ont été déversées directement dans les lacs et les cours d'eau, dont le mercure mortel est un exemple notable. De nombreuses entreprises minières acceptent les nouvelles lois contre la pollution, et il est indéniable que cette dernière a été réduite dans une certaine mesure au cours des dernières années. Les mesures de lutte contre la pollution sont très coûteuses pour l'industrie minière. Inévitablement, ces coûts ont des répercussions sur le prix d'un produit, et le consommateur paye pour de telles mesures afin de pouvoir jouir des bienfaits d'une civilisation basée sur l'exploitation des minéraux.

Étude 20-3

1. a) Pourquoi considère-t-on parfois les minéraux à valeur commerciale comme des «coups de dés»?
b) Pour chaque élément indiqué à la figure 20.10, déterminer le pourcentage minimal de l'élément qu'un corps de minerai doit contenir pour que cet élément puisse être exploité de façon rentable.
c) Comment la figure 20.10 fournit-elle une mesure grossière de la valeur réelle en dollars des différents éléments indiqués?
d) Le clarke de concentration de chaque élément ne constitue qu'une valeur approximative. (En fait, il serait plus exact d'indiquer une fourchette de valeurs.) Cette valeur a changé appréciablement pour certains éléments au cours des dernières décennies et continuera certainement d'être modifiée. Expliquer comment des facteurs comme i) la mise au point de nouvelles techniques de métallurgie, ii) les primes gouvernementales accordées à l'industrie minière, iii) la demande en période de guerre, et iv) la demande générale croissante, contribuent à modifier le clarke de concentration.
2. La seule découverte d'un métal particulier en quantité suffisante dans une roche pour être extrait de façon rentable, n'est pas une garantie d'exploitation minière. Quels autres facteurs déterminent si un corps de minerai est commercialement exploitable ou non?
3. Expliquer pourquoi le concept des réserves est très complexe. Quelle est la relation entre les réserves, la technologie et les aspects économiques?
4. Examiner la relation entre le sous-développement et les faibles niveaux de consommation des minéraux.

21 / Dérive des continents

Avec l'accroissement des connaissances sur la structure de la Terre, les géophysiciens ont élaboré de nouvelles théories pour expliquer les caractéristiques de la surface terrestre. Cette gamme de théories couvre le processus de formation des collines et des vallées de la Terre et fournit des explications sur la forme et la position des continents eux-mêmes.

Pendant des siècles, l'homme s'est interrogé sur la correspondance apparente des littoraux continentaux, particulièrement ceux de la côte est des Amériques et de la côte ouest de l'Afrique et de l'Europe. Par exemple, en examinant une carte du monde, on constate que la protubérance de la côte du Brésil semble s'ajuster assez bien au golfe de Guinée en Afrique.

Au début du 20e siècle, Alfred Wegener (1880 - 1930), un météorologue allemand, a émis l'hypothèse selon laquelle les continents actuels étaient autrefois réunis en un super-continent qu'il a appelé Pangée (fig. 21.1). D'après la théorie de Wegener, cette masse continentale a commencé à se disloquer il y a environ 200 millions d'années, phénomène provoqué par des pressions internes à l'intérieur de la Terre. Les diverses parties de la Pangée, dont les continents actuels, ont lentement dérivé jusqu'aux emplacements qu'elles occupent aujourd'hui. Wegener a basé sa théorie sur a) des similitudes dans les structures géologiques entre les continents qui sont maintenant séparés par de vastes étendues océaniques, et b) la similarité des fossiles témoins d'anciennes formes de vie découvertes sur des continents différents.

Cependant, ces dernières observations n'étaient pas nouvelles. Avant Wegener, des biologistes et d'autres scientifiques avaient expliqué la similarité de ces fossiles au moyen de la théorie des ponts de terre. D'après ces chercheurs, les continents devaient être reliés entre eux, à une certaine époque, par des ponts de terre qui permettaient aux animaux de migrer et aux plantes de passer de leur lieu d'origine à d'autres régions. Le concept des ponts de terre était basé sur une croyance généralisée selon laquelle la planète se refroidissait lentement et, en même temps, rétrécissait. À mesure que progressait cette contraction, les océans empiétaient de façon croissante sur les terres et submergeaient graduellement les ponts de terre. La théorie de la contraction expliquait non seulement l'existence des ponts de terre, mais aussi celle d'irrégularités comme les montagnes et les collines. On supposait que ces dernières s'étaient formées de la même façon que des rides sur une surface en contraction.

Cependant, Wegener a reconnu que les matériaux formant les fonds océaniques (le sima) étaient différents de ceux qui constituaient les continents (le sial). En outre, il a également remarqué que la densité du sial était d'environ 90 pour cent de celle du sima. D'après Wegener, cette information indiquait que les ponts de terre n'avaient jamais existé, et que, en raison de leur densité inférieure, les masses continentales avaient rejoint leur position actuelle en flottant comme d'énormes blocs de glace sur une mer solide de sima.

La plupart des scientifiques ont beaucoup débattu et ridiculisé la théorie de Wegener pour finalement la rejeter. Comment les continents pouvaient-ils dériver à travers une masse solide et rigide comme la croûte? Quelles forces étaient responsables de ces déplacements, et que survenait-il à la partie de la croûte qui se trouvait à l'avant et derrière les continents en mouvement? Malheureusement, il a été impossible à Wegener de fournir des réponses satisfaisantes à ces questions. Ce n'est qu'au cours des années 1950 qu'une série de découvertes scientifiques a fourni la majeure partie de l'information qui faisait défaut à Wegener. Certaines de ces découvertes sont résumées ci-dessous.

Les nouvelles découvertes

1. Un vaste programme de cartographie des fonds sous-marins, réalisé par les États-Unis au cours des années 1950, a permis d'obtenir des cartes précises localisant une chaîne ininterrompue de dorsales, de 75 000 km de longueur, au fond des océans de la planète. Ces dorsales, s'élevant du fond océanique jusqu'à une hauteur variant entre 1 500 et 3 000 m, sont coupées par des failles (voir fig. 4.1) et

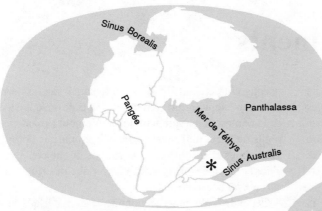

a) Configuration hypothétique des terres anciennes près de la Pangée il y a 200 millions d'années. Panthalassa, l'océan entourant la Pangée, est devenu l'océan Pacifique actuel, et la Méditerranée est un vestige de la mer de Téthys.

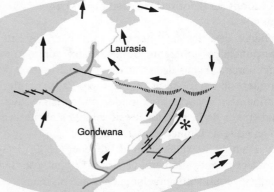

b) Configuration à la fin du jurassique, il y a 135 millions d'années, après environ 65 millions d'années de dérive. Les flèches indiquent les mouvements des continents depuis le début de la dérive.

*Inde (Voir question 5, Étude 21-1.)

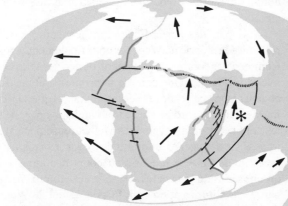

c) Configuration à la fin du crétacé, il y a 65 millions d'années, après quelque 135 millions d'années de dérive. Le monde tel qu'il apparaît aujourd'hui est présenté à la figure 21.2.

Légende

⎯⎯⎯ Zone de transformation (majeure)

⎯⎯⎯ Zone de dorsales

⁓⁓⁓ Zone de subduction (fosses)

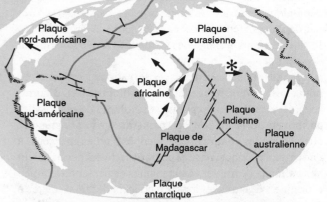

d) Configuration hypothétique du monde dans un avenir distant de quelque 50 millions d'années du présent en supposant que les mouvements actuels des plaques se poursuivent.

Fig. 21.1 Dérive continentale.

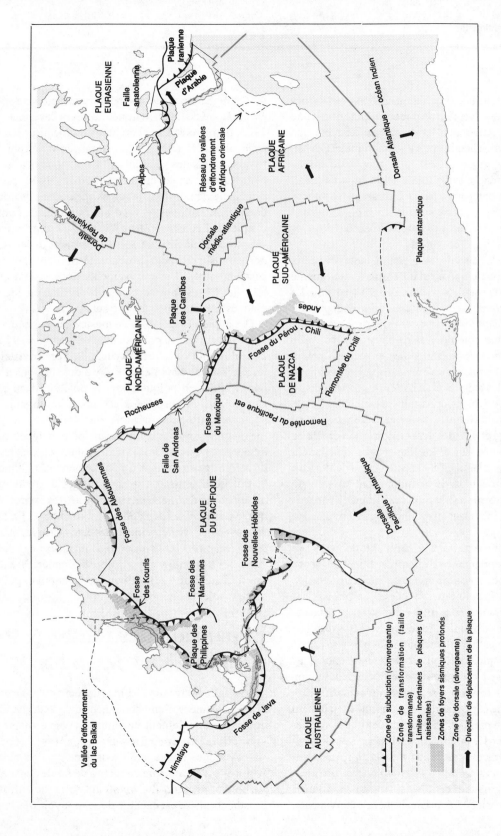

Fig. 21.2 Carte illustrant les principales plaques actuelles de la croûte terrestre. (Les divisions anciennes et futures apparaissent à la figure 21.1.)

divisées en une multitude de courtes sections rectilignes qui changent progressivement de direction en formant une gradation. Dans l'Atlantique, la dorsale se trouve à peu près exactement à mi-chemin entre les Amériques à l'ouest, et l'Europe et l'Afrique à l'est. Les géophysiciens ne pouvaient plus défendre l'hypothèse selon laquelle le fait que les dorsales sont parallèles aux littoraux et situées exactement à mi-chemin entre les continents constitue une simple coïncidence. Il fallait que l'emplacement des dorsales soit lié à l'expansion des continents.

2. Étant donné que les dorsales sont équidistantes des deux continents, on a conclu que c'est à l'emplacement même des dorsales que se produit le phénomène d'expansion. La roche en fusion provenant du manteau se fraye un chemin vers la surface, créant les dorsales et repoussant la croûte (plaques) de chaque côté pour faire place à la nouvelle roche ignée. Si cette théorie était vraie, les roches seraient progressivement plus anciennes à mesure que l'on s'éloigne de la dorsale dans les deux directions vers les continents. À l'aide d'un navire de forage construit spécialement à cette fin (la construction du Glomar Challenger a été terminée en 1968), on a prélevé et daté des échantillons de la croûte de basalte sous l'océan le long d'une ligne de datation partant de la dorsale médio-atlantique et s'étendant vers l'extérieur. À la satisfaction de tous, les résultats ont montré un accroissement uniforme de l'âge avec la distance à partir de l'axe de la dorsale, indiquant un rythme moyen d'expansion d'environ 3 cm/a.

Peu de temps après, une autre remarquable découverte a été réalisée. Indépendamment de l'emplacement du forage sous-marin, aucune roche de la croûte océanique n'avait un âge supérieur à 150 millions d'années. (La plupart des roches des continents sont plus anciennes, certaines dépassant même les trois milliards d'années.) Ces résultats ont soulevé une question intéressante: s'il n'existe pas de croûte océanique ancienne, qu'est devenue l'ancienne? Bien que la réponse à cette question se trouve à la section suivante, peut-on essayer d'y répondre maintenant?

3. Le programme de cartographie sous-marine a également permis d'obtenir le premier tracé précis des plates-formes continentales (la portion du continent submergée par l'océan et les mers). Ce tracé montre que les plates-formes des continents adjacents s'ajustent beaucoup plus étroitement que l'on ne l'imaginait, et cet ajustement est supérieur à celui des littoraux sur lequel était basé la théorie de Wegener.

4. L'enregistrement des données sismologiques a également été amélioré de façon marquée au cours des années 1950 et 1960, permettant aux chercheurs de localiser les séismes avec plus d'exactitude. Les données montrent que les foyers de séismes se réduisent à une zone beaucoup plus petite qu'on ne le croyait autrefois. Ils se produisent principalement le long de fosses océaniques profondes, de dorsales océaniques, et en d'autres points de contact des plaques de l'écorce terrestre (fig. 21.2). Étant donné que les séismes sont un résultat des mouvements de la croûte, ces derniers surviennent probablement dans les secteurs susmentionnés. Ces mouvements ont cassé la croûte le long des fosses et des dorsales, la divisant en une série de plaques comme l'illustre la figure 21.2.

5. Des appareils sensibles de mesure du magnétisme de la Terre ont été mis au point au cours des années 1950. Ceux-ci indiquent que les oxydes de fer en fusion qui refroidissaient dans l'écorce il y a des millions d'années, ont été fixés en pointant vers le pôle Nord magnétique. Cependant, la surprise s'est produite lorsque l'on a découvert, qu'en Amérique du Nord, ces «aiguilles» magnétiques pointaient vers un pôle magnétique situé ailleurs que celui indiqué par les aiguilles dans les roches du même âge en Europe. Ce phénomène s'expliquerait par le fait qu'il existait autrefois sur la Terre deux pôles magnétiques distincts (une possibilité très improbable), ou que la position des deux continents a changé. En fait, on a découvert que si les continents des deux côtés de l'Atlantique Nord avaient été reliés ensemble lorsque ces oxydes ont été fixés en position il y a des millions d'années, les aiguilles magnétiques sur les deux continents auraient pointé vers un seul pôle magnétique.

Expansion des fonds océaniques

À la suite de nouveaux résultats de recherches au cours des dernières années, l'ancienne théorie de la dérive des continents a non seulement été remise en vogue, mais elle s'est virtuellement enrichie. De récentes découvertes sismologiques ont révélé l'existence de l'asthénosphère (voir page 205), couche de roches de faible densité dans la partie supérieure du manteau sous la lithosphère. L'asthénosphère est capable de se mouvoir très lentement

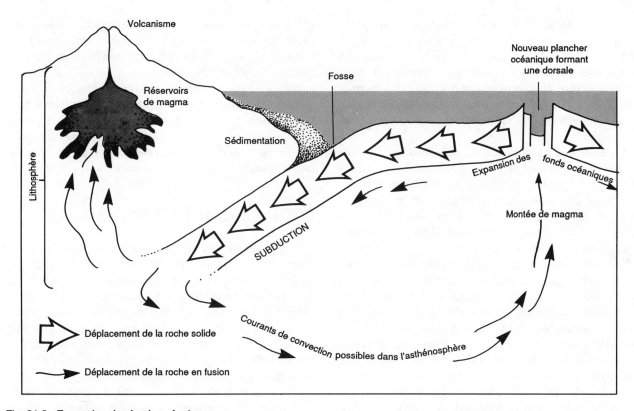

Fig. 21.3 Expansion des fonds océaniques.

parce que les températures qui y règnent sont plus élevées que celles qui ont été relevées dans le manteau sous-jacent, et les pressions, plus faibles. On considère l'asthénosphère comme le véhicule de la dérive des continents.

La thèse généralement admise qui explique les déplacements dans cette zone fait intervenir la chaleur interne de la Terre qui crée des courants de convection dans l'asthénosphère (voir figure 21.3). Ces masses en se déplaçant exercent une force de traction sur le fond de la lithosphère et la contraint à glisser lentement.

À mesure que les courants approchent de la surface, et que les pressions diminuent, des poches de roche en fusion sont formées. Une certaine partie de cette roche fondue fuit à travers les dorsales médio-océaniques où elle se solidifie et s'incorpore au fond sous-marin. La croûte elle-même s'éloigne de l'axe de la dorsale au rythme de 1 à 7 cm par année. Bien que ces valeurs semblent minimes, un déplacement de seulement 6 cm par année (3 cm de chaque

côté de la dorsale) aurait été suffisant pour former la superficie totale du fond de l'océan Pacifique en 100 millions d'années. Il s'agit d'une durée relativement courte comparée à l'évolution de la Terre.

Il est raisonnable de supposer que si un nouveau fond océanique est formé le long des dorsales médio-océaniques, une quantité équivalente de croûte terrestre est détruite quelque part ailleurs. La figure 21.3 illustre comment cette destruction survient. La croûte terrestre est composée de six segments majeurs ou plaques, et de plusieurs segments secondaires. Contrairement à l'asthénosphère sous-jacente, les plaques sont froides, très rigides et capables de glisser sur l'asthénosphère torride et partiellement en fusion. Les flèches à la figure 21.3 montrent qu'à leur périphérie, certaines zones d'expansion s'affrontent. Lorsque ce phénomène se produit, les plaques coulissent l'une par rapport à l'autre, ou l'une des plaques demeure à l'horizontale tandis que l'autre s'enfonce selon un angle relativement élevé, c'est-à-dire de plus de 30 degrés. Dans ce dernier cas, les dépressions produites par la plaque défléchie forment des fosses océaniques profondes. La plaque du fond est poussée très lentement dans l'asthénosphère. Il est évident que le rythme de «destruction» de la croûte doit être équivalent à celui de la création de la nouvelle croûte au niveau des dorsales médio-océaniques.

À mesure que les parties de la croûte s'enfoncent, elles ont tendance à se fracturer verticalement. Ce dégagement soudain d'énergie produit des séismes, la plupart survenant à moins de 50 km de la surface de la Terre. Les principaux systèmes de montagnes de la planète (examinés à la section suivante) sont également associés à la collision des plaques et au processus de chevauchement.

Des chapelets d'îles volcaniques sont également formés le long des fosses, phénomène particulièrement répandu dans l'ouest du Pacifique. On croit que la formation de ces îles volcaniques est amorcée lorsqu'une plaque est poussée dans l'asthénosphère. Des matériaux moins denses fondent dans la partie inférieure de la plaque et sont poussés vers le haut à travers les fractures de la zone de chevauchement et forment des volcans. Des îles émergent lorsque les matériaux volcaniques sont projetés au-dessus de la surface de l'océan.

Les activités volcaniques le long des dorsales médio-océaniques peuvent aussi contribuer à former des îles, bien que le nombre d'îles créées de cette façon est moindre. L'île Surtsey, au large de la côte de l'Islande (île volcanique elle-même) constitue un exemple. Elle a émergé en 1963 à la suite d'éruptions volcaniques provenant de la dorsale médio-atlantique, 100 mètres sous la surface de l'océan.

La théorie de l'expansion des fonds océaniques a été proposée en 1960 par Harry Hess, un géologue américain. Bien qu'elle ait été généralement acceptée, ce n'est que six ans plus tard que de nouvelles données l'ont reconfirmée. Cette information portait sur le fait que le champ magnétique de la Terre s'inversait à des intervalles irréguliers après un certain nombre de siècles. Ces inversions devaient être démontrées par l'orientation magnétique de la lave éjectée des dorsales. Des études réalisées par des spécialistes en géomagnétisme ont confirmé cette hypothèse en démontrant l'alternance de champs magnétiques positifs et négatifs de chaque côté de la dorsale. L'existence de ce phénomène a confirmé que l'expansion des fonds océaniques s'était

poursuivie de façon ininterrompue pendant toute l'ère cénozoïque sur chacun des versants de la dorsale, au rythme de 3 cm par année (un total de 6 cm pour les deux côtés de la vallée centrale).

Cette information a convaincu la plupart des scientifiques du caractère plausible de la théorie globale ou théorie de la tectonique des plaques. Cependant, les chercheurs admettent qu'elle n'est qu'à la base d'une explication complète de la théorie de la dérive des continents. Il y a certainement encore beaucoup de points à approfondir.

La tectonique des plaques

Le terme *tectonique* est associé à l'origine des traits structurant la croûte terrestre. En conséquence, la tectonique des plaques porte sur la genèse de ces traits caractéristiques et l'étude des déplacements des plaques à la surface de la Terre. Comme on l'a vu, la surface du globe est constituée d'une mosaïque de plaques de diverses tailles. La majorité de ces plaques incluent tant la croûte continentale que la croûte océanique. Le mouvement complexe des plaques produit trois différents types de zones ou limites lorsqu'elles se rencontrent; une *zone de subduction,* quand une plaque glisse sous une autre pour s'enfoncer dans le manteau et y être consumée; une *dorsale* ou *zone d'expansion,* lorsqu'une nouvelle croûte océanique est créée; et une *zone de failles transformantes,* lorsque les plaques se déplacent en glissant latéralement l'une par rapport à l'autre.

Comme on l'a vu dans la section précédente, la formation d'une nouvelle croûte océanique au niveau des dorsales et la «destruction» de l'ancienne croûte océanique dans les fosses provoquent le déplacement des plaques. Bien que la plupart des plaques contiennent une part de croûte continentale et une part de croûte océanique, en plus de la partie rigide du manteau supérieur, seuls la croûte océanique et le manteau solide sous-jacent sont engagés dans le processus de création/destruction. Ceci fournit une explication sur le fait que les plus anciennes roches connues sur le continent sont âgées de plus de trois milliards d'années, tandis que l'origine des plus anciennes roches connues sur les fonds sous-marins remonte à moins de 150 millions d'années. Bien que la croûte océanique s'enfonce dans les fosses, il semble que, lorsque les zones continentales de

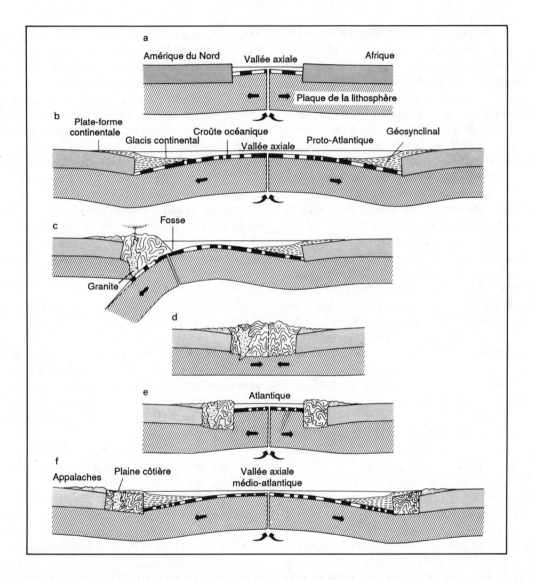

Fig. 21.4 Courants de convection dans le manteau, expansion des fonds océaniques (dorsales) et subduction des plaques. Cette séquence de diagrammes en coupe transversale montre l'évolution de l'Atlantique Nord à partir de l'ère précambrienne jusqu'à l'époque actuelle, ainsi que les effets, sur la formation des montagnes, de l'ouverture et de la fermeture du bassin océanique. En a) et en b), le processus d'expansion des fonds océaniques ouvre l'Atlantique ancienne avec d'immenses dépôts sédimentaires (géosynclinaux) qui se forment en bordure de chaque continent. En c), l'océan commence à se fermer, la lithosphère se rompt, et un fossé est formé. En descendant dans le manteau, la plaque océanique provoque le plissement et la fracture du bassin sédimentaire du côté ouest, donnant naissance à la chaîne de montagnes connue aujourd'hui sous le nom d'Appalaches. En d), les continents se sont réunis de nouveau provoquant aussi le plissement des sédiments du côté africain. En e) (il y a environ 180 millions d'années), l'océan commence à se réouvrir, processus qui se poursuit toujours aujourd'hui au rythme de 3 cm par année. Simultanément, de nouveaux bassins sédimentaires sont en formation au large des deux côtes (f).

(D'après «Geosynclines, mountains and continent-building,» par Robert S. Dietz, Scientific American, vol 226, n° 3 (mars 1972), p. 30-37. Copyright 1972 par Scientific American, Inc. Tous droits réservés.)

moindre densité atteignent les fosses, elles résistent à la destruction et la subduction est freinée.

Tous les mouvements de plaques, et surtout ceux qui se produisent dans la zone de subduction, donnent naissance aux forces tectoniques. En particulier, les forces engendrées par la collision de continent à continent ont de graves conséquences. Étant donné que les continents ne peuvent être soumis à la subduction, la collision comprime les strates sédimentaires comprises entre les plaques et, ultimement, les déforme ou les plisse, donnant naissance à une chaîne de montagnes. La plupart des chaînes de montagnes du monde ont probablement été formées de cette façon (voir question 1, Étude 21-1).

L'océan Atlantique peut illustrer ce phénomène. La figure 21.4 montre diverses phases de formation de l'Atlantique au cours des derniers 600 millions d'années. En (a), vers la fin de l'ère précambrienne, une vallée axiale est apparue et l'Amérique du Nord ainsi que l'Afrique ont commencé à se séparer. Avec le processus d'expansion des fonds océaniques, un océan s'est ouvert là où se trouve actuellement l'Atlantique. Des sédiments se sont déposés sur la plate-forme continentale et sur le fond sous-marin adjacent à chaque continent. Ces sédiments se sont lentement accumulés pour former une couche d'une épaisseur considérable (jusqu'à 16 km), structure appelée *géosynclinal* (b). Le poids du géosynclinal par isostasie a provoqué l'effondrement de la croûte, et les sédiments sont demeurés sous la surface de l'océan.

En (c), l'océan Atlantique ancien a commencé à se fermer et à disparaître à la suite de divers facteurs. Parmi ces derniers, le poids des sédiments a contribué à briser la lithosphère, créant une zone de subduction adjacente au continent nord-américain. Le processus de subduction a entraîné la compression et le plissement des strates sédimentaires du géosynclinal, créant les Appalaches du côté américain de l'Atlantique. La masse entière a été poussée vers le haut, ajoutant de nouveaux matériaux le long des bordures continentales sous la forme d'immenses montagnes. Ces processus ont été accompagnés de renversement des strates ou failles, et de l'intrusion de la roche en fusion.

À la fin, les masses continentales entrèrent en collision et s'agglomérèrent (d), la compression et le plissement réapparurent, et le processus de subduction prit fin. Selon les estimations, le sud-est de l'Amérique du Nord et de l'Afrique ont été réunis par un tel processus il y a 225 millions à 350 millions d'années. Il y a environ 180 millions d'années (e), l'océan Atlantique actuel a commencé à s'ouvrir le long de l'ancien axe de la dorsale, amorçant donc la formation de nouveaux géosynclinaux.

La collision de l'Inde, qui fait partie de la plaque australienne, avec la bordure méridionale de la plaque eurasienne (voir fig. 21.1), constitue un autre exemple du processus de la tectonique des plaques. Les matériaux sédimentaires qui s'étaient formés dans le géosynclinal entre ces deux plaques ont été comprimés et plissés pour former le relief représenté aujourd'hui par les Himalaya et les autres chaînes de montagnes qui lui sont associées.

Étude 21-1

1. Examiner la figure 21.2 et une carte du monde dans un atlas. Commenter la relation entre la tête des principales plaques de la croûte et les chaînes de montagnes majeures.
2. La mer Rouge a été décrite comme un océan naissant. Expliquer ce que cela signifie dans le contexte de la tectonique des plaques.
3. Indiquer pourquoi la plate-forme continentale de la côte ouest des Amériques est si petite comparativement à celle de la côte est.
4. Dans 100 millions d'années, quels pourraient être les traits caractéristiques de l'océan Atlantique et de la côte est de l'Amérique du Nord par rapport à aujourd'hui?
5. Préparer une série de diagrammes en coupe transversale, soit une pour chaque carte de b) jusqu'à d) compris à la figure 21.1. Montrer le déplacement de la plaque indienne, identifiée par un «*». Identifier nettement la croûte granitique et la croûte basaltique, et montrer les trois types de limites de plaque dans chacun des quatre diagrammes. Où la croûte a-t-elle été créée, où a-t-elle été détruite? La partie granitique de la croûte (actuellement la partie principale du sous-continent indien) a-t-elle été modifiée de quelque façon? Que s'est-il passé lorsque la plaque indienne a rencontré la plaque d'Asie?

22 / Plissement, failles et volcanisme

Les forces tectoniques, que l'on vient de décrire en relation avec le mouvement des plaques, ont une influence sur la surface de la Terre avec les processus de *plissement*, de *fracturation* et de *volcanisme*.

Le plissement et la fracturation consistent en des mouvements de rupture, de ploiement et de déformation de la croûte terrestre. Le volcanisme suppose le mouvement de matériaux en fusion à l'intérieur de la croûte terrestre ou à sa surface. Tous ces processus ont tendance à engendrer des différences d'altitude à la surface de la Terre. Ces différences surviennent suite au plissement ou à la rupture de la croûte, ou à l'évacuation massive de lave en fusion. Il en résulte des reliefs très inégaux qui composent la physionomie de la surface terrestre.

L'activité tectonique est aussi ancienne que la Terre elle-même. Cependant, les principales chaînes de montagnes actuelles sont surtout le résultat de processus de formation de montagnes, qui sont survenus pendant le cénozoïque. Des vestiges d'activités tectoniques antérieures sont décelables dans certaines chaînes de montagnes secondaires et certaines collines.

Cisaillement et cassure de la croûte

Pendant toute l'évolution de la Terre, diverses contraintes et pressions associées à la tectonique des plaques ont produit une multitude de fractures dans l'écorce terrestre. La plupart d'entre elles sont très petites et s'arrêtent à une courte distance sous la surface. Cependant, à certains endroits, des pressions continues ont provoqué la formation de crevasses profondes. À la fin, cette pression entraîne le mouvement ou le déplacement de la masse rocheuse le long du plan de fracture. Ces crevasses sont des *failles*. Bien qu'il semble probable que les mouvements à l'origine de ces failles surviennent très soudainement, il se peut cependant que le déplacement qui résulte de tels mouvements à un moment quelconque ne soit que de quelques centimètres.

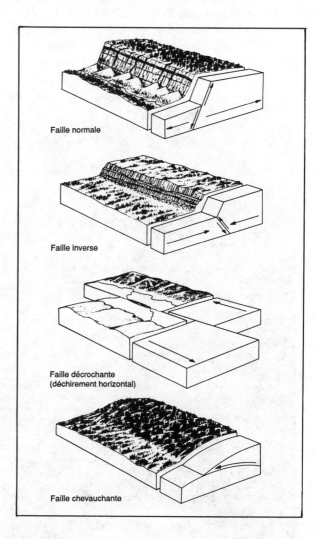

Faille normale

Faille inverse

Faille décrochante
(déchirement horizontal)

Faille chevauchante

Fig. 22.1 À cause du mouvement des plaques, la croûte est soumise à différents types de contraintes qui produisent différents types de failles. Les roches peuvent subir des contraintes exercées par des forces de compression, de tension et de cisaillement. Relier ces types de forces aux différents types de failles illustrés ci-dessus. (On remarquera que le côté droit de chaque diagramme montre le mode de formation [théorique] de la faille. À gauche, on présente le paysage qui apparaîtrait normalement après avoir été soumis aux forces d'érosion.)

Des déplacements horizontaux atteignant six mètres ont été observés le long de la faille de San Andreas (fig. 22.2) après le séisme de 1906 à San Francisco. Cependant, ces déplacements, tant verticaux qu'horizontaux, ne sont pas considérés comme typiques.

On connaît bon nombre de types différents de failles. Quatre failles parmi les plus courantes sont illustrées à la figure 22.1. Des failles transformantes sont produites à la frontière des plaques, lorsqu'une plaque, ou une section de plaque, coulisse le long d'une autre. Comme le mouvement s'effectue essentiellement à l'horizontale, la formation de failles transformantes est rarement à l'origine de formes de relief majeures.

Par contre, l'apparition de failles dans un massif produit des reliefs accentués. Ces derniers sont créés par les déplacements verticaux de vastes sections de la croûte le

Fig. 22.2 La faille de San Andreas en Californie apparaît au milieu de la photographie. Le cours d'eau à gauche est dévié d'environ 150 m en un mouvement latéral droit le long de la faille.

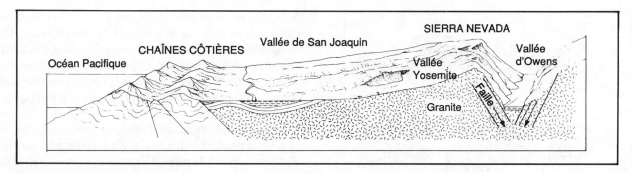

Fig. 22.3 Des montagnes comme celles de la Sierra Nevada (appelées montagnes en blocs faillés) sont le résultat du soulèvement de larges blocs le long de failles marginales. La vallée d'Owens est un *graben*, ou vallée d'effondrement, formé par l'affaissement d'un bloc crustal. De telles vallées ressemblent à des fosses (blocs surélevés entre deux failles), avec des parois assez inclinées qui s'élèvent jusqu'aux hautes terres adjacentes.

long des failles ou des plans de fracture. Ces déplacements sont à leur tour provoqués par le mouvement des plaques, ainsi que par la force de rééquilibrage (isostasie) (voir page 205). En termes simples, certaines parties de l'écorce peuvent s'élever et d'autres se déposer. Les formes de relief qui résultent de la formation de failles dans un massif varient des types simples illustrés à la figure 22.1 aux types plus complexes, qui incluent les affaissements (quelquefois appelés *vallées axiales*), par exemple. Ces dernières sont formées lorsqu'une partie de la croûte est prise entre des failles parallèles. La vallée Owens, illustrée à la figure 22.3, est un exemple de vallée d'effondrement. Citons d'autres exemples remarquables comme la fosse des Montagnes Rocheuses, le fossé d'Afrique orientale et la vallée du Rhin en Allemagne.

La formation de failles, qui est encore plus complexe que celle des fossés d'effondrement, se produit lorsque certaines parties de la croûte sont soulevées ou déversées et d'autres abaissées. Les régions du bassin et des montagnes dans l'est de la Californie et le Nevada ont été formées de cette façon. La figure 22.3 illustre la partie ouest de ce secteur, où s'élèvent les montagnes de la Sierra Nevada. Ces montagnes ont été formées lorsqu'une énorme section de la croûte a été poussée vers le haut le long des failles au niveau de la limite orientale de la Sierra Nevada. En conséquence, les montagnes présentent un versant oriental très abrupt, tandis que le versant occidental a une pente beaucoup plus douce.

La production de reliefs d'une certaine envergure exige que le processus de formation de failles se poursuive pendant de très longues périodes. En conséquence, les caractéristiques superficielles actuelles de tels reliefs résultent surtout des forces de transformation progressive. Les failles initiales sont souvent très difficiles à identifier.

Soulèvement ou affaissement de la croûte

Le mouvement des plaques a également un rôle à jouer dans la compression ou le plissement des roches sédimentaires de moindre densité de la croûte. Cependant, le plissement se produit dans des circonstances quelque peu différentes de celles conduisant à la formation des failles. La taille des plissements et la région soumise à ces forces varient considérablement. Dans certains cas, les roches ont été comprimées pour former des plissements complexes de l'ampleur d'une montagne. Dans d'autres cas, de vastes régions ont été légèrement déversées, corrections dues au retour à l'isostasie de sorte que certaines parties de la croûte ont été soulevées et d'autres se sont affaissées. Dans certaines régions, on a mesuré ces mouvements avec précision. Cette étude a permis de relever des rythmes de soulèvement et d'affaissement variant d'une fraction d'un millimètre jusqu'à dix millimètres par année.

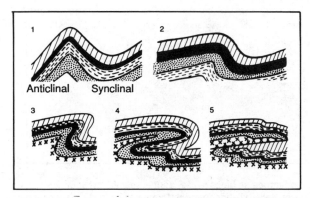

Fig. 22.4 Types de plis: 1, simple; 2, asymétrique (incliné); 3, déversé; 4, anticlinal couché; 5, faille chevauchante ou nappe de charriage.

Des plissements importants sont responsables de la formation de la plupart des chaînes de montagnes importantes de la Terre. Comme on l'a vu, les plissements ont été induits lorsque des dépôts considérables de sédiments se sont accumulés dans de grandes dépressions de l'écorce terrestre (géosynclinaux). Les dépôts ont été soumis à une compression intense provoquée par le mouvement des plaques et particulièrement par la collision de plaques majeures.

L'envergure et le type de plissement varient d'une chaîne de montagnes à l'autre, et même dans la chaîne elle-même.

De telles variations sont attribuées à une série complexe d'événements reliés à la force de la compression. On reconnaît plusieurs types différents de plissement. Ils varient du type simple et symétrique au type couché très enchevêtré (fig. 22.4). La formation de failles et le volcanisme sont souvent associés au dernier type de pli et compliquent grandement sa structure.

Comme la formation de failles, le plissement doit se poursuivre pendant de longues périodes pour produire des effets majeurs sur le relief. Cependant, comme on l'a vu plus tôt, à mesure que ces masses se soulèvent lentement, elles sont aplanies par les forces de transformation progressive. La coupe transversale illustrée à la figure 22.5 montre divers types de plis ainsi que le profil de surface produit par la transformation progressive.

Les plissements importants et spectaculaires ont progressivement créé les chaînes de montagnes. Cependant, le plissement de moyenne envergure, appelé *gauchissement*, a agi sur des régions beaucoup plus vastes de la Terre. Bien que le gondolement soit souvent amorcé par le mouvement des plaques, il peut être intensifié par érosion et accumulation, processus qui provoque un mouvement de retour à l'isostasie. Le gauchissement produit rarement des irrégularités de surface importantes parce que les régions soumises à ce processus sont très vastes et que l'affaissement est de très faible envergure.

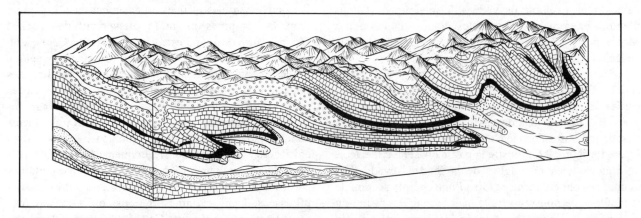

Fig. 22.5 Les Alpes constituent l'un des systèmes montagneux les plus complexes au monde. Ces montagnes possèdent une combinaison de plis anticlinaux et synclinaux simples, de plis anticlinaux couchés et de nappes de charriage, ainsi que des failles, surtout chevauchantes. Les masses rocheuses qui forment les Alpes sont également complexes, comprenant les types igné, sédimentaire et métamorphique qui datent du précambrien ou du tertiaire.

Fig. 22.6 On peut observer dans ces montagnes suisses, des couches fortement inclinées, semblables à celles qui sont illustrées à la figure 22.8.

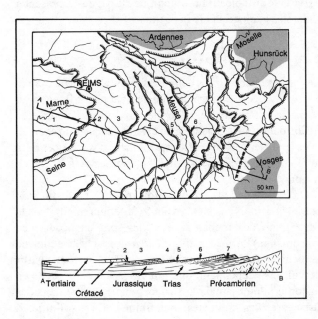

L'une des conséquences habituelles du gauchissement est la lente émergence ou l'affaissement des régions côtières comme les terres qui bordent la mer du Nord. Les mesures d'altitude prises depuis plusieurs siècles révèlent un affaissement du terrain émergé dans certaines parties de la Grande-Bretagne et des régions adjacentes sur le continent.

La figure 22.7 illustre un autre exemple de gauchissement montrant les couches sédimentaires légèrement inclinées du bassin de Paris en France. Les forces de transformation progressive ont aplani la partie supérieure de la surface

Fig. 22.7 Les falaises du bassin de Paris sont présentées en plan et en tranche. Certains des escarpements majeurs et des plaines adjacentes sont numérotés sur la carte et le diagramme. 1, Île-de-France; 2, Falaise de l'Île-de-France; 3, Champagne Pouilleuse; 4, Champagne Humide; 5, Argonne; 6, Côtes de Meuse; 7, Côtes de Moselle.

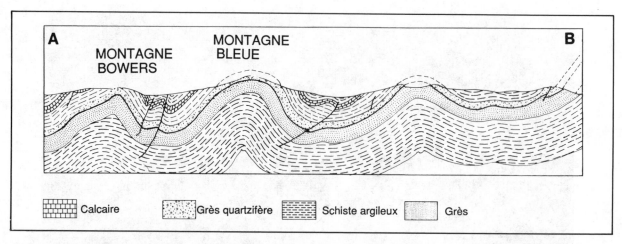

Fig. 22.8 Cette coupe transversale (A - B), et la photographie aérienne de la figure 22.9, présentent une section de la carte topographique de Loysville en Pennsylvanie. Le paysage est assez typique de cette partie des Appalaches dite «province de crêtes et de vallées». Échelle de la photographie: 1:56 000 (approximativement).

déformée, laissant une série de flancs inclinés vers l'est. En certains endroits on peut voir des falaises impressionnantes, et en d'autres lieux, seulement des pentes inclinées. Les escarpements ont résisté à l'usure du temps parce qu'une couverture de roche sédimentaire résistante protège les matériaux sédimentaires sous-jacents plus friables.

Étude 22-1

1. La figure 22.8 illustre le plissement relativement simple et symétrique qui s'est produit dans la région des Appalaches aux État-Unis.

a) Localiser la coupe transversale sur la photographie de la figure 22.9. (La page 336 présente une explication des paires photographiques.)

b) Commenter la relation entre le type de roche et la structure du relief illustré à la figure 22.8. Il ne faut pas oublier que le grès et le quartzite sont plus résistants à l'érosion que le calcaire et le schiste argileux.

c) Tracer une seconde coupe transversale de la région qui s'étend parallèlement à la zone illustrée avec la première coupe transversale, et à l'ouest.

2. a) Faire une esquisse d'une coupe transversale d'ouest en est, du bassin de Paris (fig. 22.7). Indiquer, par des lignes pointillées, où se trouveraient les couches sédimentaires si les processus d'érosion n'avaient pas eu lieu. À l'aide d'un atlas, ajouter une échelle montrant l'altitude approximative.

b) À l'aide d'un atlas, décrire la relation entre le paysage et le réseau fluvial de la région. Pourquoi les cours d'eau sont-ils encaissés?

c) À l'aide du tableau chronologique à la page 202, présenter l'histoire géologique de la région.

Le volcanisme

Le jaillissement de la roche en fusion à la surface de la Terre ou près de sa surface a également une influence sur la partie extérieure de la croûte. La source de roche en fusion dans l'asthénosphère a déjà fait l'objet d'un examen dans le présent chapitre. Les spécialistes des sciences de la terre comprennent encore mal les origines de la roche en fusion.

On reconnaît deux types de volcanisme. (La distinction entre les deux types a été exposée antérieurement dans la description des roches ignées, qui sont un produit du volcanisme.) Le *volcanisme d'extrusion* est la déjection de la roche en fusion à la surface de la Terre, surtout à partir de volcans. Cependant, une grande partie de la roche en fusion n'atteint jamais la surface, mais pénètre dans des fissures et des crevasses souterraines et s'y solidifie. Il

Fig. 22.9 Photographie aérienne d'un secteur de Loysville, carte topographique de Pennsylvanie.

s'agit dans ce cas de *volcanisme d'intrusion*. Des manifestations de ce type de volcanisme sont observées à la surface de la Terre aux endroits où a) l'intrusion a déformé ou abaissé les roches des surfaces, ou b) l'érosion a enlevé les roches sus-jacentes et exposé le matériel d'intrusion.

Avant de rejoindre la surface de la Terre, la roche en fusion s'appelle le *magma*. À la surface, cette substance forme la *lave*. Le magma est composé de divers minéraux à l'état liquide. Parmi les substances les plus abondantes figurent les silices et d'autres éléments qualifiés de *volatils*. Ces derniers comprennent de l'eau et de l'anhydride carbonique en grandes quantités, ainsi que d'autres substances d'importance secondaire comme le soufre, l'azote, l'argon et le chlore.

Ces substances volatiles demeurent à l'état gazeux ou liquide dans le magma à des températures considérablement moindres que ne le sont les composés silicatés. En conséquence, lorsque ces derniers se solidifient à mesure que le magma s'approche de la surface, les substances volatiles s'échappent dans l'atmosphère. C'est pourquoi la lave, qu'elle soit solidifiée ou encore liquide, est en grande partie libre de substances volatiles.

Le dégagement de substances volatiles est le *dégazage*. Tout au cours de l'histoire de la Terre, ce processus a constitué la principale source d'eau de l'hydrosphère et de gaz atmosphériques. En d'autres termes, le volcanisme a fourni la plupart des éléments essentiels au fonctionnement de la biosphère. (Quel élément primordial n'est pas créé dans le processus de dégazage?)

Le volcanisme d'extrusion

Il n'y a pas si longtemps, les gens croyaient que la Terre comprenait un noyau en fusion recouvert d'une mince croûte. Les volcans qui caractérisent le volcanisme d'extrusion étaient considérés comme des points de faiblesse de la croûte, par où s'échappait la roche en fusion. Cependant, l'on sait aujourd'hui que la majeure partie de la structure interne de la planète est solide. Les sources de roche en fusion se présentent généralement sous la forme de petits réservoirs peu profonds (chambres magmatiques) dans le manteau et la croûte.

Qu'est-ce qui cause une éruption? Comme on l'a vu au chapitre 21, les spécialistes des sciences de la terre savent aujourd'hui que ce phénomène est associé au mouvement des plaques qui, à son tour, est provoqué par les lents courants de convection dans l'asthénosphère. En fait, la plupart des volcans de la Terre voisinent les limites des plaques. Dans ces régions, les matériaux en fusion de la partie supérieure du manteau, qui sont moins denses que les matériaux environnants et sous pression, montent vers la surface. Une certaine portion de ces matériaux se solidifie avant d'atteindre la surface, produisant diverses formes d'intrusion (page 238). Le reste se répand ou explose à la surface pour former des volcans ou d'autres formes de reliefs d'extrusion.

Types de volcans

On peut classer les éruptions volcaniques de diverses façons. Une classification basée sur l'activité volcanique classe les volcans en trois catégories: actifs, assoupis, et éteints. Les volcans actifs, facilement reconnaissables, sont généralement subdivisés en deux catégories selon qu'ils entrent en éruption à des intervalles de quelques années seulement (par ex. le Stromboli ou le Vulcano en Italie), ou moins fréquemment (plus d'une fois par siècle). Il est plus difficile de faire la distinction entre un volcan assoupi et un volcan éteint. Bon nombre de volcans sont considérés comme éteints bien qu'il n'existe pas de certitude à ce sujet.

Un autre type courant de classification s'appuie sur le degré de violence de l'éruption, qui est largement le résultat du type de magma éjecté. On reconnaît deux sources principales de magma et deux types correspondants d'éruptions, qui sont décrits ci-dessous.

1. Le magma qui provient d'une assez grande profondeur dans le manteau (généralement associé aux zones de subduction) présente une teneur élevée en silice, et est acide et très visqueux. Il a tendance à se solidifier assez rapidement en s'approchant de la surface. En conséquence, il retient solidement les matériaux volatils à l'intérieur de sa masse, contribuant à élever la pression qui est réduite subséquemment par des explosions plus ou moins puissantes. La rhyolite, l'obsidienne, le tuf volcanique et la pierre ponce sont les roches associées à ce type d'éruption.

2. Le magma provenant du sommet de l'asthénosphère, qui a une teneur plus faible en silice, est basique et beaucoup

Fig. 22.10 La localité détruite de Kapaho sur l'île d'Hawaï. Seul, le magasin de Nakamura a été épargné par la spectaculaire éruption volcanique Puma de 1960. Avant l'éruption, le petit village hawaïen était niché dans un paysage verdoyant qui abritait des champs de cannes à sucre, des palmiers et des vergers de papayers.

moins visqueux. Il se refroidit plus lentement de sorte que les matériaux volatils peuvent se dégager sans causer d'explosions. Ce type d'éruption est beaucoup plus courant. En fait, il s'agit du principal mode de formation de la croûte océanique le long des limites de crêtes entre les plaques. Le basalte et l'andésite constituent les roches les plus fréquemment associées à ce type d'éruption.

Les types d'éruptions

On classe généralement les volcans selon le type d'éruption ou la nature des matériaux éjectés. Les catégories présentées ci-dessous sont basées sur le type d'éruption.

Éruptions de type hawaïen

Les volcans de type hawaïen, qui doivent leur appellation aux systèmes montagneux hawaïens comme Kilauea, Halemaumau et Mauna Loa, sont caractérisés par les éruptions les moins explosives. En raison de sa composition basique, la lave qui sort de ces volcans est très fluide. Toutes les substances volatiles présentes peuvent se dégager librement et il n'y a pas d'explosions violentes. Dans certains cas, les gaz qui s'échappent pulvérisent la lave liquide à des dizaines de mètres dans l'air, formant des panaches de roches incandescentes appelés fontaines de feu. Il arrive fréquemment que la lave sorte par des fissures (ainsi que par la cheminée centrale), créant un rideau de feu de plusieurs kilomètres de longueur qui peut persister pendant un jour ou deux. En raison de sa fluidité, ce type de lave peut se mouvoir rapidement, couvrant jusqu'à plusieurs dizaines de kilomètres de distance. Bien qu'il n'y ait aucun danger d'explosion, la lave détruit tout sur son passage (voir figure 22.10).

Certains volcans formés par ces coulées présentent une très large base, des pentes douces et un profil arrondi. Par exemple, le Mauna Loa s'élève à une altitude de 4 100 m au-dessus du niveau de la mer, s'étend sur une hauteur d'au moins 4 500 m du fond sous-marin jusqu'à la surface de l'océan, et présente une circonférence de 320 km à sa base sur le fond océanique profond. Ce volcan, et les autres situés dans les îles d'Hawaï, ont été formés par des coulées de lave répétées au cours de millions d'années. Ils sont le résultat du mouvement vers l'ouest de la plaque du Pacifique au-dessus d'un «point chaud» dans l'asthénosphère. D'autres îles à l'ouest de l'archipel hawaïen ont été formées de la même façon que les îles Galapagos qui sont plus

Fig. 22.11 L'érosion en bordure de la rivière Palouse a exposé différentes couches basaltiques d'une section du plateau Columbia. L'encaissement et le joint de stratification sont caractéristiques des coulées de lave.

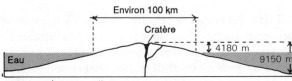

A. Mauna Loa (Hawaï)
En termes de superficie occupée, les volcans de type hawaïen ont une taille qui est plusieurs fois supérieure à celle des autres volcans.

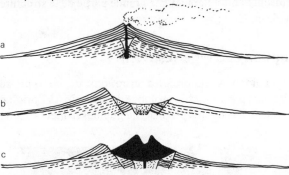

B. Évolution du mont Vésuve
a. Ce strato-volcan existait il y a plusieurs milliers d'années.
b. Le Vésuve tel qu'il apparaissait après l'éruption décrite par Pline le Jeune en 79 après Jésus-Christ.
c. Le Vésuve moderne (ombré) s'est formé dans la caldera de l'ancien volcan.

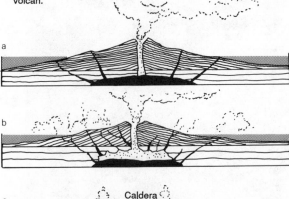

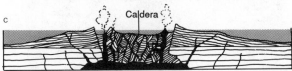

C. Stades de formation d'une caldera à partir d'un îlot volcanique comme le Krakatoa.

Fig. 22.12 Types d'éruptions volcaniques.

proches de l'Amérique du Sud.

Comme on pouvait s'y attendre, seuls les volcans dans la partie est de l'archipel (l'île d'Hawaï) sont encore actifs. À mesure que la plaque poursuit son mouvement, de nouvelles îles sont formées à l'est d'Hawaï au-dessus du même «point chaud».

Dans certaines régions, les éruptions par les fissures sont prédominantes et les matériaux volcaniques s'épanchent pendant de très longues périodes. Bien que l'on connaisse des exemples notables de ce type d'activité volcanique sur les continents, les plus importants processus sont relevés le long des dorsales sous-marines. Ils sont responsables de la formation de la presque totalité de la croûte océanique. La lave produite lors de telles éruptions est semblable à celle qui sort de volcans calmes comme le Mauna Loa. Cependant, elle coule à partir d'un très grand nombre de fissures, couvrant la surface de façon assez uniforme pour former un *plateau de lave* ou, dans certains cas, une *plaine de lave*.

L'Islande est un exemple de plateau de lave formé au-dessus du niveau de la mer par des éruptions dont les cheminées étaient des fissures dans la dorsale médio-atlantique. Cette île a été autrefois soumise à un processus de distension et continue de l'être. Cette expansion est causée par les nouveaux matériaux volcaniques d'extrusion qui se sont solidifiés dans des failles au milieu de l'île. Le plateau Columbia dans le nord-ouest des États-Unis (fig. 22.11) a été formé de la même façon il y a environ 20 millions d'années. Au cours d'une très longue période, une série d'éruptions, d'une profondeur moyenne de 10 m, ont eu lieu à travers des milliers de fissures. Les matériaux projetés ont complètement enseveli la surface initiale, remplissant les vallées et recouvrant les collines. À la fin, ils ont formé une plaine assez uniforme de 130 000 km² de superficie et de plus d'un kilomètre de profondeur, située entre la chaîne Cascade et les Montagnes Rocheuses. D'autres paysages formés à la suite d'éruptions par des fissures sont observés dans le nord-ouest du plateau Dekkan en Inde, dans les hauts-plateaux de Paran au Brésil, ainsi qu'en Éthiopie et dans d'autres parties de l'Afrique.

Éruptions de type strombolien

Ces éruptions, qui doivent leur nom au volcan italien, comportent aussi l'éjection de lave basaltique. Cependant, cette dernière est légèrement plus visqueuse que celle de type hawaïen. En conséquence, les éruptions se manifestent sous la forme d'explosions mineures à quelques minutes ou à quelques heures d'intervalle. Les matériaux éjectés comprennent de la lave et des fragments de lave semi-solide (pyroclastites). Des nuages de vapeur blancs s'échappent fréquemment du cratère central. Le mont Etna en Sicile, l'Erebus en Antarctique et le Pacaya au Guatemala sont des exemples de volcans de type strombolien.

Éruptions de type vulcanien

Non loin du Stromboli, le Vulcano, dont le nom rappelle le dieu romain du feu, est actif de façon intermittente depuis des siècles. Ses éruptions sont très violentes à cause de la présence de magmas plus visqueux que ceux du Stromboli. En plus de la lave, les matériaux projetés se présentent sous la forme de gros blocs et de vastes nuages sombres de cendres. Les volcans de type vulcanien sont beaucoup moins fréquents que ceux du type strombolien, et ils détruisent habituellement une grande partie de la structure du volcan.

Éruptions de type vésuvien

Plus explosives encore, les éruptions de ce type se distinguent par un souffle prolongé de gaz qui est à l'origine d'un nuage de cendres projeté à de grandes hauteurs. Cette

Fig. 22.13 L'éruption du mont St. Helens en 1980.

forme d'éruption, plus extrême, est souvent placée dans une catégorie distincte, appelée plinienne, d'après le romain Pline, mort en étudiant l'éruption du Vésuve en 79 ap. J.-C. Des quantités encore plus importantes de matériaux, dont des cendres, des gaz chauds, de la boue et des fragments de roches de diverses tailles (bombes volcaniques), sont projetées lors de ces éruptions. Bien qu'une large part de ces matériaux s'élève sous la forme d'épais nuages jusqu'à quelques kilomètres d'altitude, une certaine partie est aussi projetée vers l'extérieur sous la forme d'une «vague de base» qui détruit toute vie sur son passage.

Pompéi (à huit kilomètres seulement du Vésuve) a été recouverte par plus de trois mètres de ponce lors de l'éruption qui a eu lieu en 79 après J.-C. De l'autre côté du volcan, Herculanum a été d'abord été balayée par une vague de base, puis ensevelie sous une coulée boueuse.

Un exemple particulièrement meurtrier d'une éruption volcanique causant des coulées boueuses (appelées aussi *lahars*) s'est produit en Colombie en novembre 1985. Les gaz et la lave projetés du volcan, le Nevada del Ruiz, culminant à 5 400 m, ont fait fondre une partie de la calotte de glaces du sommet, provoquant des coulées boueuses. Atteignant jusqu'à 40 m de hauteur, ces coulées ont dévalé la pente à des vitesses allant jusqu'à 160 km/h, détruisant tout sur leur passage. Cette seule éruption a causé 23 000 pertes de vie. La plupart des victimes habitaient dans la ville d'Armero située à 50 km de la source de l'éruption.

Bon nombre de volcans sont de type vésuvien ou plinien. Généralement formés tant par la lave que les matériaux pyroclastiques, on les appelle aussi *strato-volcans* ou *volcans composites*. La plupart sont facilement reconnaissables par leurs pentes concaves gracieuses. Ils sont tous relativement jeunes (moins d'un million d'années) et potentiellement dangereux. Le mont St. Helens dans l'État de Washington est un exemple notable d'un volcan de ce type. Il est entré entré en éruption en 1980 avec une violence qui a détruit 2 km² de la montagne elle-même. Au cours d'une autre éruption récente, celle de l'El Chichon au Mexique en 1982, la quantité de cendres projetées dans la haute atmosphère a été suffisante pour réduire, de façon mesurable, pendant une période de plusieurs mois, les températures moyennes dans l'hémisphère Nord.

La plupart des volcans de ce type (et du suivant) sont associés à des zones de subduction en bordure des continents. Comme l'illustre la figure 21.3, la roche en fusion est produite par une plaque descendante. Cette roche s'accumule dans de vastes réservoirs de magma, situés entre 10 et 20 kilomètres sous la surface. Tôt ou tard, la pression dans ces réservoirs s'élève suffisamment pour provoquer une éruption. La «ceinture de feu» du Pacifique abrite bon nombre de ces réservoirs, y compris les volcans qu'ils ont créés.

Éruptions de type peléen

On qualifie de peléennes les éruptions très violentes comme celle survenue en 1902 au mont Pelée sur l'île de la Martinique dans les Caraïbes. Ces éruptions peuvent être accompagnées d'une déjection de lave chaude et très visqueuse. Cependant, le trait distinctif de cette activité volcanique est l'expulsion rapide d'un nuage dense de cendres, de poussières et de fragments de roches et de gaz très chauds (600 à 700°C). Ce phénomène, appelé *nuée ardente*, n'a épargné que deux personnes sur les 30 000 habitants de la ville de Saint-Pierre au pied du mont Pelée. Heureusement, de telles éruptions sont assez rares, bien qu'elles aient été observées dans plusieurs parties du monde.

Éruptions de type krakatoain

Le lundi 27 août 1883, une île appelée Krakatoa (fig. 22.14) située dans le détroit de Sunda entre Java et Sumatra, a été le lieu de plusieurs éruptions si violentes que les secousses ont été détectées dans le monde entier. Le bruit de l'explosion, que l'on croyait d'abord être des coups d'armes à feu, a été entendue jusqu'à l'île Maurice dans l'océan Indien, à 4 000 km de distance. Des cendres volcaniques ont été projetées dans la haute atmosphère, recouvrant des milliers de kilomètres carrés de terres et d'eau. Des vagues océaniques géantes, appelées tsunamis, (voir page 28) ont été mises en mouvement. Leurs crêtes, atteignant plus de 30 m de hauteur, ont frappé les côtes de Java et de Sumatra, causant au moins 36 000 pertes de vie par noyade.

Aujourd'hui, il ne reste de la base de Krakatoa qu'un anneau d'îles brisées autour d'un énorme gouffre en forme de marmite (*caldera*) de 300 m de profondeur. Une large

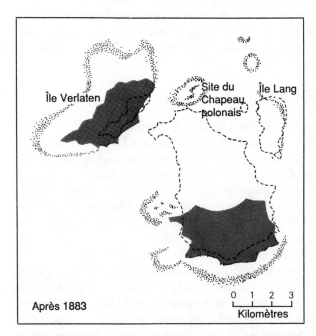

Fig. 22.14 Krakatoa et îles voisines avant et après l'éruption de 1883.
(Source: Peter Francis, *Volcanoes*, Penguin Books, 1976.)

part de la roche qui formait initialement le cône volcanique a été éjectée dans l'atmosphère par la force de l'explosion, de gros fragments retombant dans la mer autour de l'île. Les matériaux rocheux du cône, ou plutôt de ce qui en restait, se sont effondrés dans la chambre volcanique qui s'était remplie de roche en fusion avant l'éruption.

Un autre exemple célèbre de ce type d'éruption s'est produit sur l'île de Santorin, dans la mer Égée, en l'an 1 400 av. J.-C. environ. On croit que l'explosion et les tsunamis qui ont été engendrés ont causé la disparition de la civilisation minoenne. Cette éruption est également la source de la légende de l'Atlantis. La caldera ainsi que les parois du volcan qui ont été épargnées par l'explosion sont encore nettement visibles aujourd'hui.

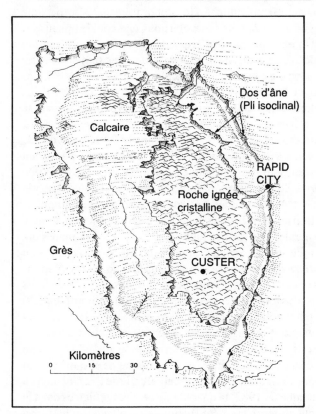

Fig. 22.15 Les Collines noires du Dakota du Sud.
(Adaptation autorisée de la fig. 26.33, p. 409, dans A.N. Strahler, *Introduction to Physical Geography*, 3ᵉ édition. Copyright 1973 par John Wiley & Sons, Inc.)

Étude 22-2

La fascination que les éruptions volcaniques exercent sur l'homme est confirmée par les innombrables descriptions et études de ces phénomènes. Certains des plus célèbres volcans sont énumérés ci-dessous (il en existe bien d'autres qui ont fait l'objet d'études approfondies). Sélectionner un ou deux de ces volcans et, à l'aide de sources documentaires autres que le présent ouvrage, recueillir autant de données que possible sur a) le type d'éruptions (voir la classification précédente); et b) les effets des éruptions sur le milieu vivant environnant. Inclure des esquisses lorsque c'est possible.

Katmai (Alaska), Tarawera (Nouvelle-Zélande), Etna (Italie), Paricutin (Mexique), St. Helens (É.-U.), Crater Lake (É.-U.), Pelée (Martinique), Santorin (mer Égée), Nevada del Ruiz (Colombie).

Volcanisme d'intrusion

Depuis le début de l'histoire géologique, une large part de la roche en fusion qui circulait vers la couche extérieure de l'écorce, s'est refroidie lentement sous la surface du sol. Ce phénomène a contribué à produire des roches de tailles et de formes très diverses. Les plus grosses sont appelées *batholithes*. Il s'agit d'énormes masses de roche ignée, mesurant parfois jusqu'à des centaines de kilomètres de diamètre, qui semblent être à de grandes profondeurs. On les trouve souvent exposées dans le centre de chaînes de montagnes, après l'arasion de la roche de surface. Dans le sud-ouest de l'Angleterre et en Bretagne, ces masses forment aujourd'hui des hauts-plateaux. Les plis initiaux de la période permienne ont été dénudés, laissant une roche ignée plus dure recouverte seulement d'une mince couche de sol et d'une végétation de lande. Ces landes tombent

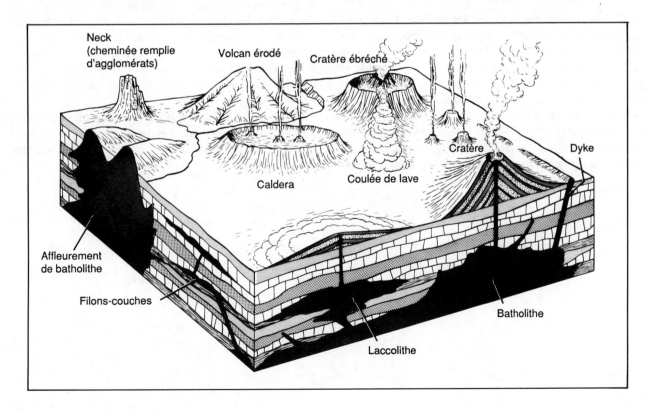

Fig. 22.16 Formes de terrain associées au volcanisme.

abruptement dans les régions avoisinantes dont le lit est constitué de strates sédimentaires moins résistantes.

Le *laccolithe*, qui est une masse plus petite de roche ignée en forme de dôme, est responsable du type de paysage illustré à la figure 22.15. L'intrusion de magma a provoqué le gauchissement des couches sédimentaires extérieures et la formation d'un dôme. L'érosion a éliminé le sommet du dôme, exposant le laccolithe et laissant des crêtes orientées vers l'intérieur, appelées *plis (dos d'âne) isoclinaux*, pour caractériser les couches sédimentaires plus résistantes.

Des phénomènes d'intrusion de taille plus modeste, comme les *dykes*, les *filons-couches* et les *culots volcaniques*, ainsi que les laccolithes et les batholithes plus gros, sont illustrés à la figure 22.16.

Le volcanisme et l'être humain

En plus de produire certaines des formes de terrain les plus spectaculaires au monde, les volcans sont importants dans la vie de l'homme de diverses façons. D'abord, et ce qui est le plus évident, les volcans sont un danger possible et imprévisible pour ceux qui vivent dans leur voisinage. Cet aspect du volcanisme est exploré dans le chapitre suivant qui traite des risques naturels.

Sous l'aspect positif, les laves basaltiques et les cendres volcaniques, riches en minéraux, sont érodées assez rapidement pour former des sols fertiles. Ces sols sont particulièrement importants dans les régions tropicales et subtropicales. Leur fertilité attire des populations rurales assez denses. Il va sans dire, qu'à mesure que les agriculteurs gravissent les pentes des volcans pour étendre leurs activités, ils deviennent très vulnérables à la nature capricieuse des phénomènes volcaniques.

Dans un tout autre domaine, la montée du magma est responsable de la formation de riches minerais métalliques comme le cuivre, le nickel et l'argent. Bon nombre de ces métaux ne sont accessibles en quantités suffisantes dans la partie supérieure de la croûte que grâce aux transformations chimiques qui se produisent lorsque le magma vient en contact avec d'autres roches près de la surface. La formation de bon nombre de minerais métalliques est associée au volcanisme d'intrusion.

Enfin, dans certaines régions du monde, les eaux souterraines réagissent avec des réservoirs peu profonds de magma pour engendrer des phénomènes comme les sources thermales et les geysers. Bien que les sources et les geysers constituent en premier lieu des attraits touristiques dans des endroits comme le parc Yellowstone au Wyoming, ou la région de Rotorua en Nouvelle-Zélande, ils peuvent être harnachés pour produire de l'électricité. (Il s'agit de *l'énergie géothermique*.)

De telles installations existent déjà dans plusieurs pays, dont la Nouvelle-Zélande, l'Italie, l'Islande et le Japon. Il est certain qu'à mesure que s'élèvera le prix de l'énergie, d'autres sources seront exploitées.

23 / Séismes et recherches sur les risques naturels

De tous les phénomènes naturels de la Terre, il n'en existe peut-être aucun qui engendre plus de terreur et cause plus de dommages qu'un séisme majeur. Contrairement à la plupart des autres formes de périls naturels, les séismes ne donnent que très peu de signes avertisseurs, voire aucun, et peuvent survenir à n'importe quel moment. Les plus graves peuvent dévaster complètement une zone en quelques minutes. Même lorsque les secousses ont pris fin, des effets secondaires comme les incendies, des inondations et des éboulements se manifestent. Plus tard peuvent survenir des problèmes humains dont la famine, la maladie ou même le pillage. Des centaines de milliers de personnes ont déjà trouvé la mort dans un seul séisme, les dommages à la propriété étant à peu près incalculables. À part la guerre, il est difficile de trouver un autre événement qui est à la source d'une si grande souffrance humaine.

Malgré tout, les séismes sont des phénomènes naturels. Ils dénotent que les plaques de la Terre continuent à se mouvoir comme elles le font depuis des milliards d'années. Cependant, à mesure que la population humaine croît sur la Terre, il semble probable que les pertes de vie et les dommages à la propriété s'élèveront également.

La nature des séismes

Presque tous les séismes sont causés par le mouvement des plaques. Les forces qui provoquent ce mouvement sont aussi à l'origine de la déformation ou de l'affaissement graduels des roches d'un côté ou de l'autre des failles ou des crevasses qui marquent la limite des plaques (voir figure 23.1). L'énergie de cette force de distension s'accumule dans la roche déformée jusqu'à ce que cette dernière atteigne le point de rupture. Les roches reviennent brusquement (repli élastique) à une position de relâchement en glissant le long de la faille. (Lors du séisme de Mexico en septembre 1985, la plaque Cocos, illustrée à la figure 21.2, s'est déplacée de 2 m dans la zone de subduction à environ 20 km sous la surface.) Lors du glissement de

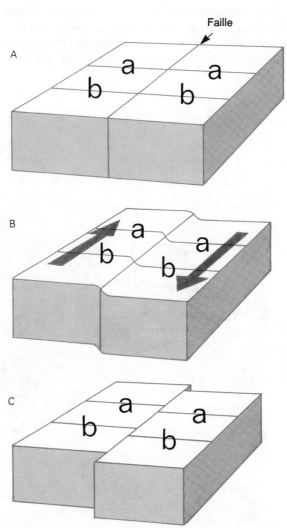

Fig. 23.1 Les phases de déplacement de deux blocs de la croûte terrestre, qui coulissent l'un par rapport à l'autre, servent à illustrer le repli élastique. A) Avant la formation de la faille, avec des lignes droites imaginaires (1, 2) qui s'étendent en travers de la faille. B) L'énergie de tension (élastique) s'accroît, provoquant l'affaissement des lignes (1, 2) près du tracé de la faille. C) Les blocs continuent de se mouvoir, créant un repli élastique le long de la faille, et un séisme.

retour latéral d'une masse rocheuse le long d'une autre, l'énergie de relâchement est dégagée. Cette énergie rayonne vers l'extérieur sous la forme d'ondes de chocs sismiques, provoquant un séisme.

En bordure de certaines plaques, l'énergie de relâchement est dégagée à un rythme assez régulier au cours d'un processus appelé *cheminement tectonique*, provoquant une multitude de petits séismes qui causent peu de dommages, voire aucun. Dans d'autres cas, le mouvement le long de la faille destiné à dégager la tension ne s'effectue pas aussi facilement. La faille est alors dite «verrouillée», ce qui semble être le cas de la célèbre faille de San Andreas, particulièrement dans la région de San Francisco. Dans ces situations, la tension s'accumule pendant de longues périodes, accroissant la probabilité de séismes majeurs.

Fig. 23.2 Débris dans la 4ᵉ rue à Anchorage en Alaska, après le grave séisme de mars 1964.

La figure 21.2 montre que la plupart des séismes, et les plus importants, surviennent le long des zones de subduction et de transformation en bordure des plaques. Toutefois, de très graves séismes ont été observés dans des zones qui n'étaient aucunement associées à des limites connues de plaques. L'activité volcanique, les éboulements et les affaissements de terrain peuvent aussi causer des secousses mineures.

L'endroit exact à l'intérieur de la Terre où se produit un séisme est son *centre*. Ce point varie en profondeur entre le centre peu profond de séismes qui se situent immédiatement sous la surface, et le centre profond de séismes qui ont été observés jusqu'à 700 km de profondeur (dans les zones de subduction). Le point à la surface qui se trouve directement au-dessus du centre d'un séisme est l'*épicentre*. La plupart des études sismologiques s'intéressent aux séismes à centre peu profond qui libèrent le plus d'énergie de tous les séismes et, par conséquent, causent le plus de dommages.

Les ondes sismiques produites par un séisme rayonnent à partir du centre. Ces ondes font vibrer les roches qui réagissent aux forces de poussée et de traction auxquelles elles sont soumises. Trois types d'ondes causent les dommages associés aux séismes. Comme elles voyagent à des vitesses différentes, ces ondes arrivent à destination dans un ordre prévisible. Les ondes primaires ou P arrivent d'abord, suivies des ondes S. Les premières provoquent un mouvement de va-et-vient de la roche crustale, qui peut produire un bruit semblable à un bang supersonique. Les ondes du deuxième type secouent le sol dans le sens tant vertical qu'horizontal, et peuvent endommager considérablement les structures.

Les ondes du dernier groupe voyagent le long de la surface de la Terre. Les premières, appelées ondes de Love (L) déplacent le sol d'un côté à l'autre avec un effet de cisaillement. Ces ondes sont suivies par les ondes de Rayleigh (R). De la même façon que les vagues océaniques, ces ondes impriment aux matériaux de surface un mouvement de rotation verticale semblable à celui d'un objet flottant sous lequel passe une vague de la mer (voir fig. 4.3). Ces ondes de surface sont responsables de la majeure partie des dommages causés par un séisme.

Près du centre d'un séisme majeur, les secousses du sol sont beaucoup plus importantes que celles produites par n'importe laquelle de ces ondes. En effet, au centre du séisme les ondes se rejoignent et ont un impact considérablement plus grand.

Fig. 23.3

La mesure d'un séisme

ÉCHELLE D'INTENSITÉ - ÉCHELLE DE MERCALI MODIFIÉE

Numéro	I	II	III	IV	V	VI	VII	VIII	IX	X	XI	XII
Perçu par:				Personnes								
	aucune	quelques -unes	un certain nombre	un bon nombre	la plupart	toutes						
Dommages subis:					Vitres, plâtre	Meubles, cheminées	Peu résistantes	Normales	Structures — Résistantes	Un grand nombre	La plupart	Toutes
Destruction de:									Un certain nombre	Un bon nombre	La plupart	

ÉCHELLE DES MAGNITUDES - RICHTER

Numéro	1-2	3	4	5	6	7	8
Énergie dégagée	$4,47 \times 10^{12}$	$7,94 \times 10^{14}$	$2,51 \times 10^{16}$	$7,94 \times 10^{17}$	$2,51 \times 10^{19}$	$7,94 \times 10^{20}$	$2,51 \times 10^{22}$
En multiples de la base:	1-31,6	1 000	31 600	1 000 000	31 600 000	1 000 000 000	31 600 000 000

COMPARAISON DE L'INTENSITÉ ET DE LA MAGNITUDE

L'intensité est une mesure de l'expérience humaine et des effets des séismes; la magnitude est une estimation de l'énergie de relâchement. Ces mesures sont à peu près comparables comme le montre la figure. À l'aide de sismographes à distance, il est possible d'estimer la magnitude de presque tous les séismes, mais sans perception humaine ou sans propriétés, aucune mesure de l'intensité n'est valable.

Mesure des séismes

La violence d'un séisme est mesurée à l'aide de deux échelles différentes (voir fig. 23.3). L'échelle Richter, élaborée en 1932 par Charles Richter, utilise un sismographe (fig. 23.4) pour mesurer la magnitude de l'énergie dégagée. Il s'agit d'une échelle logarithmique, ce qui signifie que chaque unité successive en ordre croissant représente environ 32 fois l'énergie dégagée au niveau de l'unité précédente. En conséquence, l'énergie dégagée par un séisme de huit sur l'échelle Richter n'est pas le double de celle dégagée par un séisme de quatre unités, mais elle lui est presqu'un million de fois supérieure. Les séismes les plus importants, comme celui de San Francisco en 1906, ou celui d'Anchorage en Alaska en 1964 (fig. 23.2), présentaient une valeur de plus de huit sur cette échelle. Aucun séisme d'une valeur de neuf ou plus n'a encore été mesuré.

En 1905, Mercalli a inventé une échelle qui mesure les effets de surface ou l'intensité des séismes (voir fig. 23.3). Les valeurs sur cette échelle sont déterminées par les observateurs. En conséquence, contrairement à l'échelle Richter, ces mesures sont subjectives. On remarquera qu'il n'y a aucune correspondance entre les deux échelles, principalement parce que, même si les séismes sont de même grandeur, ils n'ont pas la même influence sur des régions différentes. L'effet dépend largement de la nature de la structure interne sous-jacente.

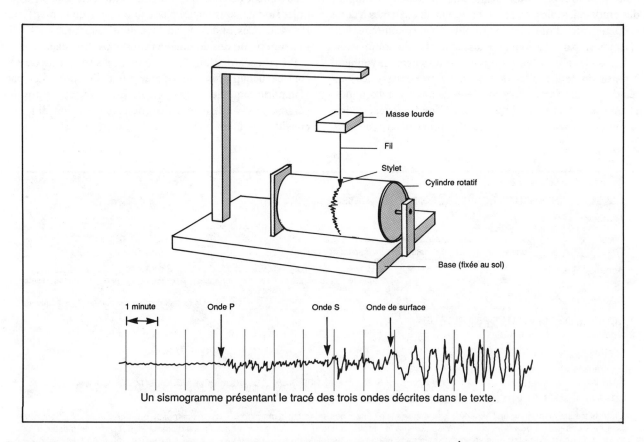

Un sismogramme présentant le tracé des trois ondes décrites dans le texte.

Fig. 23.4 Un sismographe simple. Pendant un séisme, la base, le bras et le cylindre rotatif bougent. Étant donné l'inertie de la masse lourde, le dispositif marqueur demeure immobile et enregistre sur le cylindre le mouvement de l'onde sismique.

Fig. 23.5 La recherche de survivants dans les décombres du séisme de Mexico en 1985.

Les effets des séismes

Pour l'homme, un séisme majeur est l'un des événements naturels les plus catastrophiques. Les premières images qui viennent à l'esprit lorsque l'on songe à un séisme sont généralement celles de grands immeubles qui s'écroulent emprisonnant les occupants entre les étages. Aujourd'hui, les immeubles modernes et d'autres structures érigées dans des villes sujettes aux séismes ont été conçus pour résister à ces catastrophes majeures. Cependant, jusqu'à ce qu'un séisme se produise, nul ne peut affirmer avec certitude que ces structures demeureront debout.

En plus des effets primaires causés par les ondes sismiques, soit les dommages aux structures, on relève des effets secondaires. Dans certains cas, ces derniers sont responsables d'une plus grande dévastation que les ondes de choc elles-mêmes.

1. Les mouvements du sol peuvent provoquer le soulèvement ou l'affaissement de vastes régions de la Terre. Ces mouvements détruisent les structures, modifient le niveau de la nappe phréatique ainsi que la ligne des rivages et, dans certains cas, causent des inondations. Lors du séisme de 1964 en Alaska, un secteur de plus de 250 000 km² a été déformé verticalement. Le soulèvement de certaines régions adjacentes à la mer a atteint jusqu'à 10 mètres.

2. Des incendies sont souvent une conséquence des séismes, car les fils électriques et les conduites de gaz sont facilement brisés. Ces incendies sont difficiles à maîtriser si les conduites d'eau nécessaires pour lutter contre le feu sont endommagées, ou si l'accès aux sites incendiés est rendu difficile par des débris ou des routes impassables. Lors du séisme majeur de Tokyo en 1923, un incendie a été responsable de 40 pour cent des 143 000 pertes de vie totales.

3. Les séismes sous les océans ou adjacents à ceux-ci peuvent mettre en mouvement des vagues sismiques (tsunamis) qui voyagent à des vitesses atteignant jusqu'à

600 km/h (voir p. 28). Lorsqu'elles frappent une côte plusieurs mètres au-dessus de la laisse de haute mer, elles peuvent causer de lourds dommages à des régions distantes de milliers de kilomètres de la source du séisme.

4. Les éboulements de terrain et les coulées boueuses sont souvent déclenchés par des séismes. Quelquefois, des communautés entières sont détruites. Dans d'autres cas, des cours d'eau sont obstrués causant des inondations.

Il est à noter que la grande majorité des séismes se produisent sous l'océan ou dans des régions inhabitées. Bien qu'ils soient détectés par les sismographes autour du monde, et que la production de tsunamis soit toujours possible, la plupart passent inaperçus.

Les risques naturels

La nature a toujours réservé des dangers à l'homme, comme l'illustre la figure 23.6. L'humanité a amélioré ses défenses contre les événements naturels au cours des siècles avec les innovations sociales et technologiques. Cependant, l'homme est encore très vulnérable. Il se passe rarement un jour sans l'annonce d'une catastrophe naturelle responsable de pertes de vie et de dommages à la propriété.

Fig. 23.7 Tempête de poussière dans le sud de l'Alberta.

Fig. 23.6

Exemples de périls naturels majeurs[1]		
Atmosphériques	Tectoniques ou de transformation progressive	Biologiques
Forte chute de neige	Éboulement de terrain ou avalanche	Maladies dues à des champignons comme la maladie des ormes ou la rouille du blé
Sécheresse	Éruption volcanique	
Inondation	Séisme	Infestation par des insectes ou d'autres animaux: lapins, sauterelles, zigzags, malacosomes
Brouillard	Tsunami	
Tempête de grêle	Érosion grave	
Tornade	Tempête de sable	Maladies chez l'homme: malaria, typhus, rage, influenza
Cyclone tropical		
Tempête de vent		
Vague de chaleur ou de froid		
Orage — éclairs et incendie		

[1]Adaptation de I. Burton, R.W. Kates et G.F. White, *The Environment as Hazard*, (New York: Oxford University Press, 1978).

Fig. 23.8 La dévastation causée par les ouragans.

Fig. 23.9 Dommages causés par une inondation non maîtrisée, provoquée par la rivière Rouge à Winnipeg.

Par exemple, au cours d'une seule semaine vers le milieu de 1987, une série de tornades survenues à Edmonton en Alberta a causé la mort de 25 personnes et produit des dommages se chiffrant à des millions de dollars. Des inondations en Inde et au Bangladesh dans le cours inférieur du Ganges, causées par de fortes pluies de mousson, ont été à l'origine de centaines de pertes de vie, sans compter l'anéantissement des récoltes et autres dommages à la propriété. Enfin, à cause de la sécheresse qui sévissait dans d'autres régions de l'Inde, des millions d'habitants risquaient la famine au cours de l'année suivante.

Il est évident que l'étude de ces risques est importante si l'on espère les comprendre mieux et réduire l'envergure de la destruction qu'ils causent. En outre, avec la croissance démographique sur la Terre, il semble que, dans certaines parties du monde, les risques associés aux périls naturels s'élèvent.

Étude 23-1

1. Lire un journal quotidien pendant une période de quelques jours ou quelques semaines afin de relever tous les désastres naturels qui y sont relatés. Noter les détails concernant les pertes de vie et les dommages à la propriété. Peut-on tirer des conclusions sur la façon dont ces événements influencent les gens de façon inégale dans diverses parties du monde?

2. Noter quelques exemples illustrant comment les progrès sociaux et technologiques ont amélioré la capacité de l'homme de faire face aux désastres naturels.

3. Pourquoi la croissance démographique accroît-elle la vulnérabilité de l'homme aux risques naturels? Expliquer à l'aide de quelques exemples précis pourquoi les effets de périls particuliers en certains endroits déterminés peuvent être plus désastreux aujourd'hui qu'il y a trente ou quarante ans.

L'étude des risques naturels

Cette section présente une brève description de sept facteurs différents associés à l'influence des risques naturels sur l'homme[2]. Bien entendu, la réaction des gens à ces risques est modifiée par une grande diversité de facteurs. Cependant, il est certain que les chances de surmonter les difficultés associées à ces événements dépendent du degré de compréhension de la situation. La liste suivante indique les types d'information que cette compréhension nécessite initialement.

1. *Magnitude* — la hauteur maximale d'une inondation ou l'énergie dégagée lors d'un séisme selon l'échelle Richter. En général, plus la puissance de l'événement est grande, moins les gens peuvent agir pour réduire ses effets.

2. *Fréquence* — la fréquence probable d'un événement d'une importance particulière. Si, par exemple, une gelée meurtrière frappe les vergers d'agrumes en Floride tous les cinq ans en moyenne, il y a une probabilité de 20 pour cent que cette gelée survienne au cours d'une année quelconque. Plus l'événement est fréquent, plus les gens vulnérables doivent être prêts à y faire face.

3. *Durée* — la persistance d'un péril donné dans une région particulière. Ce facteur détermine le temps dont dispose les gens pour tenter de faire face à l'événement. Des événements dangereux d'une courte durée comme les tornades, dont le choc est considérable, exigent une réaction immédiate en vue d'améliorer les chances de survie. Les événements

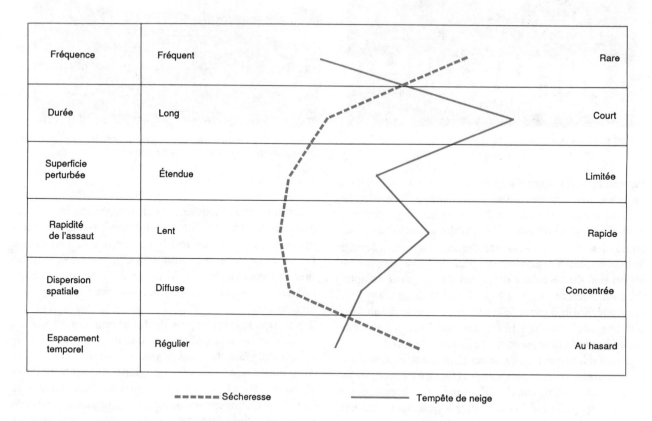

Fig. 23.10 Profils des risques associés à une sécheresse et à une tempête de neige typiques.

(Adaptation de *The Environment as Hazard*, dir. de publ.: Ian Burton, Robert W. Kates et Gilbert F. White. Copyright 1978 par Oxford Press Inc. Réimpression autorisée.)

[2]Ibid.

dangereux de longue durée comme les sécheresses accordent aux personnes vulnérables un certain temps pour tenter de réagir le mieux possible. Bien entendu, la probabilité de réussite de n'importe quelle réaction diminue avec l'augmentation de la durée d'un événement donné.

4. *Superficie perturbée* — l'étendue de la surface terrestre perturbée par un événement dangereux particulier. Il s'agit d'un bon indicateur du degré d'inquiétude provoqué par le risque et des efforts de réaction nécessaires. Les séismes qui frappent de vastes secteurs des régions habitées de Californie reçoivent plus d'attention qu'un incendie de forêt, bien que ce dernier soit un risque majeur dans certaines parties de l'État.

5. *Rapidité de l'assaut* — la période entre le début d'un événement et son apogée. La durée de cette période détermine en grande partie le type de préparation et le système d'alerte qui doivent être conçus pour un événement particulier.

6. *Dispersion spatiale* — la superficie terrestre vulnérable à un risque particulier. Par exemple, une région susceptible d'être inondée est plus restreinte et facile à délimiter qu'une région qui peut être frappée par une tornade ou une sécheresse. La planification de la réaction au péril est évidemment plus facile à élaborer lorsque l'endroit probable est connu.

7. *Espacement dans le temps* — certains événements surviennent au hasard dans le temps (par ex. les éruptions volcaniques) tandis que d'autres sont assez réguliers et souvent limités à une période déterminée de l'année (ouragans).

Étude 23-2

1. À l'aide de la figure 23.10, illustrer les caractéristiques a) d'un péril naturel particulier quelque part dans le monde, comme un ouragan ou un séisme récent, et b) de tous les périls naturels qui peuvent frapper la localité où l'on vit. Aux fins d'illustration de la technique, les entrées sur le risque d'une forte chute de neige et d'une sécheresse ont été complétées.

2. Pourquoi les événements qui surviennent tout à fait au hasard et présentent une grande puissance sont-ils les plus dangereux de tous les périls naturels?

Réaction humaine aux périls naturels

La façon dont l'homme réagit aux périls varie considérablement. Cette réaction dépend de la nature du péril et de l'historique social et économique de la population concernée. Dans le présent chapitre, l'étude de ce sujet sera limité aux considérations sur les séismes.

L'une des zones de séismes les mieux connues est située dans le sud de la Californie, où la plaque américaine est séparée de la plaque du Pacifique par une série de failles transformantes. Parmi ces dernières, la plus longue, et certainement la plus célèbre, est la faille de San Andreas (voir figure 22.2). Étant donné que certaines sections de cette faille sont «verrouillées», un important séisme se produira à cet endroit un jour.

Comme la manifestation d'un autre séisme dans la région est une certitude, on a pris certaines mesures pour atténuer les effets de ce péril. Selon les estimations, si un séisme de la même intensité que celui de San Francisco en 1906 survenait aujourd'hui, entre 10 000 et 40 000 personnes seraient blessées ou tuées (le total dépend de l'heure à laquelle le séisme frapperait au cours de la journée). Cependant, les dommages causés par l'incendie seraient considérablement moindres, et la plupart des immeubles importants et des ponts ne seraient pas détruits comme ils l'ont été en 1906.

La réaction de l'homme aux périls se répartit en trois catégories: la prévision, la préparation et la prévention. (Certains ajouteraient un quatrième «P», c'est-à-dire la prière.) Pour certains périls, on a recours aux trois catégories; pour d'autres cependant, la prévention n'est pas une solution réalisable.

Des recherches considérables ont été effectuées afin de trouver un mode de prévision de la manifestation des séismes. On a installé des appareils près des failles afin de mesurer a) les mouvements du terrain (par ex. des clinomètres); b) des modifications dans le champ magnétique des roches locales; c) les microséismes qui précèdent de quelques jours ou de quelques semaines les séismes majeurs; et d) les petits mouvements, qui causent la reptation, qui suivent des changements dans le champ magnétique. Cependant, ces tentatives de prévision n'ont guère été couronnées de succès. Étant donné que les alertes sismiques sont à déconseiller à moins de pouvoir s'appuyer sur un degré de probabilité considérable, les recherches se poursuivent (voir la question 2 ci-dessous).

Dans la plupart des régions sensibles aux séismes, on a effectué des préparatifs en vue de ces événements. Ces préparatifs comprennent une diversité de tactiques allant de l'amélioration du code du bâtiment à l'établissement de soins médicaux d'urgence particuliers. La meilleure préparation serait peut-être d'empêcher les gens de vivre dans des régions particulièrement vulnérables. Cependant, il est inutile de préciser que cette démarche est peu pratique. Étant donné que la plupart des mesures de protection dépendent de la coopération populaire, l'information constitue une part importante des mesures de préparation.

Il n'est pas surprenant de constater que la préparation et la recherche en matière de prévision ont plus de succès dans les pays industrialisés. En conséquence, pour cette raison et d'autres encore, les risques associés aux séismes et à d'autres événements dangereux sont considérablement plus élevés dans les pays pauvres.

Bien qu'il ne sera jamais possible d'empêcher les plaques de se déplacer, des efforts considérables ont été consacrés à la recherche sur des modes d'atténuation des séismes. La plupart des travaux tirent leur origine d'événements au Colorado qui remontent au début des années 1960. On a constaté que le pompage de déchets liquides dans des puits très profonds était suivi presque immédiatement d'un certain nombre de petits séismes. Lorsque le pompage était arrêté, les séismes cessaient. Il ressort de ce phénomène et d'autres expériences que les fluides réduisent la friction le long de la faille, l'énergie de relâchement étant libérée avant d'avoir la possibilité de s'accumuler jusqu'à un niveau dangereux. De même, des séismes ont été déclenchés par des explosions nucléaires souterraines. Aux endroits où ces essais ont eu lieu, la puissance de l'explosion nucléaire était supérieure à la puissance de réaction (séisme) qui a suivi.

On a proposé l'utilisation de puits comportant trois forages d'une profondeur de plusieurs kilomètres. L'eau serait pompée hors des puits aux deux extrémités, réduisant la probabilité d'un mouvement quelconque. Simultanément, on pomperait de l'eau dans le puits du milieu en espérant déclencher un petit séisme dans des conditions déterminées.

Dans le cas d'une faille comme celle de San Andreas, on a estimé qu'il faudrait 500 de ces puits. Chacun d'entre eux coûterait des millions de dollars, et le projet ne pourrait être terminé avant au moins dix ans. Même à ce prix, il n'y a aucune garantie de réussite, ou que les séismes déclenchés, *le cas échéant*, constitueraient des événements mineurs.

Étude 23-3

1. Pourquoi les alertes de séismes très prochains seraient-ils à déconseiller même dans le cas où la prévision présente une degré de probabilité élevé? Cette situation pourrait-elle s'appliquer à d'autres périls naturels? Expliquer.

2. Pourquoi est-il improbable que l'on réussisse jamais à empêcher les séismes de se produire? Quels autres périls naturels sont à peu près certainement impossibles à prévenir? Expliquer.

3. Pourquoi les risques associés à un séisme et à d'autres événements connexes sont-ils plus grands dans les pays en voie de développement? Comparer les effets d'un séisme majeur dans un pays en voie de développement et dans un pays industrialisé, en termes de pertes de vie et de dommages à la propriété. Utiliser les trois «P» dans la réponse. D'autres périls naturels comportent-ils plus de risques dans les pays en voie de développement?

4. Pourquoi la recherche en matière de prévision et de préparation relativement aux éruptions volcaniques a-t-elle été plus fructueuse que les travaux similaires portant sur les séismes? (Utiliser la figure 23.10 pour compléter la réponse.)

5. Afin de mieux comprendre la nature des périls naturels et la réaction des populations à ces événements, on peut imaginer qu'un ouragan ou un séisme majeur frappera sa localité au cours de la prochaine année. En premier lieu, commenter les différences entre ces deux périls (voir figure 23.10). En second lieu, indiquer comment les gens pourraient y réagir. En tenant compte de cette information, nommer l'événement qui aurait l'effet le plus dévastateur.

6. Il existe de nombreux livres et articles portant sur des séismes majeurs du passé et du présent. Sélectionner l'un de ces documents et examiner le séisme dont il est question relativement à la cause, la magnitude et l'intensité, les dommages, et la réaction humaine.

24 / Façonnement du paysage par météorisation

Le caractère unique de la Terre parmi les autres planètes du système solaire est accentué par les traits caractéristiques de sa surface. La présence d'eau à l'état liquide et gazeux, et le travail des forces de transformation progressive, sont des phénomènes qui ne sont observés que sur la Terre. Modelées par les processus de transformation progressive, qui comprennent le vent, l'eau vive et les glaciers, les surfaces terrestres qui ne sont pas recouvertes d'eau présentent des formes enchevêtrées.

On a vu que les processus tectoniques soulèvent, abaissent et compriment la croûte de manière lente mais constante. Ils construisent aussi des volcans et causent des séismes. Cependant, ce sont les forces de transformation progressive qui sont responsables du travail complexe, visible sur toutes les parties des continents. En fait, leur influence est tellement considérable que les caractéristiques de surface de la majeure partie d'une région relèvent des forces de transformation progressive plutôt que des activités tectoniques.

Les collines, les vallées et les montagnes, créées par le travail des forces de transformation progressive, sont des *formes de relief*. La *géomorphologie*, qui est l'étude des formes du relief, mène des recherches sur le climat, l'eau, la végétation, les roches et les systèmes d'énergie, qui sont associés à la création de formes de relief.

Les forces de transformation progressive, mues par l'énergie solaire, produisent la pluie, le vent, les vagues et les glaciers. Elles provoquent la météorisation ou la fragmentation des roches de surface. Une seconde source d'énergie, la gravité, entre alors en jeu. Les matériaux altérés ou fragmentés sont transportés par les agents de transformation progressive, des régions plus élevées vers les zones plus basses de la surface de la Terre. Lorsqu'ils sont en mouvement, ces agents possèdent de l'énergie cinétique qui leur permet la météorisation et le transport de matériaux de surface.

Globalement, les forces de transformation progressive tendent à abaisser les zones élevées de la croûte et à combler les zones basses. À la fin, ces forces atténuent ou éliminent les différences de relief, créant des surfaces qui ont tendance à être planes et basses. Dans le cas où toute activité tectonique cesserait, les forces de transformation progressive aplaniraient quasi totalement, au cours de millions d'années, le relief de surface. Cependant, comme les plaques de croûte se déplacent constamment, cela n'arrivera jamais. Étant donné que l'activité tectonique est un processus continu bien qu'irrégulier, il existe peu de grandes régions sur la Terre qui ont été nivelées.

L'érosion climatique

L'érosion climatique, qui est la première phase de la transformation progressive, comprend tous les processus qui provoquent la décomposition et la désintégration des roches. Elle produit une couche de roches fragmentées, le *régolite*, qui peut ensuite être transportée par l'eau, la glace, le vent, etc.

On connaît deux modes d'érosion climatique, soit *mécanique* et *chimique*. Les deux types sont essentiellement un produit du climat. La fragmentation mécanique provoque la désintégration des roches sans aucune modification chimique. Ce processus est le plus fréquent dans des régions soumises à des climats froids et (ou) secs (voir figure 24.1).

L'altération chimique est le résultat de températures élevées et de fortes précipitations. Ces phénomènes sont à l'origine de réactions entre l'oxygène ainsi que l'hydrogène dans l'eau (ou d'autres éléments en solution), et les éléments et les minéraux qui forment les roches. Ces réactions provoquent la décomposition des roches. Plus la température est élevée, plus la réaction chimique est rapide.

Météorisation de type mécanique

La météorisation de type mécanique est observée le plus souvent dans une roche-mère fortement fracturée. Les crevasses et les fissures sont exposées à l'atmosphère et l'eau s'y infiltre. Lorsque cette dernière gèle, elle exerce une force d'expansion puissante qui brise la roche.

Dans les régions arides, l'évaporation de l'eau dans les crevasses de roches poreuses (par ex. les grès) laisse dans ces dernières de minuscules cristaux de sel. Les cristaux s'accumulent jusqu'à éclatement de la roche, exposant les fragments rocheux à l'érosion par le vent et l'eau. L'effet destructeur de la cristallisation du sel est également observé sur les briques ou les immeubles de béton qui sont en contact avec le sol humide, ou le sel utilisé dans les centres urbains pour combattre la glace en hiver.

L'importance du réchauffement et du refroidissement des roches comme cause de la météorisation fait l'objet d'un débat. Néanmoins, bon nombre de spécialistes des sciences de la terre sont d'avis que la contraction et l'expansion répétées provoquent la fracturation et la désintégration des couches rocheuses extérieures. On croit que le détachement de couches ou de dépôts calcaires rocheux pourrait être, au moins partiellement, le résultat de l'expansion et de la contraction. Ce processus s'appelle la *gélifraction*.

Enfin, les racines des plantes peuvent fragmenter les roches à mesure qu'elles croissent et s'étendent à la recherche d'eau et de nourriture. Quiconque a eu l'occasion d'observer les dommages causés par les racines des arbres (ou même celles de mauvaises herbes) à une route ou à un trottoir en ciment en une période relativement courte, sera en mesure de juger des effets qu'elles pourraient avoir sur une période de plusieurs siècles.

La météorisation mécanique est également provoquée par l'action abrasive des produits de la météorisation qui sont transportés par l'eau, le vent ou la glace.

Météorisation de type chimique

La météorisation chimique est observée lorsque des minéraux dans les roches de l'écorce terrestre viennent en contact avec le dioxyde de carbone, l'eau ou l'oxygène. Les réactions chimiques qui sont le résultat de ce contact provoquent le gonflement des minéraux dans la roche. Ce gonflement exerce une pression qui affaiblit les liens retenant les constituants rocheux ensemble, et rend la roche plus vulnérable à la décomposition. En outre, de tels changements dans la composition de certains minéraux créent souvent de nouvelles substances minérales qui sont plus tendres ou plus solubles que les matériaux initiaux. Ce phénomène contribue également à affaiblir la roche, provoquant la décomposition.

Les trois types principaux de météorisation de type chimique sont la *solution*, l'*oxydation* et l'*hydrolyse*.

La solution

Ce type d'altération est observé lorsque le dioxyde de carbone atmosphérique et les acides organiques produits par les matériaux végétaux en décomposition se combinent à l'eau de pluie pour former un acide carbonique faible. L'acide réagit avec des roches basiques comme le calcaire. Certains minéraux (par ex. la calcite) sont dissous et transportés en solution. L'équation suivante illustre ce processus:

$$CaCO_2 + H_2CO_2 \rightarrow Ca(HCO_3)_2$$

calcite   acide   bicarbonate
           carbonique   de calcium

Étant donné que le bicarbonate de calcium est soluble, il est facilement dissous et transporté en solution. À la fin, le calcaire est complètement enlevé, laissant sur place des cavernes, des dolines et des rivières souterraines. Lorsque le calcaire est répandu dans une région, la topographie est marquée par les reliefs karstiques (voir page 278).

L'oxydation

Ce phénomène est le produit de l'interaction entre les minéraux ferreux et l'oxygène dissous dans l'eau. Le fer est transformé en hydroxyde de fer au cours d'un processus appelé rouille. Étant donné la proportion relativement élevée de fer dans les roches de la croûte, la rouille est fréquemment une cause d'altération chimique. La décoloration des roches, qui passent du jaune-brun au rouge, est le premier indice visible de l'oxydation.

$$4FeO + 3O_2 \rightarrow 2Fe2O_3$$

oxyde   oxygène   hydroxyde
de fer   de fer

L'hydrolyse

Ce processus agit principalement sur le groupe de silicates des minéraux responsables de la formation des roches

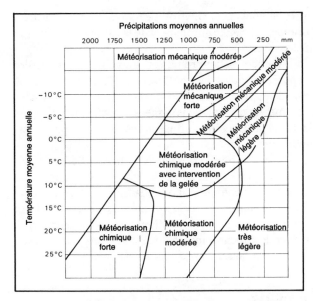

Fig. 24.1 L'importance relative des différents types de météorisation sous différentes conditions de températures et de précipitations.

comme les feldspaths. Le processus s'amorce lorsque l'eau forme, en présence de dioxyde de carbone, de l'acide carbonique dans l'atmosphère. Cet acide réagit avec les silicates pour former un minéral argileux. Les ions de potassium, de sodium et de magnésium, contenus dans le silicate, sont emportés sous forme de solution.

Ce processus est un agent important dans le processus d'érosion climatique des roches ignées. Les roches sédimentaires terrestres, le régolite et les sols, ainsi que bon nombre des ions dans l'eau de mer, ont été produits en grande partie par ce type d'érosion. D'autres ressources que le sol sont aussi le produit de la météorisation de type chimique. Les gisements de minéraux comme le fer, le nickel, l'aluminium et les argiles sont souvent formés de cette manière.

Les facteurs qui influencent la météorisation

Les agents climatiques opèrent très lentement même dans les conditions les plus favorables. Au cours d'une période

s'étendant sur des millions d'années, elle crée un régolite d'une profondeur variable au-dessus du substrat rocheux non érodé. La profondeur du régolite à un endroit donné dépend de plusieurs facteurs dont le climat, le type de roche et la pente.

Le climat

L'envergure et le type de météorisation varient selon les conditions climatiques, comme le montre la figure 24.1. La météorisation est particulièrement visible dans les régions caractérisées par des températures élevées et des précipitations abondantes. À l'intérieur de zones très sèches ou très froides, le régolite, qui est surtout le résultat de processus mécaniques, est normalement très peu profond.

Les variations dans l'érosion climatique sont largement causées par des différences dans des facteurs comme l'exposition au soleil et aux vents humides. Par exemple, les pentes orientées vers le sud dans l'hémisphère Nord sont moins abruptes que celles qui font face au Nord. Ce phénomène s'explique probablement par le fait que les pentes orientées vers le Nord jouissent de la présence prolongée de la couverture neigeuse, d'un nombre réduit de jours de gel et de dégel, et d'une meilleure rétention de l'humidité dans le sol. Ces facteurs contribuent à ralentir le rythme de la météorisation.

Le type de roche

Le rythme de l'érosion climatique dépend aussi du type de roche. Comme l'indique leur processus de formation, les roches sédimentaires sont les moins résistantes à la météorisation, et particulièrement vulnérables à la fragmentation. (Cependant, certaines roches sédimentaires, comme les grès et quelques agglomérats, contiennent des silicates et figurent donc parmi les roches les plus résistantes.)

La réaction à l'érosion climatique dépend largement de la force des matériaux de cimentation qui soudent les particules. Vulnérable à l'altération chimique, le calcaire a tendance à se décomposer assez rapidement dans les régions humides. Cependant, dans les régions arides, il constitue l'un des matériaux rocheux sédimentaires les plus résistants,

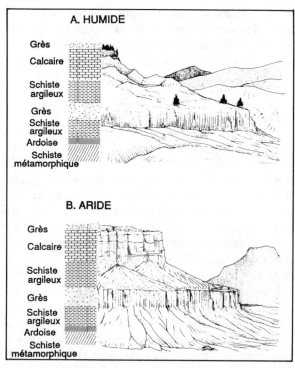

Fig. 24.2 Le diagramme inférieur illustre les effets de la météorisation différentielle dans un climat aride. Le diagramme supérieur montre quel serait l'effet de la météorisation sur la même combinaison de types rocheux dans un climat humide.

et forme souvent la chape des hautes crêtes. Le grès est généralement très résistant à l'érosion climatique tant dans les régions humides que dans les régions arides. Le schiste argileux, qui constitue un autre type de roche sédimentaire, se désagrège rapidement dans les régions humides et arides.

Cependant, il est important de ne pas oublier que ces comparaisons sont relatives. En effet, tous les types de météorisation sont beaucoup plus lents dans les régions sèches.

Bien que les roches ignées soient généralement plus résistantes aux agents climatiques, elles sont plus vulnérables à l'altération chimique qu'à la désagrégation mécanique. Une désintégration lente est observée à mesure que les minéraux sont modifiés chimiquement. Ce processus s'effectue souvent par hydrolyse, ou à mesure que l'eau est absorbée, causant le gonflement de la roche et, à la fin, son effritement.

Les roches métamorphiques, particulièrement celles composées de quartzite, sont les roches les plus résistantes. Cependant, comme elles se trouvent à la surface moins fréquemment que les roches ignées et sédimentaires, leurs réactions aux agents climatiques ne sont pas aussi importantes.

L' *érosion climatique sélective* (différentielle) est visible lorsque des roches de types différents sont interstratifiées comme le montre la figure 24.2. Un rocher résistant (*la couverture rocheuse*) au-dessus d'un lit rocheux plus vulnérable à l'érosion climatique aura tendance à protéger les roches moins résistantes, et à former un *escarpement* (aussi appelé *rupture de pente*).

La pente

La profondeur du régolite dépend de l'inclinaison de la pente ainsi que du rythme de l'érosion climatique. Sur des pentes abruptes, la gravité contribue à déplacer la roche fragmentée à mesure qu'elle se constitue. Seules de grosses pierres, ou même la roche exposée non érodée, sont laissées sur place. Sur les pentes douces, les couches de matériaux désagrégés s'épaississent progressivement dans la partie inférieure de la dénivellation. Sur les surfaces planes, on observe généralement des régolites qui s'enfoncent à des grandes profondeurs. Dans les régions tropicales, des couches de matériaux désagrégés d'une profondeur de 50 m au-dessus de la roche-mère ne sont pas rares.

Étude 24-1

1. Expliquer, à l'aide d'exemples précis, comment les énergies rayonnante, cinétique et de gravité sont responsables du travail des formes de transformation progressive.
2. Expliquer la relation entre la météorisation et le climat, illustrée à la figure 24.1.
3. Les irrégularités de surface sont dues au rythme de météorisation différent, à la nature diverse des roches

d'une région donnée. Examiner les effets de l'érosion différentielle sur les paysages illustrés à la figure 24.2. La figure 25.8 présente une autre illustration intéressante de ce phénomène.

4. Bon nombre d'escarpements, comme celui du Niagara, sont le résultat d'une érosion climatique sélective. La rupture de pente (versant abrupt) est créée par la présence de roches plus résistantes au-dessus de roches moins résistantes. Dans le cas de l'escarpement du Niagara, des dolomites plus résistantes recouvrent des schistes argileux et des calcaires qui sont plus facilement érodés. Tracer une esquisse en coupe transversale pour illustrer le mode de météorisation qui est à l'origine d'un tel escarpement.

Les mouvements de masse

L'importance de la gravité dans le modelé de surface est souvent oubliée. Cette force attire constamment vers le bas les particules désagrégées (régolite) qui couvrent la majeure partie des terres. Chaque fois que le régolite d'une pente est perturbé, la force de gravité contraint ce dernier à dévaler la pente. Des particules individuelles ou d'énormes masses rocheuses peuvent franchir des distances allant de quelques millimètres à des milliers de mètres. De tels déplacements sont des *mouvements de masse*. Cette locution est utilisée même lorsque, dans bon nombre de cas, une seule particule se déplace.

Fig. 24.3 Dépôt de roches fracassées par la glace. Ces talus ou pentes d'accumulation s'étendent à la base de pentes abruptes dans les montagnes Wallowa dans l'est de l'Oregon.

La gravité s'exerce continuellement sur toutes les surfaces en pente. La quantité totale de matériaux déplacés au cours d'une période prolongée modifie le terrain considérablement. Le mouvement de masse constitue l'un des principaux modes de transport des matériaux désagrégés vers le bas de la pente. En conséquence, on peut considérer la gravité comme l'une des forces de transformation progressive.

Divers facteurs peuvent pertuber l'équilibre des matériaux sur une pente (appelée *inclinaison naturelle de talus*), contribuant donc au mouvement de masse. Parmi les facteurs les plus importants, on compte l'humidité et la sécheresse; le gel et le dégel; l'expansion et la contraction thermiques; les séismes; et, à une échelle plus restreinte, les

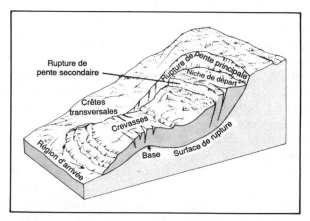

Fig. 24.4 Les principales parties d'un effondrement par glissement.

Fig. 24.5 Un effondrement par glissement au nord de Tepekoy en Turquie, déclenché par un séisme en août 1966.

activités de l'homme et des animaux. La quantité de matériaux déplacés par gravité, et la vitesse de ce déplacement, sont aussi déterminées par plusieurs facteurs supplémentaires dont le climat de la région, les types de roche-mère sous-jacente, le type de végétation, la profondeur et d'autres caractéristiques du régolite lui-même et, bien entendu, l'inclinaison de la pente.

Étude 24-2

1. Examiner les facteurs susmentionnés et indiquer comment chacun peut contribuer au transport des matériaux sur la pente sous l'effet de gravitation.
2. Expliquer pourquoi le travail de la gravitation est fréquemment sous-estimé. Indiquer pourquoi le mouvement de masse peut être un facteur aussi important que l'eau de ruissellement comme agent de transformation progressive.

Les éboulements de terrain

Les mouvements de masse qui comportent le fluage *rapide* des particules rocheuses sont des éboulements. Le type le plus simple d'éboulement, observé dans la plupart des régions montagneuses, est défini comme le déplacement vers le bas de la pente de particules rocheuses individuelles ou en petit nombre. La pile de débris qui se retrouve à la base de presque toutes les pentes abruptes est le *talus ou pente d'accumulation* (fig. 24.3).

Un type plus spectaculaire d'éboulement se manifeste lorsqu'une masse appréciable de roche ou de sol se détache du terrain et descend rapidement la pente. Les causes de ces éboulements sont nombreuses. Parmi les plus importantes, on compte a) l'existence d'une roche-mère peu résistante ou stratifiée (particulièrement lorsque les fractures dans la roche sont inclinées) et b) la présence d'un régolite inhabituellement épais. Une pente qui présente l'une ou l'autre de ces caractéristiques peut être instable. Une grande partie du terrain pourrait descendre vers le bas si l'équilibre de la pente est perturbé. Il est possible que cette perturbation se présente sous la forme d'un cours d'eau qui affouille la pente; d'un état de saturation par l'eau; de séismes; ou même d'activités humaines comme l'exploitation minière ou la construction de routes.

Le 31 mai 1970, un séisme d'une valeur de 7,7 sur l'échelle Richter (voir page 243) est survenu dans les montagnes côtières du Pérou. Il a déclenché une avalanche destructrice de roche et de glace sur le sommet nord du mont Huascarn (6 665 m), où une section de 800 m de la montagne s'est détachée près de la cime et est tombée dans la vallée au bas de la pente. Selon un géophysicien qui a observé l'éboulement, le séisme a commencé à 23 minutes et 28 secondes après 15 heures. À 25 minutes et 25 secondes après 15 heures, l'avalanche avait déjà couvert une distance de 16 km. Elle a presque complètement détruit les localités agricoles de Yungay et Ranrachirca, ainsi que dix petits villages dans la vallée au pied de la montagne. D'après les estimations, 25 000 personnes ont perdu la vie. Il s'agissait du pire désastre naturel de ce type dans la région des Andes en Amérique du Sud. Cependant, il y a eu de nombreux autres éboulements destructeurs déclenchés par des séismes ou des éruptions volcaniques, qui sont associés à la zone de subduction (fosse du Pérou-Chili) au large de la côte d'Amérique du Sud (voir fig. 21.2).

Toute tentative visant au dépeuplement de ces régions est irréaliste en raison de la productivité agricole de ces dernières. En conséquence des mesures de sécurité sont essentielles si l'on veut que les populations survivent en présence de tels risques environnementaux. Ces mesures pourraient comprendre la construction d'immeubles résistant aux séismes; la relocalisation de communautés qui sont actuellement situées dans des endroits vulnérables relativement aux éboulements futurs possibles; et la reconstruction de localités en incluant des rues larges. Cependant, l'on peut se demander si un pays en voie de développement comme le Pérou a les ressources nécessaires pour mettre à exécution de telles mesures.

Lors d'un effondrement par glissement, tant la roche que le régolite se détachent de la pente le long d'une surface concave (voir figures 24.4 et 24.5). La plupart des éboulements sont des variantes des glissements. À mesure que le glissement progresse, la partie supérieure de l'éboulement tombe sous le niveau normal du terrain, tandis que la partie inférieure est forcée au-dessus de l'ancien niveau de surface du terrain. C'est un éboulement par glissement qui a fermé le canal de Panama pendant la majeure partie de la période allant de 1914 à 1920. Dans

RUPTURE DE PENTE

Fig. 24.6 Coulée boueuse active du côté ouest du canyon Pleitito dans les montagnes de San Emigdio en Californie. La différence d'altitude dans la région photographiée est d'environ 360 m.

une section du canal appelée Culebra Cut, des éboulements de 180 000 à 650 000 m³ survenaient presque chaque semaine. Ces éboulements ont bloqué le canal et, dans certains cas, soulevé le fond d'une hauteur allant jusqu'à 10 m.

Les glissements de terrain

Les glissements de terrain sont de lents mouvements de masse généralement observés sur des collines aux pentes très inclinées et couvertes d'herbe. La figure 24.6 montre les diverses phases de ce type de mouvement. Les glissements sont causés par la saturation du terrain pendant de fortes pluies ou des périodes de dégel printanier. L'eau

agit comme un lubrifiant. Elle augmente le poids du régolite et réduit la cohésion de la pente. Les glissements de terrain sont facilement identifiés par les cicatrices qu'ils laissent sur le sol, et le déplacement de la végétation.

Les glissements de terrain rapides et localisés sont des *coulées de boue*. En raison de leur vitesse et de leur densité considérables, les coulées de boue peuvent transporter de gros objets sur de courtes distances. Dans les régions montagneuses et semi-humides, où ces phénomènes sont courants, les coulées ont déjà enseveli ou déplacé des immeubles, des automobiles, ou de gros arbres qui se trouvaient sur leur passage. Un type particulier de coulée boueuse causée par l'activité volcanique a été cité à la page 237 (voir aussi la question 5 de l'étude 24-3).

Les glissements de terrain susmentionnés ont généralement un impact sur des secteurs particuliers de la pente. La *solifluxion* est un type de glissement de terrain un peu différent. Ce phénomène s'observe dans les régions où le régolite entier est saturé d'eau. La masse de terrain totale, ou une large partie de celle-ci, descend lentement la pente. La solifluxion est surtout courante dans les régions aux latitudes élevées ou les zones de haute altitude. Dans ces endroits, seule la partie supérieure des matériaux de surface dégèle pendant l'été, et le sol gelé en permanence (*pergélisol*) se trouve à une courte distance de la surface. Lorsqu'une mince couche saturée d'eau repose sur une base gelée qui n'est pas complètement plane, la couche supérieure a tendance à s'écouler vers le bas de la pente. La solifluxion crée donc de petites rides irrégulières à la surface du terrain.

La reptation

La *reptation* est un lent mouvement de masse de la surface du régolite au cours duquel toutes les particules meubles descendent la pente, mais qui ne produit aucune forme de terrain évidente. Normalement, la reptation est trop lente pour être perçue. Cependant, l'effet cumulatif du lent mouvement des matériaux de surface vers le bas de la pente modifie considérablement le terrain.

La reptation constitue probablement l'exemple le plus important du mode de réduction des irrégularités de terrain sous l'effet de la pesanteur. Cette réduction peut prendre diverses formes. Par exemple, la formation de cristaux de gelée est à l'origine de l'expansion et du soulèvement des particules de sol. Lorsque la gelée fond, les particules sont vraisemblablement déplacées un peu vers le bas de la pente. La reptation peut aussi être amorcée par l'expansion et la contraction de fragments de roche à cause de changements de température. La croissance de la végétation est aussi à l'origine du mouvement descendant des particules. À la fin, les particules s'accumulent dans les dépressions (ce qui réduit donc l'inclinaison de la pente), ou sont emportées par d'autres agents de transformation progressive.

Étude 24-3

1. En utilisant la figure 24.6, identifier trois ou quatre exemples de glissements de terrain en cours. La photographie présente plusieurs petites ruptures de pentes. Chacune d'elles marque le départ d'un nouveau glissement de terrain. Identifier ces ruptures de pente et décrire l'évolution de ces glissements. Serait-il possible de prévenir ces mouvements de masse, et dans quelles circonstances cette démarche deviendrait-elle nécessaire?

2. La figure 24.6 montre l'emplacement d'un glissement antérieur beaucoup plus important. Identifier la rupture de pente laissée sur place lorsque les matériaux se sont détachés. Déterminer également l'étendue de ce glissement de terrain.

3. Expliquer pourquoi la reptation est souvent considérée comme la forme majeure de mouvement de masse. Pourquoi l'impact de la reptation est-il plus grand sur des paysages où l'homme a modifié ou détruit la végétation naturelle?

4. À l'aide de l'information fournie aux pages 248 et 249, commenter le phénomène de l'éboulement considéré comme péril naturel. Bon nombre de spécialistes prévoient une augmentation de ce phénomène, particulièrement dans les régions montagneuses de pays en voie de développement comme le Pérou. Pourquoi ces pays sont-ils généralement plus vulnérables?

5. Les coulées de boue (lahar) provoquées par l'éruption du Nevado del Ruiz en Colombie (novembre 1985) sont responsables de 23 000 pertes de vie. L'information relative à une étude de ce désastre destructeur est présentée dans le numéro de mai 1986 (vol. 169, n°5) du *National Geographic*. À l'aide de cette information, expliquer pourquoi ce désastre a entraîné de si nombreuses pertes de vies. Que peut-on faire pour réduire les risques d'une répétition de tels événements dans le futur?

25 / Façonnement du paysage par les eaux de ruissellement

Comme on l'a vu au chapitre précédent, le modelé de la surface terrestre est l'oeuvre de quatre agents, soit l'eau de ruissellement, la glace d'origine glaciaire, le vent et les vagues. Chacun de ces agents érode, transporte et dépose les matériaux altérés ou fragmentés. Parmi ces derniers, l'eau (de surface comme souterraine) est celle dont l'influence est la plus étendue. Seules les régions couvertes par la glace ou des dunes de sable ne possèdent pas les réseaux complexes de vallées créés par les eaux de ruissellement. Les formes de terrain produites par l'eau de

ruissellement sont des *reliefs de type fluvial* (d'après le mot latin *fluvius* signifiant fleuve, rivière).

Afin de comprendre le phénomène de l'eau de ruissellement, le géomorphologue doit connaître les concepts fondamentaux de l'hydrologie. Certains aspects de cette science ont été examinés au chapitre 3. L'information sur le cycle hydrologique, le réseau fluvial et les eaux souterraines, doit être réexaminée avant de s'engager dans le présent chapitre.

L'eau de ruissellement est le principal agent de transfor-

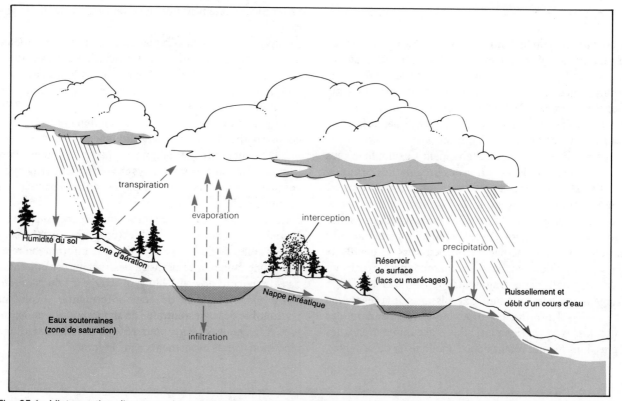

Fig. 25.1 L'interception, l'emmagasinage en surface et l'évaporation varient d'un endroit à l'autre, modifiant donc la quantité de précipitations qui se retrouvent, à la fin, sous forme d'eaux souterraines ou d'eaux de ruissellement.

mation progressive sur la majeure partie des continents. En conséquence, afin de bien connaître les caractéristiques de surface de ces continents, il faut d'abord se pencher sur la façon dont l'eau de ruissellement les a modelées. L'énergie solaire induit le cycle hydrologique, qui amène des précipitations sur presque tous les continents. Après la chute de ces précipitations, une certaine partie demeure à la surface sous forme d'eaux de ruissellement. Sous l'effet de la gravité, ces eaux descendent la pente. L'énergie cinétique produite par ce mouvement descendant est responsable de la majeure partie du travail de transformation progressive, en érodant et en transportant les matériaux terrestres. Lorsque cette énergie est réduite, les matériaux sont déposés. Les collines et les vallées familières de la planète sont créées de cette façon.

Le ruissellement

Tout ruissellement commence avec les précipitations. La figure 25.1 illustre les divers facteurs qui modifient le ruissellement au cours d'une période de précipitations. La plupart des précipitations se déplacent d'abord à la surface sous la forme d'une pellicule continue ou d'une série de petits filets d'eau qui coulent entre les plantes ou les petites irrégularités de la surface. Il s'agit du *ruissellement*. Au bas de la pente, cet écoulement se concentre et forme un *débit de cours d'eau*, amorçant le processus de création de la vallée. Les vallées augmentent de taille avec le volume d'eau qui s'accroît graduellement à mesure que l'on progresse vers l'embouchure du réseau fluvial.

Le ruissellement est inévitablement une source d'érosion. Dans les conditions normales, le rythme de l'érosion est lent et la perte de particules de sol, enlevées du sol, est compensée par la formation de nouveaux matériaux sous la surface. Cependant, l'érosion peut être accélérée sur un terrain incliné où l'homme a détruit ou modifié la végétation naturelle. Ce processus est amorcé lorsque le ruissellement provoque le mouvement de particules de roche ou de sol sur la totalité de la surface. (Il s'agit alors d'*érosion en nappe*.)

Les crevasses et les fissures du terrain se creusent pour former des *ruisselets*, ou des vallées miniatures. (Il s'agit, dans ce cas, d'*érosion en rigoles*, illustrée à la fig. 25.2.) Lorsque le ruissellement est assez important et la pente

Fig. 25.2 Érosion en rigoles importante.

suffisamment inclinée, les ruisselets se transforment en ravins en forme de «V». On a alors une *érosion par ravinement*.

Le processus de ravinement est difficile à arrêter lorsqu'il est amorcé. En outre, il est aggravé par de mauvaises pratiques d'utilisation des terres. Par exemple, dans bon nombre de pays en voie de développement, la recherche de bois de chauffage a mené à la destruction de forêts entières. Lorsque ce phénomène se produit sur des terrains inclinés, l'érosion est grandement accélérée, et les terres agricoles avoisinantes sont endommagées. En outre, les risques d'inondation en aval sont accrus. Par exemple, le déboisement des versants sud des Himalayas en Inde et au Népal a grandement augmenté la gravité des inondations au Bangladesh à l'embouchure du Ganges.

Étude 25-1

1. À l'aide de la figure 25.1, expliquer la séquence d'événements à partir du début d'une forte chute de pluie sur une pente jusqu'au déversement de l'eau de ruissellement dans un fleuve ou une rivière.

2. Expliquer comment le rythme du ruissellement varie selon les facteurs suivants: la quantité, l'intensité et la durée des précipitations; la quantité et le type de végétation; le type de sol; le type de structure de la roche-mère; et l'inclinaison de la pente.

3. Expliquer pourquoi l'érosion est accélérée et indiquer des mesures qui pourraient mettre fin à ce processus destructeur lorsqu'il est amorcé. À part la destruction des forêts, de quelle façon l'intervention humaine peut-elle accélérer l'érosion causée par le débit d'un cours d'eau? Pourquoi une érosion accrue dans les sections supérieures d'un réseau fluvial augmente-t-elle les risques d'inondation en aval? Pourquoi ce problème présente-t-il généralement une gravité maximale dans les pays en voie de développement?

Le travail des cours d'eau

À titre d'agent de transformation progressive, l'eau de ruissellement est engagée, sous toutes ses formes, dans trois activités interreliées: l'érosion, le transport et le dépôt.

L'érosion

Lors de fortes chutes de pluie, l'eau de ruissellement peut transporter des particules de sol qui ont été arrachées d'endroits exposés à la surface du terrain par l'effet des gouttes de pluie ou la force d'entraînement de l'eau. Le ruissellement entraîne ensuite davantage de particules, dégagées par l'action des particules déjà véhiculées. L'eau s'accumule dans de petites dépressions, forme des ruisselets et, enfin, rejoint des cours d'eau permanents.

Tant la force du courant sur les berges du cours d'eau, que l'érosion pratiquée par les particules déjà transportées, provoquent l'entraînement d'autres matériaux. À mesure que l'érosion se poursuit, toutes les vallées d'un réseau fluvial sont creusées et élargies, et le paysage entier est abaissé.

On connaît trois modes principaux d'érosion:
• L'*action hydraulique* est l'enlèvement de particules meubles par la force de l'eau en mouvement. L'effondrement des berges, qui en constitue une résultante, se produit lorsque le cours d'eau affouille l'une de ses berges, provoquant son glissement dans ses eaux.
• La *corrasion* (ou abrasion) est une usure mécanique du terrain par l'action abrasive des particules transportées par l'eau. Les cuvettes dans le lit du cours d'eau sont le résultat de ce type d'érosion.
• La *corrosion* est l'altération graduelle des roches causée par les réactions chimiques qui ont lieu entre l'eau et certains minéraux dans la roche.

Le transport

Les pierres et blocs peuvent être roulés ou projetés d'un endroit à un autre dans le lit d'une rivière, tandis que les particules plus petites sont transportées en suspension et en solution. La capacité d'un cours d'eau de transporter des matériaux érodés (*charge du cours d'eau*) dépend largement de sa vitesse et de son volume. À mesure que sa vitesse s'accroît, la puissance d'érosion augmente et davantage de matériaux peuvent être transportés. La capacité de transport augmente considérablement même avec un léger accroissement de la vitesse du courant. Par exemple, la capacité de transport d'un cours d'eau est accrue de soixante-quatre fois lorsque la vitesse du courant double. Ce phénomène explique l'énorme puissance destructrice des cours d'eau lors d'inondations, lorsque tant la vitesse que le volume de l'eau augmentent considérablement.

Selon les estimations, les cours d'eau des États-Unis transportent annuellement 245×10^6 t de matériaux dissous et 462×10^6 t de matériaux solides, de la surface du continent jusqu'à l'océan. Si tous ces matériaux étaient enlevés de façon uniforme, la surface totale des États-Unis serait abaissée d'environ 30 cm chaque 10 000 ans.

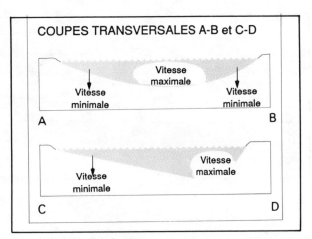

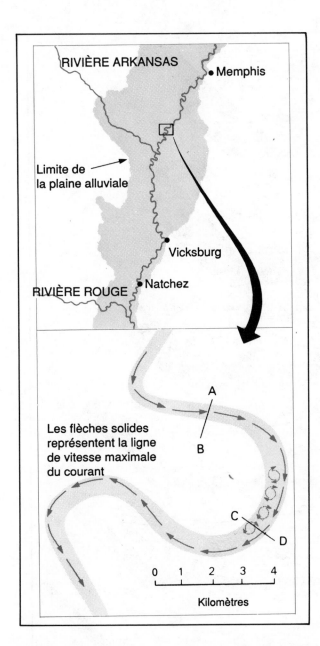

Fig. 25.3 Carte et coupe transversale servant à illustrer la sédimentation et la formation de méandres au niveau du cours inférieur du Mississippi.

La sédimentation

On observe la sédimentation lorsque la capacité de transport d'un cours d'eau est réduite. Par exemple, la sédimentation peut être causée par une réduction de la pente d'une rivière de montagne, au courant rapide, lorsqu'elle arrive dans la plaine. Le dépôt de sédiments peut aussi être le résultat du ralentissement du courant d'une rivière qui se jette dans un vaste plan d'eau, ou d'une augmentation de la charge de matériaux véhiculés. Ce dernier phénomène est observé, par exemple, lorsque de l'eau très boueuse provenant d'un affluent rapide rejoint un cours d'eau plus important et plus lent. Enfin, il se peut que la capacité de transport des cours d'eau dont la source se trouve dans des régions humides, soit réduite en raison de la perte d'eau par évaporation, à mesure que ces cours d'eau traversent des régions semi-humides.

Bien que la sédimentation augmente en aval, elle peut être observée à presque n'importe quel endroit le long du cours d'eau. Comme l'illustre la figure 25.3, les dépôts s'accumulent souvent à l'intérieur d'un coude du cours d'eau parce que le courant y est moins rapide qu'à l'extérieur du coude.

Les matériaux déposés par les fleuves et les rivières sont des *alluvions*. Les fragments varient selon la masse et la taille. Le gravier grossier et le sable se déposent d'abord, les limons et les argiles plus fins étant transportés sur une plus grande distance avant de former à leur tour des dépôts.

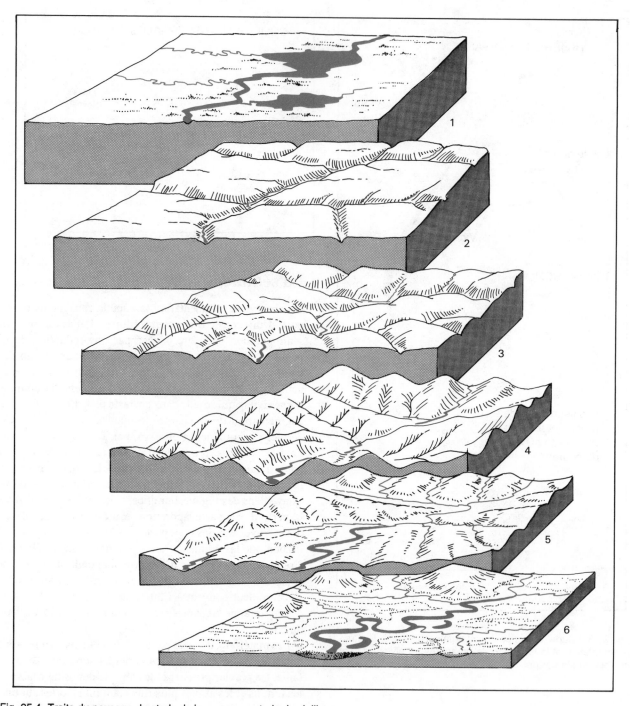

Fig. 25.4 Traits du paysage du stade de jeunesse au stade de vieillesse.

Pendant les périodes de débit normal, la sédimentation ne s'effectue que sur le lit du cours d'eau, tandis que, lors d'inondations, les dépôts s'étendent aussi loin que les eaux de crue, et recouvrent parfois toute la superficie d'une vallée.

La plupart des cours d'eau au courant peu rapide modifient leur cours plusieurs fois. Grâce à ce processus, non seulement la vallée s'élargit, mais elle est recouverte d'un dépôt d'alluvions progressivement plus large et plus épais. Ces surfaces presque plates sont des *plaines* (alluviales). Le Ganges en Inde et le Hwang Ho (fleuve Jaune) en Chine possèdent de très vastes plaines alluviales.

Phases de transformation progressive

À la fin, les cours d'eau aplanissent la surface de leur bassin versant. L'importance de l'abaissement du terrain dépend du *niveau de base de l'érosion* du bassin versant concerné. Il s'agit de l'altitude en n'importe quel point du bassin versant sous laquelle le cours d'eau ne coulerait plus. Ce phénomène s'explique par le fait que sous le niveau de base de l'érosion, la pente serait trop faible pour permettre aux cours d'eau de couler et d'entraîner les eaux de ruissellement.

Le niveau de base réel de n'importe quel bassin versant est déterminé par le niveau de l'océan. En conséquence, le point le plus bas d'un niveau de base d'un cours d'eau est le niveau du lac ou de la mer dans lequel se jette le cours d'eau principal. Cependant, cela signifie que certains cours d'eau, comme ceux qui se déversent dans les Grands Lacs (dont le niveau est supérieur à celui de la mer), ou ceux qui alimentent la mer Caspienne (dont le niveau est inférieur à celui de la mer), présentent un niveau de base temporaire, différent du niveau de la mer. En outre, le niveau de base d'un cours d'eau s'élève doucement vers les tronçons supérieurs d'un bassin versant.

Les nombreux affluents qui constituent un réseau fluvial abaissent les terres qu'ils drainent (par l'érosion, le transport de matériaux et la sédimentation) jusqu'au niveau de base, mais jamais au-delà. En effet, l'énergie de gravitation nécessaire pour provoquer l'écoulement de l'eau est nulle au niveau de base de l'érosion.

À mesure que l'eau vive abaisse le terrain dans un bassin versant, il est généralement possible de reconnaître certaines phases de transformation progressive, dont les phases primitive (jeunesse), intermédiaire (maturité) et avancée (vieillesse), selon l'importance de l'abaissement du terrain en rapport avec le niveau de base (voir fig. 25.4). Étant donné que le volume d'eau transporté vers l'embouchure d'un cours d'eau est généralement très supérieur à celui qui coule dans les parties supérieures du bassin versant, la puissance des forces de transformation progressive est maximale près de l'embouchure. À cet endroit, il est courant qu'un cours d'eau ait atteint le niveau de base et la phase de la vieillesse. En remontant vers l'amont, il se peut que l'affouillement se poursuive encore, et que le cours d'eau principal, ainsi que ses affluents, n'aient pas dépassé la phase de la maturité. Plus près des sources, ou à la limite du bassin versant, les nombreux petits affluents n'ont peut-être pas encore abaissé le terrain de façon significative, et le relief est caractéristique d'une phase de jeunesse.

Chaque phase peut être subdivisée en phase primitive et phase avancée. Certaines des caractéristiques de la progression d'un paysage vers la vieillesse sont présentées à la figure 25.4.

La classification des cours d'eau selon les phases de transformation progressive est une forme courante de généralisation dont il est fait mention dans les sections subséquentes du présent chapitre. Cependant, il est important de souligner que la séquence idéale présentée ici est rarement réalisée dans la réalité de façon aussi définie. Ce fait deviendrait vite apparent en effectuant l'étude réelle d'un certain nombre de réseaux fluviaux.

Formation des vallées

La formation d'une vallée est le résultat de trois processus, soit l'encaissement, l'élargissement et l'allongement de la vallée. Comme on l'a vu, l'encaissement d'une vallée est dû à l'érosion par un cours d'eau. Cependant, le processus d'élargissement s'effectue de diverses façons. Par exemple, le ruissellement enlève des matériaux aux parois de la vallée et les transporte vers le bas, conduisant à la formation de ravins qui deviennent des affluents dont les eaux se déversent dans le cours d'eau principal. L'érosion latérale affouille les berges du cours d'eau, qui finissent par tomber

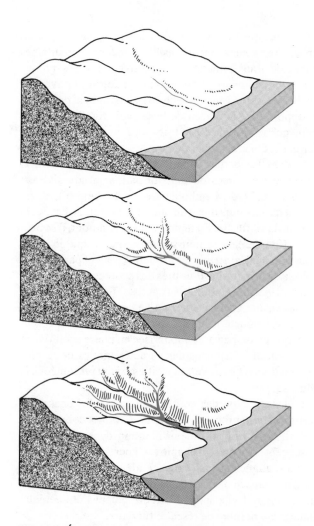

Fig. 25.5 Érosion régressive. Après sa naissance sur une pente soulevée par les forces tectoniques, le cours d'eau creuse et allonge sa vallée vers l'amont à partir de l'embouchure. Les processus d'encaissement et d'élargissement ont-ils également lieu?

ou glisser dans l'eau, élargissant la vallée. Le déplacement des particules vers le bas de la pente, qui contribue également à l'élargissement de la vallée, peut être provoqué par l'eau et le mouvement de masse.

Le principal processus qui aboutit à l'allongement de la vallée est l'*érosion régressive* qui développe la vallée en remontant son cours. On peut souvent remarquer ce processus d'évolution sur la pente d'une colline où la couverture végétale a été enlevée. Sur la surface non protégée, des ravineaux commencent à se former à la base de la pente. À moins de mettre un frein à ce processus par des mesures de protection, le ravinement se poursuit et s'étend jusqu'à l'amont (fig. 25.2). De façon similaire, mais plus lentement, les réseaux fluviaux creusent les affluents existants et en créent de nouveaux en remontant les régions sources du réseau fluvial (voir fig. 25.5). De cette façon, les interfluves sont entaillés de façon croissante et deviennent plus accidentés.

Les vallées s'allongent également à l'embouchure du cours d'eau avec l'abaissement du niveau de la mer; le soulèvement et la courbure de la croûte; ou l'expansion des deltas. Par exemple, bon nombre de cours d'eau le long du littoral est des États-Unis coulent maintenant en surface alors qu'ils faisaient autrefois partie de la plate-forme continentale.

Au point de transition entre la phase de jeunesse et de maturité dans l'évolution d'un réseau fluvial, le processus d'encaissement d'une vallée donne aux cours d'eau une pente à peine suffisante pour permettre à ces derniers de transporter les matériaux érodés. À cette phase, les cours d'eau connaissent leur niveau de base ou débit de l'étiage et atteignent un profil longitudinal que l'on appelle *profil d'équilibre*.

Dans le cas de n'importe quel cours d'eau majeur, ou de ses affluents, ce profil est rarement régulier. Ce dernier consiste plutôt en un certain nombre de segments, chacun étant légèrement différent des autres (voir fig. 25.6). Les segments sont généralement plus abrupts en amont, mais pas dans tous les cas. Par exemple, le profil d'un cours d'eau majeur en aval d'un confluent est souvent plus incliné que le profil du cours d'eau principal en amont du confluent. Ce phénomène s'explique par le fait qu'un affluent déverse une forte charge de matériaux érodés dans le cours d'eau principal. Ce dernier doit avoir une pente plus prononcée pour transporter les matériaux.

Le fait qu'un cours d'eau présente un profil d'équilibre ne signifie pas que le réseau fluvial a atteint un point d'inclinaison minimale, mais plutôt que tout encaissement supplémentaire s'effectuera très lentement. Le profil d'équilibre du cours d'eau au point zéro d'étiage représente le niveau de base de l'affluent qui se déverse dans ce cours d'eau.

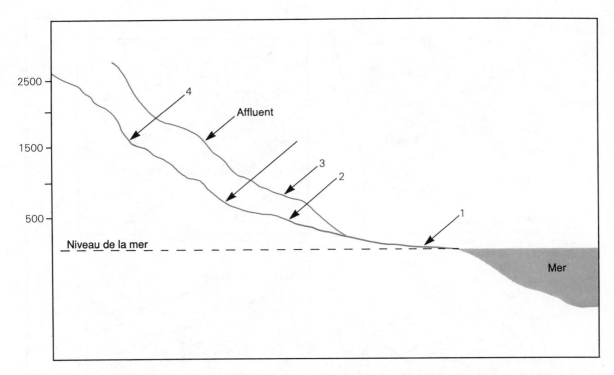

Fig. 25.6 Profils longitudinaux typiques de cours d'eau. On remarquera que les sections intermédiaires et inférieures présentent un profil longitudinal en pente douce tandis que les sections supérieures sont encore très irrégulières. À des fins de clarté, seuls le cours d'eau principal et un affluent sont représentés. À l'aide d'un diagramme en coupe transversale, décrire et expliquer les caractéristiques du cours d'eau et de sa vallée aux endroits numérotés.

On peut mieux se renseigner sur la formation des vallées en examinant des coupes transversales de ces dernières. À la phase de jeunesse, on observe le plus fréquemment des profils en «V» qui indiquent que l'érosion verticale ou l'encaissement des vallées constituent le processus de transformation progressive le plus important. (L'allongement de la vallée a lieu simultanément.) Dans certains cas, l'élargissement de la vallée peut être aussi important. Lorsqu'un cours d'eau a atteint son profil d'équilibre, l'érosion latérale devient le processus dominant. Ce processus se manifeste par des méandres dans les cours d'eau (examinés à la page 263 du présent chapitre), et la formation de plaines alluviales.

Lorsqu'elle apparaît d'abord, au cours de la phase de maturité, la plaine alluviale est très étroite et le fond de la vallée (*surface d'érosion*) n'est recouvert que d'une très mince couche d'alluvions. À mesure que la vallée progresse

vers la vieillesse, elle devient très large, c'est-à-dire plusieurs fois la largeur de la ceinture occupée par le cours d'eau sinueux. L'épaisseur des alluvions augmente considérablement. Dans le cas de quelques cours d'eau majeurs, comme le Mississippi, l'épaisseur des alluvions atteint 100 m à certains endroits.

Le rajeunissement

Un cours d'eau qui a atteint le profil d'équilibre ne commence à éroder de nouveau le terrain vers l'aval qu'après un changement dans le niveau de base ou une augmentation appréciable du volume d'eau ou de la charge transportée par le courant. Ce processus, appelé *rajeunissement*, rétablit les caractéristiques associées à une phase de jeunesse. Ce phénomène peut se manifester de diverses façons.

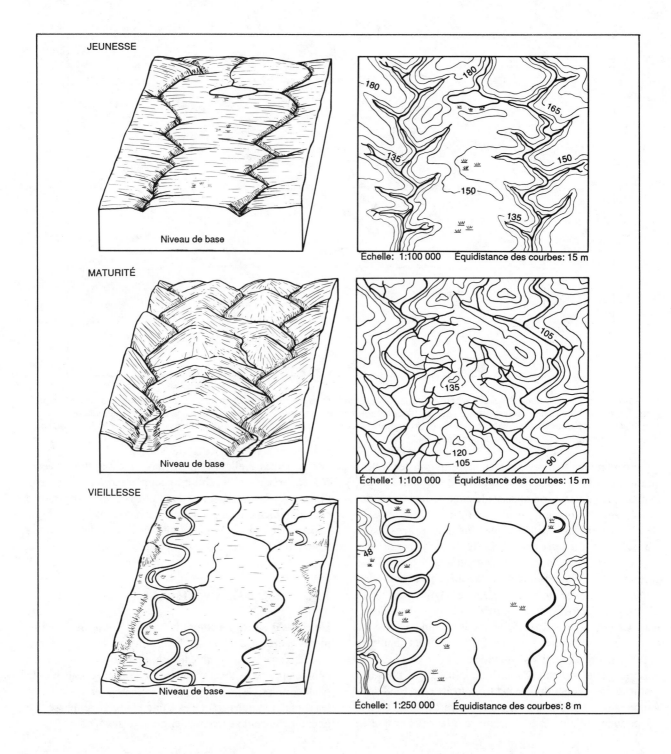

JEUNESSE

Niveau de base

Échelle: 1:100 000   Équidistance des courbes: 15 m

MATURITÉ

Niveau de base

Échelle: 1:100 000   Équidistance des courbes: 15 m

VIEILLESSE

Niveau de base

Échelle: 1:250 000   Équidistance des courbes: 8 m

Le *rajeunissement eustatique* est le résultat d'un abaissement du niveau de la mer. Pendant les âges glaciaires, une certaine quantité d'eau des océans s'est évaporée, provoquant l'abaissement du niveau de base de tous les réseaux fluviaux du monde. Ce phénomène a certainement entraîné le rajeunissement du cours inférieur des rivières. On croit aussi qu'un rajeunissement eustatique lent est le produit de l'expansion des fonds océaniques (page 220). À mesure que les continents s'éloignaient les uns des autres, le fond des bassins océaniques s'abaissaient, phénomène à l'origine d'une chute lente, bien que régulière, du niveau de la mer à l'échelle mondiale.

Le *rajeunissement dynamique* est observé lorsque l'activité tectonique accroît la pente du cours d'eau. Ce dernier recommence à creuser son lit et, finalement, un profil d'équilibre est rétabli.

Le *rajeunissement statique* est observé lorsque la charge transportée par le cours d'eau est considérablement réduite, ou que la quantité de précipitations reçues par le bassin versant est accrue de façon appréciable. Dans l'un ou l'autre cas, un cours d'eau au niveau de base recommence à se creuser.

Plusieurs formes de terrain sont associées au rajeunissement. À mesure que le cours d'eau commence à éroder son lit, l'ancien fond de la vallée demeure en place sous la forme d'un terrain plat séparé du nouveau niveau par un escarpement. Il s'agit d'une *terrasse fluviale*. La terrasse s'étend à une certaine distance au-dessus du nouveau niveau du cours d'eau qui se creuse. Le cours d'eau ne coule plus sur cette terrasse, même lors d'inondations. Le rajeunissement produit aussi des *méandres de retranchement*. Ces derniers sont formés lorsque le processus de rajeunissement est à l'oeuvre dans un cours d'eau qui serpente dans une plaine d'inondation. Le cours d'eau recommence à s'approfondir tout en maintenant son parcours sinueux. Les anciens méandres, qui demeurent en place, sont observés dans les jeunes vallées en forme de «V».

Fig. 25.7 Chacun des trois blocs-diagrammes, et sa carte hypsométrique correspondante, montre certaines des caractéristiques associées aux différentes phases d'évolution des cours d'eau.

Étude 25-2

La figure 25.7 montre trois phases dans la formation d'un paysage par l'eau de ruissellement. Chaque esquisse et sa carte hypsométrique correspondante représentent une petite partie d'un bassin versant. Utiliser les questions suivantes comme base pour décrire chaque phase. Dans le commentaire écrit, inclure les processus d'érosion, de transport de matériaux et de sédimentation.

a) Tracer une coupe transversale de chaque phase afin de montrer la largeur, la profondeur et la forme des vallées.

b) Indiquer le degré de formation de l'affluent dans chaque phase. Inclure la capacité de drainage du cours d'eau. Pourquoi le réseau fluvial est-il incapable de drainer complètement le terrain à certaines phases? Quels sont les signes d'un mauvais drainage sur le terrain?

c) Pour chaque phase, calculer la pente moyenne du lit du cours d'eau en mètres par kilomètre ou en degrés, et commenter les différences. (La page 334 fournit un exemple de calcul de la pente.)

d) Décrire l'importance du découpage et de l'abaissement des interfluves à chaque phase.

2. Comment peut-on savoir si une vallée est un produit de l'érosion par l'eau? Les vallées peuvent-elles êtres formées d'une autre façon? (Voir page 227.)

3. Supposer que le cours d'eau caractéristique d'une phase de vieillesse à la figure 25.7 est soumis à un processus de rajeunissement. Tracer une carte et une esquisse en coupe transversale afin d'illustrer les terrasses et les méandres de retranchement qui pourraient apparaître.

Les paysages entaillés par les cours d'eau

Les paysages jeunes peuvent se présenter sous deux formes. En premier lieu, il se peut que ces paysages soient jeunes parce que les affluents n'ont pas eu suffisamment de temps pour entailler la surface. Ces terrains sont caractérisés par des interfluves qui n'ont pas été fortement entaillés, des vallées fluviales très espacées, et un nombre limité d'affluents. En second lieu, certains paysages semblent demeurer éternellement jeunes, ou à peu près. Ce phénomène est souvent le résultat d'une combinaison de

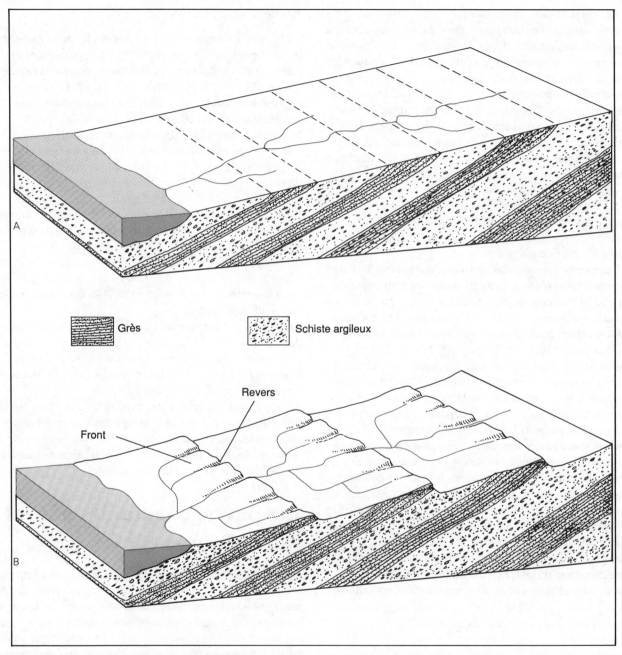

Fig. 25.8 Les diagrammes en A et B représentent la même région caractérisée par une roche sédimentaire légèrement déformée, séparée par une période de temps prolongée. Le grès, qui est plus résistant à l'érosion que le schiste argileux, n'est pas usé aussi rapidement par le réseau fluvial, et demeure en place sous forme de cuesta (escarpement). Les cuestas (parfois appelées plis isoclinaux) présentent généralement une rupture de pente et un versant doux.

facteurs, dont un terrain plat, une couverture végétale complète, des précipitations faibles et un sous-sol très perméable. Une grande partie des précipitations qui arrosent de telles régions pénètre dans le terrain pour former les eaux souterraines qui se déversent dans les voies d'eau principales. En conséquence, la formation d'affluents est minimale. Les interfluves ne sont guère entaillés, et seulement les principales voies d'eau se creusent et s'élargissent lentement. Un tel paysage finit par passer de la jeunesse à la vieillesse sans traverser la phase intermédiaire. De vastes régions des «hautes plaines» de l'ouest des États-Unis et du Canada présentent cette phase de jeunesse à long terme.

Les paysages arrivés à maturité diffèrent des jeunes paysages par le fait que les affluents ont complètement entaillé les interfluves. Le paysage produit par ce processus, qui est constitué presque entièrement de versants régularisés, présente généralement un aspect très onduleux. À part les plaines alluviales en formation, les terrains plats étendus sont rares. Les caractéristiques des matériaux sous-jacents comprenant la résistance à l'érosion, la perméabilité, la quantité et le type de précipitations et de végétation et la nature de la surface initiale, exercent toutes un effet sur les traits caractéristiques d'un paysage arrivé à maturité.

La figure 25.8 illustre un exemple de l'influence de la structure rocheuse sous-jacente sur le relief. Dans cet exemple, des strates de différents types de roche sédimentaire jadis à l'horizontale ont été déformées. Après la formation du bassin versant, les roches les moins résistantes ont été érodées le plus rapidement et des bandes distinctes sont apparues peu à peu. En général, une étendue de terrain plat est séparée par des crêtes basses qui présentent une pente beaucoup plus abrupte d'un côté. Ces crêtes sont des *cuestas*.

La partie est du bassin de Paris, le Weald dans le sud-est de l'Angleterre, l'escarpement de Niagara dans le sud-ouest de l'Ontario et un certain nombre de régions le long des côtes est et ouest des États-Unis, sont des exemples de plaines irrégulières accompagnées de cuestas (fig. 22.7). Bien que les cuestas ne constituent que des formes de relief mineures (rarement plus de 100 m de hauteur), elles indiquent souvent la présence de roches de types différents et, par conséquent, de caractéristiques différentes de sol et de drainage. Cette information peut servir à mieux comprendre les différences dans l'utilisation des terres entre les deux côtés de la cuesta.

Les paysages formés par la sédimentation d'origine fluviale

Les plaines alluviales

La vallée du Mississippi, particulièrement dans son cours inférieur, fournit maints exemples de formes de terrain associées aux plaines alluviales et aux deltas (fig. 25.15). Au niveau de son cours inférieur, le fleuve Mississippi traverse une vallée dont la largeur varie entre 40 et 200 km, et coule sur une plaine alluviale recouverte de sédiments de plusieurs centaines de mètres d'épaisseur près de l'embouchure. C'est à cet endroit, au niveau de base du fleuve, que les matériaux transportés par les eaux sont déposés. Cette sédimentation s'effectue dans un certain nombre de secteurs, dont le lit du fleuve lui-même (par exemple quand le cours d'eau construit des méandres, comme à la figure 25.3). Lors d'inondations, les alluvions sont déposées sur une grande partie du fond de la vallée. Les matériaux restants sont transportés jusqu'à l'embouchure du fleuve où ils s'ajoutent à l'énorme delta qui progresse dans le golfe du Mexique. Ces matériaux peuvent aussi être entraînés au-delà du delta et déposés sur le fond sous-marin du golfe.

Lorsque le niveau de l'eau est bas, la plaine alluviale est dominée par le fleuve Mississippi, normalement large et peu profond. Ce cours d'eau se divise souvent en de nombreux chenaux séparés par des ensablements qui se déplacent. Étant donné que le cours inférieur du Mississippi est très voisin du niveau de base, les eaux s'écoulent si lentement que n'importe quel obstacle mineur peut obstruer le courant. Le fleuve peut alors modifier légèrement la direction de son cours, créant un méandre.

Ce méandre finira par atteindre une taille telle que le courant coupera à travers le col à la recherche d'un chemin plus direct. Ce phénomène est particulièrement fréquent lors de périodes d'inondation. Pendant une courte période, les *bras morts* forment généralement des lacs, puis se transforment lentement en marécages, et finissent par s'assécher complètement. Des cicatrices de méandres sont observées tout le long du Mississippi et de certains de ses affluents majeurs. (Quelques-uns apparaissent à la figure 25.15.) La formation des méandres constitue un phénomène géologique très rapide. Par exemple, le Rio Grande, qui forme la frontière entre les États-Unis et le Mexique, a causé des problèmes de limites territoriales en «transférant», par la création de méandres, des territoires d'un pays à l'autre.

Les *levées* constituent un autre type de forme de terrain produit par la sédimentation dans le lit du cours d'eau lui-même. Cette sédimentation est maximale le long des berges du cours d'eau où le courant est le moins fort. C'est à cet endroit que se forme une levée naturelle. En conséquence, le niveau du cours d'eau en entier est élevé au-dessus de la plaine environnante et les levées jouent le rôle de digues pour canaliser les eaux de la rivière ou du fleuve. Le long du cours inférieur du Mississippi, les levées s'élèvent de 1 à 3 m au-dessus du niveau normal de l'eau

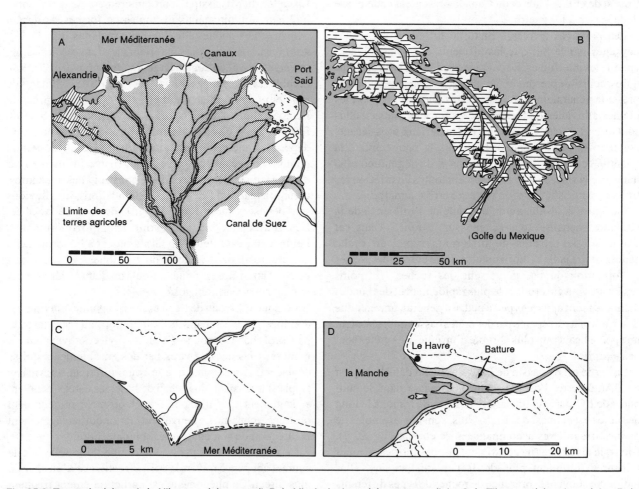

Fig. 25.9 Types de deltas: A, le Nil est un delta arrondi; B, le Mississippi, un delta en patte d'oie; C, le Tibre, un delta triangulaire; D, la Seine, un delta de type estuaire.

à son point le plus haut (la berge du fleuve). Malheureusement, ces digues naturelles atteignent rarement une hauteur suffisante pour contenir les eaux du fleuve lorsque le débit est à son maximum. En général, une brèche se forme dans ces levées, et rien ne peut alors empêcher les eaux d'inondation de se répandre dans la plaine adjacente (voir fig. 8.10). On estime que les 140 000 km² de la plaine inondable du Hwang Ho en Chine sont susceptibles d'être inondés en dépit des efforts pour stabiliser le débit du fleuve. Dans le passé, des eaux d'inondation ont recouvert deux fois cette superficie et entraîné de nombreuses pertes de vie par noyade ou manque de nourriture.

D'autres modifications du paysage sont créées par suite de l'écoulement d'un cours d'eau légèrement au-dessus de la plaine alluviale environnante. Le ruissellement de surface de cette partie un peu plus basse de la plaine ne peut rejoindre directement le cours d'eau principal. Ce phénomène est souvent à l'origine de la formation de nombreux petits affluents appelés *rivières Yazoo* (d'après le Yazoo dans l'État du Mississippi). Ces cours d'eau coulent parallèlement à la voie d'eau principale, à une faible distance de cette dernière, et parcourent ainsi fréquemment de nombreux kilomètres jusqu'à ce que la hauteur du terrain permette une confluence. Cependant, une grande partie de la plaine alluviale demeure mal drainée. Ces zones, appelées *bas-fonds marécageux*, sont fréquemment observées.

Les deltas

Le delta est souvent un prolongement de la plaine alluviale. Généralement, il est difficile de déterminer la limite qui marque la fin d'une plaine alluviale et le début d'un delta. Les deltas sont formés par la sédimentation qui se produit lorsque la vitesse d'un cours d'eau, qui rejoint un vaste plan d'eau, est réduite. À mesure que le delta progresse, le cours d'eau se divise en plusieurs chenaux appelés *défluents* qui se dispersent en éventail (fig. 25.9). En général, le cours d'eau principal emprunte seulement un ou deux défluents pour transporter ses eaux, et change souvent de chenaux. La zone du delta est constamment augmentée par l'alluvionnement à l'embouchure des défluents. Bien que certains de ces derniers aient constitué autrefois des chenaux

majeurs, ils sont très réduits aujourd'hui et ne transportent que le ruissellement local.

Les levées sont formées le long des berges des défluents ainsi qu'en amont dans la plaine alluviale. Étant donné qu'elles sont plus hautes et mieux drainées que le terrain environnant, elles constituent les secteurs les plus appropriés pour l'établissement humain. Comme le reste du paysage est très plat, bas et mal drainé, il faut, avant de pouvoir utiliser les sédiments fertiles à des fins agricoles, mettre en application des mesures coûteuses de drainage et d'endiguement pour empêcher l'inondation. (Par exemple, la pente du delta du Nil est de 1 pour 10 000, ce qui signifie que, en moyenne, le fleuve tombe verticalement de 1 m tous les 10 000 m.) Le besoin de drainage est particulièrement critique dans les marges deltaïques du côté de la mer. Dans cette zone, la ligne de démarcation entre la terre et l'eau est vague et changeante. Les tempêtes violentes peuvent inonder les parties inférieures du delta sur les côtes à moins que ces dernières ne soient protégées adéquatement par des digues.

La taille et la forme des plaines deltaïques varient selon la taille du réseau fluvial, la charge de sédiments transportée jusqu'à l'embouchure du cours d'eau, et la puissance des marées et des courants marins. La figure 25.9 illustre certains des types de deltas les plus communs.

Étude 25-3

Le présent chapitre et les suivants contiennent un certain nombre de cartes hypsométriques et de photographies aériennes qui aideront l'étudiant à appliquer ce qu'il a appris au sujet du travail de transformation progressive à des régions particulières de la surface de la Terre. Afin de pouvoir utiliser ces illustrations, il est nécessaire de comprendre les notions d'échelle, de courbe hypsométrique et de pente, et d'avoir une certaine connaissance de l'analyse des photographies aériennes. D'autres techniques servant à l'interprétation des cartes, comme les cartes-croquis thématiques simples et les diagrammes de profil, doivent aussi être utilisées pour l'analyse de ces cartes. Toutes ces questions sont présentées dans l'Annexe sur les cartes et la cartographie.

Fig. 25.10 Codroy, Terre-Neuve (section). Série topographique nationale du Canada. Échelle 1:50 000. Équidistance des courbes: 15 m.

Fig. 25.11 Cette paire de photos en stéréoscopie montre une partie de la région illustrée à la figure 25.10.

1. *Codroy*. La carte et la photographie présentées aux figures 25.10 et 25.11 montrent une petite région accidentée du sud-ouest de Terre-Neuve (située approximativement à 47°58'N., 59°12'O.).

a) À l'aide de la carte, noter la direction de l'écoulement des cours d'eau principaux (par ex. le ruisseau Brooks), et commenter la dénivellation entre le cours supérieur et le cours inférieur de ces cours d'eau. Tracer le profil longitu-

dinal approximatif (le long du cours d'eau) du ruisseau Brooks. Les valeurs exactes de la pente peuvent être calculées en choisissant trois ou quatre sections de la vallée d'environ 4 cm de long (sélectionner des sections assez droites du ruisseau et supposer que ce dernier est rectiligne), et en déterminant la différence d'élévation sur cette distance. (La méthode de calcul des pentes est présentée à la page 334.)

Fig. 25.12 L'absence d'arbres dans cette photographie de la rivière Missouri, près de Portage au Montana, permet d'observer les caractéristiques d'un paysage à la phase jeunesse.

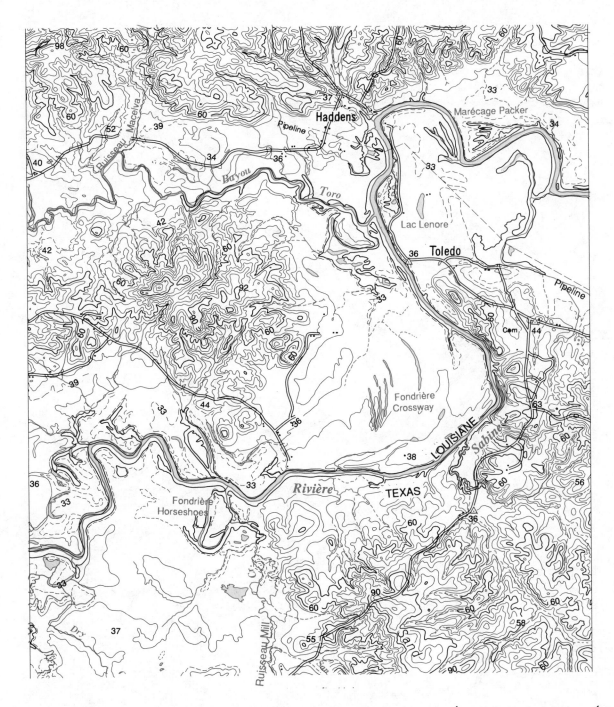

Fig. 25.13 Quadrilataire de Weirgate. Texas - Louisiane (section). Ministère de l'Intérieur des États-Unis. Levé géologique. Échelle: 1:62 500. Équidistance des courbes: 6 m.

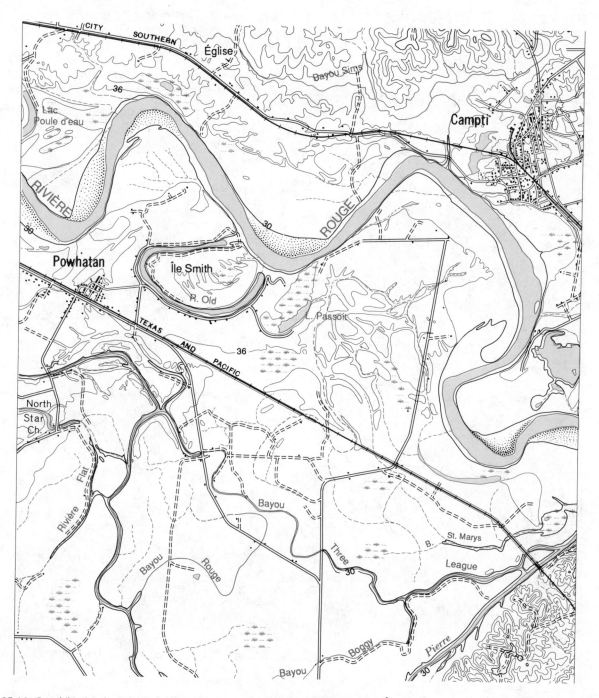

Fig. 25.14 Quadrilataire de Campti, Louisiane (section). Ministère de l'Intérieur des États-Unis. Levé géologique. Échelle: 1:62 500. Équidistance des courbes: 6 m.

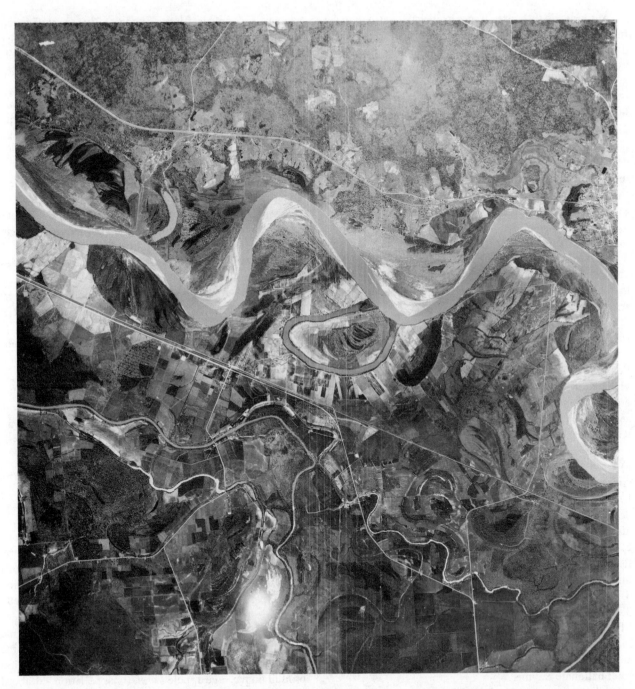

Fig. 25.15 Cette vue aérienne verticale montre une partie de la plaine alluviale de la rivière Rouge, affluent du Mississippi près de Campti en Louisiane.

b) À l'aide de la carte, tracer trois ou quatre coupes transversales approximatives (en travers de la vallée) afin d'illustrer le changement d'aspect de la vallée quant à la taille, la forme et la profondeur à partir du cours supérieur du ruisseau Brooks jusqu'à son cours inférieur.

c) À l'aide de la carte, commenter les caractéristiques des interfluves, y compris le degré de formation des affluents (envergure du découpage), le drainage du terrain (suffisant ou insuffisant), et l'inclinaison.

d) À l'aide de la carte et des photographies, commenter les indices d'activité humaine que l'on peut observer dans la région. Expliquer.

e) Indiquer le type de travail de transformation progressive à laquelle est soumise la région: érosion, transport de matériaux ou sédimentation? Y a-t-il des signes d'allongement, d'encaissement ou d'élargissement des vallées? Fournir une explication raisonnée de la phase de transformation progressive indiquée par les caractéristiques relevées au cours de l'étude de la région.

2. *Portage*. La figure 25.12 illustre une petite zone du cours supérieur de la rivière Missouri près de Portage au Montana. En observant ces stéréogrammes, il faut garder à l'esprit que le relief vertical est exagéré. Les parois de la vallée du Missouri et de ses affluents sont profondément érodées. Cette caractéristique indique que la région est très sèche. Quels autres signes, apparaissant sur la photographie, sont caractéristiques d'une région qui ne reçoit que de faibles précipitations?

a) Y a-t-il des indications de la nature de l'inclinaison de la rivière Missouri?

b) À l'aide de diagrammes de profil, commenter la forme de la vallée du cours d'eau principal et de celle d'un de ses affluents.

c) Examiner les interfluves. Sont-ils découpés? Présentent-ils des signes de drainage en surface? Comment sont-ils utilisés par l'homme?

d) Procéder de la même façon qu'en e) ci-dessus.

3. *Weirgate*. La rivière Sabine est à peu près parallèle au Mississippi et située à l'ouest de ce fleuve. Dans la région indiquée sur la carte (fig. 25.13), elle forme la frontière entre le Texas et la Louisiane. Cette région fait partie de la forêt nationale Sabine.

Étudier cette carte de la même façon que les deux précédentes. Noter les caractéristiques de la rivière et de sa vallée, le degré de formation des affluents et les traits distinctifs des interfluves. Dans ce cas également, utiliser les illustrations dans toute la mesure du possible et compléter l'interprétation en répondant à la partie (e) de la première question.

4. *Campti*. La rivière Rouge, qui est un affluent majeur du Mississippi, rencontre ce fleuve à mi-chemin environ entre Natchez et Baton Rouge. Campti se trouve à plus de 150 km à l'ouest du Mississippi.

a) À l'aide d'une feuille de papier calque, tracer une esquisse de la carte de Campti (fig. 25.14). Localiser la rivière principale et certains des affluents (par ex. le bayou Pierre). Indiquer chacune des caractéristiques suivantes sur le dessin cartographique, et expliquer leur origine: méandres, cicatrices de méandres, bras mort, affluent de Yazoo, plaine alluviale, bas-fonds marécageux et levées. (Bien que les levées soient difficiles à repérer, la photographie fournit certains indices le long de la rivière Old.) Lire l'information au mot «bayou» dans un bon dictionnaire ou une encyclopédie.

b) Tracer une esquisse distincte du méandre dans la rivière Rouge directement au nord de la rivière Old. À l'aide d'autres esquisses, montrer en deux ou trois phases l'évolution future de ce méandre. Bien indiquer les zones d'érosion et de sédimentation, et utiliser des flèches pour montrer où le courant est le plus rapide. (Sur la photographie, les zones de sédimentation récente apparaissent sous la forme de taches claires.)

c) Procéder de la même façon qu'en (d) à la question 2.

Les paysages karstiques

Dans les conditions normales, les eaux souterraines ne modifient pas le terrain de façon appréciable. Cependant, dans les régions humides où l'on observe des couches très épaisses de roches solubles comme le calcaire, l'érosion causée par l'eau souterraine peut être très évidente. Cette érosion est le résultat d'une réaction chimique entre les eaux souterraines, qui sont légèrement acides (acide carbonique) et les minéraux solubles dans la roche, comme le carbonate de calcium (voir page 252). Ce type d'érosion produit un paysage appelé *karst*. (L'appellation a d'abord été utilisée pour décrire le pays de calcaire des deux côtés du port de Rejeka en Yougoslavie.)

Fig. 25.16 Cette paire de photos en stéréoscopie montre le paysage karstique au voisinage de la caverne Mammoth au Kentucky.

Plutôt que de s'écouler à la surface, les eaux de ruissellement s'infiltrent dans les fissures de la roche, dissolvant lentement le calcaire soluble et formant des dépressions ou *avens (gouffres profonds)*. Ces derniers finissent parfois par mesurer des dizaines de mètres de largeur et cinq mètres ou plus de profondeur (voir fig. 25.16). On observe des avens effondrés lorsque le fond d'une de ces ouvertures tombe dans des grottes qui se sont formées sous la surface. De telles zones sont souvent constituées d'un dédale de grottes horizontales et de puits verticaux dans lesquels se trouvent divers dépôts. Ces derniers comprennent des débris consécutifs à l'effondrement du plafond, des sédiments apportés par les eaux souterraines, et des dépôts chimiques de carbonate de calcium qui forment les pierres goutte-à-goutte ou stalactites et les stalagmites. Bon nombre de grottes bien connues ont été formées de cette façon, dont les cavernes Carlsbad au Nouveau-Mexique et Mammoth au Kentucky.

Graduellement, un réseau de drainage intégré s'établit dans le sous-sol, tandis qu'à la surface demeurent des vallées sèches et des dépressions isolées. À mesure que progresse l'érosion, les avens et les grottes s'agrandissent et les effondrements de la surface deviennent plus fréquents. Les matériaux dissous ou érodés sont emportés par le réseau de drainage souterrain. Lentement, toute la surface du terrain est abaissée. Le processus de creusement se poursuit de cette façon jusqu'à ce que les couches de roche soluble soient enlevées, ou qu'un profil d'équilibre soit établi.

Bien qu'il existe de nombreux exemples mineurs du travail par solution, le nombre d'endroits au monde où les caractéristiques susmentionnées couvrent une vaste région est relativement restreint. Ces endroits comprennent la côte de Dalmatie en Yougoslavie, le plateau Cumberland au Kentucky et au Tennessee (voir fig. 25.16), le sud-ouest de la Chine et le nord du Vietnam, ainsi que de vastes régions en Floride et à Puerto Rico.

Étude 25-4

La figure 25.16 montre une partie de la région des cavernes Mammoth au Kentucky. À l'aide d'un stéréoscope, examiner cette photographie afin de déceler des signes caractéristiques d'un paysage karstique. (Indice: il manque quelque chose d'important.) Comment expliquer la différence entre les secteurs nord et sud de cette photographie?

Le travail de l'eau de ruissellement dans les régions semi-humides

Dans les déserts et leurs zones limitrophes, l'évaporation est généralement supérieure aux précipitations. Il est donc surprenant de constater que, même dans ces régions, l'eau de ruissellement demeure un agent majeur de façonnement du relief. Bien que les cours d'eau permanents soient plutôt

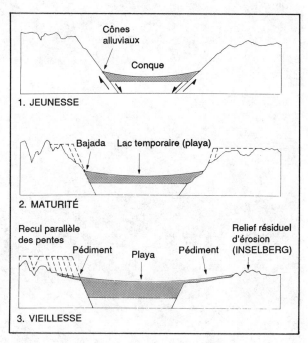

Fig. 25.17 Le cycle d'érosion dans une région aride.

rares, il se peut que le ruissellement qui suit les pluies intenses mais peu fréquentes soit très rapide. Des débits élevés d'eau traversent des vallées normalement sèches appelées *oueds*.

Généralement, le terrain soumis au ruissellement de surface est recouvert de grandes quantités de fragments abrasés et érodés, qui fournissent une charge abondante aux eaux de ruissellement et aux cours d'eau. Cependant l'existence de ces cours d'eau est souvent écourtée. Dès que les pluies sont terminées, les eaux de ruissellement s'évaporent, ou s'infiltrent dans le sol. Il est rare que des réseaux de drainage intégrés soient établis. Des cours d'eau intermittents convergent plutôt vers la dépression la plus proche où ils déposent leurs matériaux. L'accumulation d'une quantité suffisante d'eau donne naissance à des lacs temporaires appelés *playas*. La figure 25.17 illustre des exemples de ces bassins de drainage intérieur (*conques*).

Cependant, il existe des cours d'eau permanents majeurs qui coulent à travers des régions semi-humides et se déversent dans la mer. Ces cours d'eau sont dits *allogènes*.

Ils prennent leur origine dans les régions humides et reçoivent suffisamment d'eaux de ruissellement pour compenser les pertes par évaporation qu'ils subissent en traversant les zones arides. Le Nil et le Colorado sont des exemples de cours d'eau allogènes.

Les formes de terrain des régions arides sont généralement très différentes de celles des zones humides, bien que toutes ces formes soient modelées par les mêmes processus de transformation progressive. Les régions arides sont caractérisées par des montagnes abruptes et angulaires séparées par de larges vallées remplies d'alluvions. À leur tour, ces dernières sont entaillées de façon complexe par des vallées fluviales sèches. Les reliefs irréguliers et très inclinés des paysages arides forment un contraste avec les profils plus atténués et arrondis des collines et des vallées des régions humides.

Le cycle de la transformation progressive (voir fig. 25.17) dans les régions arides est semblable à celui observé dans les zones humides. En progressant dans ce cycle, le paysage s'aplanit, avec l'arasion des collines ou des montagnes et le remplissage des dépressions. Au cours des premières phases, les cours d'eau, qui drainent les collines ou les montagnes adjacentes aux bassins, coulent généralement à travers des vallées encaissées en forme de gorge. Lorsqu'ils arrivent à la base de la colline ou de la montagne, l'inclinaison de la pente change soudainement. La majeure partie de leur charge est déposée à cet endroit pour former des *cônes alluviaux*.

Ces cônes augmentent de taille progressivement et finissent par se combiner pour former des surfaces alluviales soudées le long de la base de la montagne, constituant une *bajada*. L'érosion qui fait lentement reculer la montagne laisse sur place un glacis d'érosion plat, ou *pédiment*, les surfaces rocheuses étant généralement recouvertes d'un mince placage alluvial.

À chaque phase du cycle aride, un réseau complexe d'oueds (voir page 319) entaille la surface du bassin. Ce réseau converge vers la partie inférieure du bassin. À cet endroit, on observe souvent une surface plate et craquelée d'argile ou de sel, matériaux résiduels secs d'un lac temporaire ou playa.

Bien que les caractéristiques susmentionnées soient relevées dans bon nombre de régions arides, elles sont particulièrement répandues sur de vastes régions dans le sud-ouest des États-Unis et représentent typiquement les formes de terrain appelées plaines, où se trouvent également des collines et des montagnes (voir pages 318-319).

Un autre type de relief se forme dans les régions semi-humides de bas-plateaux qui recouvrent des couches sédimentaires horizontales. Dans ces régions, les cours d'eau creusent des vallées profondes. Les caractéristiques de ce relief dépendent de la résistance des couches rocheuses que le cours d'eau entaille. Les parois de la vallée peuvent présenter, en alternance, des escarpements, des pentes douces et des paliers. Ce type de relief est bien connu grâce au degré de formation spectaculaire qu'il atteint dans les canyons du fleuve Colorado. La figure 28.2 montre la surface semblable à un plateau, qui est entaillée par le Petit Colorado.

À mesure que l'érosion progresse lentement dans les régions semi-humides de bas-plateaux, les collines résiduelles qui sont protégées par des roches résistantes sont laissées sur place pour dominer le paysage. Les plus grandes parmi ces collines sont des *mesas*, et les plus petites, des *buttes*. Là où les couches superficielles sont constituées de roches plus tendres, comme l'argile ou le schiste argileux, l'érosion produit souvent un paysage très accidenté de «*mauvaises terres*» (*badlands*) caractérisées par des crêtes aiguës et des ravins aux parois très raides.

Étude 25-5

1. En plus des eaux de surface, quelles autres forces de transformation progressive sont responsables de la création des formes de relief dans les régions semi-humides?
2. Comparer chacune des phases de transformation progressive dues aux eaux de surface dans une région aride, aux phases correspondantes dans une région humide.
3. La figure 28.3 montre une région semblable à celle présentée à la figure 25.17. Comment les collines du milieu de la figure 28.3 ont-elles été formées? Quelle phase de transformation progressive ces deux régions représentent-elles? À l'aide d'une esquisse de la région photographiée, identifier autant de caractères cités dans cette section que possible.

26 / Façonnement du paysage par les glaciers

Les glaciers sont formés dans des régions où les températures sont si basses que la neige ne fond pas complètement en été. En conséquence, les précipitations s'accumulent année après année sous la forme de neige, et ensuite de glace. De telles conditions ne sont observées aujourd'hui qu'aux latitudes élevées et aux grandes altitudes. Les glaciers qui se trouvent aux latitudes élevées sont des *glaciers continentaux*, mais ils portent aussi les noms de calotte glaciaire et d'inlandsis. Les glaciers des grandes altitudes sont des glaciers *alpins* ou *de vallée*.

À mesure que les cristaux de glace hexagonaux qui forment la neige bien connue s'accumulent à la surface, ils

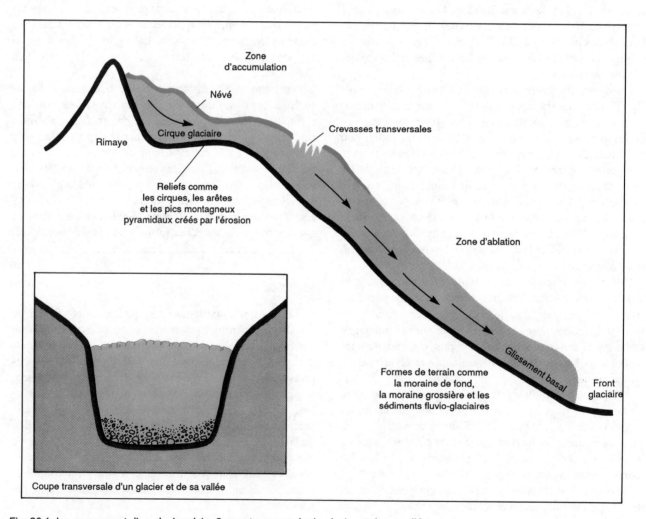

Fig. 26.1 Le mouvement d'un glacier alpin. Coupe transversale du glacier et de sa vallée.

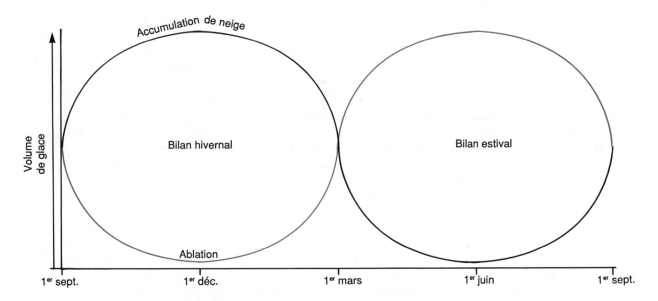

Fig. 26.2 Le diagramme montre l'accumulation totale de neige et la fonte (ablation) totale pour un glacier au cours d'une année. Qu'arrive-t-il à un glacier si l'ablation est supérieure à l'accumulation?
(Source: D. Sugden et B. John, *Glaciers and Landscape*. London: Edward Arnold, 1976.)

sont progressivement comprimés et finissent par constituer un *névé*, c'est-à-dire un amas de granules de glace arrondis qui sont plus denses que la neige. À mesure que l'accumulation se poursuit, le névé est transformé en *glace de glacier* par la compaction de la neige et du névé susjacents. Dans des conditions de froid intense, comme en Antarctique, cette transformation est un lent processus qui se prolonge pendant des années. Dans les régions où il y a une certaine fonte en été, le processus est beaucoup plus rapide. En effet, la fonte détruit le névé, transformant ce dernier en eau qui gèle subséquemment.

À mesure que la couche de neige et de glace s'épaissit, la glace commence à se déplacer. Les glaciers continentaux plus épais s'éloignent des centres d'accumulation, tandis que les glaciers alpins, sous l'effet de la pesanteur, descendent la pente. La glace solide sous pression semble posséder suffisamment de plasticité pour permettre à la masse entière d'avancer à un rythme variant entre une fraction de centimètre et plusieurs mètres par jour. Cette vitesse dépend de la masse de la glace, de l'inclinaison de la pente et du rythme d'accumulation de la neige.

Divers mécanismes provoqueraient le mouvement de la glace:

• Lorsque la pression de la glace sus-jacente cause la déformation des cristaux de glace, un mouvement d'éloignement ou descendant est amorcé. Il s'agit de la *reptation*, qui se produit sous l'influence de la pesanteur. Cette déformation des cristaux de glace est liée au fait que la glace sous pression fond. La reptation est très graduelle et le mouvement se poursuit rarement au rythme de plus de quelques centimètres par jour.

• Le mouvement des glaciers peut aussi prendre la forme d'un *glissement basal*. Ce phénomène se produit lorsqu'il existe une pellicule d'eau entre la glace et la roche. Ce mouvement est plus rapide que la reptation et pourrait atteindre un mètre par jour. Le glissement basal n'est pas particulièrement important sous les glaciers polaires, car les températures dans la glace de ces glaciers «froids» sont trop basses. Étant donné que ces glaciers sont gelés dans leur lit, il n'y a pas de glissement basal, et la reptation est très lente.

• Une troisième forme de mouvement est le *cisaillement* le long des surfaces dans la glace. Ce phénomène, qui est semblable à la formation de failles, est généralement observé lorsque les glaciers descendent une pente. Il arrive parfois que la glace dans les glaciers alpins ou continentaux ne peut s'adapter aux pressions produites par la reptation et le glissement basal. En conséquence, la glace se cisaille en avançant, ce qui produit des fissures profondes ou *crevasses*.

La vitesse des glaciers varie non seulement d'un glacier à l'autre, mais aussi à l'intérieur d'un même inlandsis. Les mesures effectuées sur un certain nombre de glaciers indiquent un rythme moyen allant de 60 à 150 m par année. Bien que les mesures de certains des glaciers d'Alaska à écoulement rapide montrent des déplacements allant jusqu'à 10 m par jour, des mouvements atteignant 24 m par jour ont été relevés dans certaines parties de l'inlandsis du Groenland. La figure 26.1 illustre le mode de déplacement d'un glacier alpin.

La glace avance tant que le rythme d'accumulation de la neige demeure supérieur au rythme de fonte à la bordure des glaciers. Du processus de la fonte résulte l'*ablation*. Si cette dernière augmente suffisamment pour dépasser le rythme de progression, ou si l'accumulation de neige plus près du centre diminue, le glacier n'avance plus. Le front glaciaire recule (fonte). Lorsque l'accumulation et l'ablation s'équilibrent à peu près, le front glaciaire demeure plus ou moins stationnaire. Qu'ils avancent, qu'ils reculent ou qu'ils demeurent stationnaires, tous les glaciers présentent une certaine variation saisonnière. Ils avancent pendant l'hiver et reculent pendant l'été (voir fig. 26.2).

Certains glaciers, comme ceux qui se trouvent actuellement au Groenland et en Antarctique, finissent dans l'océan. Dans ces cas, la glace avance dans l'eau et, à la fin, de larges sections se brisent pour devenir des icebergs et glaces flottantes.

Anciennes glaciations

Aujourd'hui, environ dix pour cent de la surface des continents sont recouverts de glaciers. Il s'agit des vestiges d'inlandsis beaucoup plus étendus qui couvraient environ 25 à 30 pour cent des continents, il y a environ 20 000 ans. (La figure 26.8 montre la portion de l'Amérique du Nord actuellement recouverte par des glaces.) Ces vastes inlandsis (qui représentent la période glaciaire du Wisconsin en Amérique du Nord) ont constitué les progressions glaciaires finales qui se sont produites au cours du dernier million

d'années au cours du Pléistocène. Au cours de cette époque, les glaciers se sont déplacés un certain nombre de fois (les estimations varient entre quatre et vingt fois) approximativement à travers les mêmes terres d'Europe et d'Amérique du Nord. Entre chacune de ces avancées, les glaciers ont reculé et une brève période interglaciaire s'est installée. Le Pléistocène n'est qu'une période parmi d'autres au cours desquelles, tout au long de l'histoire de la Terre, les périodes glaciaires se sont succédées sur de vastes portions de la planète.

À l'échelle géologique, l'humanité vit à l'heure actuelle à la fin d'un âge glaciaire. En effet, il y a seulement 15 000 ans, le site occupé aujourd'hui par les villes de Toronto, de Chicago et de Vancouver était enseveli sous une épaisse couche de glace qui aurait pu atteindre plus de 1 000 m. La plupart des spécialistes de la glaciation croient que la prochaine avancée commencera à un moment quelconque au cours des 20 000 prochaines années. Lorsque ce phénomène se produira, son effet sur la vie à l'échelle mondiale sera, comme auparavant, dévastateur. Toutes les formes de vie seront détruites dans les régions couvertes par les glaces. En outre, les modifications climatiques qui en résulteront, influenceront la plupart des autres régions de la Terre, transformant considérablement tous les écosystèmes pré-glaciaires.

Bien que les causes des glaciations du Pléistocène et d'autres époques antérieures fassent l'objet d'études et de débats depuis des années, rien n'a encore été établi avec certitude. Il est évident que des changements climatiques ont dû survenir, amenant des étés plus frais ou des précipitations plus abondantes, ou les deux. La plupart des hypothèses avancées pour expliquer les âges glaciaires font intervenir des changements d'orbite de la Terre par rapport au Soleil. Ces modifications comprennent:

• des changements dans l'orbite de la Terre, c'est-à-dire le passage d'une orbite plus circulaire à une orbite plus elliptique. Ce cycle s'étend sur une période de 100 000 ans;

• des changements dans le degré d'inclinaison de l'axe de la Terre. (L'angle formé par l'axe terrestre et le plan de l'orbite de la planète est actuellement de 66,5°.) Le cycle de ce changement s'étend sur une période de 42 000 ans;

• indépendamment de son inclinaison, l'axe oscille comme le haut d'un objet qui tournoie. Chaque cycle d'oscillation dure 21 000 ans.

Ces trois phénomènes, qui ont lieu simultanément, mais dont la durée cyclique est différente, modifient la quantité de chaleur reçue à différentes latitudes. (Comme il a été expliqué au chapitre 2, la quantité de chaleur est mesurée en termes d'intensité et de durée.) Outre ces facteurs, des variations dans l'émission d'énergie du Soleil ont également un effet sur l'intensité. Ces variations sont causées par l'activité des taches solaires, décrites brièvement à la page 106.

Certains changements dans l'atmosphère terrestre réduisent la quantité de lumière solaire qui atteint le sol. Il se peut que cette réduction ait favorisé l'avènement des âges glaciaires. Par exemple, les éruptions volcaniques augmentent la quantité de poussière (aérosols) dans l'atmosphère, accroissant par ce fait la proportion d'énergie rayonnante réfléchie dans l'espace par les matériaux atmosphériques, sans aucun réchauffement du sol ou de l'atmosphère.

On croit que la dérive des continents constitue un autre facteur important. Des changements dans la position des continents, qui sont le résultat de l'expansion des fonds sous-marins, auraient pu avoir un effet considérable sur la formation des glaciers. L'accumulation des glaces est favorisée par la présence de vastes étendues de terres aux latitudes polaires. L'influence de ce facteur est confirmé a) par l'existence de glaciers continentaux étendus qui recouvrent l'Antarctique, et b) par l'absence d'un inlandsis au pôle Nord.

Selon un certain nombre de spécialistes, les changements astronomiques cycliques sont responsables de la création des conditions climatiques qui peuvent déclencher un âge glaciaire. Cependant, l'arrivée d'un âge glaciaire dépend dans une certaine mesure d'une disposition des continents qui favorise l'accumulation de masses de glace considérables.

La glaciation continentale

Les différences qui distinguent les glaciers continentaux des glaciers alpins peuvent encore être observées aujourd'hui dans les inlandsis de l'Antarctique et du Groenland, et les glaciers de la plupart des grands systèmes montagneux. Les inlandsis sont beaucoup plus étendus que les glaciers alpins, et la glace y est considérablement plus épaisse. Aujourd'hui, la calotte glaciaire de l'Antarctique recouvre environ 13 millions de kilomètres carrés et, selon les estimations, présente une épaisseur moyenne de 2 000 m, atteignant un maximum de plus de 4 000 m à quelques endroits. L'épaisseur de la glace, qui est maximale près du centre, diminue de façon graduelle en progressant vers la périphérie. En raison de l'accumulation de l'immense masse centrale de glace, les glaciers continentaux progressent vers la périphérie dans toutes les directions à partir d'un ou plusieurs centres, et gravissent même certaines pentes.

Le travail de l'érosion

Sous les inlandsis, l'érosion s'effectue par *abrasion* ou *arrachement*. Ce processus, qui est toujours en cours en Antarctique et au Groenland, est observé lorsque les fragments rocheux enchâssés dans la glace agissent comme du papier sablé, égratignant, polissant et, parfois, écrasant la roche sous les inlandsis. L'arrachement se produit lorsque la glace en contact avec le sol dégèle puis gèle de nouveau. L'eau pénètre dans les fissures rocheuses et provoque l'éclatement de la pierre en gelant. Ces matériaux meubles sont ensuite arrachés ou délogés et incorporés à l'inlandsis lorsque l'eau de fonte gèle de nouveau.

Les signes d'érosion sont les plus nombreux sous les sections centrales de l'inlandsis. Vers la bordure, l'érosion qui a pu avoir lieu est généralement recouverte par les dépôts glaciaires produits lors du retrait du glacier. Les grands glaciers continentaux qui se sont retirés il y a seulement quelques milliers d'années ont remodelé de vastes régions tant en Amérique du Nord qu'en Eurasie. L'érosion et la sédimentation, qui sont l'oeuvre des glaciers, ont eu un effet général d'aplanissement. Les hautes terres ont été usées et abaissées. Une large partie du paysage initial a été recouvert par de minces dépôts de matériaux appelés *matériaux de transport glaciaire*. (Le terme «matériaux» désigne les débris rocheux de tous types déposés par les glaciers ou résultant de la fonte des glaciers.) Après le retrait de la glace, les réseaux fluviaux se sont rétablis. Les caractéristiques du terrain qui existe à l'heure actuelle sont l'oeuvre tant des glaciers que de l'eau de fonte des glaciers.

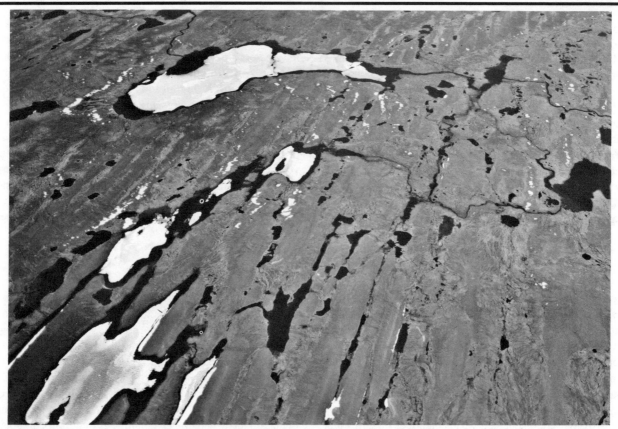

Fig. 26.3 Récuré par la glace, ce paysage désert du Bouclier canadien dans le district de Keewatin montre clairement l'oeuvre de la glaciation. Bien que la majeure partie de ce paysage constitue une surface d'abrasion glaciaire, des dépôts sont aussi en évidence. La roche du Bouclier est couverte en partie par la moraine de fond, dont certains dépôts apparaissent sous la forme de drumlins.

Les caractères produits par l'érosion glaciaire sont les plus facilement observables dans des régions de roches cristallines dures comme le Bouclier canadien, qui couvre presque la moitié de la superficie du Canada et une petite partie des États-Unis. Avant que les glaciers ne les recouvrent, ces régions n'étaient protégées que par un mince manteau de roche désagrégée. La roche-mère dure sous-jacente a résisté à l'action érosive de la glace, ne cédant que très peu de nouveaux matériaux désagrégés. En conséquence, étant donné la rareté des dépôts produits lors de la fonte des glaciers, les résultats de l'érosion glaciaire n'ont guère été masqués.

La surface de ces plaines est très irrégulière. On observe bon nombre de petites différences dans le relief local ainsi que des variations considérables tant dans la quantité de pentes que dans leur degré d'inclinaison. Tandis que certains endroits sont presque de niveau, bon nombre de formes dans le relief local courent des centaines de mètres. Les plus grandes irrégularités sont représentées par les collines et les montagnes récurées par la glace, comme celles qui s'élèvent dans le sud du Québec et le nord-ouest des États-Unis et du Labrador. Étant donné que ces collines et ces montagnes existaient avant les glaciations, seules leurs traits de surface ont subi l'empreinte des glaciers.

Il arrive souvent que, dans ces paysages, les collines récurées et les vallées irrégulières creusées par la glace présentent un schème linéaire (fig. 26.3). Les longs lacs étroits et les crêtes qui les séparent montrent la direction du déplacement de la glace. Certaines parties de la surface sont constituées de roches cristallines polies et récurées qui portent souvent des égratignures, parfois appelées *stries*, causées par les pierres transportées dans la glace. Les dépressions dans ce paysage ne possèdent qu'un mince placage de matériaux de transport glaciaire et sont en bonne partie impropres à l'agriculture. Cependant elles peuvent soutenir des peuplements étonnamment denses de conifères au système radiculaire peu profond.

Le réseau hydrographique de ces régions a été considérablement modifié par le passage des glaces. Des cours d'eau, qui coulent à l'aventure dans les vallées récurées par la glace, sont parsemés de chutes et de rapides. Les eaux finissent par créer des lacs de tailles et formes diverses. Ces lacs constituent plus de dix pour cent de la superficie de la Finlande. Dans bon nombre de régions du Canada, ce pourcentage est encore plus élevé. Les lacs glaciaires (dont les Grands Lacs) occupent des bassins qui ont été creusés par la glace, et des vallées qui ont été obstruées par des dépôts glaciaires irréguliers. La végétation a pris racine dans bon nombre de lacs moins profonds, transformant ces derniers en marécages.

Le travail de sédimentation

On a déjà comparé les glaciers à d'énormes tapis roulants faisant fonction de convoyeur. La roche érodée (arrachée ou usée) est gelée en amont du glacier et transportée vers le front glaciaire ou bord d'attaque du glacier. Les matériaux rocheux sont finalement déposés à cet endroit, soit

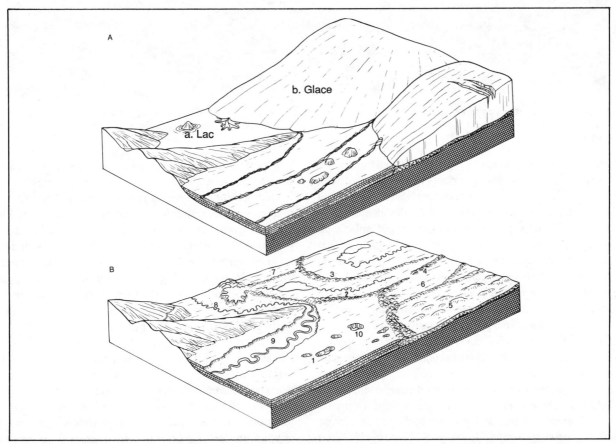

Fig. 26.4 Le bloc-diagramme en A montre l'avancée extrême d'un glacier continental, et le bloc-diagramme en B, les formes de terrain qui pourraient être présentes dans une telle région aujourd'hui. 1) plaine d'épandage; 2) moraine terminale; 3) moraine de retrait; 4) moraine latérale (médiane); 5) drumlins; 6) moraine de fond; 7) esker; 8) plaine alluviale; 9) canal d'évacuation; 10) culots de glace morte.
(Adaptation autorisée de la figure 23.18, p. 360, dans A.N. Strahler, *Introduction to Physical Geography*, 3e édition. Copyright 1973 par John Wiley & Sons, Inc.)

Fig. 26.5 Diverses formes de reliefs glaciaires se détachent dans cette photographie aérienne oblique, prise à haute altitude à la fin de la journée, qui donne une vue d'ensemble de la région près d'Assiniboia en Saskatchewan. Identifier autant de formes de relief que possible.

directement par la glace, soit par l'eau de fonte glaciaire. En conséquence, les plus importants dépôts de matériaux transportés par les glaciers sont observés, comme il fallait s'y attendre, au point extrême d'avancée des glaciers (voir fig. 26.4). Dans la plupart des cas, ce dépôt aplanit un paysage pré-glaciaire. Cependant, l'envergure de cet aplanissement dépend de l'épaisseur des dépôts et de la nature de la surface pré-glaciaire. Au cours des millénaires qui ont suivi le retrait des glaces, les réseaux fluviaux se sont rétablis et ont modifié considérablement le paysage.

On connaît deux types principaux de matériaux de transport glaciaire: les *matériaux stratifiés* et la *moraine de fond*. Les matériaux stratifiés sont constitués de couches de sables et de graviers triés, déposées par l'eau de fonte glaciaire, qui créent des formes de relief comme les *plaines d'épandage*, les *eskers* et les *plaines alluviales*. La moraine de fond est un mélange de fragments rocheux non triés de tailles diverses (y compris de très gros blocs appelés *blocs erratiques*, libérés par la glace lorsqu'elle fond). Ces matériaux forment les *moraines grossières*, les *moraines inférieures* et les *drumlins*. Tous ces types de matériaux de

transport glaciaire sont décrits ci-dessous, et plusieurs d'entre eux sont illustrés dans la présente section.

Les moraines grossières sont formées à l'endroit où le glacier demeure stationnaire pendant une certaine période. Elles apparaissent généralement en bordure ou au milieu d'une moraine inférieure sous la forme de petites étendues où le terrain est plus élevé, plus pierreux et plus irrégulier que dans les environs (fig. 26.5). Leurs dimensions varient considérablement. Les plus grandes forment des zones très visibles présentant de nombreuses petites dépressions et collines, tandis que les plus petites se distinguent difficilement de la surface de la plaine recouverte de moraine de fond. Des dépôts de sable et de gravier, dont certains ont plus de 30 m d'épaisseur, s'étendent sous le relief en bosses et dépressions typique des moraines grossières. Rares sont les petits cours d'eau qui coulent sur les moraines, bien que de grandes rivières peuvent les couper en les traversant. Les bassins sont souvent marécageux et certaines des dépressions les plus profondes peuvent occasionnellement contenir un petit lac. Les eaux de surface drainent verticalement à travers les matériaux perméables et réapparaissent sous la forme de sources qui indiquent souvent la limite d'une moraine.

On connaît divers types de moraine grossière. Les *moraines terminales* sont des dépôts accumulés au point d'avancée maximale du glacier. Les *moraines de retrait* constituent des dépôts qui ont marqué des pauses au cours du retrait de la glace. Enfin, les *moraines médianes* sont formées, comme leur nom l'indique, entre deux lobes ou langues de glace.

La moraine inférieure (ou plaine de moraine de fond) a été formée à partir de dépôts de moraine de fond laissés par un glacier qui se retirait à un rythme assez constant. Ces dépôts recouvrent de vastes étendues entre les moraines grossières. Elles sont rarement marquées par des formes de terrain dominantes, à l'exception, peut-être, d'un paysage ondulé ou cannelé. Cependant, la moraine de fond peut présenter une variation allant de dépôts très profonds (qui masquent complètement les irrégularités de la surface pré-glaciaire) à une mince couche discontinue. Les formes de relief typiques observées sur les terrains de moraine inférieure comprennent des groupes de *drumlins*, qui sont des collines basses arrondies ressemblant à des oeufs à moitié enfouis (fig. 26.6), et des *eskers*, crêtes sinueuses de sable et de gravier. Ils formaient autrefois les lits de cours

d'eau qui drainaient le front du glacier par des tunnels de glace. La figure 26.7 montre la distribution de bon nombre de ces formes de dépôts dans une petite région du sud de l'Ontario.

Les plaines d'épandage pro-glaciaires ont été formées à partir de débris extraits du glacier par lavage et emportés au loin à mesure que fondait la masse de glace. Elle sont souvent en évidence près des moraines à cause de leur surface plus plate. De petites dépressions (appelées culots de glace morte) ont été creusées lorsque le glacier a abandonné de gros morceaux de glace lors de son retrait. Comme pour la moraine grossière, les plaines d'épandage pro-glaciaires sont constituées principalement de sable et de gravier. (Les limons et les argiles plus fins étaient transportés à une distance beaucoup plus grande du front du glacier.) Dans ces régions, l'agriculture est souvent entravée par la taille grossière des matériaux. Le sol peut être assez infertile et la surface de saturation, très profonde.

Une grande partie des matériaux de plaines d'épandage pro-glaciaires a été emportée par des cours d'eau glaciaires. Les vallées profondes et larges que ces cours d'eau creusent sont des *canaux d'évacuation*. (Cette locution s'applique également à des émissaires de drainage formés par les réseaux fluvio-glaciaires.) Les matériaux étaient déposés à

Fig. 26.6 Drumlin typique photographié à l'est de Rochester dans l'État de New York. Quel effet ce drumlin a-t-il sur le mode d'utilisation des terres dans la région?

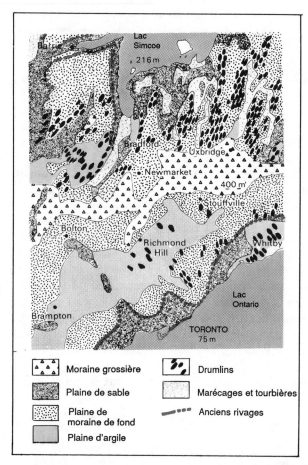

Fig. 26.7 Relief dans une région du centre sud de l'Ontario.
(D'après Chapman et Putman, *Physiography of Southern Ontario*.)

peu près de la même façon que les alluvions le sont par les cours d'eau dans leur plaine alluviale. La plupart des lits de cours d'eau glaciaires sont actuellement drainés par des cours d'eau plus petits (qui sont des cours d'eau *sous-adaptés* ou *sur-adaptés*), et présentent des caractéristiques semblables à celles des plaines d'épandage pro-glaciaires.

Les plaines alluviales et littorales

Les régions qui ont subi une glaciation se caractérisent par l'existence de nombreux lacs. Certains sont un produit du décapage de la glace tandis que d'autres ont été formés là où les matériaux de moraine ont bloqués les chenaux de rivières. Bon nombre de petits lacs existent dans des culots de glace morte et d'autres dépressions non drainées.

Des lacs encore plus grands ont existé pendant les âges glaciaires lorsque la glace agissait comme un barrage pendant son retrait. Elle obstruait l'émissaire de drainage pré-glaciaire des cours d'eau qui coulaient vers le pôle. Par exemple, pendant le retrait de l'inlandsis du Wisconsin, il y a plus de 10 000 ans, certaines parties des Grands Lacs étaient libres de glace tandis que le fleuve Saint-Laurent, qui constituait l'émissaire le plus bas des lacs, était encore bloqué. Les eaux des lacs se sont élevées jusqu'au deuxième émissaire le plus bas, leur permettant de couler en direction de l'équateur vers la mer. (L'eau a d'abord coulé en direction sud pour se déverser dans le réseau fluvial du Mississippi. Plus tard, après la disparition des glaces, elle s'est jetée dans le réseau Hudson-Mohawk.)

En conséquence, les Grands Lacs glaciaires couvraient une superficie supérieure à celle que les Grands Lacs actuels occupent aujourd'hui. À une phase de retrait de la glace, le lac Ontario (que les glaciologues appellent le lac Iroquois) se trouvait à une altitude de 140 m au-dessus de la mer (altitude actuelle: 74 m). Tous les lacs formés de cette façon (entre un terrain plus élevé et le front d'un glacier) sont des *étangs pro-glaciaires* ou *lacs pro-glaciaires*. La figure 26.8 indique les plus importants de ces plans d'eau au Canada et aux États-Unis.

Les sites actuels de ces anciens lacs sont formés aujourd'hui de sédiments glaciaires d'argile et de limon, ou de sable. Ces plaines *alluviales*, qui figurent parmi les terrains les plus plats à la surface de la Terre, abritent des cours d'eau à méandres et de vastes marécages. Des deltas se sont formés là où des cours d'eau se déversaient dans ces lacs et ces étangs. Aujourd'hui, ils sont souvent reconnaissables sous la forme de dépôts de sable légèrement soulevés au-dessus du terrain environnant. Ce sont des *kames deltaïques*.

Les plaines alluviales sont aussi formées dans des régions où existaient autrefois des lacs, bien que dans des circonstances qui n'avaient rien à voir avec la glaciation. Par exemple, le Grand Lac Salé dans l'Utah est le vestige d'un lac beaucoup plus étendu (appelé lac Bonneville par les géologues), qui s'est formé lorsque les précipitations dans cette région de l'ouest de l'Amérique du Nord étaient beaucoup plus abondantes qu'elles ne le sont aujourd'hui.

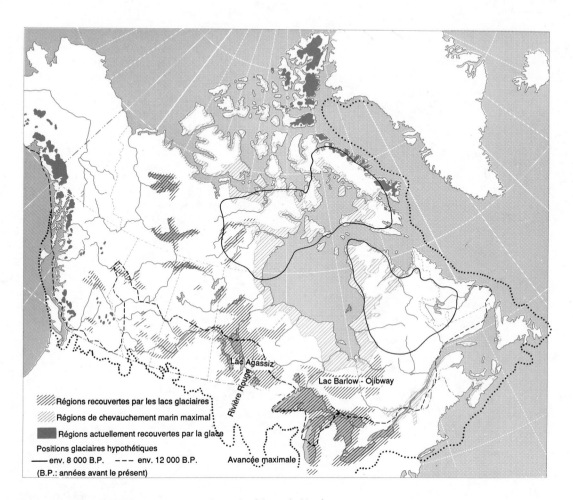

Fig. 26.8 Lacs glaciaires et chevauchement marin en Amérique du Nord.
(D'après des données de la Commission géologique du Canada.)

Les eaux de drainage qui coulaient dans le lac Bonneville ont été à l'origine d'un processus de sédimentation uniforme sur un vaste terrain qui a été exposé sous la forme d'une plaine plate lorsque les eaux se sont retirées jusqu'à leur niveau actuel.

Des plaines semblables ont été créées lorsque certaines régions côtières, abaissées par la masse des glaciers sus-jacents, sont demeurées sous le niveau de la mer même après le retrait des glaciers. Ces régions de *chevauchement marin* sont illustrées à la figure 26.8. Des matériaux ont été déposés sur ces terrains lorsqu'ils étaient sous le niveau de la mer. Au cours des 10 000 dernières années ou à peu près,

ces surfaces sont revenues à un niveau supérieur à celui de la mer (*relâchement de l'isostasie*), et forment aujourd'hui des plaines côtières planes.

Étude 26-1

Les pages suivantes présentent un certain nombre de paysages sous forme de cartes et de photographies. Bon nombre des caractéristiques de surface de ces paysages sont un résultat de la glaciation continentale.

1. *Bancroft.* La carte et la photographie (figures 26.9 et

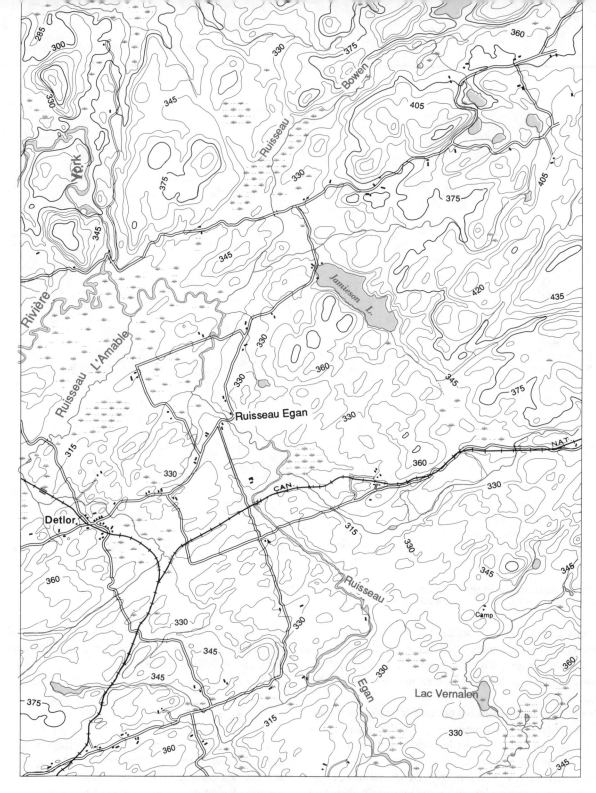

Fig. 26.9 Bancroft en Ontario (section). Série topographique nationale du Canada. Échelle: 1:50 000. Équidistance des courbes: 15 m.

Fig. 26.10 Bien que ce paysage ait aussi été considérablement modifié par l'action abrasive des glaciers, le résultat est masqué par des peuplements d'arbres. Localiser cette région dans la figure 26.9.

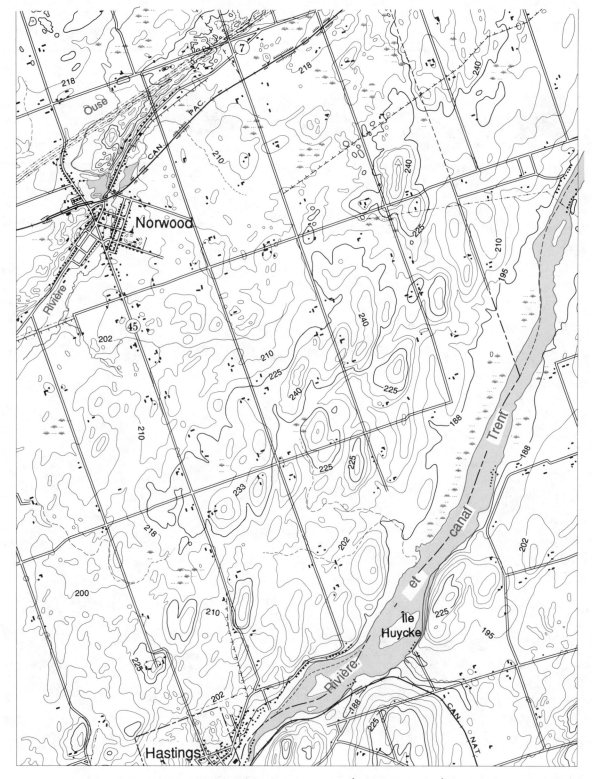

Fig. 26.11 Campbellford en Ontario (section). Série topographique nationale. Échelle: 1:50 000. Équidistance des courbes: 7,5 m.

Fig. 26.12 Section de la région illustrée à la figure 26.11. Quelle est la cause de la déviation de la route est-ouest? Comment explique-t-on la présence des boisés qui n'ont pas été touchés?

26.10) montrent une région du Bouclier canadien située à environ 200 km au nord-est de Toronto (environ 45°N., 78°O.).

a) À l'aide d'une carte hypsométrique, décrire le relief de la région représentée sur la carte en signalant la présence ou l'absence de formes de terrain d'une configuration particulière. Comment peut-on décrire les variations dans le relief local? Il ne faut pas oublier que les paysages produits par les dépôts glaciaires ont tendance à être ondulés à cause de la présence de collines aux pentes assez douces. Les paysages qui sont l'oeuvre de l'érosion sont beaucoup plus irréguliers. (Revoir la description de ces surfaces déjà présentée dans ce chapitre.)

b) Bien que la photographie ne montre qu'une section de la carte, elle est assez typique de la carte entière. Existe-t-il des indices permettant de déterminer la direction prise par les glaciers (par ex. les stries)?

c) Un autre indice de la nature du paysage, particulièrement la présence de roche dure près de la surface est i) la configuration routière et ii) la présence ou l'absence de terrain recouvert d'arbres. Décrire ces configurations, tant à l'aide de la photographie que de la carte.

d) Le réseau hydrographique de la région représentée par la carte constitue un autre bon indice des processus qui ont modifié la surface. Les réseaux hydrographiques dans les régions soumises à la glaciation ont tendance à être désorganisés. Ce phénomène s'explique par le fait que les cours d'eau n'ont disposé que d'une période relativement courte pour rétablir leur régime de drainage depuis le retrait des glaciers. La désorganisation atteint généralement un niveau maximal dans les régions où l'érosion glaciaire était le processus dominant. Commenter les caractéristiques suivantes: i) présence ou absence de schème (par ex. bosses), ii) présence de marécages et de lacs, et iii) phase d'évolution (par ex. jeunesse, etc.).

e) À l'aide de l'information recueillie à partir des observations ci-dessus, fournir une explication raisonnée du rôle joué par les glaciers continentaux dans la création du paysage de Bancroft.

2. *Campbellford*. Cette région (voir figures 26.11 et 26.12) est située à environ 100 km au sud de Bancroft. Bien que bon nombre des principaux reliefs caractéristiques sont aussi le résultat de la glaciation continentale, elles sont très différentes de celles de la région de Bancroft. Répondre aux questions énoncées ci-dessus sur cette dernière région en les appliquant à la région de Campbellford. Il faut se rappeler que des traits caractéristiques comme la présence ou l'absence de végétation forestière, et la nature du réseau routier, peuvent constituer d'importants indices de la nature des matériaux de surface.

3. *Lacs glaciaires*. Un certain nombre de plaines côtières (régions recouvertes par la mer pendant les âges glaciaires) sont indiquées à la figure 26.8.

a) Les plaines lacustres sont apparues lorsque les glaciers ont agi comme un barrage fermant l'émissaire normal (le plus bas) d'un réseau hydrographique. À l'aide d'un croquis, expliquer la formation du lac Agassiz. Comment peut-on être sûr de son existence il y a 12 000 ans? Pourquoi le lac n'a-t-il pas couvert une plus grande superficie lorsque son émissaire normal vers le nord a été barré?

b) Tracer un croquis des Grands Lacs tels qu'ils apparaissaient il y a 12 000 ans, et expliquer pourquoi ils étaient différents. Utiliser la figure 26.8 comme document d'appui (des cartes plus détaillées peuvent être obtenues de diverses sources).

4. *Sud de l'Ontario*. Les reliefs d'origine glaciaire illustrés à la figure 26.7 ont été produits par deux lobes de l'inlandsis du Wisconsin. Un lobe occupait le bassin du lac Ontario, et l'autre lobe couvrait la moitié nord de la région représentée sur la carte. Les deux lobes se sont retirés vers le nord-est.

a) Expliquer la formation des plaines d'argile, des anciens rivages, des moraines grossières et de la plaine de moraine de fond, en précisant les rôles des deux lobes de glacier qui poursuivaient leur retrait. Quel type de moraine grossière obtiendrait-on?

b) Où, sur la carte, relève-t-on les paysages les plus irréguliers et les plus plats?

c) Comment l'utilisation des terres peut-elle être modifiée par ces dépôts? Par exemple, où seraient situées les meilleures terres agricoles, et quels secteurs seraient les mieux appropriés à des fins récréatives?

Les glaciers de montagne (alpins)

Les glaciers de montagne doivent leur appellation au fait que les masses de glace de ce type ont d'abord fait l'objet

Fig. 26.13 Le retrait de ces glaciers a laissé le versant parsemé de débris rocheux et couvert de moraines marginales et médianes à crêtes effilées.

d'études approfondies dans les Alpes occidentales de Suisse, qui étaient facilement accessibles. Ces glaciers prennent naissance dans les champs de neige qui se forment au-dessus de la limite des neiges. L'altitude à laquelle on trouve les neiges éternelles sur une montagne dépend principalement de la latitude, mais elle est aussi déterminée par la quantité de précipitations. Les glaciers majeurs sont formés par l'accumulation de neige à des altitudes élevées sur les versants exposés aux vents des chaînes de montagne des moyennes et hautes latitudes.

Au cours des âges glaciaires, les glaciers alpins étaient considérablement plus étendus qu'aujourd'hui. Aux latitudes moyennes et septentrionales, ils couvraient des régions très éloignées des montagnes qui constituaient leur source. Lorsqu'ils se fusionnaient sur le terrain plat au pied des montagnes, ils ressemblaient à s'y méprendre aux glaciers continentaux.

La glace de glacier a produit des traits rugueux et irréguliers que l'on associe aux principaux systèmes montagneux de la Terre.

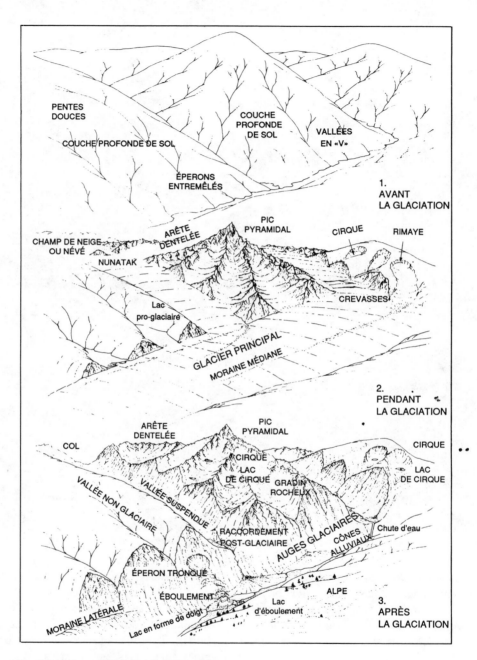

Fig. 26.14 Les effets de la glaciation alpine.
(D'après W.M. Davis, «The sculpture of mountains by glaciers», *Scottish Geographical Magazine*, vol. 22, n° 2 (février 1906), p. 76-89.)

Érosion, transport et dépôts

Les glaciers alpins érodent le terrain de diverses façons. À la tête du glacier, et sur ses pentes les plus abruptes, l'eau de fonte (produite par la neige et les couches superficielles de glace fondues) emprunte des crevasses et des fissures dans la glace pour rejoindre la roche sous le glacier. L'eau pénètre dans les fissures des pierres et gèle. En conséquence elle exerce une pression énorme, provoquant l'éclatement de la pierre solide en gros morceaux ou fragments (arrachement). La roche délogée par ce processus est gelée dans le glacier et emportée vers le bas de la pente. Enchâssée dans la portion inférieure de la glace, ce débris agit comme une substance abrasive. Il creuse, égratigne et polit la roche-mère au-dessus de laquelle passe le glacier. En plus de la roche arrachée par le glacier lui-même, la glace ramasse des fragments rocheux déjà désagrégés. Ces fragments sont soit transportés dans la glace, soit poussés vers l'avant par le front du glacier. Les stries dans le glacier apparaissant à la figure 26.13 indiquent qu'une quantité considérable de sédiments tombe ou est transportée des montagnes jusqu'à la surface du glacier.

Le résultat de cette érosion, contrairement à celle causée par l'eau de ruissellement, est la création d'un paysage accidenté et irrégulier (fig. 26.14). Un relief observé fréquemment sur les hauts versants de montagne ou à la tête de vallées est une dépression en forme de croissant aux parois abruptes appelée *cirque* (fig. 26.14 et 26.15). Les cirques sont une forme de terrain tellement commune dans l'ouest de l'Europe qu'il existe une appellation pour ce type de relief dans la langue de tous les pays où il est observé, par ex. *kar* dans les régions allemandes, *cum* au pays de Galle et *corrie* en Écosse. Les cirques sont probablement formés par l'action intensive d'arrachement et de décapage des glaciers. Après avoir été soumis à une action d'arrachement pendant une très longue période, un cirque peut présenter une mur de rimaye d'une hauteur de plusieurs centaines de mètres.

Il arrive très souvent, qu'après le départ de la glace, un petit lac appelé *lac de cirque* se forme dans le bassin d'un cirque. La formation de cirques de chaque côté d'une crête donne lieu à une *arête* dentelée et acérée. Une brèche ou *col* apparaît lorsque deux de ces cirques ont défoncé une arête à partir de côtés opposés. Bon nombre de cols constituent

Fig. 26.15 Une série de petits glaciers qui occupent des cirques ont formé une arête irrégulière dans cette partie des Alpes suisses.

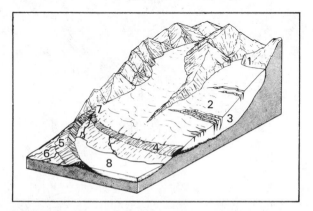

Fig. 26.16 Moraines et glaciers alpins: 1) Mur de rimaye d'un cirque; 2) crevasses; 3) matériaux érodés, enchâssés dans la glace; 4) moraine de retrait; 5) moraine terminale; 6) traînée fluvioglaciaire; 7) moraine latérale; 8) lac de barrage morainique.

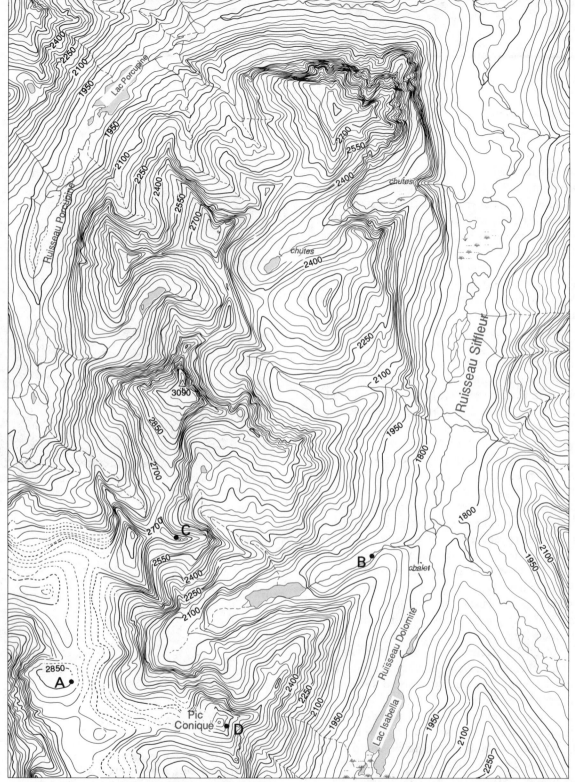

Fig. 26.17 Rivière Siffleur en Alberta (section). Série topographique nationale du Canada. Échelle: 1:50 000. Équidistance des courbes: 30 m.

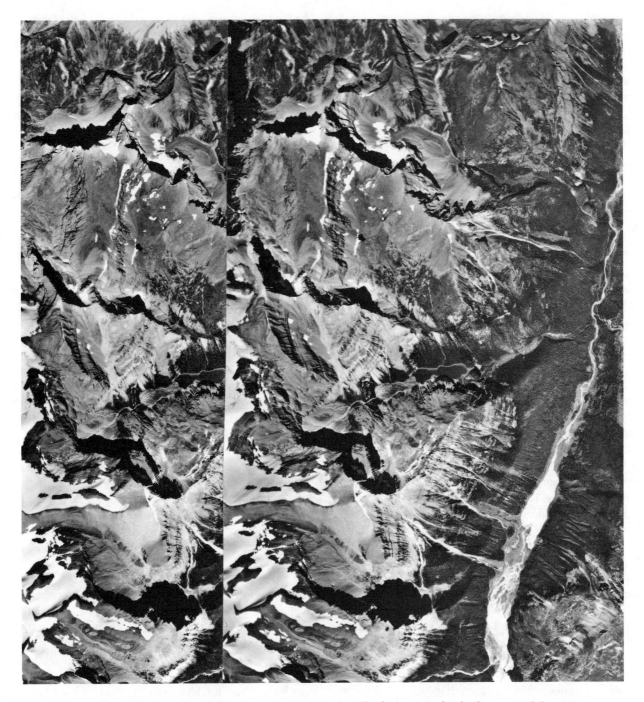

Fig. 26.18 Une section de la région illustrée à la figure 26.17 est représentée dans cette paire de photos en stéréoscopie.

d'importants défilés de montagne comme ceux du Grand Saint-Bernard, de Saint-Gotthard et de Simplon dans les Alpes européennes. Un pic aigu (pyramidal) appelé *aiguille* est créé lorsque trois cirques ou plus se sont formés ensemble. Un exemple classique de ce type de pic est le Matterhorn en Suisse.

Dans la partie inférieure de la vallée glaciaire, où la pente est réduite, la principale cause d'érosion est l'effet abrasif de la glace. Usant le fond et les parois inférieures d'une vallée fluviale en «V» pré-glaciaire, la glace creuse cette vallée (voir fig. 26.14). Simultanément, l'action abrasive augmente l'inclinaison des parois et arrondit la dépression qui prend la forme d'un «U». Le tracé de la vallée est également rectifié à mesure que le glacier coupe les crêtes ou les éperons que le cours d'eau contournait.

Dans plusieurs parties du monde adjacentes à la mer (par exemple en Scandinavie) des auges glaciaires ont été inondées par les eaux marines lorsque le glacier s'est retiré, et le niveau de la mer s'est élevé. Ces auges forment maintenant d'étroits estuaires appelés *fjords*. On les observe principalement sur les côtes ouest bordées de montagnes. Ces côtes sont irrégulières, avec dépressions, facilement reconnaissables dans un atlas.

Un glacier dépose des matériaux surtout lors de son retrait. À mesure que la glace fond à l'extrémité inférieure du glacier, les matériaux qui étaient enchâssés dans la masse de glace sont libérés. (Une quantité considérable de matériaux peut aussi être déposée au cours d'autres périodes le long des parois de la vallée ou entre deux glaciers parallèles.) La moraine de fond est déposée à peu près de la même façon que les dépôts du glacier continental. Elle forme divers traits de relief, soit la moraine latérale le long des parois de la vallée; la moraine médiane entre deux glaciers; la moraine terminale au point extrême d'expansion du glacier; et la moraine de retrait à divers endroits pendant la phase de recul du glacier. La plupart de ces caractères sont illustrés aux figures 26.14 et 26.16.

Les matériaux de taille fine transportés par les eaux de fonte glaciales s'accumulent dans les dépôts de matériaux stratifiés le long du fond de la vallée. Les matériaux plus lourds, qui ont été déposés en premier, forment la *traînée fluvio-glaciaire*. Dans bon nombre de cas, cette traînée ou les dépôts morainiques barrent une vallée entière, favorisant la formation d'un petit lac. Des lacs pittoresques, comme le lac Como en Italie, et le lac Louise dans le parc national

Banff en Alberta, ont été formés de cette façon.

Étude 26-2

La région de la rivière Siffleur représentée sur une carte (et une photographie) est située dans les Montagnes Rocheuses à 51°50' de latitude N. et 116°28' de longitude O. La carte inclut une partie du parc national Banff en Alberta près de la frontière de Colombie-Britannique.

1. a) Tracer deux croquis en coupe transversale de la vallée représentée à la figure 26.17, de A à B, et de C à D. Identifier les traits particuliers et décrire les caractéristiques de la vallée illustrée par les deux sections.

b) À l'aide d'un papier calque, ou d'une photocopie de la carte hypsométrique (fig. 26.17), identifier des exemples des reliefs suivants: cirques (au moins six), arêtes, vallées au profil transversal en «U», lacs de cirque, vallées suspendues, gradins de roche, lacs en forme de doigt, cols, aiguilles, et zones actuellement recouvertes de glace. Expliquer brièvement la formation de chaque relief. Il est plus facile de repérer bon nombre d'entre eux sur la carte en les examinant d'abord sur la paire stéréoscopique des photographies aériennes (fig. 26.18). Il est préférable de commencer en localisant les divers pics (aiguilles) et la ligne de crête (arête), amorcée en D, qui s'étend jusqu'à A, puis généralement vers le nord.

c) Examiner la localisation des champs de neige et des champs de glace existants et expliquer pourquoi les sites actuels sont restreints.

2. À l'aide d'un atlas, localiser quelques-unes des principales régions du monde qui abritent aujourd'hui des glaciers alpins. L'altitude à laquelle se trouvent les glaciers varie d'un endroit à un autre. Expliquer cette variation et indiquer son étendue.

3. Commenter les différences entre les montagnes récemment recouvertes de glaciers, et les montagnes ainsi que les collines qui n'ont pas été soumises à la glaciation ou qui ont perdu leurs caractères glaciaires.

4. À l'aide des diverses illustrations de la présente section, décrire quelques-unes des caractéristiques majeures a) de cours d'eau, et b) d'exemples de mouvements de masse dans les régions montagneuses. Commenter l'importance générale de ces processus de transformation progressive dans les régions montagneuses.

27 / Façonnement du paysage par l'érosion littorale et éolienne

Comparativement aux autres agents de transformation progressive, le vent joue un rôle secondaire dans la plupart des régions. Cependant, il peut avoir un effet considérable sur un nombre restreint de régions, particulièrement les endroits où les précipitations sont faibles et où, en conséquence, il y a peu de végétation pour retenir ensemble les particules superficielles. La transformation par le vent est limitée surtout aux régions arides. Dans les régions humides cependant, une érosion éolienne appréciable est observée sur les zones sableuses, soit pendant des périodes au cours desquelles les lits des rivières sont asséchés, soit lorsque la terre arable meuble des champs cultivés est laissée sans protection.

L'homme a involontairement favorisé l'érosion éolienne en labourant des terres agricoles aux endroits où les précipitations sont faibles et peu fiables. En conséquence, dans les régions plus sèches de la plupart des pays du monde, d'énormes quantités de terre arable de grande valeur ont été emportées par le vent, contribuant au processus de désertification (voir chapitre 19).

Autrefois, l'érosion éolienne à une grande échelle était observée après le retrait des glaciers continentaux. Des dépôts meubles non protégés par une couverture végétale étaient ramassés et transportés sur de grandes distances par les tempêtes de sable.

Érosion, transport et dépots

Le vent a la capacité de ramasser de petites particules et même de les transporter sur des distances considérables. Ce processus, appelé *ablation éolienne*, est observé aux endroits où il existe peu d'obstacles pour entraver l'action du vent. La configuration du paysage est déterminante pour cette ablation, en dépit du fait que l'influence soit différente de celle exercée sur l'eau vive. Bien que l'effet de l'ablation éolienne sur une surface soit variable, cette dernière n'est pas considérablement abaissée, et aucun relief remarquable n'est créé, à part des dépressions peu profondes appelées *cuvettes de déflation*. La limite inférieure (ou niveau de base) de l'érosion éolienne est fixée par la nappe phréatique. Étant donné que le vent ne peut transporter des grosses particules, un paysage soumis à l'ablation éolienne peut être constitué d'un terrain largement recouvert de gravier, de gros cailloux et des fragments rocheux de plus grande taille.

La majeure partie de la surface des déserts du monde est formée de matériaux abandonnés après que le vent a emporté les particules plus fines. Les matériaux superficiels varient du sable grossier et du gravier aux pierres et aux roches de grande taille. Ces matériaux forment ce que l'on appelle parfois un *pavage désertique*, ou, lorsqu'ils comprennent surtout du gravier, un *reg*.

Certains reliefs modelés par le vent, observés dans les plaines irrégulières des régions désertiques sont décrites ci-dessous:

Seul le vent a pu creuser les dépressions du désert [de Gobi]; *aucun autre agent n'est capable de soulever les matériaux hors de terres basses fermées. Lors de violentes tempêtes de sable, l'air était assombri par la poussière en suspension, le soleil apparaissant faible et rouge. Bien que la majeure partie du sable et de la poussière soulevée se dépose sur le pays avoisinant, il est certain que les matériaux plus fins sont transportés sur de grandes distances, même au-delà de la limite du Gobi. Les parois des dépressions sont entaillées par les rigoles de pluie et les ruisselets des bas-plateaux. Au cours des époques d'érosion active, les falaises en pente sont usées jusqu'à ce qu'elles deviennent des mauvaises terres typiques (badlands), et les sédiments meubles sont entraînés par le ruissellement jusqu'au fond de la dépression. Dès que la mince couche plate de sédiments est sèche, elle est exposée aux vents infatigables qui soulèvent la majeure partie des matériaux constituants hors de la dépression.*[1]

[1]C.P. Berkey et F.K. Morris, *The Geology of Mongolia* (New York; The American Museum of Natural History, 1927).

Les pierres de ces plaines [désert Stony à l'est du lac Eyre en Australie] *sont angulaires, et il est dit qu'à certains endroits, elles s'ajustent avec autant de précision que les morceaux d'une mosaïque. Lorsque les cailloux sont étroitement tassés, certaines zones du désert Stony prennent la forme d'un pavage en damier. Ce désert doit son existence à l'absence d'eau. La région où il se trouve était autrefois recouverte par une mince couche de roche appelée grès de désert qui comporte une grande quantité de cailloux de quartz, de grès et d'autres matériaux durs. Le grès de désert s'est dégradé lentement sous l'action des conditions météorologiques. Le sable meuble a été emporté par le vent, les fragments rocheux plus durs ayant été abandonnés un peu partout sur le terrain.*[2]

Les particules transportées par le vent agissent comme des agents abrasifs et dégagent d'autres fragments rocheux. Bien que cet effet de soufflerie soit répandu, il est le plus marqué sur les parties inférieures des surfaces en pente étant donné que les particules grossières s'élèvent rarement à plus de quelques mètres au-dessus du sol. Dans les régions soumises à une abrasion éolienne particulièrement forte, on observe des formes de terrain inhabituelles qui ressemblent à des piédestaux, des fenêtres et des arches.

Les fines particules déposées par le vent sont trouvées presque partout à la surface de la Terre. Cependant, il n'existe que quelques zones où les dépôts forment une couche d'une certaine épaisseur, qui s'ajoute aux déserts de sable dans les régions arides. Dans les régions plus humides, ces dépôts constituent un matériel à grain fin appelé *loess* (dérivé de l'allemand *löss* qui signifie un terreau jaune-gris fin). Des zones semblables de sable, déplacées sur de courtes distances par le vent, sont observées à proximité de plages étendues. Sur les littoraux exposés, le sable est très souvent transporté à plusieurs kilomètres de distance à l'intérieur des terres. En conséquence, les plages sont souvent adossées à une bande de dunes de sable d'une largeur variable. Dans de telles régions, l'existence de la végétation est précaire. Si l'homme perturbe l'équilibre du système, le sable peut commencer à se déplacer. Heureusement, on a mis au point des méthodes visant à rétablir la végétation. Par exemple, les pins représentent le meilleur moyen de stabiliser le sable.

[2]J.W. Gregory, *The Dead Heart of Australia* (London: John Murray Ltd., 1906).

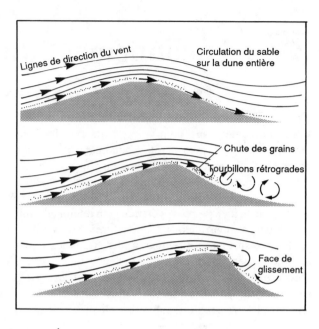

Fig. 27.1 Évolution d'une dune de sable.

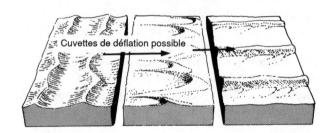

Fig. 27.2 Divers types de dunes: dunes transversales à gauche; paraboliques au centre; et longitudinales à droite. Les flèches indiquent la direction de transformation possible d'un type en un autre.

Bien que des matériaux très fins puissent être transportés sur de grandes distances par le vent, la plupart des particules sont déposées non loin de leur lieu d'origine. On observe le dépôt de particules lorsque la vitesse du vent est réduite ou que l'humidité atmosphérique augmente. Les matériaux se déposent surtout dans les régions arides après une réduction de la vitesse du vent. On assiste à la formation de déserts de sable (appelés *ergs*) lorsque ces dépôts sont considérables. Le paysage formé par ces déserts constitue environ 15 à 20 pour cent de la superficie des déserts du monde.

Comme d'autres zones d'accumulation de sable, comme les plages des régions soumises à un climat humide, ces déserts sont presque toujours caractérisés par la présence de collines ou de crêtes en forme de vague appelées *dunes* (fig. 27.1). Les dunes ne sont pas limitées aux déserts de sable et sont souvent observées sur la roche-mère nue de régions désertiques. Indépendamment de leur localisation, les dunes sont généralement formées autour d'un petit obstacle qui perturbe la circulation régulière du vent et cause l'accumulation de sable (voir fig. 27.2). Les obstacles finissent par atteindre une taille suffisante pour entraver sérieusement le mouvement du vent, provoquant

Fig. 27.3 Ces dunes en forme de croissant, appelées barkhanes, ont été photographiées dans la Vallée de la Mort en Californie. On peut apprécier leur taille en la comparant à celle des deux personnes qui se tiennent debout vers le milieu de la photographie.

davantage d'accumulation. La plupart des dunes se déplacent progressivement. Le rythme de leur mouvement, ainsi que leur taille et leur forme, varient considérablement d'un endroit à l'autre. Elles dépendent de la force du vent, de la quantité de matériel déposé et de l'importance de la couverture végétale présente.

Les matériaux érodés par le vent et transportés hors du désert sont souvent déposés en quantités considérables dans les régions en bordure des terres sèches. Ces dépôts de loess sont observés en petites quantités sur une grande partie de la surface de la Terre. Les couches épaisses de dépôts sont généralement limitées au côté sous le vent des grands déserts et aux régions adjacentes où des matériaux fins ont été laissés par les glaciers continentaux. Des quantités considérables de loess ont aussi recouvert des régions d'Amérique du Nord et d'Eurasie pendant les âges glaciaires lorsque des vents forts soufflant des inlandsis transportaient de fines particules rocheuses vers le Sud.

Certains des meilleurs exemples de dépôts de loess se trouvent dans le nord de la Chine ainsi que dans le centre de l'Europe et des États-Unis. À ces endroits, le loess à grains fins et à structure verticale et poreuse crée un paysage où les versants de vallée sont abrupts et les interfluves relativement peu entaillés. Ces terrains plats sont marqués par le ravinement, particulièrement où la couverture végétale est clairsemée. Le glissement est un phénomène courant, conférant aux vallées un profil en gradins.

Étude 27-1

1. En termes généraux, expliquer les différences entre le travail de transformation progressive du vent et celui de l'eau de ruissellement.

2. Dans les régions semi-humides, le travail de tous les agents de transformation progressive visant à aplanir le paysage s'effectue à un rythme beaucoup plus lent que dans les régions humides. Expliquer.

3. Expliquer pourquoi certaines régions désertiques sont recouvertes de sable tandis que d'autres sont recouvertes de roches et de graviers.

4. Examiner les figures 27.2 et 27.3. Décrire et expliquer la formation de divers types de dunes de sable. Indiquer certains des problèmes causés par les sables mouvants.

5. Après avoir consulté les pages 251 et 252, expliquer pourquoi la désagrégation mécanique est plus importante que l'altération chimique dans les régions sèches.

La transformation progressive par les vagues et les courants

Au cours des siècles, l'action incessante des vagues a produit une diversité de reliefs le long des littoraux de la

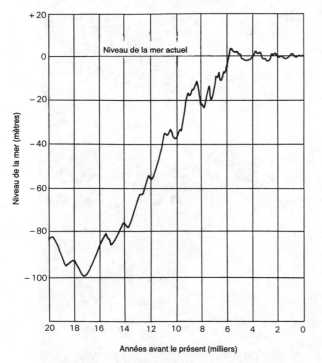

Fig. 27.4 Les océans ont atteint leur niveau le plus bas il y a environ 17 000 ans, à l'apogée de la dernière période glaciaire (Wisconsin). Le niveau de la mer est demeuré relativement constant au cours des derniers 6 000 ans, et même l'amplitude des variations à court terme a diminué.
(D'après R.W. Fairbridge, «The changing level of the sea», *Scientific American*, vol. 202, n° 5 (mai 1960), p. 70-79.)

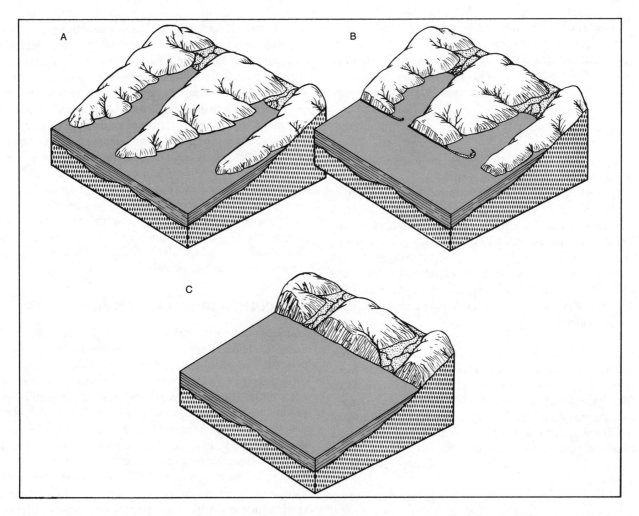

Fig. 27.5 L'évolution d'une côte à rias au cours d'une longue période. En A, le rivage n'est pas modifié, ce qui indique une submersion assez récente. Les vagues commencent à éroder les pointes de terre en B et poursuivent leur action jusqu'à ce qu'en C, apparaisse un rivage rectiligne à falaises. Le rivage ne change pas radicalement d'apparence par la suite, mais continue de reculer lentement vers l'intérieur des terres.

Terre. Comme les facteurs qui ont contribué à leur formation sont très complexes, il n'existe pas de classification simple des rivages.

L'érosion et le dépôt de type glaciaire et fluvial ont exercé une influence considérable sur la formation de certains littoraux. Cependant, le facteur le plus important est l'action des vagues et des courants. Le travail de ces agents est compliqué par le fait que le niveau des terres et celui de la mer, l'un par rapport à l'autre, ont subi maints changements même au cours des temps géologiques récents. La figure 27.4 illustre les modifications qui se sont produites au cours des derniers 17 000 ans. Le niveau de la mer s'est élevé au cours de cette période, submergeant graduellement les littoraux. Il existe aussi bon nombre d'endroits où le mouvement de l'écorce terrestre a soulevé ou abaissé les terres continentales par rapport au niveau de la mer. Dans la plupart des cas, les littoraux actuels ont été établis à une époque géologique assez récente.

Il existe une grande diversité de littoraux. Ces derniers peuvent être répartis dans trois catégories générales: côte à baies, côte à plages et barres, et côte à falaises et terrasses.

Les côtes à baies

Les côtes à baies, appelées généralement côtes ennoyées ou de submersion, sont constituées de dépressions irrégulières parce qu'elles ont été formées par l'inondation des vallées. Aux endroits où les vallées ont été créées initialement par des rivières, il s'agit de *côtes à rias*. Lorsque les vallées ont été formées par les glaciers alpins, ce sont des côtes à *fjords*. Les caractéristiques de ces littoraux sont largement déterminées par le type de paysage qui existait avant que les terres soient submergées. Bien qu'il existe maintes variations, ces rivages sont cependant très irréguliers.

Indépendamment du type de rivage, le tracé littoral est constamment modifié. Sur les côtes à baies, les vagues frappent les pointes de terre avec leur plus grande force (fig. 27.5), dégradant ce relief progressivement. Simultanément, la sédimentation d'origine fluviale remplit les estuaires. En conséquence, la côte finit par être assez rectiligne. Le peu de temps, en termes relatifs, qui s'est écoulé depuis que l'océan et la terre ont atteint leurs niveaux actuels explique pourquoi les côtes rectilignes sont si rares.

Les côtes à plages et à barres

Les plages littorales et les barres de sable au large des rivages sont des formes de relief observées fréquemment le long des côtes. On trouve les deux types de relief en bordure de littoraux baignés d'eaux peu profondes sur une certaine distance vers le large, et où les vagues sont relativement constantes quant à leur direction et leur taille. Les plages apparaissent sous la forme de bandes ininterrompues le long de côtes basses et non accidentées. Sur les côtes plus irrégulières, elles ne se forment que dans les baies et les anses, séparées les unes des autres par des pointes rocheuses et des promontoires.

Les barres du large (fig. 27.6), comme celles qui bordent la plus grande partie des côtes est et sud des États-Unis, ont probablement été formées par des vagues qui déferlaient dans les eaux peu profondes à une certaine distance de la côte. L'action de décapage des vagues déferlantes empile le sable jusqu'à ce que l'amas soit visible à marée basse. Il arrive souvent qu'une barre continue de croître jusqu'à ce qu'elle forme une barrière, même à marée haute. Un *lagon* sépare la barre du rivage. Dans bon nombre de cas elle est très peu profonde et bordée du côté de la terre par des battures marécageuses. Un lagon de ce type a tendance à constituer un relief temporaire (à l'échelle géologique) parce que la barre de sable se déplace progressivement vers la terre sous l'action des vagues, particulièrement au cours des tempêtes. Le sable finit par être poussé sur le rivage où il peut former des dunes côtières.

Les côtes à falaises et terrasses

La plupart des côtes à baies et des côtes à plages et à barres constituent plus ou moins des formes de relief temporaires créées à la suite de modifications dans les niveaux relatifs de la terre et de l'eau. Cependant, il existe bon nombre de côtes où le déferlement direct des vagues sur le rivage a produit un littoral assez régulier présentant des falaises et des terrasses. Ces caractères de relief sont observés généralement le long de rivages rocheux où le terrain s'élève abruptement et l'eau devient tout de suite profonde en progressant vers le large. La figure 27.7 montre comment les vagues affouillent le rivage et le font reculer, produisant une falaise. La zone coupée devant la falaise, ainsi que des matériaux arrachés à cette dernière et déposés par les vagues, forment une terrasse. Une série de falaises et de terrasses peuvent avoir été laissées aux endroits où les niveaux relatifs de la terre et de la mer ont été modifiés. Ces formes de relief, qui sont submergées ou s'élèvent en hauteur à l'abri des vagues, font partie intégrante du paysage côtier.

Étude 27-2

1. À l'aide des figures 27.5, 27.6 et 27.7, tracer un croquis d'une carte simple et d'une coupe transversale montrant les

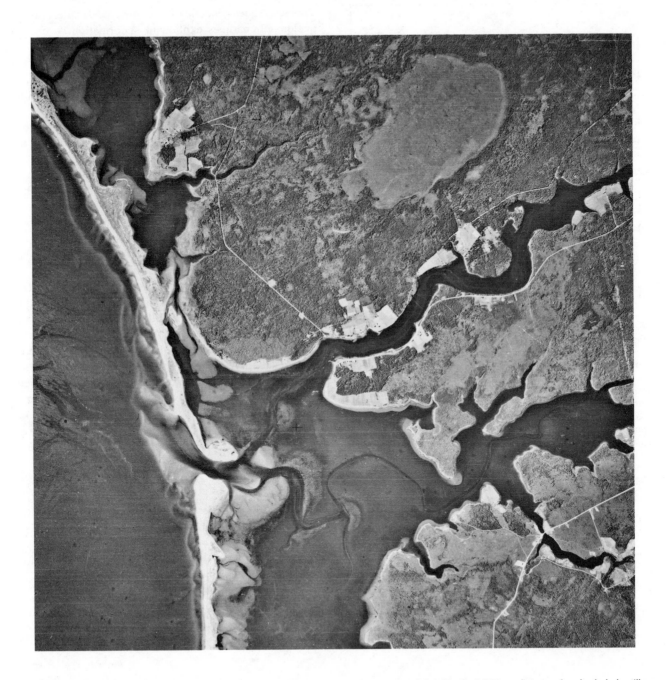

Fig. 27.6 Une côte typique à plages et à barres sur le littoral est du Nouveau-Brunswick (altitude 3 550 m; distance focale de la lentille: 150 mm).

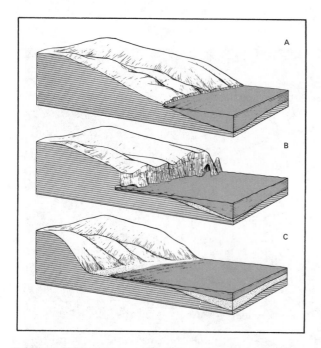

Fig. 27.7 La formation de falaises de mer est généralement observée lorsque le terrain descend en pente raide vers la mer. Les vagues façonnent une petite falaise (une échancrure) comme en A. Les vagues continuent à agrandir la falaise, surtout par le processus d'affouillement, comme l'illustre la brèche creusée par les vagues à la base de la falaise en B. (On relève aussi des formes de relief inhabituelles, comme des cavernes et des arches marines, sur ce type de côte.) À mesure que le processus se poursuit, une plate-forme rocheuse en pente est bâtie sous l'eau adjacente à la falaise. Cette plate-forme finit par s'élargir jusqu'au point où l'action des vagues diminue, une plage se forme, et le profil des falaises s'atténue.

caractéristiques générales de chaque type de côte. Ajouter quelques remarques expliquant la formation de chaque littoral.

2. À l'aide d'un atlas, indiquer le type général de côte observé dans les régions suivantes: sud de l'Angleterre, Texas, mer Rouge, ouest de l'Irlande, Pays-Bas, Caroline du Nord, et sud du Chili.

3. Les caractéristiques des côtes sont importantes pour l'aménagement d'installations portuaires qu'utilisent les navires hauturiers.

a) Commenter le degré de faisabilité, sous les aspects physiques, de l'aménagement portuaire sur les trois types de côtes susmentionnées.

b) La valeur d'un emplacement particulier pour un port dépend plus du besoin d'installations portuaires à cet endroit que des caractéristiques physiques de la côte. Critiquer cet énoncé.

c) Repérer dans un atlas chacune des villes portuaires indiquées ci-dessous. Indiquer sur quel type de côte chaque ville est située. Quelles sont celles qui jouissent d'un port presque «naturel» et celles qui dépendent de travaux considérables de construction et d'entretien pour maintenir leurs installations portuaires? Les cités portuaires sont les suivantes: New York, Callao (Pérou), Rotterdam, Sydney, Rio de Janeiro, San Francisco, Los Angeles, Vancouver et Gênes.

28 / Types de reliefs

Jusqu'à présent dans cet ouvrage, on a examiné les divers processus responsables de la création des formes de relief sur la Terre. Des théories sur la formation des divers types de reliefs ont été revues et modifiées à mesure que de nouvelles connaissances ont vu le jour, et il est probable que de nouvelles révisions seront nécessaires dans l'avenir.

Dans le présent chapitre, les formes de terrain sont classées et décrites. Le paysage présente des variations considérables d'un endroit à l'autre, qui doivent faire l'objet d'une classification afin de permettre la description des caractéristiques des reliefs d'une région donnée. En premier lieu, on distingue cinq types majeurs de paysage: les plaines, les montagnes, les collines, les plateaux et les plaines avec collines ou montagnes. Chacune de ces catégories peut ensuite être subdivisée en divers types de plaines, de collines et de montagnes. La figure 28.1 présente les types majeurs de reliefs.

Les termes *plaine*, *colline*, *montagne* et *plateau* possèdent chacun une signification généralement admise. Cependant, il est nécessaire de les définir avec plus de précision afin de pouvoir les utiliser comme base d'une classification de reliefs. Il est assez facile de faire la distinction entre divers types de climats parce que les caractères que tous les climats ont en commun, comme la température et les précipitations, sont très précis et peuvent être mesurés avec exactitude. Par contre, les reliefs ne possèdent qu'un petit nombre de caractéristiques qui peuvent être distinguées et mesurées. En outre, le fait qu'il ne semble pas souvent exister de tendance dans les différences entre les formes de terrain d'un endroit à l'autre, complique davantage l'étude de ces dernières. On pourrait même affirmer qu'il n'existe pas deux régions qui présentent exactement les mêmes caractéristiques quant aux formes de terrain. La description systématique de régions différentes et comportant des reliefs très variés nécessite l'utilisation d'une méthode précise.

L'étude des reliefs s'effectue généralement à partir de cartes topographiques ou hypsométriques. La majeure partie des travaux d'analyse présentés aux pages suivantes s'appuie sur ces cartes. Les photographies aériennes et d'autres techniques de télédétection facilitent aussi grandement l'étude des formes de terrain. Bien entendu, les travaux sur le terrain sont aussi importants (dans les cas où c'est possible). Bon nombre de techniques utilisées pour cette étude des reliefs sont expliquées à l'annexe sur les cartes et la cartographie. La section portant sur les courbes de niveau doit être complètement assimilée avant d'aborder l'information présentée ci-dessous.

La classification des reliefs

Bien qu'il existe bon nombre de différences distinctives entre les reliefs de deux régions données, ces différences peuvent être regroupées dans quatre catégories principales, c'est-à-dire la pente, les matériaux de surface, les dimensions et la disposition.

La pente

La pente est définie comme le nombre de degrés d'inclinaison de la surface du sol par rapport à l'horizontale. Dans le présent ouvrage, les différentes catégories de pente sont définies de la façon suivante: une pente *douce* possède un angle inférieur à 4° par rapport à l'horizontale; une pente *modérée*, un angle variant entre 4° et 10°; et une pente *raide*, un angle supérieur à 10°. La méthode utilisée pour calculer l'inclinaison est décrite à la page 334. Les différentes zones de terrain incliné dans une seule région donnée peuvent être représentées sur une carte thématique simple. (Ces cartes, décrites à la page 335, visent à renseigner sur un seul sujet, par ex., les différentes zones d'inclinaison, le réseau hydrographique etc.)

Bien qu'une zone donnée puisse présenter plusieurs pentes différentes, il est probable qu'un seul type soit prédominant. Par exemple, la majeure partie de la surface de régions montagneuses comporte des terrains en pente raide. Certaines parties du terrain, particulièrement les

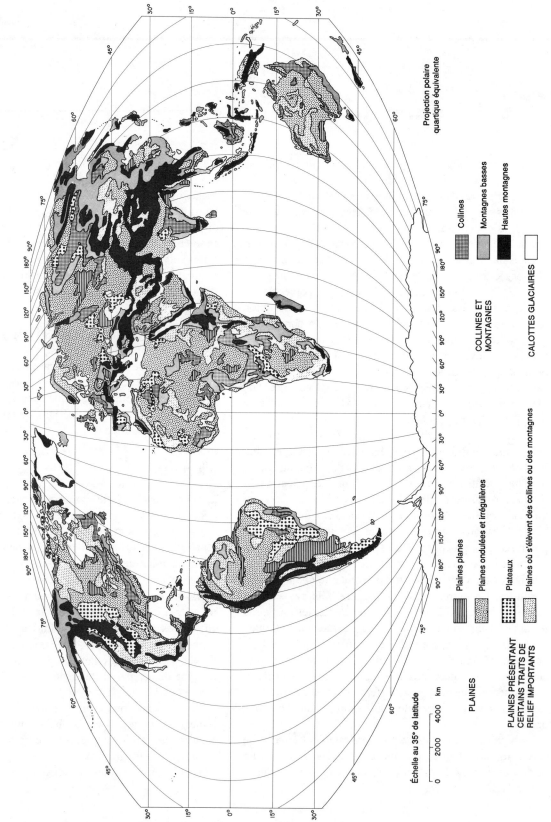

Échelle au 35° de latitude

0   2000   4000   km

PLAINES

Plaines planes

Plaines ondulées et irrégulières

Plateaux

PLAINES PRÉSENTANT CERTAINS TRAITS DE RELIEF IMPORTANTS

Plaines où s'élèvent des collines ou des montagnes

COLLINES ET MONTAGNES

Collines

Montagnes basses

Hautes montagnes

CALOTTES GLACIAIRES

Projection polaire quartique équivalente

Fig. 28.1 Reliefs de la Terre.
(D'après Trewarth, Robinson et Hammond, *Fundamentals of Physical Geography*.)

vallées, peuvent présenter des pentes douces, tandis que d'autres ont une pente modérée.

Les matériaux superficiels

Lorsque l'on étudie un paysage, il est important de prendre en considération la nature des matériaux de surface, particulièrement lorsqu'il ne s'agit pas de sol. Les principaux types de matériaux superficiels sont le sol, le régolite, la roche-mère, le marécage, l'eau libre et la glace. Les cartes hypsométriques ou topographiques ne sont que d'une utilité limitée pour distinguer un type de matériel superficiel d'un autre. Les photographies aériennes constituent la meilleure source d'information dans les cas où l'observation directe de la région est impossible. Une carte thématique simple peut indiquer les secteurs où il existe des variations considérables dans la région.

Les dimensions

Toute description d'un paysage, qu'il s'agisse d'un texte ou de cartes, doit inclure une indication de la taille des reliefs. Les dimensions sont graduées à la verticale (c.-à-d. les variations d'altitude ou de hauteur) et les mesures sur le plan horizontal (c.-à-d. les variations de largeur ou de superficie).

Les différences verticales peuvent être exprimées en altitudes au-dessus du niveau de la mer, ou en grandeurs relatives dans le contexte local. La locution *relief local* désigne la différence d'altitude entre le point le plus élevé et le point le plus bas dans une région particulière. En conséquence, le relief local sert à indiquer la hauteur des crêtes, des sommets de collines ou des bas-plateaux au-dessus du fond des vallées adjacentes.

Les profils montrent l'apparence d'un terrain en coupe transversale. Ils sont utiles pour indiquer les différences de relief local ainsi que la *superficie* du terrain dans chaque catégorie de pente. Les profils aident à visualiser le terrain lorsque la disposition des courbes de niveau sur une carte embrouille la perception. Un ou deux profils sont généralement suffisants pour fournir une impression globale. Cependant, des profils supplémentaires peuvent être nécessaires dans le cas d'une région qui comporte des reliefs complexes. Ces profils illustrent la forme de caractères comme les crêtes, les escarpements et les vallées ou les gradients le long des cours d'eau.

Les dimensions horizontales indiquent l'espacement et la superficie de diverses formes de relief. Par exemple, il faut mesurer le terrain de façon à établir la distance entre les cours d'eau, la largeur des vallées, la distance entre les pics ou les crêtes, l'étendue de marécages et de bandes de terrain en pente douce ou fortement inclinées.

La disposition

Trois caractéristiques des reliefs viennent d'être examinées. Il faut maintenant élaborer une méthode générale pour décrire l'agencement de ces caractéristiques dans une région donnée.

Lorsque les caractéristiques d'une région entière sont assez uniformes, ou que le paysage est simple (comme une plaine plane ou légèrement ondulée), la description consiste en un bref résumé des caractères essentiels. Dans bon nombre de cas cependant, le paysage présente des variations considérables d'une section à l'autre. Par exemple, un secteur peut être caractérisé par un terrain doucement ondulé abritant des vallées fluviales peu profondes et de nombreuses zones mal drainées. Un autre secteur peut présenter une surface irrégulière où s'élèvent des collines basses, bon nombre de petites différences de relief local, des zones assez étendues de terrain en pente modérée, et des vallées profondes en forme de «V». Enfin, un troisième secteur peut être constitué par le versant abrupt d'un escarpement. (Il ne s'agit que de trois possibilités parmi une gamme illimitée.) Lorsque de telles variations sont présentes, il est nécessaire de les illustrer sur une carte thématique simple afin de décrire les caractéristiques de chaque secteur de même que leur relation.

Explication

Après avoir terminé la description, on peut vouloir connaître les processus tectoniques et les processus de transformation progressive qui ont formé ces types de relief. Il n'est pas toujours facile d'identifier les forces particulières qui ont contribué à la formation du relief. En cas de doute, dresser la liste d'explications possibles. Il arrive souvent, après l'examen de plusieurs choix, que l'un d'entre eux apparaisse plus logique que les autres.

Étude 28-1

1. Dresser une carte-croquis développant un thème unique afin d'illustrer les différentes catégories de pente dans la région représentée à la figure 25.10. Estimer le plus précisément possible la superficie du terrain dans chacune des trois catégories.
2. Dresser une carte-croquis montrant les différents types de matériaux de surface représentés à la figure 25.10. On peut supposer que les pentes plus raides sont recouvertes par une mince couche de régolite, et qu'à la surface des terrains les plus abrupts, la roche-mère est exposée.
3. a) Décrire les principales différences de relief local dans la région représentée à la figure 25.10.
b) Préparer un ou deux profils de la figure 25.10 d'ouest en est. De plus, tracer plusieurs petits profils s'étendant à travers différentes parties de la vallée, ainsi qu'un profil indiquant le gradient du ruisseau Brooms ou du ruisseau Ryans.
c) Quelle est la superficie représentée sur la carte? À l'aide d'un nombre raisonnable de mesures, estimer la largeur moyenne de chaque vallée et de chaque interfluve.
4. Quelles configurations perçoit-on dans la disposition des reliefs représentés à la figure 25.10? Résumer les principales caractéristiques de ce paysage particulier. Indiquer comment la région pourrait être divisée en sections sur une carte à information unique, chaque section possédant ses caractéristiques distinctives.
5. Expliquer le mieux possible les forces responsables de la transformation du paysage représenté sur la carte.

Définitions des types de reliefs

Il est possible d'élaborer des définitions assez précises des quatre types de reliefs, basées sur la pente, les matériaux superficiels et les dimensions. Les définitions ne font pas intervenir l'agencement sur le terrain à cause de la multitude de variations qui peuvent être observées à l'intérieur de chacun des types majeurs de reliefs.

Les plaines

Les plaines sont caractérisées par un relief local bas, des surfaces planes ou légèrement ondulées. Étant donné que l'amplitude du relief local peut atteindre jusqu'à 80 et même 100 m, il est incorrect de prendre pour acquis que les plaines sont planes.

On estime que les plaines représentent environ 55 pour cent des continents. Elles ont pu être formées de maintes façons. Une *plaine discordante* est créée lorsque des structures produites par des forces tectoniques sont nivelées par l'érosion. Il existe une différence marquée entre la surface assez plane produite par les forces de transformation progressive et la structure rocheuse complexe sous-jacente qui a été modifiée par les plissements et les failles. Bon nombre de régions de bouclier constituent des exemples de ce type de plaine, notamment les boucliers baltique et canadien et la ceinture Piedmont des Appalaches.

Le second type de plaine est la *plaine concordante*. Elle se caractérise par une similitude de matériaux de surface et des couches sédimentaires sous-jacentes, qui peuvent être horizontales ou légèrement déformées. Les matériaux superficiels de ces plaines ont été déposés au fond d'anciennes mers. Après la disparition des mers, les matériaux exposés ont été modelés par les agents de transformation progressive. Certaines plaines sont très planes et présentent des matériaux de surface qui sont surtout un produit de dépôts fluviaux. La plaine côtière du golfe du Mexique en constitue un exemple. D'autres plaines ont été soulevées ou légèrement déformées. En conséquence, les forces de transformation progressive ont entaillé les couches sous-jacentes et créé des vallées plus profondes, des escarpements et, généralement, un type de surface beaucoup plus accidentée. La plaine du bassin de Paris en est un exemple (fig. 22.7).

Comme il est indiqué à la figure 28.1, les plaines peuvent être subdivisées en deux types: planes et ondulées ou irrégulières.

Les plaines planes

La plupart des plaines planes ont été formées par des dépôts fluviaux ou par sédimentation au fond des lacs et des mers. Dans ce dernier cas, les lacs sont disparus ou le fond de la mer a été soulevé. Ces plaines présentent de très faibles variations de relief local et des pentes extrêmement douces. Deux facteurs sont responsables de ce phénomène soit, d'abord, le type de dépôts accumulés à cet endroit et, en second lieu, le fait que la surface de ces dépôts s'élève rarement à plus de quelques mètres au-dessus du niveau de base actuel. De bons exemples des divers reliefs qui peuvent être observés sur une plaine sont situés sur le terrain autrefois occupé par le lac glaciaire Agassiz au Dakota Nord et dans le sud du Manitoba (voir fig. 26.8). Bien que cette plaine soit généralement plane, des cours d'eau y ont creusé des vallées très peu profondes. Les dépôts de sable et de gravier, qui formaient des plages sur les rives du lac Agassiz, brisent également l'uniformité de la surface.

Considérer les plaines planes comme des zones sans reliefs serait une erreur. Le modelé existant dépend des activités tectoniques responsables de la création de la plaine, ainsi que des processus de transformation progressive qui s'exercent à la surface de cette plaine.

Les plaines ondulées ou irrégulières

La plaine plane constitue souvent une petite section d'une plaine beaucoup plus étendue dans laquelle la majeure partie du paysage est ondulé ou irrégulier. Bien que les plaines ondulées ou irrégulières soient très différentes les unes des autres, elles partagent certains traits. Ces dernières sont généralement associées au relief local et au degré d'inclinaison. Cependant, il existe des écarts considérables d'altitude. Les agents de transformation progressive sont à l'origine de bon nombre de différences tant dans les matériaux de surface que dans la disposition des formes de terrain.

L'eau de ruissellement constitue le principal agent de transformation progressive responsable du modelé complexe des plaines ondulées ou irrégulières, comme il l'est pour les plaines planes. L'érosion par l'eau de ruissellement est plus importante que la sédimentation à laquelle cette eau contribue. L'effet de l'eau de ruissellement a été compliqué, et quelquefois surpassé, par d'autres agents de transformation progressive. La glaciation en est l'exemple le plus remarquable de ce phénomène. De vastes régions des continents septentrionaux doivent leur apparence actuelle aux effets tant de la glaciation que de

l'eau de ruissellement, comme le montre les figures 26.3 et 26.5. Des sections plus petites de plaines régulières présentent des reliefs complexes qui sont l'oeuvre du vent et des mouvements de masse.

Étude 28-2

1. Sous les rubriques a) plaines alluviales et deltas, et b) plaines côtières et plaines lacustres, nommer quelques-unes des principales plaines planes dans le monde, qui apparaissent à la figure 28.1. Lorsque l'appellation d'un relief n'est pas évidente, indiquer l'emplacement en mentionnant le nom d'une masse d'eau ou d'un pays adjacent, ou encore la latitude et la longitude.

2. À l'aide des connaissances acquises sur les processus responsables de la création des reliefs, expliquer a) comment les cours d'eau contribuent au dépôt de matériaux en quantité suffisante pour former une plaine alluviale, et b) comment les sédiments déposés constituent des surfaces planes au fond des lacs et à certains endroits côtiers.

3. Dessiner une carte basée sur les figures 25.14 et 25.15. Décrire l'utilisation des terres dans la région représentée en incluant autant d'information que possible. On peut obtenir certains renseignements sur l'agriculture, la végétation, le transport et le peuplement en examinant la figure 25.15. Jusqu'à une limite raisonnable, justifier les utilisations des terres en établissant un rapport entre ces modes d'utilisations et les reliefs caractéristiques de ce type de plaine.

4. Bon nombre de plaines alluviales et de deltas constituent d'importantes terres agricoles qui soutiennent de grandes populations.

a) Avancer des raisons qui expliqueraient pourquoi le delta et la plaine alluviale du Mississippi ne sont pas aussi densément peuplées que certaines plaines eurasiennes.

b) Comment les Hollandais ont-ils exploité les deltas du Rhin et d'autres cours d'eau?

5. À l'aide de la figure 28.1, nommer et localiser les grandes plaines ondulées ou irrégulières du monde. Décrire l'emplacement que chaque plaine occupe en mentionnant le continent où elle se trouve et l'océan qui la borde.

6. Après examen de quelques exemples précis aux figures 25.13, 26.9 et 26.11, décrire les caractéristiques des plaines ondulées ou irrégulières par rapport à l'inclinaison et au

relief local. Indiquer (le cas échéant) toutes les variations notables dans les reliefs entre les différentes plaines ondulées ou irrégulières utilisées comme exemples.

7. Dresser la liste des plaines dont les traits caractéristiques complexes sont le résultat:

a) de l'érosion par la glace et les eaux de surface;

b) des dépôts d'origine glaciaire et de l'érosion par les eaux superficielles;

c) de l'érosion par les eaux superficielles;

d) des dépôts par les eaux superficielles;

e) de l'érosion et des dépôts par le vent.

Plateaux et plaines où s'élèvent collines ou montagnes

Les plateaux sont des régions où la majeure partie du terrain est en pente douce à une altitude relativement élevée (plus de 100 m au-dessus du niveau de la mer). Cette forme de relief résulte souvent d'un soulèvement *en masse*, comparativement récent, d'une région étendue, ou d'un épanchement de lave sur une vaste zone. Les plateaux se distinguent des plaines par leur relief local modéré à élevé.

Fig. 28.2 Une partie du plateau Colorado entaillée par la vallée du Petit Colorado.

Fig. 28.3 Plaines où s'élèvent des collines et des montagnes au nord-ouest de Las Vegas au Nevada. Comment les collines et les crêtes au premier plan ont-elles été formées?

En effet, les plateaux sont généralement entaillés par des vallées profondes, ou séparés en différents niveaux par des escarpements en gradins.

En général, un plateau constitue un terrain entaillé à la phase de la jeunesse (voir pages 264-265). Après une longue période, ce terrain est davantage entaillé par les eaux de surface, créant un paysage ondulé, beaucoup plus irrégulier. Cependant, sur bon nombre de plateaux, les eaux superficielles entaillent le terrain très lentement parce que leur travail est entravé par un ou plusieurs des facteurs suivants: faibles précipitations, couches de surface

résistantes, matériaux de surface perméables.

Étude 28-3

1. À l'aide de la figure 28.2, décrire par un texte et des diagrammes les caractéristiques des plateaux.
2. À l'aide de la figure 28.1, citer des exemples de plateaux dans différentes parties du monde. Pourquoi la superficie totale de ce relief sur la planète est-elle très inférieure à la plupart des autres types?

3. Mis à part quelques événements tectoniques occasionnels qui engendrent les failles et les volcans, la majeure partie du paysage sur un plateau est le résultat de divers processus de transformation progressive.

a) Pourquoi les rivières qui ont creusé des vallées ou des canyons profonds, n'ont-ils pas entaillé leurs affluents sur les bas-plateaux adjacents? Quelle phase de transformation progressive ce processus représente-t-il? Pourquoi trouve-t-on plus fréquemment des plateaux dans les régions semi-humides? Quels autres agents de transformation progressive interviennent dans la formation de ces plateaux?

b) La présence de plateaux peut être le résultat de l'un ou d'une combinaison des facteurs suivants: le soulèvement du terrain ou la coulée de lave à une époque relativement récente; la quantité de précipitations; et la présence d'un substrat rocheux protecteur ou perméable. Expliquer comment chacun de ces facteurs peut favoriser l'émergence d'un plateau.

c) Parmi les reliefs de plateau typiques on compte des canyons, des mesas, des buttes, des mauvaises terres et des talus d'éboulis. Décrire les caractéristiques de chacun de ces reliefs ainsi que les processus qui leur ont donné naissance. Pourquoi les plateaux constituent-ils des barrières efficaces au transport?

Les plaines dans lesquelles s'élèvent des collines ou des montagnes sont des régions aux formes un peu ondulées dont l'élévation est relativement faible et le relief local se situe de modéré à élevé à cause de la présence occasionnelle de collines ou de montagnes.

La formation de ce paysage est due à l'un ou l'autre processus. Constituée à un moment donné de collines ou de montagnes, la surface entière à l'exception de formes de terrain occasionnelles plus résistantes, a pu être nivelée par usure. De vastes régions dans les Guyanes, dans l'est du Brésil et dans certaines parties du centre et de l'ouest de l'Afrique ont été formées de cette façon. Dans ces régions, des roches cristallines très résistantes ont protégé une certaine portion des anciens bas-plateaux. Ces derniers, qui subsistent aujourd'hui sous la forme de collines, sont entourés d'une plaine d'érosion assez plane. En second lieu, les plaines où s'élèvent des collines ou des montagnes peuvent être le résultat de l'activité tectonique sur la plaine. Dans ce cas, les collines ou les montagnes forment une série de volcans très espacés. On peut aussi observer dans le sud-ouest des États-Unis ce qui semble être une série de blocs soulevés et de blocs faillés inclinés, séparés par de larges vallées.

Collines et montagnes

Les montagnes se distinguent des collines par leur relief local plus élevé, dont la hauteur atteint plus de 600 m. Les pentes de montagne sont souvent raides, avec une inclinaison variant fréquemment entre 10° et 25°. Généralement, les matériaux de surface des montagnes présentent une teneur supérieure en substances rocheuses comparativement aux matériaux superficiels de n'importe quelle autre forme de terrain. Les collines ont des pentes de modérées à raides et un relief local plus important que les plaines. Les régions ondulées comportent une plus grande proportion de terrain en pente douce que les zones montagneuses.

L'apparence des montagnes reflète leur origine tectonique. Les processus tectoniques ont soulevé des sections de l'écorce terrestre des milliers de mètres au-dessus du niveau de base. Une région montagneuse peut avoir été soumise au plissement, à la fracturation et au volcanisme. En outre, elle a pu être soulevée maintes fois au cours d'une période s'étendant sur des dizaines de millions d'années. Par exemple, l'on croit que les Rocheuses ont connu trois soulèvements majeurs depuis leur formation au début de l'ère cénozoïque. Il est probable que d'anciennes montagnes avaient été usées avant le dernier soulèvement il y a seulement quelques millions d'années. Les pics des montagnes actuelles représentent certains des vestiges les plus élevés de ces anciennes montagnes. En conséquence, tous les systèmes montagneux majeurs sont le résultat d'un soulèvement relativement récent à l'échelle des temps géologiques (c'est-à-dire au cours des quelques derniers millions d'années).

Traits de surface des collines et des montagnes

La structure des montagnes et des collines est très complexe. Dans n'importe quel groupe de collines ou de montagnes, il arrive souvent qu'un certain nombre de processus tectoniques différents se produisent plusieurs fois au cours

Fig. 28.4 La plupart des traits caractéristiques des montagnes recouvertes de glaciers peuvent être observées dans cette photographie d'une partie du mont Logan dans le territoire du Yukon.

d'une période s'étendant sur plusieurs millions d'années. Cependant, les processus de transformation progressive sont responsables de la plupart des formes complexes du relief montagneux. La complexité de ces formes de relief est l'aspect qui intéresse le plus les géographes. En conséquence, la compréhension des processus de formation des montagnes est moins importante pour le géographe qu'elle ne l'est pour le géologue.

Dans certains cas cependant, il existe encore des indices de l'origine des montagnes ou des collines. Ces caractères comprennent la disposition linéaire de crêtes et de vallées représentant les synclinaux et les anticlinaux initiaux (voir page 228); une ligne de crête ininterrompue formée par un bloc faillé incliné; et, des chaînes montagneuses assez communes plus ou moins parallèles et séparées par des vallées profondes ou des ravins. On peut généralement reconnaître les montagnes volcaniques par leur structure même lorsqu'elles font partie de systèmes montagneux complexes.

Bien que les collines ressemblent aux montagnes de maintes façons, elles s'en distinguent habituellement par leur relief local bas et leur altitude généralement inférieure. Il est difficile et de peu d'intérêt de présenter des caractères particuliers qui permettraient de distinguer les hautes collines des montagnes basses. Cependant, il serait plus exact de classer parmi les montagnes les formes de relief dont l'élévation est généralement supérieure à 600 m.

Comme les montagnes, les collines sont un produit des activités tectoniques. Bien que les collines peuvent apparaître comme des montagnes usées et nivelées, c'est rarement le cas. Il est probable que la plupart des collines ont été formées à la suite d'un soulèvement modéré de la croûte terrestre. Les collines sont trop basses pour que les agents de transformation progressive (particulièrement l'eau de ruissellement) aient eu la possibilité de produire de grandes différences dans le relief local. Le système de crêtes et de bassins des Appalaches, représenté à la figure 22.8, constitue un exemple d'une région de collines.

Étude 28-4

1. On utilise les termes suivants pour décrire ou désigner les montagnes: pic, cime, chaîne, système, groupe, ligne de crête et cordillère. À l'aide d'une source autre que le présent ouvrage, expliquer la signification de ces termes.
2. Sur une carte muette du monde, indiquer en gros traits les principales régions montagneuses. Identifier les chaînes les plus importantes et indiquer certaines des plus hautes altitudes. La plupart des chaînes de montagnes les plus élevées ont été formées au cours de l'ère cénozoïque. Comment explique-t-on leur grande altitude?
3. En plus d'être impropres à l'établissement de grandes populations, les montagnes agissent aussi comme des barrières entre diverses parties du monde. Certains des défilés de montagnes indiqués ci-dessous ont déjà été d'une grande importance pour le déplacement des personnes et des biens entre les diverses régions, et le sont encore. Sur la carte muette utilisée en rapport avec la question deux, indiquer au moyen de flèches les cols dans les chaînes de montagnes et nommer les régions qu'ils relient: les défilés au Panama et au Nicaragua; l'isthme de Tehuantepec; le corridor du Wyoming (piste de l'Oregon); la barrière de Dzungarie (sud-est du lac Balkhash dans la C.E.I.); les cols du Rhône et de Carcassonne; les défilés Brenner, Simplon et Saint-Gotthard dans le nord de l'Italie; les défilés Khyber et Bolan entre l'Afghanistan et le Pakistan; et les cols du Nid-de-Corbeau et du Cheval-qui-rue au Canada.
4. Il est évident que les montagnes constituent la forme de terrain la moins habitable. Néanmoins, elles sont importantes pour l'homme de diverses façons. Expliquer.
5. Examiner la photographie du mont Logan à la figure 28.4. Quels indices de l'origine de ces montagnes y discerne-t-on? Quelles sont les forces responsables des caractéristiques superficielles du mont Logan?
6. La figure 25.10 présente une région de collines.
a) Le classement de ces reliefs dans la catégorie des collines présente certaines difficultés. En fait, la région pourrait être considérée comme une plaine irrégulière à une altitude élevée ou comme un plateau. Commenter ce problème de classification. Avec le temps (à l'échelle géologique), ce problème sera probablement résolu. Expliquer.
b) L'appellation officielle d'un secteur de cette région est «Montagnes du Cap Anguille». Pourquoi est-il incorrect de considérer ces formes de terrain comme des montagnes? Il existe bon nombre d'endroits dans d'autres parties du monde où des collines sont considérées comme des montagnes et vice-versa. Expliquer.

La fabrication de cartes remonte aux débuts de la civilisation. En fait, même avant que l'homme puisse écrire, il traçait des croquis grossiers sur le sol pour montrer l'emplacement d'endroits ou d'objets, ou les directions qu'il considérait comme importantes. À mesure que les données sur la Terre se sont accumulées, et que le besoin de communiquer ces données s'est accru, les cartes sont devenues plus complexes et plus précises. Cependant, ce n'est que lorsque les premiers satellites ont photographié les continents de la Terre que l'homme a pu observer de vastes régions de la planète, démontrant l'extraordinaire exactitude de ses cartes.

La cartographie comprend la préparation de cartes planes (plan), de mappemondes, de modèles et de diagrammes, qui servent tous à représenter l'ensemble de la Terre ou une de ses parties. Le géographe s'intéresse beaucoup à ces représentations, surtout sous forme de cartes car elles constituent l'un des outils les plus importants utilisés pour la description et l'interprétation des éléments changeants de la planète. Afin de pouvoir apprécier les cartes et les utiliser, il est essentiel que le géographe ait au minimum une connaissance de base de la cartographie. L'information essentielle d'une carte comprend les données de base suivantes:

• l'échelle ou le rapport superficie-distance entre la carte (ou mappemonde) et la partie de la Terre que la carte représente;
• la méthode de localisation par la latitude et la longitude;
• les moyens utilisés pour indiquer la direction;
• le type de projection utilisé pour présenter la forme sphérique de la Terre sur une surface à deux dimensions comme la carte;
• les symboles ou indications cartographiques servant à représenter différentes caractéristiques de la Terre.

L'échelle

Les cartes et les mappemondes représentent la Terre ou ses parties sous une forme réduite. Une longueur sur une carte ou une mappemonde, et sa relation avec la même distance sur la Terre, est exprimée dans un rapport appelé *échelle*. Par exemple, une mappemonde dont le diamètre est de 60 cm, qui représente la Terre dont le diamètre est d'environ 12 880 km, aura une échelle de 60 à 1 288 000 000 (12 880 x 1 000 x 100) ou, plus simplement, 1 à 21 466 666 ou 1:21 466 666 (1 288 000 000 ÷ 60). Ce rapport peut également s'exprimer de la façon suivante: 1/21 466 666, ce qui signifie qu'une unité linéaire sur la mappemonde représente 21 466 666 unités linéaires semblables sur la Terre. Le rapport est généralement arrondi pour donner l'échelle 1:21 500 000. Les unités de l'échelle peuvent représenter n'importe quel type de grandeur, soit des millimètres, des centimètres ou des mètres, à condition que la même unité soit utilisée pour les deux grandeurs du quotient. En conséquence, un centimètre représente 21 500 000 cm, ou un millimètre, 21 500 000 millimètres. Ce rapport, ou *échelle numérique* est un mode courant d'indication de l'échelle.

Afin de relier des mesures effectuées sur une mappemonde ou une carte, à des mesures du monde réel, il est généralement nécessaire de convertir le rapport en une *échelle verbale*. Dans le cas d'une mappemonde dont l'échelle numérique est de 1:21 500 000, la conversion serait de 1 cm à 215 km (21 500 000 ÷ 100 000, le nombre de centimètres dans un kilomètre). On aurait pu obtenir ce résultat plus directement à partir du rapport initial (60 cm à 12 800 km), en divisant les deux grandeurs par 60. En conséquence, un centimètre sur la mappemonde représente 215 km sur la Terre. Cette méthode est plus facile à comprendre lorsque l'on travaille avec des échelles adaptées aux plans d'immeubles. Les plans de maisons sont souvent tracés à l'échelle de 1:10 ou 1:12, représentant 1 cm pour 10 ou 12 cm, ce qui est facilement compris et visualisé.

L'échelle peut aussi être exprimée d'une troisième façon en utilisant une ligne graduée en unités sur une carte représentant des distances sur le terrain. Cette échelle *linéaire ou graphique* (voir l'échelle à la figure A.9) est utile parce qu'il est possible de mesurer des distances

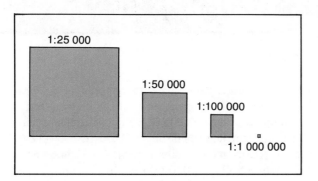

Fig. A.1 Une superficie d'environ 625 m x 625 m sur la Terre telle qu'elle apparaît sur des cartes dressées à des échelles différentes. La taille des cartes représentant le même secteur sur la Terre varie comme le carré du rapport de leurs échelles linéaires.

directement sur une mappemonde ou une carte. Une paire de compas (ou divers autres instruments de mesure) s'écartent et permettent de marquer la distance entre deux points sur la carte. Le compas est fixé et déplacé jusqu'à l'échelle linéaire pour déterminer la distance entre ces deux points.

De même que les distances sur une carte ou une mappemonde présentent une relation à l'échelle avec les distances sur la Terre, les régions sur une carte ont une relation à l'échelle avec les régions réelles sur la Terre. Si l'on suppose une échelle cartographique de 1:50 000, une *unité carrée* sur la carte représente 2 500 000 000 unités carrées sur la Terre (l'échelle numérique est au carré). Une raison de ce calcul peut être observée en comparant deux cartes, chacune mesurant 10 cm x 10 cm, l'une à l'échelle de 1:25 000, l'autre à l'échelle de 1:50 000. On peut constater d'après le simple calcul susmentionné que la carte à l'échelle de 1:25 000 ne couvre qu'un quart de la superficie représentée par la carte à l'échelle de 1:50 000. La figure A.1 illustre cette relation entre la superficie et l'échelle.

On dit souvent que les cartes sont à grande ou à petite échelle, mais ces termes peuvent porter à confusion. Les *cartes à grande échelle* sont celles qui sont à l'échelle de 1:1 000 000 ou plus (par ex. 1:250 000, 1:50 000, 1:10 000). Ces cartes, qui représentent une région restreinte de la Terre, sont généralement très détaillées. Par exemple, les cartes topographiques, sont exécutées à grande échelle. Cependant, la plupart des éléments représentés sur ces cartes, comme les routes et les immeubles, ne peuvent être reproduits à l'échelle si l'on veut qu'ils soit reconnaissables. Les cartes sur lesquelles les objets sont représentés exactement à l'échelle, ou presque, sont généralement des *plans* tracés à des échelles de 1:10 000 ou plus.

Les cartes à petite échelle (1:1 000 000 ou moins, par ex. 1:5 000 000, 1:8 000 000) montrent des régions relativement vastes de la Terre sur une seule carte. On les trouve généralement dans les atlas et les livres. Bon nombre d'entre elles sont des cartes *thématiques* qui, en raison de leur petite échelle, ne présentent qu'une gamme limitée d'information.

Étude A-1

1. Lorsque l'on prend des mesures sur une carte, l'échelle numérique n'est pas particulièrement utile jusqu'à ce qu'elle ait été convertie en échelle verbale. Si cette conversion est nécessaire, pourquoi utilise-t-on les échelles numériques? Convertir chacune des échelles numériques indiquées ci-dessous en échelle verbale.
1:316 000; 1:10 000; 1:63 000 000; 1:50 000; 1:8 000 000; 1:1 056.
2. Déterminer l'échelle numérique pour les échelles suivantes: 1 cm pour 10 km; 1 cm pour 200 km; 4 cm pour 1 km; 1 mm pour 100 cm.
3. Tracer une échelle linéaire en kilomètres pour une échelle de 1 mm au kilomètre.
4. Sur une carte à échelle inconnue les poteaux de coin d'une clôture droite sont à 2,7 cm de distance. Si la distance réelle qui sépare ces poteaux est de 0,6 km, déterminer l'échelle numérique de cette carte.
5. Une carte est dessinée à l'échelle numérique de 1:1 000. Combien de mètres sur le sol sont représentés par 4,3 cm sur la carte?
6. Une propriété de 5 km x 5 km est représentée sur deux cartes différentes, l'une à l'échelle de 1:50 000 et l'autre, à l'échelle de 1:200 000. Déterminer les dimensions et la superficie de cette propriété sur les deux cartes (en centimètres et en centimètres carrés). Combien de fois plus grande apparaît-elle sur la carte à plus grande échelle?
7. Il y a quelques années, le Service national de topographie du Canada a modifié les échelles cartographiques sur les

cartes de leur série topographique. Par exemple, la série de cartes à l'échelle de 1:63 360 a été convertie en cartes à l'échelle de 1:50 000. Pourquoi ce changement a-t-il été effectué?

Latitude et longitude

Afin de déterminer l'emplacement exact de n'importe quel endroit sur une carte ou une mappemonde, il est nécessaire d'utiliser une grille ou un réseau de lignes imaginaires qui se croisent à angle droit. Il est impossible de décrire l'emplacement d'un point à la surface d'une balle sans y tracer des lignes qui, bien entendu, doivent partir d'un endroit précis, ou point de référence. Étant donné que la Terre est une sphère en rotation, ses points de référence les plus pratiques sont les deux extrémités de son axe, c'est-à-dire les pôles. (L'*axe* est une ligne imaginaire qui traverse la sphère terrestre d'un pôle à l'autre, et autour de laquelle la Terre effectue une rotation.)

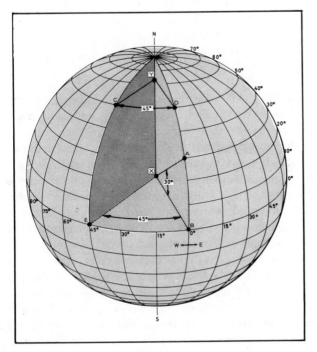

Fig. A.2 Une portion de la Terre a été retirée afin d'illustrer les angles utilisés pour identifier les parallèles et les méridiens.

En utilisant les pôles comme points de référence, deux lignes de base ont été créées. La première, l'*équateur*, est une ligne joignant tous les points de la surface de la Terre qui sont à mi-chemin entre les pôles. L'équateur divise la Terre en deux moitiés égales. La seconde ligne de base pourrait être n'importe quelle ligne qui s'étend d'un pôle à l'autre. Cependant, à la suite d'un accord international en 1884, on a choisi la ligne qui passe par l'observatoire royal de Greenwich en Angleterre. Cette ligne est le *méridien d'origine*.

En utilisant ces lignes comme base, on a établi une grille de lignes imaginaires. Les *parallèles de latitude* sont des lignes parallèles à l'équateur, qui s'étendent d'est en ouest. Ils situent des points géographiques au nord ou au sud de l'équateur. Les *méridiens de longitude* sont des lignes qui s'étendent dans l'axe nord-sud. Ils situent des endroits à l'est ou à l'ouest du premier méridien et, comme ce dernier, relient les deux pôles. Les deux types de lignes se coupent à angle droit.

On a attribué une valeur numérique à chaque ligne. Le moyen d'identification le plus approprié à la surface d'une sphère est un système de mesure basé sur les angles. Un cercle ou une rotation complète = 360° (degrés); 1° = 60' (minutes) et 1' = 60" (secondes). Ce concept est plus facile à comprendre lorsqu'il est appliqué à un diagramme comme celui de la figure A.2. Les lignes parallèles à l'équateur ont la valeur de l'angle que forme une ligne tirée à partir de n'importe quel point sur le parallèle jusqu'au centre de la Terre et qui revient le long du plan équatorial. Par exemple, l'angle AXB à la figure A.2 est de 30° et identifie le 30e parallèle N.

Les parallèles de latitude sont identifiés par leur rapport angulaire à partir de l'équateur dans l'axe nord-sud. De même, tout méridien de longitude a la valeur de l'angle que forme une ligne tirée de n'importe quel point le long du méridien jusqu'à l'axe et qui revient à un point sur le premier méridien à la même latitude. Par exemple, les angles EXB et CYD à la figure A.2 sont tous deux de 45° et identifient le méridien 45° de longitude O. En conséquence, les méridiens de longitude sont reconnus par leur rapport angulaire à partir du méridien d'origine dans l'axe est-ouest.

L'emplacement de n'importe quel point sur la Terre peut être décrit au moyen du parallèle de latitude et du méridien

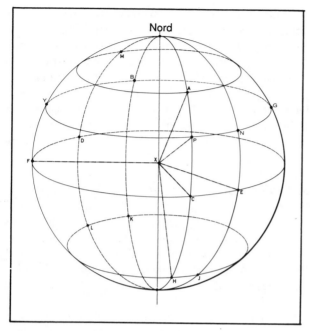

Nord

Fig. A.3

de longitude, qui passent par ce point. Si l'on emploie les degrés, les minutes et les secondes, la localisation du point sera exacte à quelques mètres près. Afin d'éviter la confusion, l'hémisphère dans lequel les mesures sont effectuées doit être indiqué en mentionnant, après la valeur de la latitude, si ce point est au *nord* ou au *sud* de l'équateur, et après la valeur de la longitude, si le point est situé à l'*est* ou à l'*ouest* du premier méridien. Comme il est peu commode d'utiliser les minutes et les secondes, la latitude et la longitude peuvent être exprimées comme des parties décimales d'un degré. Par exemple, la latitude 40°30'N. devient 40,5°N.

Étude A-2

1. Aux fins de cette question, supposer que la Terre a une circonférence de 40 000 km. Toute partie de cette circonférence est un arc (c'est-à-dire une ligne courbe) parce que la Terre est une sphère. Quelle est la longueur de l'arc tracé sur la surface de la planète représentée par un degré de latitude? Peut-on exécuter le même calcul pour un degré de longitude? À quel endroit la longueur d'un degré de longitude est-elle équivalente à la longueur d'un degré de latitude? Justifier la réponse dans chaque cas.

2. Préparer un croquis similaire à celui de la figure A.2 qui illustre les angles identifiant la position 20°N. et 80°O.

3. À l'aide d'un atlas, répondre aux questions suivantes:
a) Déterminer au degré près la latitude et la longitude des endroits suivants: Le Caire, Melbourne, le cap Horn, l'île Pitcairn et le cap Race.
b) Déterminer l'endroit localisé par les positions suivantes: 24°N., 32°45'E.; 35°50'N., 140°E.; 27°S., 109°O.; 75°N., 100°O.; 43°40'N., 79°25'O.; 24°30'N., 54°20'E.?
c) À l'aide de la latitude seulement, déterminer la distance approximative en kilomètres du cap Horn jusqu'au point le plus septentrional de la terre de Baffin; de Lagos à Alger; et de Tokyo à Melbourne.

4. Dans la figure A.3:
   le point A est Greenwich: 50°N., 0° de longitude;
   le point X est le centre de la Terre;
   le point B est du côté opposé de la Terre relativement au point P, et le point D, relativement au point E.
   < CXE = 35°
   < CXH = 65°
   < CXF = 100°
   < CXP = 27°
Déterminer la latitude et la longitude des points B à N.

5. À partir du 13° de latitude N., 150° de longitude O., avancer, sur le plan latitudinal, de 25 degrés vers le sud, et sur le plan longitudinal, de 40 degrés vers l'ouest. Indiquer la latitude et la longitude de la nouvelle position.

6. La plupart des cartes topographiques à grande échelle portent une grille de lignes d'un kilomètre carré (appelée grille universelle transversale de Mercator). Sur les cartes à grande échelle, on peut déterminer l'emplacement et la direction plus facilement et avec plus de précision à l'aide de ce système que si l'on avait recours à la latitude et à la longitude. Les cartes de la série topographique du Canada expliquent le principe de la grille universelle transversale de Mercator. À l'aide de l'une de ces cartes, expliquer le fonctionnement du système, c'est-à-dire, comment l'emplacement est exprimé par un nombre de six chiffres (3 chiffres en abscisse suivis de 3 chiffres en ordonnée).

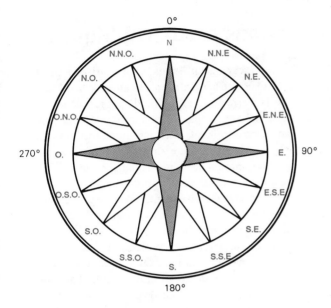

Fig. A.4 Rose des vents.

La direction

On utilise la direction, c'est-à-dire le nord, le sud-est, etc., dans maintes circonstances différentes de la vie quotidienne. En outre, l'homme se sert de la direction de bien d'autres façons lorsqu'il utilise des cartes. Par exemple, à bord d'un navire, le navigateur trace la route à suivre avec une grande précision, particulièrement si le navire voyage dans les eaux côtières. Par contre, une carte routière peut renseigner un voyageur occasionnel sur la direction approximative de son déplacement, par exemple le sud-ouest.

La méthode la plus facile et la plus courante de détermination de la direction sur le terrain fait intervenir la boussole. La direction peut être exprimée en termes de nord, d'est, de sud et d'ouest, comme l'illustre la rose des vents (fig. A.4), ou en degrés dans la détermination du gisement. Les gisements ont évidemment l'avantage d'être plus précis que les unités qui apparaissent sur une rose des vents. En effet, n'importe quelle direction peut être exprimée en gisement, de 0° (Nord) à 359° (un degré à l'ouest du Nord). Bien qu'un degré puisse être divisé en 60' (minutes), et une minute en 60" (secondes), aux fins d'expression de la direction dans la plupart des cas, la lecture au degré près

lecture au degré près est suffisamment précise. Tous les gisements sont lus dans le sens des aiguilles d'une montre à partir de la ligne de référence Nord zéro.

En utilisant une boussole, il ne faut pas oublier que l'aiguille pointe vers le pôle Nord magnétique et non vers le pôle Nord géographique. La différence entre les deux à n'importe quel endroit est la *déclinaison magnétique*. Au Canada par exemple, la déclinaison magnétique présente une variation allant de vingt-cinq degrés environ à l'est du Nord géographique dans les régions de l'extrême ouest du pays, à trente degrés approximativement à l'ouest du Nord géographique à Terre-Neuve. Étant donné que le pôle Nord magnétique se déplace lentement, la déclinaison change un peu chaque année. Les cartes topographiques indiquent généralement la déclinaison magnétique et la modification annuelle (voir fig. A.5).

Pour déterminer la direction sur les cartes, il est courant d'utiliser soit les parallèles et les méridiens (qui indiquent

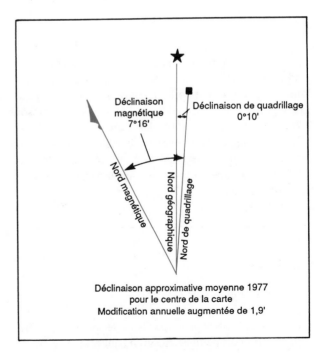

Déclinaison magnétique 7°16'

Déclinaison de quadrillage 0°10'

Nord magnétique

Nord géographique

Nord de quadrillage

Déclinaison approximative moyenne 1977 pour le centre de la carte Modification annuelle augmentée de 1,9'

Fig. A.5 Points Nord. Expliquer la différence entre les trois points Nord.

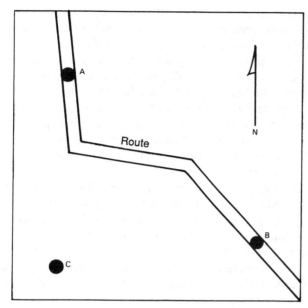

Fig. A.6

Projections cartographiques

Les projections cartographiques sont utilisées pour contourner la difficulté liée à la représentation de la surface sphérique de la Terre sur une feuille de papier plane. La surface d'une sphère ne peut être représentée sur une surface plane sans étirement, rétrécissement, tortillement ou déchirure qui provoquent une distortion de l'information, par exemple les contours des pays. Aucune carte ne peut être absolument exacte. Pour n'importe quelle carte, le type de projection (et, par conséquent, le type de distorsion) employé est déterminé par le but de l'utilisation de la carte. Par exemple, on utilise dans le cas d'une carte du monde illustrant les routes aériennes une projection différente de celle d'une carte montrant la répartition démographique mondiale. Seules les mappemondes ne présentent aucune distortion parce qu'elles constituent des modèles à l'échelle de la sphère terrestre avec une surface courbée semblable, à trois dimensions.

Il existe de nombreux types différents de projections, chacun avec ses caractères propres. Aucune projection ne peut être parfaite, bien que sur les cartes à grande échelle, la distorsion puisse être limitée à la largeur d'une ligne. Le choix d'une projection particulière dépend de l'utilisation, car un type de projection représente certaines caractéristiques correctement (par ex. la forme) tandis que d'autres caractères sont déformés (par ex. la superficie). En conséquence, le travail du géographe consiste à choisir le meilleur type de projection pour satisfaire les exigences géométriques de la carte projetée.

La meilleure façon de visualiser le principe fondamental des projections est d'imaginer une mappemonde en verre où les parallèles et les méridiens apparaissent sous la forme de lignes noires. À l'intérieur de la mappemonde, une petite ampoule électrique au centre de la Terre projette l'ombre des parallèles et des méridiens sur une feuille de papier appuyée sur la sphère. Il est possible d'obtenir maintes projections différentes de cette façon, selon l'emplacement de la lumière et la position ainsi que la forme de la feuille de papier appuyée sur la sphère (fig. A.7). Les projections élaborées à l'aide du principe de la lumière projetée sont des *projections perspectives*.

le Nord géographique), soit les lignes nord-sud du quadrillage (indicatrices du nord de quadrillage comme dans la grille universelle transversale de Mercator mentionnée à la question 6 de l'étude A.2), qui sont fréquemment employées sur les cartes topographiques. Bien que les deux Nords ne soient pas exactement au même endroit (la distance séparant le Nord de quadrillage du Nord géographique peut atteindre jusqu'à trois degrés), ils sont suffisamment rapprochés pour être considérés comme un seul et même point.

Étude A-3

À l'aide d'un rapporteur, exprimer les directions suivantes sur la carte de la figure A.6:
a) les trois directions prises par la route qui relie A à B;
b) la direction d'une ligne rectiligne qui relie A et B;
c) exprimer la direction des lignes A - C et B - C.

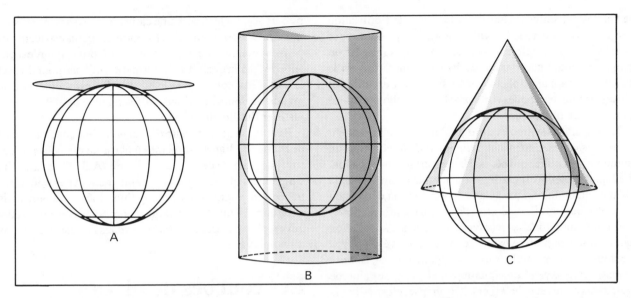

Fig. A.7 Différentes surfaces sur lesquelles le quadrillage terrestre peut être projeté. L'origine des lignes de projection peut être située au centre de la Terre, à un point opposé au point de tangence, ou à l'infini. *A* illustre une projection sur une surface plane; *B*, une projection sur un cylindre; *C*, une projection sur un cône.

On reconnaît trois classes principales de projections perspectives:
- les projections zénithales, dans lesquelles les parallèles et les méridiens sont projetés sur une surface plane;
- les projections cylindriques, dans lesquelles les parallèles et les méridiens sont projetés sur un cylindre;
- les projections coniques, dans lesquelles les parallèles et les méridiens sont projetés sur un cône.

(Bien que ces projections soient classées dans la catégorie des projections perspectives, elles sont généralement modifiées dans une certaine mesure afin de minimiser les distorsions.) Les trois types de projection susmentionnés sont basés sur le principe de la projection des parallèles et des méridiens sur une feuille de papier. Par exemple, tant les cylindres que les cônes peuvent être placés autour de la mappemonde transparente et ensuite étendus sur une surface plane sans aucune distorsion. Ces projections perspectives sont illustrées à la fig. A.7.

Les projections de la classe la plus importante et la plus fréquemment utilisée sont élaborées à l'aide de formules mathématiques. Il ne s'agit pas de projections réelles dans le sens propre du terme. Néanmoins, elles présentent des caractéristiques semblables à celles des projections véritables et servent aux mêmes fins que ces dernières.

Il est essentiel que les géographes puissent évaluer les diverses qualités de chaque projection afin de choisir le type qui convient le mieux à l'utilisation projetée de la carte. Dans le cas des cartes à l'échelle continentale ou planétaire, il est possible de déterminer le type de projection à employer. Examiner d'abord la forme des régions bordées par des parallèles et des méridiens à différentes latitudes sur la *mappemonde*. La comparaison de ces formes à celles des mêmes régions représentées sur la projection, révèle clairement le type de distorsion.

Les symboles

Une carte est la représentation symbolique de la surface de la Terre. La ligne de littoral sur la carte constitue un symbole utilisé pour représenter la limite entre la terre et l'eau. À la surface de la Terre, il ne s'agit aucunement d'une ligne. De même, les villes sont souvent représentées par des carrés ou des cercles. L'information que présentent les cartes est souvent choisie en fonction de l'utilisation projetée de ces cartes. On utilise alors les symboles pour représenter cette information. Une photographie est un simple relevé d'une portion de la Terre vue à travers la lentille d'un appareil-photo. Aucun symbole n'est utilisé et toutes les caractéristiques visibles de la région photographiée peuvent être observées.

La plupart des symboles cartographiques sont facilement reconnaissables. Cependant, la *ligne isoplèthe* constitue un symbole particulier qui nécessite une certaine explication. La ligne isoplèthe est une ligne qui joint les points ayant la même valeur numérique. (Cette appellation est dérivée du grec *isos*, qui signifie égal, et *arithmos* qui signifie nombre.) Les lignes individuelles reçoivent souvent une appellation qui combine le préfixe *iso-* avec un nom dérivé d'un type de donnée, par exemple *isotherme* (température), *isobare* (pression), *isohyète* (précipitations), et *isohypse* (altitude au-dessus du niveau de la mer). L'isohypse, c'est-à-dire la *courbe de niveau* bien connue, sert à montrer les différences d'altitude. En conséquence, la *courbe de niveau* (courbe hypsométrique) est une ligne qui passe par des points ayant la même altitude au-dessus du niveau de la mer. Cette ligne, ainsi que les cartes sur lesquelles elle apparaît, sont examinées à la section suivante.

La différence de valeur entre deux lignes isoplèthes adjacentes sur la même carte constitue l'*espacement*. Lors de la préparation d'une carte comportant des lignes isoplèthes, il faut tenir compte de cet espacement de façon

rigoureuse. La lecture d'une carte où les espacements sont très étroits est plus difficile. En outre, les petits espacements peuvent donner une impression d'exactitude qui n'est pas appuyée par la quantité d'information utilisée pour dresser la carte. Par contre, il se peut que des espacements trop grands ne fournissent pas suffisamment de détails pour justifier l'utilité de la carte.

Il est souvent nécessaire d'*interpoler* lorsque l'on dresse des cartes de lignes isoplèthes à partir de données portées sur une carte comme à la figure A.8. Cela signifie simplement que les lignes isoplèthes ne sont pas seulement tracées en joignant les points d'une même valeur, mais aussi en présentant une relation appropriée avec les valeurs qui sont supérieures ou inférieures dans la mesure de moins d'un intervalle.

Les courbes de niveau

La difficulté associée à la représentation en trois dimensions des terrains de la Terre sur les cartes constitue un important sujet de préoccupation tant pour le cartographe que pour le géographe. Bien que différentes techniques aient déjà été employées, les courbes de niveau, dont l'utilisation remonte au début du 18ᵉ siècle, représentent la technique la plus courante et la plus utile.

La figure A.8 illustre le mode de traçage des courbes de niveau. On remarquera comment les quatre courbes de niveau sont interpolées. L'équidistance des courbes (la différence d'altitude entre des courbes de niveau consécutives) est de 25 m. En s'appuyant sur les points cotés présentés à la figure A.8, quels espacements est-il raisonnable d'accorder en traçant les courbes de niveau pour cette carte: 5 m, 10 m, 50 m ou 100 m?

En traçant ou en interprétant les courbes de niveau, il est important d'avoir en mémoire les quatre règles de base suivantes:
1. Les lignes sont continues; jamais elles ne se croisent ni ne se ramifient.

Fig. A.8

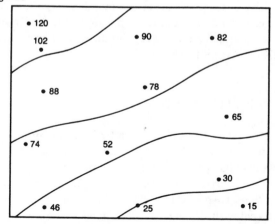

Fig. A.9 Exercice n° 1 des courbes de niveau.
(Adaptation autorisée de l'exercise 6, p. 641, dans Strahler, A.N. *Physical Geography*, 3ᵉ édition. Copyright 1969 par John Wiley & Sons, Inc.)

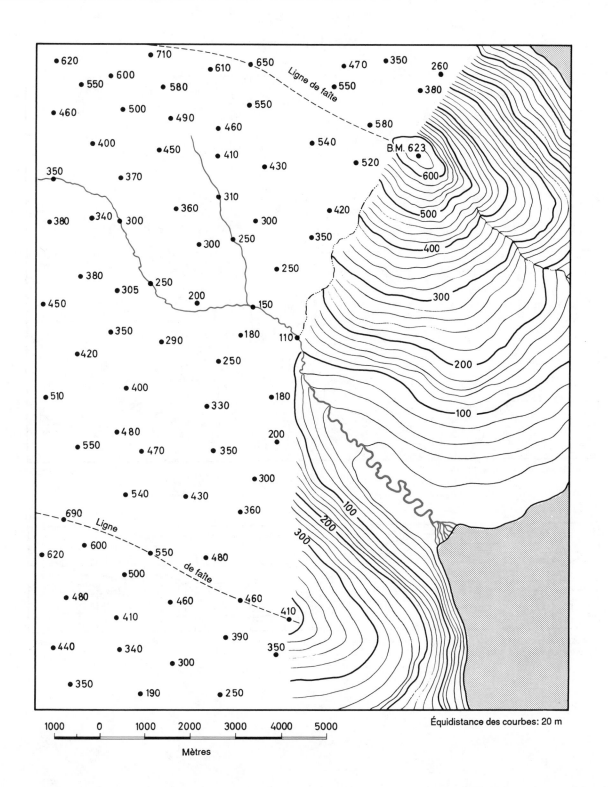

Équidistance des courbes: 20 m

1000   0   1000   2000   3000   4000   5000

Mètres

Fig. A.10

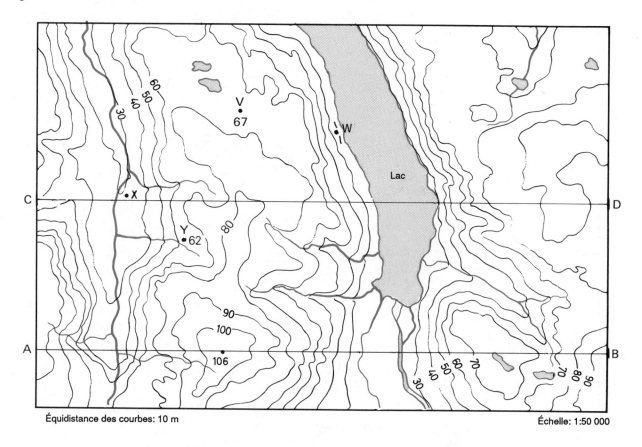

Équidistance des courbes: 10 m

Échelle: 1:50 000

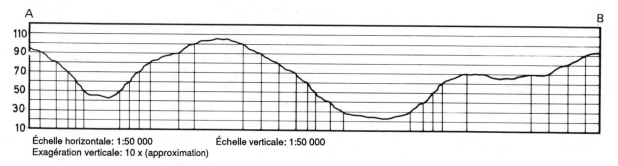

Échelle horizontale: 1:50 000   Échelle verticale: 1:50 000
Exagération verticale: 10 x (approximation)

2. Si une ligne se ferme sur elle-même, cela signifie que le terrain monte à partir du secteur à l'extérieur de la courbe de niveau vers l'intérieur de la courbe.

3. Les lignes qui entourent des dépressions sont marquées d'une façon particulière afin d'indiquer que le terrain à l'intérieur des courbes de niveau est plus bas.

4. Les lignes qui s'approchent des cours d'eau se courbent ou pointent dans la direction de l'amont.

Ces caractéristiques, et d'autres encore, peuvent être observées en examinant le schéma-bloc et la carte hypsométrique à la figure A.10.

Étude A-4

1. À l'aide d'un papier calque, compléter les courbes de niveau de 100 m à la figure A.9.

2. Dresser des cartes hypsométriques, chacune ayant 8 cm² de surface, afin d'illustrer les formes de terrain suivantes:
a) une crête;
b) un escarpement;
c) un cours d'eau dans i) une vallée en forme de «V», et b) une vallée en forme de «U» ou auge;
d) une pente uniforme, concave, convexe.

Les profils

Les profils facilitent considérablement la compréhension des courbes de niveau et la représentation des formes du relief. En conséquence, ils doivent faire partie intégrante de toute tentative d'interprétation d'une carte hypsométrique complexe. Bien que le profil se trace généralement le long d'une ligne droite, il peut aussi être tracé le long de lignes irrégulières comme une route ou un cours d'eau. En général, dans les cas où l'illustration du caractère du terrain est visée (le degré de la pente, la superficie de terrain incliné, l'altitude, etc.), il est préférable de tracer le profil en travers de la structure visible du paysage, c'est-à-dire à angle droit avec la direction générale des courbes de niveau.

Les étapes suivantes s'appuient sur la figure A.10, et expliquent la méthode de traçage d'un profil.

1. Marquer la ligne de profil (AB) sur la carte et la transférer sur une feuille vierge pour former la ligne de base du profil. (Ce profil peut également être exécuté sur du papier ligné ordinaire.)

2. Établir une échelle verticale pour le profil. Il est presque toujours nécessaire d'exagérer l'échelle verticale par rapport à l'échelle horizontale. Le degré d'exagération dépend de l'échelle de la carte et de la nature du terrain illustré. À la figure A.10, où 2,0 mm représentent 10 m, l'exagération est légèrement supérieure à dix fois.

3. Placer le bord d'une section de papier le long de la ligne du profil. Sur cette section, marquer les points A et B, et cocher le point où chaque courbe de niveau touche au bord du papier. Sous chaque point, indiquer la valeur de la courbe de niveau appropriée. Transférer la section de papier à la ligne de base de la coupe transversale, traçant une marque sur la ligne de base face à chaque marque sur la feuille de papier. Ensuite, après avoir noté la valeur de chaque marque, placer un point au-dessus de chacune à la hauteur appropriée selon l'échelle verticale. La ligne qui joint ces points forme le profil. Il est à remarquer que cette ligne n'est pas régulière. Lorsque deux courbes de niveau de même valeur sont adjacentes, comme dans le cas d'une vallée fluviale, la ligne qui les joint n'est pas droite, mais s'incline légèrement, ce qui indique que l'altitude du cours d'eau lui-même est un peu inférieure à celle des deux courbes de niveau adjacentes.

Lorsque l'on peut faire la lecture des courbes de niveau et exécuter des profils au moyen de la méthode susmentionnée, il devrait être possible de tracer rapidement des profils grossiers tout en maintenant un certain degré d'exactitude. Pour ce faire, les échelles verticale et horizontale sont toujours nécessaires. Cependant, les courbes de niveau peuvent être lues directement sur la carte et transférées à vue d'oeil au profil. Seulement les courbes de niveau importantes doivent être utilisées, c'est-à-dire celles qui marquent le sommet des collines ou le bas des pentes.

On peut exécuter un schéma-bloc exact en combinant deux profils adjacents. Les profils doivent être parallèles (ou presque), et de la même longueur. Lorsque l'on combine les deux, il faut prendre soin de disposer l'un de ces profils au-dessus et légèrement à droite de l'autre de façon à pouvoir obtenir un effet tridimensionnel.

Fig. A.11

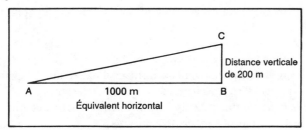

Les gradients

Il est utile de pouvoir calculer l'angle de la pente, ou gradient, à partir d'une carte hypsométrique. La pente est un facteur primordial qui a une influence sur des éléments comme le mode d'utilisation du sol, l'érosion du sol, la répartition du peuplement, et le transport. Dans la plupart des cas, l'angle de la pente est plus important que l'altitude.

L'angle de la pente de n'importe quel terrain incliné peut s'exprimer sous forme de rapport qui, à son tour, se convertit en degrés. Dans le premier cas, (illustré à la figure A.11), la distance verticale entre A et C est portée sur l'équivalent horizontal entre A et B.

$$\frac{\text{Distance verticale}}{\text{Distance horizontale}} = \frac{200}{1\,000} = \frac{1}{5}$$

En conséquence, cette pente est de 1 pour 5, ce qui signifie une élévation de un mètre pour chaque cinq mètres (ou n'importe quelle mesure de distance) le long du plan horizontal.

Afin de convertir ce rapport en degrés, il faut d'abord transformer la fraction en décimale, puis consulter le tableau des tangentes (une version abrégée est présentée à la figure A.12, et les tangentes constituent également une fonction de bon nombre de calculatrices). La valeur de la décimale peut être obtenue en degrés. En conséquence, 1 pour 5 est 0,20, soit environ 11°.

Dans l'étude des profils et des pentes, l'exemple des courbes de niveau pour les surfaces a été utilisé parce que les trois dimensions de la Terre nous sont déjà familières. Bien que d'autres phénomènes physiques et humains présentent des caractéristiques semblables, ces dernières ne sont pas toujours visibles. Par exemple au chapitre 7, on examine les gradients de pression. Il est également possible d'établir des courbes de densité démographique, ou des gradients de température et de précipitations. Tout ce qui

Fig. A.12

Angle	Tangente
1°	0,0175
2°	0,0349
3°	0,0524
4°	0,0699
5°	0,0875
6°	0,1051
7°	0,1228
8°	0,1405
9°	0,1584
10°	0,1763
12°	0,2126
15°	0,2679
20°	0,3640
25°	0,4663
35°	0,7002
45°	1,0000

peut être représenté par des lignes isoplèthes peut aussi être étudié par l'exécution de profils ou le calcul de gradient. Après tout, le gradient n'est qu'une expression de la rapidité du changement avec la distance. Les profils constituent des appoints en illustrant cette transformation en trois dimensions, avec des pentes plus ou moins inclinées et des secteurs élevés et bas comportant une variation dans l'ordre de grandeur.

Étude A-5

1. Tracer un profil exact le long de la ligne CD à la figure A.10. Utiliser les échelles qui ont servi à exécuter le profil le long de la ligne AB. Combiner les deux profils pour réaliser un schéma-bloc. Sur ce dernier, il est possible de tracer un certain nombre de courbes de niveau pour représenter le terrain entre les deux profils. D'autres données, comme l'emplacement du lac et des cours d'eau, doivent apparaître sur le schéma-bloc.

2. Calculer sous forme de rapport, et en degrés, le gradient du cours d'eau qui coule parallèlement à la bordure gauche de la figure A.10.

3. Sur la figure A.10, laquelle des deux pentes suivantes est la plus raide: celle entre X et Y ou celle entre V et W? Déterminer le gradient de chaque pente en degrés.

Les cartes topographiques

Le terme *topographie* est utilisé couramment comme synonyme de terrain, ou configuration de la surface de la Terre. Étant donné que le terrain constitue l'une des plus importantes caractéristiques des régions, ce sens limité de la topographie est très répandu. Cependant, le terme a aussi un sens plus général qui s'étend à tous les objets tant d'origine naturelle qu'artificielle. C'est dans ce sens que l'adjectif employé dans la locution «carte topographique» est utilisé. Les cartes topographiques sont riches en information: réseaux routiers, ferroviaires et fluviaux; emplacement (et quelquefois nom) d'immeubles importants; limites du territoire des localités et autres foyers de peuplement; diverses catégories de végétation; lieux d'activités primaires comme l'exploitation minière; limites des divisions administratives; et ainsi de suite.

En conséquence, les cartes topographiques constituent des représentations à l'échelle, de moyenne à grande, d'un petit secteur de la Terre. Afin d'illustrer une diversité de caractères, les échelles de ces cartes sont toujours supérieures à 1:1 000 000, et généralement supérieures à 1:250 000. Les cartes topographiques qui facilitent le mieux la solution de bon nombre de problèmes géographiques sont celles qui présentent une échelle de 1:50 000 ou de 1:25 000.

L'interprétation des cartes topographiques

Comme toutes les cartes, les cartes topographiques constituent des représentations symboliques de secteurs de la surface terrestre. Ces cartes utilisent des symboles pour recréer un modèle à deux dimensions de la surface. Afin de pouvoir les lire efficacement, il faut être capable d'interpréter les symboles. Étant donné que les cartes topographiques sont dressées à une grande échelle, leurs symboles ressemblent plus étroitement aux objets qu'ils représentent que les symboles des cartes à plus petite échelle.

Les cartes thématiques simples

Afin de simplifier l'examen d'une carte topographique, il est souvent plus facile d'isoler un ou deux phénomènes en dressant une carte thématique simple. L'échelle de la carte topographique doit être réduite de façon à ce que la carte puisse être représentée sur une page de la taille d'une feuille de calepin. Pour ce faire, on utilise certaines des lignes du quadrillage de la carte topographique ou, lorsqu'elles n'existent pas, on trace une grille. Lorsque cette dernière est réduite à une taille convenable, elle peut servir à transférer de l'information sélectionnée des cartes topographiques initiales.

Quelquefois, les sujets d'information choisis peuvent être extraits de cartes topographiques et présentés, à des fins particulières, dans une carte thématique simple. Dans d'autres cas, lorsque l'objectif visé est une étude intégrée de l'ensemble des traits d'une région, on peut dresser une série de cartes thématiques simples, chacune résumant une caractéristique importante de la région. Ces cartes informent généralement sur les sujets suivants: reliefs, végétation et mode d'utilisation des terres rurales, transport et agglomération.

L'utilisation de telles cartes et l'isolement de sujets particuliers d'information permettent d'accroître la visibilité des configurations produites par ces objets, ainsi que leur relation avec d'autres phénomènes.

Les photographies aériennes

Au cours des récentes décennies, on a mis au point la photographie aérienne ainsi que diverses techniques de télédétection (voir section suivante). Ces techniques ont eu une énorme influence sur la cartographie et la géographie ainsi que sur bon nombre d'autres sciences. Les photographies aériennes ont une grande valeur parce qu'elles offrent un relevé visuel des caractéristiques du paysage et de leurs relations véritables. Cependant il existe aussi des désavantages. Une photographie aérienne n'est pas une carte. En effet, elle permet de visionner une partie de la surface terrestre, mais sans symboles choisis. En conséquence, l'interprétation de photographies nécessite un jugement acquis par formation.

Les photographies aériennes se répartissent généralement dans deux catégories. Les photographies *verticales* (voir page 297) sont réalisées au moyen d'un appareil-photo dont l'axe optique est perpendiculaire au plan horizontal du sol, ou presque. Les photographies *obliques* (voir page 321) sont obtenues lorsque l'axe optique de l'appareil forme un angle de moins de 90 degrés avec le sol.

L'interprétation des photographies aériennes est difficile parce qu'elles montrent une image d'une partie de la surface terrestre qui est prise à partir d'un point de vue inhabituel (ce qui est particulièrement vrai dans le cas des photographies verticales). En outre, la plupart des photographies aériennes sont en noir et blanc avec tous les tons intermédiaires de gris. En conséquence, bon nombre de caractéristiques sur une photographie doivent être identifiées par leur ton. Ce dernier dépend largement de la quantité de lumière réfléchie par l'objet sur le sol. Les différents types de cultures ou d'espèces d'arbres constituent des exemples de phénomènes qui peuvent être identifiés par le ton (voir figure 26.12), entreprise qui nécessite néanmoins une habileté considérable.

La liste de toutes les utilisations des photographies aériennes s'étendrait sur plusieurs pages si on la dressait. Certains des emplois les plus courants (géographiques ou non) comprennent les études sur l'utilisation du sol; l'évaluation du volume de bois; les études pédologiques et la géologie du sous-sol; la planification de réseaux routiers ou ferroviaires; et la recherche de sites pour les barrages et les canaux d'irrigation. Le domaine de l'archéologie constitue une application intéressante de la photographie aérienne. Les configurations d'anciens champs cultivés, de foyers de peuplement et de routes, qui sont à peu près invisibles au sol, apparaissent très clairement sur les photographies aériennes.

Les caractéristiques des photographies aériennes

La plupart des photographies aériennes sont prises en une série de bandes parallèles. Les lignes de vol sont organisées de façon à ce que les bandes adjacentes se chevauchent, généralement dans la mesure de 40 pour cent. Le long de chaque ligne de vol, on prend aussi les photographies de façon à ce qu'il y ait un chevauchement vers l'avant, généralement de 60 pour cent. Il y a plusieurs raisons à cela dont, notamment, la production de deux vues de la même portion de terrain afin que cette dernière puisse être visionnée en stéréoscopie.

L'échelle peut varier entre deux photographies aériennes consécutives. Elle peut même varier entre deux parties d'une même photographie. Le premier type de variation est généralement causé par des fluctuations dans la trajectoire de l'aéronef. Le second type de variation est causé par la *parallaxe*. Ce phénomène provoque le déplacement vers l'extérieur de la photographie d'objets qui s'élèvent au-dessus de l'altitude générale du terrain, comme les immeubles ou les collines. Les objets qui sont inférieurs à l'altitude générale, comme les vallées ou les chemins de traverse, sont déplacés vers l'intérieur.

En dépit de ces irrégularités, il est possible d'établir une échelle numérique pour ces photographies. L'échelle est une fonction de la hauteur de l'appareil-photo au-dessus du sol (h) et de la distance focale de l'appareil (f) où h et f sont dans les mêmes unités. En conséquence, l'échelle peut être établie sous forme d'échelle numérique par la formule suivante:

$$\text{Échelle numérique} = \frac{f}{h}$$

Comme à la figure 27.6, on aurait l'échelle suivante:

$$\frac{150 \text{ mm}}{3\ 550 \text{ m}} = \frac{150 \text{ mm}}{3\ 550\ 000} = 1{:}23\ 600$$

Les stéréophotographies

Les gens observent les objets avec les deux yeux simultanément parce qu'ils jouissent de la vision binoculaire. En conséquence le cerveau reçoit une paire d'images légèrement différentes, l'une de chaque oeil. Ce phénomène est la disparité rétinienne. À l'observation d'une photographie, l'on perçoit la profondeur par divers indices, c'est-à-dire la taille relative des objets ainsi que leurs diverses positions, et la perspective linéaire. Cependant, une seule photographie, comme une peinture, ne peut reproduire le monde visuel comme il est perçu par la vision binoculaire. Le visionnement par des lunettes stéréoscopiques permet de fusionner une paire photographique, prise de la même région à partir de points d'observation légèrement différents. De cette façon, il est possible de percevoir la troisième dimension.

Le couple stéréoscopique de photographies à la figure 26.18 ne constitue qu'un exemple d'un tel couple parmi plusieurs dans cet ouvrage. Comme il a été mentionné plus tôt, les photographies aériennes sont prises à des intervalles qui permettent un chevauchement vers l'avant de 60 pour cent. En conséquence, deux photographies adjacentes montrent une certaine portion du même terrain bien que sous des angles légèrement différents (positions différentes de l'appareil-photo). Lorsque ces photographies sont placées l'une à côté de l'autre, l'oeil droit doit viser un secteur particulier sur l'une d'entre elles tandis que l'oeil gauche vise le même secteur sur l'autre photographie. De cette façon, le changement de parallaxe entre les deux photographies permet de percevoir la troisième dimension. Un instrument appelé *stéréoscope* est utilisé couramment pour limiter la vision de chaque oeil à sa photographie particulière, et pour fournir un grossissement.

Deux règles doivent être observées lors du visionnement de photographies aériennes au moyen d'un stéréoscope.

• Chaque photographie observée doit être placée directement sous un oeil, les deux régions étant parallèles à la base de l'oeil.

• Les ombres jetées par les objets sur la photographie doivent être orientées vers l'observateur.

Dans les couples stéréoscopiques, la dimension verticale est considérablement exagérée, produisant un *allongement du relief*. C'est la distance de 6 cm environ entre les pupilles qui est à l'origine de ce phénomène. Par contre, les couples stéréoscopiques sont exposés à partir de positions dans le ciel qui sont généralement distantes de plusieurs dizaines de mètres. Il n'existe pas de méthode simple pour mesurer la grandeur de l'exagération à moins que la hauteur de l'un des objets ne soit connue. Ce n'est qu'à cette condition que la hauteur des autres objets peut être estimée relativement à celle de l'objet connu.

Les stéréophotographies facilitent l'interprétation du paysage. D'importantes portions de la Terre ont déjà été photographiées des airs, et des couples stéréoscopiques de bon nombre de régions peuvent être obtenus à un coût relativement faible. En conséquence, l'examen de régions restreintes devrait inclure l'utilisation de ces photographies par l'étudiant. Les stéréophotographies sont d'une valeur inestimable pour l'établissement de cartes hypsométriques. Presque toutes les cartes de ce type sont maintenant produites à partir de photographies. Cette méthode, qui est plus simple et plus exacte que les démarches antérieures, facilite aussi l'établissement de cartes de vastes régions relativement inaccessibles, comme bon nombre de secteurs septentrionaux du Canada.

L'interprétation photographique

La technique employée pour interpréter les photographies est assez semblable à celle qui sert à lire les cartes topographiques. Cependant, l'interprétation photographique est généralement plus difficile. Il est souvent plus ardu d'identifier les caractères réels de la surface à partir d'une altitude de plusieurs milliers de mètres. Même la distinction entre une route et une voie ferrée peut présenter des problèmes initialement. Cependant, avec un peu de pratique, il devrait être possible d'analyser la région apparaissant sur la photographie. L'étudiant peut découvrir de l'information portant sur les sujets suivants: les formes du relief; la végétation; le drainage; le secteur consacré à l'agriculture (en distinguant les champs cultivés, les pâturages et les vergers); le schème des réseaux de communication; et la répartition ainsi que les caractéristiques des agglomérations (peuplement).

Étude A-6

1. a) Comment l'échelle d'une photographie est-elle modifiée avec la réduction de l'altitude à laquelle cette photographie est prise? Tracer un diagramme pour expliquer la réponse.

b) Déterminer l'échelle d'une photographie verticale prise à l'aide d'un appareil-photo avec une distance focale de 200 mm, à une altitude de 1,5 km. Exprimer la réponse tant en échelle numérique qu'en échelle verbale.

La télédétection

Dans son sens général, la télédétection signifie l'utilisation de la vision et de la perception de sons pour déterminer la nature des objets. En conséquence, la vue et l'ouïe constituent pour les êtres vivants des activités de télédétection.

Fig. A.13 Photographie prise en 1984 par un satellite LANDSAT (échelle approx.: 1:1 000 000), montrant la ville de Vancouver, le delta du fleuve Fraser et les chaînes côtières (dans la partie supérieure).

Les yeux et les oreilles de l'homme reçoivent des émissions énergétiques sous forme d'ondes, produites par l'objet qui est observé visuellement ou auditivement. Les photographies dans le présent ouvrage constituent des exemples de télédétection. En effet, l'appareil-photo représente un type de télédétecteur, et les photographies sont des relevés sur pellicule des ondes lumineuses réfléchies par les objets photographiés.

Cependant, le terme «télédétection» est utilisé presque exclusivement pour désigner des dispositifs qui recueillent de l'information sur la surface de la Terre à des altitudes élevées au-dessus de la Terre. Ces capteurs sont installés à bord d'aéronefs ou de satellites en orbite.

Les télédétecteurs peuvent être répartis en deux catégories, soit les dispositifs actifs et les dispositifs passifs. Les télédétecteurs actifs (par ex. les radars) émettent des impulsions d'énergie vers le sol à partir d'un aéronef ou d'un satellite. Une certaine partie de cette énergie, retournée sous forme de signal d'écho, est enregistrée par le capteur. Le système actif est particulièrement utile pour montrer des caractéristiques de terrain dans les régions où s'étend une couverture nuageuse importante.

L'utilisation de capteurs passifs est beaucoup plus répandue. Les systèmes passifs mesurent l'énergie électromagnétique réfléchie ou émise par un objet à la surface de la Terre. Bien que la plupart des appareils-photos soient des détecteurs, ils ne captent que la partie «visible» du spectre. Ils enregistrent ce que l'oeil peut percevoir. Au cours des dernières décennies, on a mis au point de nouveaux capteurs qui peuvent enregistrer des émissions dans l'infrarouge et dans l'ultraviolet autant que dans la bande du visible. L'un des exemples les plus importants de ces nouveaux systèmes est décrit ci-dessous.

La photographie spectrale à bandes multiples

Comme outil de télédétection, la qualité de la photo s'améliore lorsque certaines longueurs d'onde seulement ont la possibilité d'atteindre la pellicule. Cette technique permet au scientifique de ne choisir que les longueurs d'onde sensibles à des variations dans la végétation, l'humidité du sol, les minéraux rocheux et du sol, etc., qui demeureraient invisibles pour l'oeil humain. Le système est utilisé par les satellites LANDSAT. Plutôt qu'un appareil-photo, ces satellites utilisent un radiomètre à balayage qui recueille des données de quatre bandes spectrales différentes (sept bandes dans LANDSAT 4): deux dans la partie visible du spectre (vert et rouge) et deux bandes d'ondes près de la section infrarouge. Le radiomètre envoie le rayonnement reçu de ces bandes à une série de capteurs à bord du satellite qui convertissent le signal en données numériques, en attribuant des nombres de 0 à 255 selon le degré de luminosité. Ces données sont ensuite transmises à la Terre. Les données de chaque bande sont combinées et transformées à peu près instantanément en l'équivalent d'une photographie aérienne. La figure A.13 est une reproduction en noir et blanc d'une photographie LANDSAT de ce type.

Chacune des quatre bandes spectrales sur ces photographies est reproduite au moyen d'une couleur différente, et les bandes sont superposées pour créer une seule épreuve. Certaines surfaces reflètent une partie du spectre mieux qu'une autre. Par exemple, la végétation verte est mieux réfléchie dans le rouge que dans le bleu-vert, les régions urbaines présentent une coloration de gris moyen à gris-bleu, et le sol varie du noir au blanc en passant par le vert selon le degré d'humidité et le contenu organique. En conséquence, les couleurs de ces images sont «fausses».

Le premier satellite LANDSAT à utiliser la photographie spectrale multibande a été lancé en 1972. Les satellites LANDSAT effectuent le tour de la Terre à une altitude de 918 km, bouclant une orbite toutes les 103 minutes. Tout en poursuivant son périple, l'engin spatial explore continuellement une bande de 185 km de surface terrestre. N'importe quel point donné à la surface est balayé par le satellite à partir de la même position tous les dix-huit jours. Au sol, les données sont transformées en photographies qui couvrent une superficie de 185 km x 185 km.

Bien que le présent ouvrage ne contienne pas de photographies en couleur, elles peuvent être obtenues de bon nombre de sources différentes. En particulier, les séries de diapositives reproduisant les images de LANDSAT sont très accessibles.

Le nombre d'applications de l'imagerie par satellite en général, et fournies par les LANDSAT en particulier, est très considérable et dépasse le cadre de ce court résumé. Certaines des applications non militaires comprennent la prévision des conditions météorologiques; la planification de l'utilisation des terres; l'établissement de cartes géologiques; la réalisation d'inventaires agricoles et forestiers; l'itinéraire des icebergs, la surveillance des flottes de pêche; l'évaluation des incendies de forêt; et le contrôle de la pollution de l'air.

Des nouvelles utilisations de l'imagerie par satellite sont constamment découvertes. Avec le perfectionnement des dispositifs à balayage, il n'y a aucun doute que davantage d'information sur la surface de la Terre deviendra disponible. Cette technologie aide déjà l'homme à mieux comprendre les systèmes naturels complexes de la biosphère. La télédétection constitue un outil indispensable pour l'humanité qui devra résoudre des problèmes environnementaux complexes au cours des prochaines décennies.

BIBLIOGRAPHIE

RÉFÉRENCES GÉNÉRALES

Erlich, A.H., P.R. Erlich, et J.P. Holdren. *Ecoscience: Population, Resources, Environnement.* San Francisco: W.H. Freeman and Company Publishers, 1977.

Haggett, P. *Geography: A Modern Synthesis.* 3ᵉ édition. New York: Harper & Row, Publishers, Inc., 1983.

Kendall, H.M., R.M. Glendinning, R.F. Logan et C.H. McFadden. *Introduction to Physical Geography.* 2ᵉ édition. New York: Harcourt Brace Jovanovich, Inc., 1974.

Simmon, I.G. *The Ecology of Natural Resources.* London: Edward Arnold Publishers, Ltd.,1974

Strahler, A.N. *The Earth Sciences.* 2ᵉ édition. New York: Harper & Row, Publishers, Inc.,1971.

Strahler, A.N., et A.H. Strahler. *Elements of Physical Geography.* New York: John Wiley & Sons, Inc., 1976.

Environmental Geoscience. Santa Barbara: Hamilton Publishing Company, 1973.

Trewartha, Glenn T., A.H. Robinson et E.H. Hammond. *Fundamentals of Physical Geography. 3rd edition.* New York: McGraw-Hill Book Company, 1977.

RÉFÉRENCES SPÉCIALISÉES

Andrews, W.A. (dir. de publ.). *A Guide to the Study of Environmental Pollution.* Toronto: Prentice-Hall, 1972.

Barry, R.G., et R.J. Chorley. *Atmosphere, Weather, and Climate.* London: Methuen, Inc., 1976.

Becht, J.E., et L.D. Belzung. *World Resource Management.* Englewood Cliffs, N.J.: Prentice-Hall, 1975.

Bookchin, M. *Toward an Ecological Society.* Montréal: Black Rose, 1980

Burnett, R.B. *Physical Geography in Diagrams.* London: Longman, Inc., 1975

Burton, I. *The Environment as Hazard.* New York: Oxford University Press, 1978.

Caulfield, C. *In the Rainforest.* New York: Alfred A. Knopf, Inc., 1985

Chapman, L.J., et D.F. Putnam. *The Physiography of Southern Ontario.* Toronto: University of Toronto Press, 1966.

Clapham, W.B. *Human Ecosystems.* New York: Macmillan Publishing Company, Inc., 1981

Chorley, R.J.(dir. de publ.). *Water, Earth and Man.* London: Methuen, Inc.,1969.

Critchfield, H.J. *General Climatology.* 4ᵉ édition. Englewood Cliffs, N.J.: Prentice-Hall, 1983.

Dasmann, R.F. *Environmental Conservation.* 5ᵉ édition. New York: John Wiley & Sons, Inc., 1984.

Decker, R. et B. Decker. *Volcanoes.* San Francisco: W.H. Freeman and Company Publishers, 1981.

Detwyler, T.R., et M.G. Marcus. *Urbanization and Environment.* Scituate, Mass.: Duxbury Press, 1972.

Dobson, G.M.B. *Exploring the Atmosphere.* 2ᵉ édition. Oxford: The Clarendon Press, 1968.

Durrell, L. *State of the Ark: An Atlas of Conservation in Action.* New York: Doubleday & Company, Inc., 1986.

Erlich, P. et A. Erlich. *Earth.* New York: Watts, Franklin, Inc., 1987.

——. *Extinction.* New York: Ballantine Books, Inc., 1983.

Eyre, S.R. *Vegetation and Soils.* London: Edward Arnold Publishers, Ltd., 1963.

Fairbridge, R.W. *The Encyclopedia of Oceanography.* New York: Van Nostrand Reinhold Company, Inc., 1966.

Forsyth, A., et K. Miyata. *Tropical Nature.* New York: Charles Scribner's Sons, 1984.

Foster, R.J. *General Geology.* Columbus: Merrill Publishing Company, 1973.

Francis, P. *Volcanoes.* New York: Penguin Books, Inc., 1976

Garner, H.F. *The Origin of Landscapes.* New York: Oxford University Press, 1974.

Gass, I.G., P.J. Smith et R.C. Wilson. *Understanding the Earth.* Cambridge, Mass.: The M.I.T. Press, 1971.

Gill, P. *A Year in the Death of Africa.* London: Paladin Grafton Books, 1986.

Gilluly, J., A.C. Waters et A.D. Woodford. *Principles of Geology.* 4ᵉ édition. San Francisco: W.H. Freeman and Company Publishers, 1975.

Greenwood, N.H., et J.M. Edwards. *Human Environments and Natural Systems.* Scituate, Mass.: Duxbury Press, 1979.

Gribbin, J. (dir. de publ.). *The Breathing Planet*. New York: Basil Blackwell et New Scientist, 1986.

Griffiths, J.F. *Applied Climatology*. 2e édition. Oxford: The Clarendon Press, 1977.

Hallam, A. *A Revolution in the Earth Sciences*. Oxford: The Clarendon Press. 1973.

Hancock, G. *Ethiopia — The Challence of Hunger*. London: Victor Gollancz Ltd.,1985.

Hardin, G., et J. Baden. *Managing the Commons*. San Francisco: W.H. Freeman and Company Publishers, 1977.

Hare, F.K., et M.K. Thomas. *Climate Canada*. Toronto: John Wiley & Sons, Inc., 1974.

Hewitt, K. *Lifeboat: Man and a Habitable Earth*. Toronto: John Wiley & Sons, Inc., 1976.

Hinckley, A.D. *Applied Econogy: A Nontechnical Approch*. New York: Macmillan Publishing Company, Inc., 1976.

Howard, R., et M. Perly. *Acid Rain: The Devastating Impact on North America*. Toronto: McGraw-Hill Company, 1982.

The Independent Commission on International Humanitarian Issues. *The encroaching Desert: The Consequence of Human Failure*. London et New Jersey: Zed Books Ltd., 1986.

Janes, J.R. *Geology and the New Global Tectonics*. Toronto: Macmillan Publishing Company Inc., 1976.

Keller, E.A. *Environmental Geology*. 2e édition. Columbus: Merrill Publishing Company, 1979.

Larson, E.E., et P.W. Birkeland, (dir. de publ.). *Putnam's Geology*. 4e édition. New York: Oxford University Press, 1982.

Lockwood, John G. *World Climatology: An Environmental Approch*. New York: St. Martin's Press, 1974.

Lovelock, J.E. *Gaïa: A New Look at Life on Earth*. Oxford: University Press, 1982.

McCormick, J.M., et J.V. Thiruvathukal. *Elements of Oceanography*. Philadelphia: W.B. Saunders Company, 1976.

Manners, I.R., et M.W. Mikesell (dir. de publ.). *Perspectives on Environment*. Washington: Association of American Geographers, 1974.

Mather, J.R. *Climatology: Fundamentals and Applications*. New York: McGraw-Hill Book Company, 1974.

Morisawa, M. *Streams: Their Dynamics and Morphology*. New York: McGraw-Hill Book company, 1968.

Muller, R.A., et T.M. Oberlander. *Physical Geography Today*. 3e édition. New York: Random House, Inc., 1984.

Myers, N. (dir. de publ.). *Gaïa: An Atlas of Planet Management*. New York: Anchor Press (Doubleday), 1984.

——. *The Primary Source: Tropical Forests and Our Future*. New York: W.W. Norton et cie, inc.,1984.

Odum, E.P. *Fundamentals of Ecology*. Philadelphia: W.B. Saunders Company, 1971.

——. *Ecology: The Link Between the Natural and Social Sciences*. 2e édition. New York: Holt, Rinehart et Winston, Inc., 1975.

Ophuls, W. *Ecology and the Politics of Scarcity*. San Francisco: W.H. Freeman and Company Publishers, 1977.

Packard, G.L. *Descriptive Physical Oceanography*. Elmsford, N.Y.: Pergamon Press, Inc., 1975.

Peach, W.N., et J.A. Constanin. *Zimmerman's World Resources and Industries*. London: Harper & Row, Publishers, Inc., 1972.

Pirie, R.G. (dir. de publ.). *Oceanography: Contemporary Readings in Ocean Sciences*. New York: Oxford University Press, 1977.

Polunin, N. *Introduction to Plant Geography and Some Related Sciences*. London: Longman Group Ltd., 1960.

Reppeto, R. (dir. de publ.). *The Global Possible: Resources, Development, and the New Century*. Stanford: Yale University Press, 1985.

Robinson, A.H. *Elements of Cartography*. New York: John Wiley & Sons, Inc., 1969.

Russell, E.J. *The World of Soil*. New York: Willian Collin's Sons & Company, Ltd., 1967.

Russell, P. *The Awakening Earth: The Global Brain*. London: Ark Paperbacks, 1984.

Scientific American, "The Biosphere", Vol. 223, No. 3, Septembre 1970.

Shelton, J.S. *Geology Illustrated*. San Francisco: W.H. Freeman and Company Publishers, 1976.

Simmons, I.G. *Biogeography: Natural and Cultural*. London: Edward Arnold Publishers, Ltd., 1979.

Skinner, B.J. *Earth Resources*. Englewood Cliffs, N.J.: Prentice-Hall, 1969.

Smith, Keith. *Principles of Applied Climatology*. New York: McGraw-Hill Book Company, 1975

Strahler, A.N., et A.H. Strahler. *Modern Physical Geography*. 2ᵉ édition. New York: John Wiley & Sons, Inc., 1983.

Sugden, D.E. et B.S. John. *Glaciers and Landscape: A Geomorphological Approach*. London: Edward Arnold Publishers, Ltd., 1976.

Tank, R.W. *Focus on environmental Geology*. New York: Oxford University Press, 1973.

Thornbury, W.D. *Principles of Geomorphology*. New York: John Wiley & Sons, Inc., 1969.

Thrower, N.J. *Maps and Man*. Englewood Cliffs, N.J.: Prentice-Hall, 1972.

Trewartha, G.T., et L.H. Horn. *an Introduction to Climate*. 5ᵉ édition. New York: McGraw-Hill Book Company, 1980.

Turekian, K.K. *Oceans*. Englewood Cliffs, N.J.: Prentice-Hall, 1976.

Wihittaker, R.H. *Communities and Ecosystems*. 2ᵉ édition. New York: Macmillan Publishing Company, Inc., 1975.

Wilkinson, P.F., et M. Wyman (dir. de publ.) *Environmental Challenges: Learning for Tomorrow's World*. London, Ontario: Althouse Press, 1986.

Wilson, J.T. *Continents Adrift and Continents Aground*. San Francisco: W.H. Freeman and Company Publishers, 1976.

Commission mondiale sur l'environnement et le développement. *Our Common Future*. Oxford University Press, 1987.

World Resources Institute. *World Resources*. (Annuel). Keystone, Indiana: Basic Books, Inc., 1986.

The Worldwatch Institute. "A Worldwatch Institute Report on Progress Toward a Sustainable Society", *State of the World Annual*. New York: W.W. Norton and Company, 1986.

Photographies:

2 NASA\1301; 5 The Hale Observatories; 6 NASA; 61 Robert Schemenauer; 63 Office National du Film; 67 source inconnue; 81 NASA; 118 Ministère de l'Environnement de l'Ontario, Direction générale des précipitations acides; 137 Ministère des Ressources Naturelles de l'Ontario; 140 Quentin Stanford; 142 source inconnue; 152 Victor Zsilinszky, Ministère des Terres et Forêts de l'Ontario, Direction générale du Bois d'oeuvre; 153 Victor Zsilinszky; 154 Victor Zsilinszky; 155 (gauche) Service forestier des É.-U.; 155 (droite) Victor Zsilinszky: 156 Service forestier des É.-U.; 157 Service forestier des É.-U.; 159 Service forestier des É.-U.; 160 Service forestier des É.-U.; 162 Ministère de l'Agriculture des É.-U.; 172 Roy W. Simonson, Ministère de l'Agriculture des É.-U.; Soil Survey, Soil Conservation Service; 173 source inconnue; 174 Roy W. Simonson; 176 Roy W. Simonson; 182 British Airways; 183 Embassade du Brésil, Ottawa; 195 Ministère du Commerce des É.-U.\National Oceanic and Atmospheric Association; 196 Earthscan, Mark Edwards; 197 Earthscan, Mark Edwards; 208 Ministère de l'Agriculture des É.-U.; 209 P.D. Snavely, Jr., H.C. Wagner, N.S. MacLeod, US Geological Survey; 211 Victor C. Last; 215 US Geological Survey; 226 R.E. Wallace et P.D. Snavely, Jr., US Geological Survey; 229 Swissair Photo; 231 US Geological Survey; 233 Ray Atkeson; 234 Ray Atkeson; 236 Ray Atkeson; 242 US Coast and Geodetic Survey; 245 Canapress Photo Service; 246 Glenbow Archives Calgary\NA24964 (gauche) Ewing Galloway; 247 (droite) *Winnipeg Free Press*; 255 Ray Atkeson; 256 R.E. Wallace, US Geological Survey; 258 John T. McGill; 261 SCS, Ministère de l'Agriculture; 275 Photothèque nationale de l'air, Ministère de l'Énergie, des Mines et des Ressources du Canada, Direction des levés et de la cartographie; 276 US Geological Survey; 279 US Geological Survey.; 280 US Geological Survey; 281 US Geological Survey; 288 Photothèque national de l'air; 290 Photothèque nationale de l'air; 291 US Geological Survey; 295 Photothèque nationale de l'air; 297 Photothèque nationale de l'air; 299 Swissair Photo; 301 Swissair Photo; 303 Photothèque nationale de l'air; 307 Tom Ross; 311 Photothèque nationale de l'air; 318 Spence Air photos; 319 Spence Air Photos; 321 Photothèque nationale de l'air; 338 gracieuseté du Centre canadien de télédétection, Énergie, Mines et Ressources du Canada.

Index

A

Ablation éolienne 305
Ablation 286
Abrasion 287
Acides, précipitations 115-122
Action hydraulique 262
Aérosols 38, 106
Âges glaciaires
    théories 286
Agriculture 139-141
Agriculture itinérante 175, 185
Aiguille 304
Albédo 44, 188
Allogènes, cours d'eau 282
Alluvions 263, 271
Alluviaux (sols) 271
Altération chimique, *voir* météorisation
Aluminium 117
Anémomètre 55
Anhydride sulfureux 116, 119
Année-lumière 4
Anticlinal 228
Anticyclones 74-79
Aphélie 8
Appalaches (montagnes) 230-231
Aquifères — aquicludes 22
Arêtes 301
Argon 37, 48
Arrachement 287, 301
Artésien(ne), puits, source, 22
Asthénosphère 205, 220-221, 234
Atmosphère 1, 37
    gaz principaux 37-38
    humidité 59-71
    pollution 113-122
    pression atmosphérique 50-51
Atoll corallien 24-25
Avens 281
Axe terrestre 11, 106, 286, 325
Azote 37-38, 118, 130-131, 141, 168

B

Bajada 283
Bas-fonds marécageux 272

Bassin de Paris 229
Baromètre 51
Batholithes 239
Bilan énergétique 45
Biogéographie 147
Biomasse 126
Biomes 124, 136, 147
Biosphère 1, 232
Boisé méditerranéen 156
BPC 115, 143
Bras mort 271
Brises de terre, brises de mer 55
Brouillard 38, 60
Buttes 283

C

Caduques, feuilles 151
Caldera 237
Canal d'évacuation 291
Canyons sous-marins 24
Carbone, cycle du 110
Cartes, directions sur les 327
Cartes topographiques 335
    interprétation 335
Cartes thématiques simples 335
Cartographie 323
Ceintures d'enneigement 66
Centre (séisme) 243
Cercle d'illumination 9
Chaleur latente 44, 59
Chaparral, *voir* maquis
Charbon bitumineux 210
Cheminement tectonique 242
Chernozems (sols) 175
Chinook 63
Chlorofluorocarbures 40
Cimentation 210
Cirque 301
Clarke de concentration 213
Clastiques (et non clastiques), roches 209-210
Climacique, végétation (naturelle)
    — climax 136
Climat
    classification 86-103

définition 37
    histoire, influence sur l' 105
    sols, effets sur la formation des 166
    végétation, effets sur la 149
Climatiques, changements 104-112, 286
    causes 106
    changements climatiques historiques 105
    températures historiques 104
Climats
    continentaux 46
    humides, mésothermiques 94
    humides, microthermiques 98
    humides, tropicaux 90
    marins 46
    secs 93
    toundra, inlandsis, montagne 101
Col 301, 304
Collines 320
Communauté végétale 123, 147
Condensation 16-18
    chaleur latente 44
    formes de, 60
    noyau 61
Conditions météorologiques
    analyse des 84
    carte journalière 75
    définition 37
Cônes alluviaux 283
Conques 282
Conservation 144-146
Consommateurs 127
Convection, précipitations de 63
Corail et récif corallien 25
Coriolis, effet de 56
Corps de minerai 213
Corrasion 262
Corrosion 262
Côtes
    à baies 310
    à falaises et à terrasses 310
    à fjords 310
    à plages et à barres 310-311
    à rias 310
Couche géologique 209

Coulées de boue 237, 246, 258, 259
Courants frontaux, précipitations associées au 64
Courants océaniques 30
Courants-jets 57-58
Courbes de niveau 330
Cours d'eau, *voir* eau de ruissellement
Crépuscule 9
Croûte terrestre 201-216
Cuestas 270-271
Cuivre 214
Cycle hydrologique 17, 21, 147
Cycles biogéochimiques, *voir* cycles d'éléments nutritifs
Cycles d'éléments nutritifs 130-134
Cyclones tropicaux 79-83 *voir aussi* ouragans

D
Débit d'un cours d'eau 261
Déchets 141-144
Déclinaison magnétique 327
Décomposition, organismes de 128, 168
Défluents 273
Dégazage 232
Deltas 272-273
Dendritique, réseau de drainage (hydropophique) 20
Dépôt
    par l'eau de ruissellement 263
    par les glaciers alpins (de montagne) 301
    par les glaciers continentaux 289
    par le vent 305
Dépressions des latitudes moyennes 76-79
Dérive des continents
    cartes à l'échelle mondiale 218-219
    découvertes récentes 217
    expansion des fonds océaniques 26, 220-222
    glaciation, ancienne 286
    tectonique des plaques 222
Désagrégation
    altération chimique 252
    désagrégation sélective 254
    facteurs déterminants 253
    mécanique 215, 251
Désertification 191-199
    écosystèmes naturels 193

expansion démographique 197
    sécheresse 195
Déserts
    climat 93
    formes de terrain 305
    végétation 161
Dioxyde de carbone 38, 44, 107, 109-112, 195
Disparition 186-188
Dorsale 222
Drumlins 290-291
Dunes 307
Durée d'ensoleillement 11
Dykes 240

E
Eau
    caractéristiques de l' 15
    changements d'état 16
    cycle hydrologique 17
    pénurie — désertification 191
    sol 141
Eau de mer 26
Eau de ruissellement
    agent de transformation progressive 200, 262
    formation de vallées 265
    paysages entaillés 269
    paysages formés par la sédimentation 271
    phases de transformation progressive 265
    rajeunissement 267
    régions semi-humides 282
    réseaux de drainage 19
Eaux souterraines 21
Eaux territoriales 35
    eaux intérieures 35
    haute mer 33
Éboulements 246, 257
Échelles (cartes) 323
Échelle de Mercalli 244
Échelle numérique 323
Échelle Richter 244, 257
Éclair 84
Écliptique, plan de l' 8
Écologie 123
Écorce terrestre, *voir* croûte terrestre
Écosphère 1
Écosystème 123-130, 147, 196

acidification de l'écosystème aquatique 117
    climax, phase de 136
    composants 127-129
    conservation 144-146
    éléments nutritifs (et cycles) 128, 130-134
    énergie 127-129, 141
    l'être humain et les écosystèmes 135-146
    niche 137
    niveaux trophiques 127
    production primaire nette 125
    succession 135, 150-151
    urbain 141-144
Écotons 151
Effet de serre 109-112
Éléments 207
Éléments nutritifs des plantes 130
Énergie géothermique 240
Énergie 42, 251
    et écosystèmes 127-129, 141
Ensoleillement, *voir* rayonnement solaire
Éphémère, cours d'eau 19
Épicentre 243
Équateur 45, 325
Équinoxes 9-10
Erg 306
Érosion en rigoles 261
Érosion
    par l'eau de ruissellement 262
    par les glaciers alpins 298
    par les glaciers continentaux 287
    par le vent 305
Escarpement 254
Eskers 291
Eutrophisation 133-134
Évapotranspiration 18
Expansion des fonds océaniques, *voir* dérive des continents

F
Fertilité du sol 169
Filons-couches 240
Fjords 304
Foehn (vent) 63
Foliation 210
Fond océanique, *voir* plaine abyssale
Fontaines de feu 233
Fonte 213

Forces tectoniques 203, 205, 224, 225
Forces de transformation progressive 203
Forêt tropicale humide 181-190
    âge 136
    caractéristiques 182-183
    destruction 184-190
    sols 174-175
Forêts, types de 151-158
    âge 136
    boisé méditerranéen 156
    de conifères (boréale) 152
    feuillue et mixte de feuillus et de
    conifères 154
Formation de failles 225
Formes de relief 251
Fosses océaniques 24, 221, 222
Frange capillaire 176
Front tropical 79
Front polaire 74
Fronts 74

G
Galaxies 4
Gangue 213
Gauchissement 228
Gélifraction 252
Géomorphologie 251
Géosynclinal 224, 228
Glace de glacier 285
Glaciation continentale, *voir* glaciers
Glaciation alpine, *voir* glaciers
Glaciers
    alpins 284, 298-300
    comme agents de transformation
    progressive 284
    continentaux 284, 287-298
    étangs pro-glaciaires 292
    glaciations, anciennes 286
Glacis continental 24
Glissement 258
Gradient adiabatique 62
Gradient, calcul du 334
Gradient de pression 55
Gradient vertical 38
Grille universelle transversale de Mercator
326

H
Hadley, cellule de 56
Horizons dans les sols 163, 165-166
Humidité, *voir* vapeur d'eau
Humidité absolue 59
Humidité relative 59
Humus 163
Hydrologie 16
Hydrolyse 252
Hydrophytes 149
Hydrosphère 1, 15
Hygromètre 60

I
Ignées, roches 208, 253
Îles volcaniques 25, 222
Intensité du rayonnement solaire 11
Interpolation 330
Intrusion, roches d' 207-208
Isobare 54
Isohyète 69
Isohypse 330
Isoplèthe, ligne 330
Isostatique, détente 205, 293
Isotherme 49

K
Kames deltaïques 292
Karstiques, paysages 252, 280-281
Kilopascal 50
Köppen, Wladimir 86
Krakatoa 107, 237

L
Lac de cirque 301
Laccolithe 240
Lacs 18
Lacustres (plaines) 292
Lame de tempête 83
LANDSAT 338-339
Latérite, *voir* latosols
Latitude, parallèles de 325
Latosols 174-175
Lave 208, 232
Lessivage 166
Levées 272, 273
Lithosphère 1, 3, 201, 206

Loess 164, 306
Lois de la mer 33-36
Longitude, méridiens de 325
Lune 6, 29

M
Magma 207, 232
Manteau 204-205
Maquis, végétation de 157
Marées 29
Masses d'air 72-74
    fronts 74
Matériaux de transport glaciaire 287
Mauvaises terres (badlands) 283
Méandres 263, 271
Mercure 143, 216
Méridien de longitude 325
Méridien d'origine 325
Mesas 283
Mésophytes 150
Métamorphiques, roches 210-211
Météorisation 252
Minerai, corps de 213
Minéraux 163, 206-207
    minéraux à valeur commerciale 212-216
    minéraux métalliques 212
    minéraux non métalliques 213
Moho 205
Montagnes 320
Moraine de fond 290
Moraines 291, 301
Mousson 57
Mouvement capillaire 168
Mouvement de masse 255

N
Nappe phréatique 22
Nations Unies
    Accord sur l'ozone 40
    CNUDM III «UNCLOS III» 35
    Convention sur la pollution atmosphérique
    transfrontalière à grande distance (PATGD)
    120
    Notre avenir à tous 145
    Stratégie mondiale de la conservation 144-
    145
Névé 285

Niche, différences des 137-138
Niveau de base 265
Niveaux trophiques, *voir* écosystèmes
Nodules de manganèse 32, 216
Noyau de la Terre 204-205
Nuages, types de 61
Nuée ardente 237

O

Océans 23-36
    lois de la mer 33-36
    pollution 33
    ressources 31
    salinité 26
    températures 27, 108
    vagues, marées et courants 27-31
Ondes de vents d'est 81
Orages 84
Orbite, plan de l' 8
Orographiques, précipitations 63
Oueds 282
Ouragans 79-83
Oxydation 252
Oxygène 33, 37, 207
Ozone 38, 39-41, 44, 118

P

Pangée 217
Parallèle de latitude 325
Parallélisme de l'axe 8
Pédiment 283
Pente d'accumulation 256
Pente, calcul de la 334
Pergélisol 259
Périhélie 8
Périls environnementaux 246-250
Permanent, cours d'eau 19
Pétrification 209
Pétrole 33
Phosphore 32, 130, 132, 141
Photographies aériennes 335-337
Photosynthèse 42, 110, 124, 163
Pitons 24
Plaine abyssale 24
Plaine alluviale 265, 271-273, 290
Plaines
    avec collines ou montagnes 318

concordantes 316
    définition 316
    discordantes 316
    ondulées ou irrégulières 317
    planes 316
Plaines d'épandage 290
Plan de l'orbite 8
Plancton 24
Plaque mince 209
Plaques de la croûte 204, *voir aussi* dérive
des continents
Plateau 318
Plateau ou plaine de lave 235
Plateaux continentaux 24, 36
Playas 282
Pléistocène 202-203, 286
Plissement 225, 227
Plomb 115, 118, 143
Podzols (sols) 172
Point de rosée 60
Pollution, atmosphérique 113-122, 144
    des océans 33
    des terres 141-144
Population mondiale 3
Potassium 130
Prairies
    latitudes moyennes 160
    savane tropicale 158-159
Précipitations acides 115-122
Précipitations 61-71
    de convection 62-63
    d'origine frontale 63, 77-79
    fiabilité des 70
    gradient adiabatique 62
    orographiques (de relief) 63
    répartition planétaire 67
    stabilité, effet de 64
Pression atmosphérique 50-54
    distribution planétaire de pression 51
Producteurs 127
Production primaire nette 125-126
Profil du sol 165
Profils, traçage 333
Projections cartographiques 328-329

R

Raffinage 213, 241

Rajeunissement 267-269
Rayonnement solaire
    bilan énergétique 45
    réchauffement de la terre et de l'eau 46
    réchauffement de l'atmosphère 44
    variations latitudinales 12, 45
Rayonnement électromagnétique, *voir*
rayonnement solaire
Reg 305
Régolite 21, 163, 251
Relief local 315
Reptation 259
Réseau alimentaire 127-129
Réserves 214
Respiration 125
Ressources 214-215
Révolution verte 140-141
Rias, côtes à 310
Risques naturels 246-250
Rivages, *voir* côtes
Roche-mère du sol 163, 166
Roches d'extrusion, *voir* roches ignées
Roches d'intrusion, *voir* roches ignées
Roches
    clastiques et non clastiques 209-210
    cycle 211
    ignées 207-208
    métamorphiques 210-211
    sédimentaires 208-209
Rossby, ondes de *voir* courants-jets
Ruissellement 19, 261

S

Sahel 191
Saisonnier, cours d'eau 19
Saisons 10
Salinisation, *voir* sols
Salinité 26
San Andreas, faille de 226, 242, 249, 250
Savane, végétation de 158-159
Sédiment métallifère 32
Sédimentaires, roches 208-209
Séismes 241-250
    effets 245
    mesures 244
    nature 241
    réaction aux séismes 249

Séismiques, vagues *voir* tsunamis
Septième approximation 179
Sial 205
Sima 205
Sismologie 204, 220
Solaire, système 4-5
Soleil 5, 42
Solifluxion 259
Sols
 alluviaux 176
 carte à l'échelle mondiale 171
 chernozem 175
 classification 170, 172-179
 composition 163
 fertilité 169
 formation 166
 gris-brun et bruns podzoliques 173
 horizons 165-166
 influence de la roche-mère 166
 latosols 174
 podzols 172
 profil 165
 salinisation 176
 Septième approximation 179
 texture et structure 163-164
 végétation 150
Solstices 9-10
Solution 252
Sous-adaptés ou sur-adaptés, cours d'eau 292
Sphéroïde aplati 6
St. Helens (mont) 237
Steppe, *voir* prairies
Stéréoscope 336
Stratosphère 39-40
Strato-volcans 237
Stries 288
Structure des sols 163-164
Subduction, zone de 222
Sublimation 59
Subsolaire, point 11
Succession, *voir* écosystèmes
Surpêche 35
Symboles cartographiques 329
Synclinal 228

T
Tableau des temps géologiques 202
Taïga 152
Talus 257
Talus continentaux 24
Taxonomie des sols, *voir* Septième approximation
Tectonique des plaques, *voir* dérive des continents
Télédétection 337-339
Température
 effets sur les plantes 149
 effets sur les sols 166
 inversion thermique 39, 114
 réchauffement de l'atmosphère 44
 répartition des températures sur la Terre 49
 terminateur 9
Terrasses 206, 310
Terre
 âge 202-203
 composition de l'écorce 201
 croûte 204
 formation 204
 grille 325
 mouvements 7
 structure interne 203-206
 taille et forme 6
Thermocline 27
Thermomètre à cuvette mouillée et à cuvette sèche 60
Thermosphère 39
Tornades 83
Toundra, arctique et alpine 101, 161
Traînée fluvio-glaciaire 304
Transformation progressive
 par l'eau de ruissellement 262
 par les glaciers 284
 par les vagues et les courants 308
 par le vent 305
Transpiration 149
Trophogène, zone 23
Trophophytes 150
Troposphère 38
Tsunamis 28, 245

U
Uranium 207

V
Vagues 27
Vallée sous-marine 24
Vallée d'effondrement 227
Vapeur d'eau 38, 44, 59, 107
 humidité absolue et relative 59-60
Végétation naturelle 147-162
 carte de répartition à l'échelle mondiale 148
 climax 136
 facteurs déterminants 149-151
 types 151-162
Vents
 courants-jets 57-58
 masses d'air 72-74
 mousson 57
 répartition planétaire 55-58
Vésuve 236
Vitesse adiabatique 62
Voie lactée 4
Volatils 232
Volcanisme 230
 d'extrusion 230, 232
 d'intrusion 232, 239
 dorsales médio-océaniques 222
 volcanisme et l'être humain 239
Volcans, *voir* volcanisme, périls environnementaux

W
Walsterben (mort de la forêt) 117
Wegener, Alfred 217

X
Xérophytes 149

Y
Yazoo, rivière 273

Z
Zone faillée 222
Zone économique exclusive (ZEE) 35